EL SEÑOR DE BEMBIBRE

COLECCIÓN FUNDADA POR
DON ANTONIO RODRÍGUEZ-MOÑINO

DIRECTOR
DON ALONSO ZAMORA VICENTE

Colaboradores de los volúmenes publicados:

Francisco Aguilar Piñal. Giovanni Allegra. Andrés Amorós. Farris Anderson. René Andioc. Joaquín Arce. Eugenio Asensio. Juan B. Avalle-Arce. Francisco Ayala. Hannah E. Bergman. Bernardo Blanco González. Alberto Blecua. José Manuel Blecua. Laureano Bonet. Carmen Bravo Villasante. María Josefa Canellada. José Luis Cano. Soledad Carrasco. José Caso González. Elena Catena. Biruté Ciplijauskaité. Antoni Comas. Evaristo Correa Calderón. Cyrus C. de Coster. D. W. Cruickshank. Cristóbal Cuevas. Bruno Damiani. George Demerson. Albert Dérozier. José M. Díez Borque. Ricardo Doménech. John Dowling. Manuel Durán. José Durand. Henry Ettinghausen. Rafael Ferreres. Miguel Flys. Yves-René Fonquerne. E. Inman Fox. Vicente Gaos. Salvador García. Luciano García Lorenzo. Joaquín González-Muela. F. González Ollé. Robert Jammes. Ernesto Jareño. Pablo Jauralde. R. O. Jones. A. David Kossoff. Teresa Labarta de Chaves. Carolyn R. Lee. Isaías Lerner. Juan M. Lope Blanch. Francisco López Estrada. Luisa López-Grigera. Leopoldo de Luis. Felipe C. R. Maldonado. Robert Marrast. Marina Mayoral Díaz. D. W. McPheeters. Guy Mercadier. Ian Michael. Miguel Mihura. José F. Montesinos. Edwin S. Morby. Marcos A. Morínigo. Luis Andrés Murillo. André Nougué. Berta Pallarés. Manuel A. Penella. Joseph Pérez. Jean Louis Picoche. John H. R. Polt. Antonio Prieto. Arturo Ramoneda. Jean-Pierre Ressot. Rogelio Reyes. Francisco Rico. Dionisio Ridruejo. Elias L. Rivers. Evangelina Rodríguez. Julio Rodríguez Luis. Julio Rodríguez-Puértolas. Leonardo Romero. Juan Manuel Rozas. Francisco Ruiz Ramón. Georgina Sabat de Rivers. Celina Sabor de Cortazar. Fernando G. Salinero. José Sanchis-Banús. Russell P. Sebold. Dorothy S. Severin. Margarita Smerdou Altolaguirre. Gonzalo Sobejano. N. Spadaccini. Jean Testas. Antonio Tordera. José Carlos de Torres. Isabel Uría Maqua. José María Valverde. Stanko B. Vranich. Frida Weber de Kurlat. Keith Whinnom. Anthony N. Zahareas.

ENRIQUE GIL Y CARRASCO

EL SEÑOR DE BEMBIBRE

Edición,
introducción y notas
de
JEAN-LOUIS PICOCHE

Madrid

Zurbano, 39 - 28010 Madrid - Tel. 419 58 57

Cubierta de Víctor Sanz

Impreso en España - Printed in Spain
Unigraf, S. A. Fuenlabrada (Madrid)

I.S.B.N.: 84-7039-477-0
Depósito Legal: M. 25.569-1986

SUMARIO

INTRODUCCIÓN

BIOGRÁFICA Y CRÍTICA

I. VIDA Y ACTIVIDADES DEL ESCRITOR

Juan Gil y Bas, oriundo de Peñalcázar de Soria, pueblecito fortificado, hoy abandonado, a media distancia de Soria y Calatayud, nace el 22 de agosto de 1776, de familia arraigada en aquel lugar de Castilla la Vieja. Era hidalgo de rancia alcurnia. Emprende estudios de filosofía.[1] En 1808, es funcionario de arbitrios piadosos en Madrid, sigue luego la Regencia a Cádiz donde encuentra a doña María Tomasa Palafox Portocarrero, marquesa de Villafranca, que le confía el cargo de administrador de sus bienes.[2] Casa en 1812 con una doncella oriunda de Toro (Zamora), Manuela Carrasco y Romero (nacida el 10 de septiembre de 1784), y se instala con ella en Villafranca del Bierzo donde Juan Gil toma su cargo de administrador del marquesado. Al matrimonio le nace primero una hija, María Cesárea (25 de febrero de 1813). El segundo es Enrique Gil que nace en Villafranca, calle del Agua, actual número 15,[3] el 15 de julio de 1815,

[1] Archivo Parroquial de Peñalcázar, *Memoria de Huérfanas,* fundado por Diego Las Heras, fol. 170.

[2] Archivo Notarial de Villafranca, año 1814, fol. 81.

[3] A pesar de discrepancias entre varios eruditos, estamos seguros de que se trata del núm. 15 (palacio con dos escudos), y no del 17 como opinan varios. Este hecho consta de modo innegable en el Archivo Notarial de Villafranca, año 1813, fol. 46 r. y v., 19 de febrero de 1813. La descripción de la casa alquilada por

bautizado a los dos días en la parroquia de Santa Catalina.[4]

Poco antes, el cabildo de la colegiata de Villafranca confiere a Juan Gil el cargo de administrador de sus bienes.[5] Así, la infancia del autor, al que luego nacen cuatro hermanos,[6] se encontrará libre de preocupaciones materiales. En 1820, ocurre la primera desamortización y viene a vivir con la familia, don Buenaventura Gil, hermano de don Juan, benedictino expulsado del monasterio de Sopetrán.[7] Juan Gil compra entonces un prado y una casa, bienes clericales desamortizados.[8] En 1821, Juan Gil tiene que abandonar su cargo de administrador del marquesado, a consecuencia de un hecho delicado y lastimoso. La marquesa de Villafranca, ya viuda, manda a un apoderado a que averigüe las cuentas de su administrador, en las que resulta un vacío considerable de unos 20.114 reales por lo menos.[9] Pierde el cargo y tiene que reembolsar el dinero extraviado. En 1823, logra el cargo de Administrador de Rentas Reales de Ponferrada por lo cual tiene que abonar la cantidad de 60.000 reales, suma que reúne mediante dos empréstitos.[10] A su llegada a Ponferrada (19 de septiembre de 1823),[11] tiene, pues, que solventar una deuda importante y reembolsar dos empréstitos más gravosos todavía.

Juan Gil corresponde exactamente al actual número 15, donde se encuentra la lápida.

[4] *Libro de bautizados de la parroquial iglesia de Santa Catalina,* tomo 30, 17 de julio de 1815.

[5] Archivo Notarial de Villafranca, 8 de noviembre de 1814, fols. 294-295, y 14 de marzo de 1815, fols. 97 y 98 r.

[6] Nemesia Águeda, n. 1817; Eugenio José, n. 1819, y Pelayo Pablo, n. 1822 y muerto joven, todos nacidos en Villafranca. Finalmente, en 1826 nacerá Águeda en Ponferrada. Total, seis hijos, cinco vivos.

[7] Archivo Notarial de Villafranca, 1820, fol. 311, de 11 de diciembre.

[8] Archivo Notarial de Villafranca, año 1823, fols. 168 r.-v. y 169 r.-v., de 8 de noviembre.

[9] Archivo Notarial de Villafranca, año 1822, fol. 139, de 10 de septiembre, y 162, de 9 de octubre.

[10] Archivo Notarial de Villafranca, año 1823, 20 de septiembre. Archivo Notarial de Ponferrada, año 1823, 27 de septiembre.

[11] Archivo Notarial de Ponferrada, 26 de septiembre de 1823.

Esta lastimosa historia explica perfectamente por qué tiene Enrique Gil un recuerdo malísimo de Villafranca, que no cita ni una vez en *El señor de Bembibre* y poquísimas veces, y siempre con desprecio, en el resto de su obra.

En Ponferrada, Enrique Gil estudia en el antiguo Colegio de Agustinos (hoy Instituto de Enseñanza Media "Gil y Carrasco") de los ocho a los trece años. Su estancia en Ponferrada marca al poeta que luego recordará su infancia en varios poemas. El enorme castillo, sobre todo, deja huellas en *La niebla, El Sil, Un recuerdo de los Templarios.* Se encuentra también una evocación de la niñez ponferradina en *La mariposa.* En 1825, se alista Juan Gil como subteniente del Tercio de Voluntarios Realistas de Ponferrada, [12] probablemente para hacer olvidar sus anteriores compras de bienes desamortizados. Enrique cursa el año escolar de 1828 a 1829 en el monasterio benedictino de Vega de Espinareda. En octubre de 1829, pasa al Seminario de Astorga como colegial, es decir, sin la intención de prepararse para el sacerdocio.[13] Allí, estudia dos años, de octubre de 1829 a junio de 1831. Figura su nombre en los registros del Seminario, [14] donde se anota que era castaño y de ojos garzos.

La vida del seminario, que se conoce gracias a las constituciones de 1826 era austera, y los estudios, especialmente latinos y filosóficos eran sin duda los mejores que, entonces, podían suministrarse en la región.

Cuando vuelve el poeta a Ponferrada, durante las vacaciones escolares, frecuenta una familia importante de la ciudad: la familia Baylina. Uno de los hijos, Guillermo, es amigo suyo y el poeta le dedicará su poema *La campana de la oración.* [15] Su hermana, doña Juana Baylina, es probablemente el gran amor de juventud del poeta,

[12] Archivo Municipal de Ponferrada, S. N.

[13] *Constituciones formadas en 1826* por... don Manuel Morete Bodelón, ms. del Seminario Astorgano, cap. 7.

[14] *Libro de Matrículas y Revalidaciones,* fols. 31 r., 45 r., 49 r., 50 v.

[15] *El Español,* núm. 797, 8 de enero de 1838.

la célebre "doncella de ojos negros, de frente melancólica y de sonrisa angelical".[16] En aquel tiempo empieza E. Gil sus excursiones por las cercanías de Ponferrada.

E. Gil se matricula en Leyes en enero de 1832,[17] en la Universidad de Valladolid. Entonces, quedan cerradas las universidades por Real Decreto, para evitar disturbios estudiantiles. Las clases se dan en los domicilios de los profesores. A partir de octubre de 1832, abierta de nuevo la Universidad, cursa E. Gil el segundo año de Leyes. En Valladolid, conoce a varios condiscípulos notables entre los cuales Joaquín del Pino, J. M. de Ulloa, Miguel de los Santos Álvarez y al más célebre de todos, José Zorrilla.[18] Desde Valladolid, hace una excursión a Simancas que dará lugar al artículo "El castillo de Simancas".[19]

En 1835, al principio de la guerra carlista, Mendizábal ordena la movilización de todos los hombres de dieciocho a cuarenta años. Como el número hubiera sido demasiado grande, se hace un sorteo y E. Gil saca un mal número. Obligado un tiempo a seguir el ejército cristino, está libertado dos meses más tarde y puede matricularse de nuevo en Valladolid[20] en quinto año de Leyes. No hubo persecución política que le obligara a interrumpir sus estudios como lo afirman casi todos los biógrafos.

Por aquel tiempo, aproximadamente, tiene lugar el viaje a las montañas de León, Asturias y Pas con cuyos recuer-

[16] Nació Juana Baylina el 8 de marzo de 1817 (Archivo de la Encina, lib. V de bautizados, fol. 28 v.). La fecha de su muerte (14 de noviembre de 1837) corresponde exactamente al relato del *Anochecer en San Antonio de la Florida* (*El Correo Nacional*, núms. 270-271, de 12 y 13 de noviembre de 1838), poema en prosa autobiográfico que citamos aquí.

[17] Archivo Universitario de Valladolid, leg. 1079 ant. *Matrícula en Leyes,* 1831-1832.

[18] Archivo Universitario de Valladolid, *Matrículas de Leyes,* t. 82, *passim.*

[19] "El Castillo de Simancas", *Semanario Pintoresco,* serie 2, número 38, de 22 de septiembre de 1839. También habla E. Gil de un breve viaje a Madrid (cf. "Bosquejos de España", art. II).

[20] Todas estas circunstancias en Archivo Universitario de Valladolid, *Libro de Matrículas,* núm. 82, fol. 129 v.

dos escribirá "Los montañeses de León",[21] "Los asturianos"[22] y "Los pasiegos".[23]

En 1835, se suprime el colegio de Agustinos de Ponferrada así como los monasterios de Vega de Espinareda y de San Pedro de Montes. En septiembre de 1836, E. Gil decide abandonar la Universidad de Valladolid para seguir la carrera en Madrid, en la Universidad recién trasladada a la Corte desde Alcalá. Probablemente, esta idea tuvo una acogida muy poco favorable de su familia y su salida para Madrid se parece a una huída. Después de una separación dolorosa de su querida, sólo le acompaña Guillermo Baylina durante algún tiempo.[24] Se matricula en la nueva Universidad de Madrid en sexto año de Leyes.[25] Pero, a partir de entonces, no se le vuelve a encontrar en los libros de la Universidad, lo que permite pensar que interrumpe voluntariamente sus estudios para consagrarse completamente a la literatura.

Llega a Madrid al mismo tiempo que Zorrilla y Miguel de los Santos Álvarez. Éste le presenta a Espronceda que será un gran amigo y protector. Frecuenta el *Parnasillo,* famoso círculo que reúne la mayor parte de los literatos madrileños del tiempo, y conoce a Mesonero Romanos y González Bravo. Sin embargo, vive en la mayor miseria. Mientras tanto, tres personas queridas mueren en Ponferrada en el espacio de dos meses: su padre (18 de septiembre de 1837)[26] a quien no había visto desde su huída de Ponferrada, su amigo Guillermo Baylina (10 de octubre de 1837)[27] y al fin su querida, Juana Baylina (14 de noviembre de 1837).[28] Las tres muertes producen un cho-

[21] *Semanario,* serie 2, núm. 15, de 14 de abril de 1839.
[22] *Semanario,* serie 2, núm. 19, de 12 de mayo de 1839.
[23] *Semanario,* serie 2, núm. 26, de 30 de junio de 1839.
[24] *Anochecer...,* cap. I.
[25] Archivo General de la Universidad Central de Madrid, Secretaría de la Universidad de Madrid, *Matrículas y pruebas de curso de 1836 a 1845,* fol. 76 r, sexto año de Leyes.
[26] *Difuntos de la Encina,* libro 3.º, fol. 255 r.
[27] *Ibid.,* fol. 255 v.
[28] *Ibid.,* fol. 256 r.

que violento que provoca una vuelta a la religión algo floja entonces. Lo relata en su poema en prosa *Anochecer en San Antonio de la Florida.*

Tres acontecimientos importantes marcan, además, el año 1837. Primero, el estreno de *Los amantes de Teruel* de Hartzenbusch el 19 de enero. El drama impresiona tanto a E. Gil que construirá luego gran parte de *El señor de Bembibre* sobre su argumento. Luego, el entierro de Larra, el 13 de febrero, con la revelación del joven Zorrilla. E. Gil asiste al entierro y puede ver cómo su antiguo condiscípulo encontraba repentinamente la gloria. Al fin, en marzo de 1837, se abre el Liceo, círculo literario muy lucido en que alternan las personalidades más notables de las artes y las letras. E. Gil es un socio asiduo y allí conoce su primer éxito con la lectura, hecha por Espronceda, de su célebre Gota de rocío, el 7 de diciembre de 1837. El poema se publica casi inmediatamente en *El Español* [29] y en *No me olvides.* [30] Es una suerte repentina que permite al poeta darse a conocer y publicar sus obras en la prensa periódica madrileña.

La muerte de Juan Gil no provoca la ruina de la familia. Eugenio Gil, hermano de Enrique, logra suceder a su padre. Mientras tanto, Enrique publica "La campana" (8 de enero de 1838) y "A... (Sentimientos perdidos)" (22 de enero) en *El Español,* que pronto dejará de aparecer para ser sustituido por *El Correo Nacional,* diario mucho más moderado, dirigido por el mismo Andrés Borrego. En sus columnas, y alternando con F. de Madrazo y Zorrilla, publica E. Gil su "Isla desierta" (21 de febrero de 1838), "La mariposa" (supl. al 14 de marzo), "Un recuerdo de los templarios" (2 de abril) y "Un ensueño" (14 de abril). Luego, interrumpe su colaboración por unos cinco meses.

El 30 de enero de 1838, la reina María Cristina visita el Liceo. Se le ofrece un álbum en el cual figuran ocho dibujos, cuatro composiciones musicales y seis poemas, entre los cuales destaca "La niebla" de E. Gil (reproducida

[29] *El Español,* núm. 775, de 17 de diciembre de 1837.
[30] *No me olvides,* núm. 34, de 24 de diciembre, p. 364a.

luego en la revista *El Liceo*),[31] al lado de obras de poetas ya famosos o más viejos: Ventura de la Vega, Escosura, Bretón de los Herreros, Santos López Pelegrín, Romero Larrañaga. En la misma revista *El Liceo* publica "El cisne"[32] leído probablemente en la sesión de competencia del 17 de mayo. Se nota en este poema que ya el autor está enfermo. Son, probablemente, los primeros síntomas de la tuberculosis pulmonar que se desarrollará durante ocho años. Se ensaya también en la oda patriótica con su gran poema "Polonia", que Ventura de la Vega lee en la sesión de 1.° de junio de 1838. Es un notable éxito y el poema se publica en la revista *El Liceo.*[33] Al fin, E. Gil se atreve a leer en público, por vez primera, una composición suya en el Liceo. Se trata de "El río Sil" (5 de julio) que publica luego en la misma revista.[34]

A partir de septiembre, reanuda su colaboración con *El Correo Nacional* en que sigue publicando poemas asumiendo además el cargo de crítico dramático. Es probable que los tres artículos anónimos de crítica, publicados en los números 2, 4 y 75 del mismo periódico sean suyos y marquen sus primeros pasos en la crítica literaria. Sin embargo, parece que a partir de septiembre, se trate de un cargo oficial ya que critica absolutamente todos los estrenos de Madrid. Su primer artículo es la crítica de *Amor venga sus agravios* de Espronceda y Moreno López (4 de octubre de 1838) en que defiende como puede un drama que fracasó.

Los poemas publicados entonces en *El Correo* son "La nube blanca" (4 de septiembre), "Meditación" (9 de octubre) y "La voz del ángel" (10 de noviembre). Luego, publica bajo la denominación de "Fantasía", su famoso relato autobiográfico "Anochecer en San Antonio de la Florida" (12 y 13 de noviembre). Cuenta en él, el desarrollo de su violenta crisis religiosa cuando conoció la muer-

31 *El Liceo,* t. II, pp. 19-23.
32 *El Liceo,* t. I, pp. 159-164.
33 *El Liceo,* t. II, pp. 55-59.
34 *El Liceo,* t. II, pp. 123-128.

te de tres seres queridos, y coloca la escena en el recinto de la capilla decorada por Goya. Se trata de un verdadero poema en prosa, de tono muy personal, y publicado precisamente en el aniversario del acontecimiento. Luego publica su bella oda patriótica: "A la memoria del conde de Campo Alange" (dedicada a Espronceda), que es una verdadera profesión de fe liberal y aristocrática a la vez. Evoca al joven escritor y militar, muerto en diciembre de 1836 durante el sitio de Bilbao.

El 16 de diciembre empieza con su poema "Fragmento", una colaboración asidua en el famoso *Semanario pintoresco español* de Mesonero Romanos. Se trata del mejor semanario madrileño que publica cuentos, poemas, relatos de viajes y costumbres, y está adornado con gran cantidad de grabados en madera.

En 1839, Gil se mezcla cada vez más con la sociedad literaria de su tiempo. Participa en la gran fiesta de instalación del Liceo en el palacio de Vista Hermosa [35] en presencia de la reina y sus ministros, y está convidado con otros literatos importantes en la comida de despedida de los célebres actores Julián Romea, su hermano Florencio y su esposa Matilde Díez. [36]

El Semanario le permite dedicarse a nuevos géneros literarios: los relatos de viajes y el costumbrismo. A partir de febrero, publica, en efecto, una serie de estudios arqueológicos y folklóricos de la región que mejor conoce: el noroeste de España. Se trata sucesivamente de "La catedral de León" (10 de febrero), "Los maragatos" (24 de febrero), "San Isidoro de León" (17 de marzo), "Los montañeses de León" (14 de abril), "El palacio de los Guzmanes en León" (28 de abril), "Los asturianos" (12 de mayo), "San Marcos de León" (9 de junio), "Los pasiegos" (30 de junio) y "El castillo de Simancas" (22 de septiembre).

[35] *El Panorama,* t. I, núm. 2, de 10 de enero de 1839, y *Semanario,* 2.ª serie, t. I, núm. 1, de 6 de enero de 1839.

[36] *Correo Nacional,* núm. 370, de 20 de febrero de 1839, artículo firmado por E. Gil.

Mientras tanto tiene lugar en *El Correo,* una disputa entre un crítico anónimo [37] que enjuició desfavorablemente una conferencia de Espronceda, y Enrique Gil que, pocos días después, [38] le defiende encarecidamente. Gil evoca también la erección en Granada, [39] por Julián Romea, de un monumento a la memoria del gran actor Isidoro Máiquez.

Publica sus poesías en varios periódicos: en *El Entreacto,* "A.F.O.", [40] "A la memoria del general Torrijos" [41] y "Versos insertos en el álbum de una señorita"; [42] en *La Legalidad* (diario de González Bravo), "A Blanca" [43] y "La palma del desierto" [44]; en *El Piloto,* "Paz y porvenir", [45] escrito en la ocasión del Convenio de Vergara (31 de agosto de 1839) y leído en el Liceo el 9 de septiembre.

Entre los meses de septiembre y noviembre, E. Gil abandona a la vez la crítica del *Correo Nacional* y la poesía. Tan sólo publica dos artículos generales en el *Semanario* que llevan ambos el título de "Revista teatral". [46] La razón de este relativo silencio es la enfermedad y, en efecto, en noviembre de 1839, emprende, ya convaleciente, el camino de Ponferrada. Vuelve ya célebre, instalado en la sociedad literaria, miembro activo del Liceo, periodista en dos publicaciones importantes. Es el crítico teatral más notable de Madrid y se gana la vida. Ha logrado lo que deseaba. Sin embargo, su salud se encuentra comprometida irremediablemente.

E. Gil aprovecha su descanso en Ponferrada para escribir su primera novela, *El lago de Carucedo.* En ella

[37] Núm. 411, de 3 de abril de 1839.
[38] Núm. 420 de 12 de abril de 1839.
[39] Núm. 541, de 11 de agosto de 1839.
[40] Núm. 2, de 4 de abril de 1839.
[41] Núm. 27, de 30 de junio de 1839.
[42] Núm. 28, de 4 de julio de 1839.
[43] Núm. 9, de 17 de agosto de 1839.
[44] Núm. 78, de 5 de noviembre de 1839.
[45] Núm. 190, de 11 de septiembre de 1839.
[46] Segunda serie, t. I, entr. 43, de 27 de octubre, y 44, de 5 de noviembre de 1839.

figuran, en el marco del Bierzo, los tipos del monje virtuoso y austero, del caballero desdichado y de la infeliz doncella amenazada por un señor sin escrúpulos. Además, ya se nota su interés hacia las órdenes militares, la de Calatrava en tal caso. En Ponferrada, recibe también el tomo de las *Poesías* de Espronceda. Fue seguramente el propio E. Gil el que dirigió la edición de esta obra, [47] y aprovecha la ocasión para escribir una crítica laudatoria que publicará, a su vuelta a Madrid, en el *Semanario*. [48] En seguida empieza también, en el mismo periódico, la publicación en folletín del *Lago de Carucedo*. [49]. Y entonces calla. Ya no escribirá ni en el *Correo Nacional* ni en el *Semanario Pintoresco* y no se sabe por qué.

Pronto, E. Gil obtendrá una colocación segura. El 28 de noviembre de 1840, mediante una actuación de Espronceda, se le nombra ayudante segundo de la Biblioteca Nacional de Madrid, bajo la dirección de Martín de los Heros. Allí conoce a otros bibliotecarios de la misma, entre los cuales M. A. Príncipe, B. S. Castellanos y, sobre todo J. E. Hartzenbusch.

A principios de 1841 aparece un nuevo semanario enciclopédico, *El Iris*. Su director es F. de Paula Mellado. Publica el poema de E. Gil "La caída de las hojas", [50] escrito ya en noviembre de 1840 y que resulta ser un adiós a la poesía.

En mayo de 1841 Espronceda, Ros de Olano y M. S. Álvarez fundan una revista literaria titulada *El pensamiento*. Los principales colaboradores son E. Gil, González Bravo, García Tassara, García de Villalta. Es una revista seria, de buena presentación y que contiene artículos de valor. E. Gil colabora asiduamente en dicha revista con artículos críticos y estudios de índole muy variada: estudio sobre

[47] V. Espronceda, *Poesías líricas y fragmentos épicos*, Madrid, Ed. Castalia, 1970, p. 64.

[48] Segunda serie, t. II, entr. 28 y 29, de 12 y 19 de julio de 1840.

[49] Cuatro entregas, t. II, entr. 29, de 19 de julio, a 32, de 9 de agosto de 1840.

[50] Tomo I, entr. 8.°, sin fecha (¿28 de marzo de 1841?).

Luis Vives, crítica de los *Romances históricos* del Duque de Rivas, estudio sobre las Comunidades de Castilla, sobre trabajos de una sociedad arqueológica en Copenhague, sobre los escritos de Martín Fernández de Navarrete, sobre la literatura de los Estados Unidos y, finalmente, "Una visita al Escorial", buen estudio arqueológico e histórico. Cesa la revista, por falta de recursos, con su entrega número 12 en octubre de 1841, y entonces cesa E. Gil, durante largo tiempo, su actividad periodística. Se dedica a su trabajo de bibliotecario y, probablemente, reúne ya datos para su gran novela, *El señor de Bembibre.*

El 23 de mayo de 1842 muere Espronceda y escribe E. Gil su último poema "Elegía a la muerte de Espronceda" que lee en el cementerio. Se publica este poema en dos periódicos madrileños, ambos el 25 de mayo de 1842. [51]

Emprende luego otro viaje a Ponferrada. Lo concibe como una preparación de su novela y recorre efectivamente todos los lugares en que situará la acción. Procede como Chateaubriand, que escribe el *Itinéraire de Paris à Jérusalem* como preparación a *Les Martyrs.* En efecto, vuelve a Madrid con un manuscrito importante, relato de su viaje por tierras de León: *Bosquejo de un viaje a una provincia del interior.* Como se trata de una preparación inmediata a *El señor de Bembibre,* publicamos en esta edición los trozos más significativos de esta obra. E. Gil la publica en folletín en el diario *El Sol.* [52]

El principio del año 1843, lo consagra E. Gil a terminar *El señor de Bembibre* y escribir tres artículos de costumbres para el gran libro de Boix: *Los españoles pintados por sí mismos.* Se trata de "El pastor trashumante", "El segador" y "El maragato" (artículo diferente de "Los maragatos" del *Semanario* de 1839).

En noviembre de 1843, vuelve a colaborar asiduamen-

[51] *El Corresponsal,* núm. 1088, y *El Eco del Comercio,* número 2945.

[52] Entre los números 65, de 3 de febrero de 1843, y 137, de 27 de abril.

te a una revista. Se trata de *El Laberinto,* bimensual, religioso y conservador, dirigido por A. Flores. Se encarga de la *Revista de la Quincena,* crítica de las manifestaciones artísticas y literarias de la pasada quincena. Lo hace asiduamente de 1 de noviembre de 1843 a 1 de abril de 1844.

Poco después (1 de diciembre de 1843) González Bravo se encontró repentinamente a la cabeza del gobierno español. Emprende una política exterior destinada a asegurar firmemente el trono de Isabel II y quiere obtener el reconocimiento de la soberana por parte del bloque de naciones que más encarnizadamente habían sostenido a los carlistas: Rusia, Austria y Prusia, empezando por esta última, más asequible que las demás. González Bravo confía a E. Gil una misión enorme de información sobre Prusia. Probablemente, se trata mejor de tener en Berlín una personalidad oficial capaz de representar al país, esperando el reconocimiento y el intercambio de embajadores. Mientras tanto, el ministro de España en Suiza, don Luis de la Torre Ayllón, se encarga de las negociaciones secretas.[53] El papel de E. Gil en Berlín es en realidad sobre todo psicológico.[54]

E. Gil cesa su labor de bibliotecario el 29 de febrero de 1844 y estudia la lengua alemana. A primeros de abril, pasa de Madrid a Valencia, luego a Barcelona y se embarca el 20 de mayo con destino a Marsella. Se detiene poco en Lyon y permanece en París desde fines de mayo hasta principios de agosto. Hace una excursión a Rouen para experimentar la línea de ferrocarril más larga de Francia y visitar la ciudad. Manda a *El Laberinto* dos relatos de viaje: "Viaje a Francia"[55] y sobre todo "Rouen",[56] el último y más hermoso de sus artículos. Sigue su viaje por Bélgica, Países Bajos y penetra en Alemania por el valle del Rin que recorre siguiendo el itinerario del

[53] El reconocimiento tendrá lugar tan sólo en 1848.
[54] Lo muestra el conjunto de las cartas que manda al Ministerio de Estado.
[55] Núm. 20, de 16 de agosto de 1844.
[56] Núm. 22, de 16 de septiembre de 1844.

Childe-Harold de Byron. Llega a Berlín el 24 de septiembre. Este viaje larguísimo muestra que no tiene ninguna prisa para instalarse en su nueva colocación. Se entrevista con el barón de Humboldt que le da en seguida su amistad y protección y le introduce a presencia del rey, de la familia real y de los ministros, esencialmente del de asuntos exteriores, barón de Bülow.

En verano de 1845, la enfermedad se agrava considerablemente y vuelve cansadísimo de las aguas de Reinerz. A pesar de obtener la autorización para ir a Niza a restablecerse, no puede aprovecharla. Recibe, en otoño, unos ejemplares de *El señor de Bembibre,* de los cuales entrega uno al rey el día de Navidad de 1845. El rey leyó la obra y consultó un mapa para situar el Bierzo. E. Gil recibe, como recompensa oficial, la gran medalla de oro y obtiene para Humboldt la Cruz de la Orden de Carlos III.[57]

Muere el 22 de febrero de 1846 antes de cumplir los treinta y un años. El entierro se realiza ante numerosos miembros del cuerpo diplomático, en el cementerio católico de Santa Eduvigis en Berlín.

De la muerte de E. Gil, se habló poco en la prensa española.[58] Dos revistas le dedican poesías: *El Liceo,* de La Coruña, con una elegía de J. M. Montes[59] y el *Semanario Pintoresco* con el poema de Valentín de Aldana: "A la memoria de don Enrique Gil".[60]

Muere con algunas deudas y la sucesión de E. Gil es una lamentable y larguísima historia que sólo acaba en 1854 cuando el gobierno español se resuelve a pagar los 471 thalers, o sea, 1766 francos franceses del descubierto.

Años después, se escribieron poemas a la memoria de

[57] La mayor parte de estas noticias y de las que siguen, en el expediente de E. Gil, Ministerio de Asuntos Exteriores (Madrid), núm. 5583, leg. 114, letra G (año 1844, núm. 137).

[58] *El Castellano,* núm. 2977, de 6 de marzo de 1846; *El Español,* núm. 535, de 15 de marzo de 1846, por ejemplo.

[59] V. Campos, BAE, t. 74, p. XX.

[60] *Semanario,* año XI, 1846, núm. 24, de 14 de junio de 1846.

E. Gil, entre los cuales destaca uno de F. de la Vera e Isla,[61] varios de su hermano Eugenio Gil[62] y la famosa *Epístola a Pedro* de E. F. Sanz escrita a raíz de una visita a la tumba del escritor en febrero de 1856.

Era E. Gil de carácter tímido y melancólico. Delectábase en los ensueños y el *esplín,* lo que no excluía un espíritu muy sociable, mucha actividad, un don de observación excelente, humorismo y socarronería. Era a la vez un soñador doliente y un observador activo y alegre. Patriota profundamente honrado, el liberalismo político le atraía sin que tomase, sin embargo, opciones perfectamente determinadas. En realidad, era un idealista que rechazaba el materialismo ambiente en el cual no veía más que una fuente de decadencia. Pensaba que el poeta tiene que desempeñar un papel social importante: el de dar, en un ambiente materialista, el sitio que pertenece al sentimiento, es decir, el primero. Creía probablemente que las Órdenes de Caballería fueron poderosos estímulos para un idealismo político. Las admiraba profundamente y creía que, en su tiempo, un ideal análogo, de origen aristocrático quizás, podría estimular poderosamente a la juventud española. Era firme partidario de las Órdenes Religiosas y consideraba que la exclaustración había sido un error desastroso para la sociedad española. Su religión tuvo alternativas de dudas y de arrojos místicos que no se pueden localizar perfectamente en la cronología.

II. "El Señor de Bembibre"

El Señor de Bembibre. *Novela histórica*

Enrique Gil no calificó su obra "novela histórica" sino, más sencillamente, "novela original". Este hecho prueba que no es una novela histórica a lo Walter Scott, destinada a recrear un ambiente histórico en el cual la acción

[61] En *Poesías líricas,* de Enrique Gil, Madrid (1873), pp. XLI-XLII.
[62] *Ibid.,* pp. XXXIII-XL.

novelística no sería más que un pretexto. Al contrario, la trama sentimental tiene una importancia mayor que la histórica. Tenemos que entender este punto antes de abrir el libro.

Los hechos históricos a los cuales se alude en *El Señor de Bembibre* son los siguientes:

— La Orden del Temple, fuertemente instalada en el reino de León, quiere evitar las persecuciones que prevé. Se encuentra frente a una coalición poderosa formada por el rey Fernando IV, los ricos hombres, el pueblo y las órdenes religiosas. Algunos Templarios creen posible una resistencia victoriosa y hasta el dominio de la Orden sobre Europa entera.

— Don Juan Núñez de Lara, con la complicidad del infante Don Juan se rebela contra el rey que lo sitia en Tordehumos. El rebelde logra un convenio honroso.

— El papa manda arrestar los Templarios para juzgarlos. Resisten primero y, luego, obedecen.

— Los Templarios castellanos se juzgan y absuelven en Salamanca.

— El concilio de Viena disuelve la Orden.

Se nota, pues, que los acontecimientos históricos son pocos. Sin embargo, la documentación es abundante. Esto se explica por el empleo de bibliotecario de la Nacional que E. Gil desempeñaba cuando redactaba *El Señor de Bembibre.*

Documentación histórica

Se puede deducir, de un estudio detenido de la novela que las obras consultadas fueron las siguientes:

Historiadores generales:

Juan de Mariana: *Historia de España* (sobre todo, libro XV, cap. X) (1592-1601).

Juan de Ferreras: *Historia de España.* Parte séptima (1721).

Jules Michelet: *Histoire de France,* livre V.[1] (A partir de 1833.)

E. de Garibay y Zamalloa: *Los XL libros del Compendio Historial* (1571).

Jerónimo de Zurita: *Anales de la corona de Aragón,* tomo I (1610).

Historiadores de la Orden del Temple:

Pedro Rodríguez Campomanes: *Disertaciones históricas del Orden y Cavallería de los Templarios* (1747).

J. Lorenzo Villanueva: *Viaje literario a las iglesias de España,* t. V (1806).

Raynouard: *Les Templiers,* tragédie en cinq actes (1805) suivie des *Monuments historiques relatifs à la condamnation des chevaliers du Temple et à l'abolition de leur Ordre.*

Santiago López: *Historia de los Templarios* (1813). Precede la traducción española de la tragedia de Raynouard.

Joaquín Bastús: *Historia de los Templarios* (1834).[2]

Historiadores de hechos particulares:

Crónica de Don Fernando IV

Salazar y Castro: *Historia genealógica de la casa de Lara,* t. III (1697).

Manuel José Quintana: *Vidas de los españoles célebres (Guzmán el Bueno)* (1807).

P. Enrique Flórez: *España sagrada,* t. XVI (1762).

Fr. Pr. de Sandoval: *Las fundaciones de los monesterios del glorioso Padre San Benito* (1601).

[1] Michelet publicó los documentos del *Procès des Templiers,* pero E. Gil no pudo consultarlos, ya que sólo se encontraban en curso de publicación (1841-1851) cuando escribió *El Señor de Bembibre.*

[2] Este libro de vulgarización se inspira esencialmente en Campomanes y López sin añadir muchas cosas nuevas.

Fr. Antonio de Yepes y Torres: *Crónica general de la Orden de San Benito.*

Novelas y dramas que aluden a hechos históricos:

Pérez de Montalbán: *Los Templarios* (1638).
Raynouard: *Les Templiers* (V. *supra*).
W. Scott: *The Talisman* (1819).
Ivanhoe (1820).
Juan Cortada: *El rapto de doña Almodis* (1836).
El templario y la villana (1840).

No examinaremos aquí el origen de todos los detalles históricos de la novela. Las notas que aclaran el texto suplen la falta que podría lamentarse en esta Introducción. Es notable que E. Gil utilizó exclusivamente documentos de segunda mano. En su tiempo, los novelistas históricos no hacían investigaciones personales en archivos.

La cronología queda bastante difícil de entender. Al principio (cap. I) escribe el autor: "En una tarde de mayo de uno de los primeros años del siglo XIV..." y al final (conclusión): "Por los años 1320..." y nada más. Sin embargo, los acontecimientos históricos ocurrieron en fechas precisas:

1307 (13 de octubre): prisión de los Templarios franceses.
1307 (fines del año): principio de las persecuciones en Aragón. Se harán más violentas en mayo de 1308.
1308 (julio a noviembre o septiembre a diciembre): sitio de Tordehumos.
1308 resistencia de los Templarios aragoneses en Monzón y Miravete.
1310 (21 de octubre): apertura del concilio de Salamanca.
1311 (abril): primera sesión, muy corta, del concilio de Viena.

1312 (3 de abril): principio de la segunda sesión del concilio de Viena. Supresión de la Orden del Temple.

No se precisa a qué sesión del concilio de Viena acude don Alonso Ossorio. Si se trata de la primera, se concibe que la novela empieza en mayo de 1308 para acabar en abril de 1311, independientemente de la conclusión que se verifica varios años más tarde, es decir, que abarca exactamente tres años. Ahora bien, la acción sentimental ligada a la historia no dura más que un año: empieza en mayo de 1308, el rapto de doña Beatriz tiene lugar en junio, don Álvaro queda cautivo en Tordehumos de julio a octubre incluido, en noviembre, ingresa en la Orden del Temple. El sitio de Cornatel se verifica en enero, el concilio de Salamanca a fines del invierno y la muerte de doña Beatriz en abril. Así, la acción histórica termina dos años más tarde que la sentimental. Seguramente estuvo consciente E. Gil de esta incoherencia cronológica y la hizo adrede para dar mayor homogeneidad artística a su obra. Cada una de las estaciones del año está evocada de esta manera y solamente lo está una vez. Ya se conoce la importancia que tienen el paisaje y la naturaleza en la novela.

Los personajes

Hay dos clases de personajes: los históricos y los novelescos. *Los personajes históricos* son numerosos, pero intervienen poquísimo en la acción: el papa Clemente V, los reyes Fernando IV de Castilla, Dionisio I de Portugal, Jaime II de Aragón, Felipe el Hermoso de Francia, la reina madre María de Castilla, son muy secundarios y quedan en segundo plano. Hasta los prelados que concurren al concilio de Salamanca quedan en la sombra y el autor se interesa tan sólo en los acusados y testigos. Los personajes históricos que toman verdadera parte en la acción son pues el infante don Juan, don Rodrigo Yáñez, último maestre del Temple en Castilla, el conde de Lemus y don Juan Núñez de Lara.

El infante Don Juan. De su historia no se cambia nada. Se saca de Salazar y Castro [3] el episodio en que discute con don Juan Núñez de Lara en Tordehumos, modificando tan sólo el sitio de la cita que se coloca en un torreón.

El conde de Lemus, don Pedro Fernández de Castro. Sólo el nombre es histórico. [4] En realidad, es únicamente un engendro de la imaginación del autor, con varios rasgos del carácter del infante Don Juan.

Don Juan Núñez de Lara [5] es un personaje perfectamente histórico. Lo incluye E. Gil en su novela por el hecho de que cronológicamente concuerda el episodio de Tordehumos con el principio de las persecuciones contra el Temple en Castilla. Además, tenía E. Gil que crear un episodio de diversión para alejar a don Álvaro del escenario principal. Sin alterar los hechos históricos, E. Gil sabe hacer de este personaje un carácter complejo, orgulloso, ambicioso, pero también cortés, honrado y consciente de sus deberes. Ben Simuel, su médico judío es también histórico. [6]

Don Rodrigo Yáñez, maestre del Temple, aunque personaje histórico, se conoce muy mal. Ferreras [7] habla de sus actuaciones cuando se trató de entregar la fortaleza a la autoridad real. Hubo un conflicto entonces entre el infante don Juan y el infante don Felipe, hermano del rey, que se resolvió mediante la intervención de la reina madre doña María, a favor del rey. Nada de esto aparece en la novela. Antes bien, parece que el carácter del personaje tiene relaciones con el de Jacques de Molay, el maestre francés, mucho mejor conocido. Así se nota que

[3] Salazar y Castro, lib. XVII, cap. IX, o. 174. *El Señor de Bembibre,* cap. XV.
[4] V. nota 127 del capítulo VIII, p. 122.
[5] V. nota 185 del capítulo XII, p. 167.
[6] V. nota 212 del capítulo XIV, p. 180.
[7] Ferreras, parte VII, § 10, p. 43, y § 11, p. 44.

los personajes históricos, si quedan conformes con la historia, tienen un papel reducido y se alejan de ella cuando vienen a tomar parte importante en la acción.

Los nombres de los personajes imaginarios. No se escogen según el capricho del autor.

Ossorio, apellido de doña Beatriz y su padre don Alonso es el de una gran familia leonesa, lo que no impide que cubra en realidad otro apellido. Se trata probablemente del de Álvarez de Toledo. Según documentos fehacientes de esta familia, a la cual pertenece el marqués de Villafranca, se conoce que estuvo aliada con los Ossorio así como con los Yáñez y Balboa, [8] y bien se conoce que dichos apellidos figuran en la novela. Además varios Ossorio fueron señores de Canedo, pueblo muy vecino de Arganza. El feudo de Arganza estuvo además ligado hasta el siglo XV con el de Canedo y el palacio de Arganza perteneció hasta 1937 a la familia Álvarez de Toledo. Es probable, pues, que Gil escogió el apellido Ossorio para evitar la mención de una persona viva: el marqués de Villafranca. Don Alonso Ossorio labró la desgracia de su hija, lo que hizo la marquesa de Villafranca, en 1823, con la familia de Gil. De ahí a conjeturar una posible asimilación de doña Beatriz con el mismo E. Gil, hay gran trecho que, sin embargo, se puede salvar mediante algunas consideraciones:

La familia de Gil es también una gran familia leonesa y el autor no podía ignorarlo. Varios Gil estuvieron ligados con los Ossorio y se conoce, sobre todo, durante el reinado de Fernando IV, a una Isabel Ponce, hija de Sancha *Gil* de Braganza, y que casó con *don Pedro Fernández de Castro* el de la Guerra, homónimo y hermano del personaje de la novela. Además, se sabe que un Ruy *Gil* de Villalobos casó con una doña Teresa Álvarez. [9] Se notan, pues, los vínculos muy estrechos que unían a los Gil con los Ossorio y los Álvarez, y hasta el detalle feha-

[8] Cf. mi tesis, pp. 560 y ss.

[9] Todo eso en Salazar de Mendoza, *Dignidades seglares de Castilla,* lib. III, cap. III, fol. 84 r. b. y v. a.

ciente de que la hija de una Gil casase con un Pedro Fernández de Castro.

Se nota también en la novela la asimilación progresiva que hace Enrique Gil con su personaje femenino: es un ser apasionado y lánguido y una poetisa, enferma de tuberculosis como el autor. La conclusión será, pues, que Alonso Ossorio representa la familia de Álvarez de Toledo, pero que su hija, paradójicamente, representa una Gil y probablemente al mismo autor.

Don Álvaro Yáñez, Señor de Bembibre, es un personaje mucho más literario. El nombre Álvaro se debe a la influencia del Duque de Rivas, mientras que Yáñez es apellido obligado por su supuesto parentesco con el maestre del Temple. [10]

Intención de E. Gil al escribir El Señor de Bembibre

Un novelista, cuando escribe una novela histórica, puede, como Dumas o, muchas veces, Walter Scott, tratar de traer a los ojos del lector una imagen viva de los tiempos pasados. Otros, como Martínez de la Rosa, no quieren sino darle a conocer hechos grandes y gloriosos. La intención de Gil es diferente. Presenta unos hechos históricos, generalmente exactos, algunos modificados o traspuestos, [11] pero pocos finalmente en la extensión de la novela. La acción sentimental es más importante que la puramente histórica, pero la historia tiene, sin embargo, una importancia grande. Son hechos políticos que influyen poderosamente sobre los destinos de los protagonistas, crean la trama de la novela y dan al fin al conjunto, por la grandeza apocalíptica de la caída del Temple, gran parte de la intensidad dramática. La historia es, pues, para E. Gil, un elemento esencial, la armazón de la novela que no podría existir sin ella. Pero es más. Escribe E. Gil, en

[10] También figura el apellido Yáñez en uno de los escudos de la casa nativa de E. Gil en Villafranca.

[11] El sitio de Cornatel, por ejemplo, se debe a la historia aragonesa y recuerda los sitios de Monzón y Miravete.

varios artículos, que la historia ha de ser una lección para los contemporáneos.[12] Es probable que pensara en esto al escribir su novela y que quisiera dar a sus lectores una lección. Lección política ante todo y, por fuerza, la contemplación de hechos del siglo XIV ha de provocar una comparación con otros del siglo XIX: "siempre que el pueblo alcance a ver en los pasados extravíos enseñanza para lo presente o para el porvenir, creeremos que se le encamina por la buena senda y que el teatro cumple su misión".[13]

Esto nos induce a buscar la intención política de la novela.

El Señor de Bembibre, *"historia" del siglo XIX*

No queremos decir que esta novela sea una novela contemporánea disfrazada. Esto no sería enteramente verdadero, ya que los acontecimientos históricos son reales. Sin embargo, los personajes no son medievales: son contemporáneos de Gil, especialmente don Álvaro y doña Beatriz, y el autor no hace el menor esfuerzo para conferirles un matiz histórico. Son verdaderamente hombres y mujeres del siglo XIX que presencian acontecimientos del siglo XIV. ¿Del siglo XIV? No quedamos absolutamente seguros. La situación de España entre 1833 y 1843 se parece mucho a la de Castilla a principios del siglo XIV:

— El rey Fernando IV, joven y débil deja reinar a su madre. La reina Isabel II deja reinar a su madre, por minoría de edad.

[12] Cf. especialmente BAE, t. 74, *El astrólogo de Valladolid,* p. 432a: "la severa lección que puede ofrecer a los pueblos y a los reyes". *Las comunidades de Castilla,* p. 534ab: "pocas indagaciones estarán tan íntimamente ligadas con la prosperidad común, como las históricas"; "un pueblo, en que el estudio de sus males no merece un lugar muy preferente, dista mucho del camino de la perfección".

[13] Crítica de *Doña Mencía,* de Hartzenbusch, BAE, t. 74, p. 410b.

— Se persigue la Orden del Temple cuyos bienes se confiscan. Se persiguen todas las órdenes religiosas cuyos bienes se confiscan.

— Existe una guerra civil entre partidarios del poder real y grandes feudales. Existe una guerra civil entre absolutistas y liberales.

— El rey de Francia, Felipe el Hermoso, es espectador influyente de los acontecimientos de Castilla. El rey de los Franceses, Luis-Felipe, es espectador influyente de los acontecimientos de España.

Varios personajes se parecen muchísimo a políticos o militares de la época: bajo los rasgos del infante don Juan, tío del rey, se entrevé, varias veces, a don Carlos de Borbón, tío de la reina. La reina doña María es María Cristina y don Juan Núñez de Lara puede ser un carlista honrado y convencido de su causa, el general Zumalacárregui a lo mejor.

Esto muestra de modo convincente la intención de E. Gil de escribir una novela, si no contemporánea, a lo menos que sirva de pretexto a reflexiones políticas de actualidad.

Es evidente que el acontecimiento de mayor importancia, en la novela, es la supresión de la Orden del Temple y que el juicio de E. Gil sobre los Templarios es importante para conocer su actitud frente a la desamortización. Es notable que manifiesta E. Gil grandísimo interés hacia las órdenes caballerescas. Su artículo "San Marcos de León" [14] es un elogio de la Orden de Santiago. Su novela *El lago de Carucedo* lo es, en gran parte, de la de Calatrava, y es evidente que veía en el ideal caballeresco un medio de regeneración del alma española.

Frente a los Templarios, los autores que consultó E. Gil se dividen, *grosso modo,* en dos bandos. Unos, generalmente liberales y, a veces, hasta anticlericales proclaman la inocencia de los Templarios: son Raynouard, López, Bastús, que siguen en esto las opiniones de Voltaire [15] y

[14] *Semanario...,* ser. 2, núm. 23, de 9 de junio de 1839.
[15] *Essai sur les mœurs et l'esprit des nations,* Ch. 66.

de Feijoo.[16] Están convencidos de que los Templarios inspiraban miedo al rey de Francia que, además, quería apropiarse sus inmensas riquezas. Los absuelven de todas las culpas de idolatría, brujería, sodomía que se les imputaba.

El otro bando es más complejo. En él figura Michelet que considera que en tiempos de su extinción, la Orden del Temple estaba en plena decadencia y era culpable de herejía y sodomía. Cree el historiador francés en el rito de recepción que consistía en escupir sobre el crucifijo y hollarlo; lo explica como un deseo de rebajar al individuo antes de su ingreso en la Orden, pero cree que, al fin, el reniego se hizo verdadero y que la religión de los Templarios ya no era católica, sino precisamente templaria. Sin embargo, está convencido de que la causa primera de su caída fue la riqueza.

Los historiadores de inspiración cristiana, Mariana entre ellos, creen que los Templarios franceses fueron culpables e inocentes los castellanos. Es decir, que siguen exactamente las decisiones de los concilios. W. Scott, al fin, entre los novelistas, presenta a los Templarios como ambiciosos descomedidos, deseosos de imponer un dominio material sobre el mundo civilizado (*Ivanhoe* y *The Talisman*). La impresión general al leer *El Señor de Bembibre,* es que E. Gil justifica la Orden del Temple. En realidad, su posición es más compleja. Si uno se atiene a varios escritos exteriores a la novela, se da cuenta de que, por una parte, los Templarios son un ejemplo de hidalguía y valor que no excluyó un fin decadente:

> Para baldón y vergüenza
> La juventud hoy empieza
> Do paró vuestra vejez;
> Mas ¡ah! que en nosotros falta
> Vuestra hidalguía tan alta
> Y fama, y valor, y prez.[17]

[16] *Cartas eruditas,* núm. 28.
[17] *Un recuerdo de los Templarios,* BAE, t. 74, p. 34a.

En el *Bosquejo de un viaje*[18] declara:

> cuando las voces de Pedro el Ermitaño y de San Bernardo enmudecieron y se acabaron las cruzadas y tornaron los Santos Lugares a poder de infieles, los Templarios, burlados en su fe, engañados en su esperanza, despojados de la que miraban como su segunda patria, irritados opulentos y soberbios, ya nada representaban y la supresión de su orden en la Europa fue una medida sumamente política y cuerda.

En la novela tampoco quiere presentar una orden perfectamente blanca y pura. Insiste desde el principio:[19]

> Los Templarios habían llegado a su período de riqueza y decadencia y su orgullo era verdaderamente insoportable a la mayor parte de los señores independientes.

> el orgullo se ha apoderado de nosotros, el orgullo que perdió al primer hombre y perderá a tantos de sus hijos. /.../ corrompidas nuestras humildes y modestas costumbres primitivas, el mundo todo se va concitando en daño nuestro...

> nos vamos convirtiendo en piedra de escándalo y de reprobación.

> también es cierto que los vicios consiguientes a la constitución de la orden no dejaban de advertirse en nuestra patria.

> La especie de pestilencia moral que consumía sus entrañas.

Para ilustrar tales asertos, crea la figura del comendador Saldaña, personaje raro, enérgico y apasionado:[20]

[18] *Bosquejo de un viaje,* V. Cf. apéndice, p. 450.
[19] *El Señor de Bembibre,* II, p. 74; III, pp. 90 y 91; IV, páginas 95 y 96.
[20] *El Señor de Bembibre,* cap. X, pp. 140 y 141.

> Esta pasión era el amor a su Orden y el deseo de acrecentar su honra y su opulencia, término cuyo logro no encontraba en él diferencia en los caminos. /.../... dió la vuelta a España /.../ cargado en fin con todos los vicios que legítimamente podían atribuirse a la milicia del Temple.

Saldaña prepara con don Álvaro el rapto de doña Beatriz para el mayor beneficio de la orden, y busca por todas partes alianzas y apoyos para el establecimiento del gran estado gobernado por los Templarios.

El maestre, al contrario, es un viejo honrado, pero demasiado débil e incapaz de oponerse a los planes de Saldaña. En cuanto a don Álvaro, ingresa en la orden, consciente de su decadencia. Es una quijotada que se explica por la desilusión y el deseo de venganza.

Sin embargo, a pesar de su severidad, E. Gil no cree que los Templarios castellanos sean culpables de herejía, idolatría, sodomía. El orgullo es la causa esencial de su decadencia.

Así, uno podría creer (ya que la pintura de la caída del Temple es pretexto a una reflexión sobre la desamortización de 1835), que E. Gil cree que las órdenes religiosas son buenas en sí. Sólo considera que tienen períodos de decadencia y que a veces, es necesario podar alguna que otra:

> sin la providencial organización del catolicismo, el caos de la Edad Media se hubiera prolongado indefinidamente /.../ en el altar se sucedían las luces que iban guiando al mundo por la obstruida senda del progreso. /.../ la unidad teocrática, única lumbrera del mundo /.../ Los monasterios fueron los centros /.../ de resurrección moral y material; a su sombra se alzaron los pueblos, a su impulso se desmontaron los bosques, se abrieron caminos, se cruzaron ríos y se animaron los desiertos. [21]

[21] *Bosquejo de un viaje,* cap. III.

Este texto es revelador de su pensamiento, ya no acerca de los Templarios, sino de todas las órdenes religiosas.

Los Cistercienses ocupan un sitio privilegiado en su obra. Sin cesar, a lo largo de la novela, se oponen la orden guerrera, brillante y orgullosa del Temple y la del Císter, menos lucida, pero más religiosa y bienhechora. Los monjes de Carracedo son dechados de virtud austera y eficaz y de espíritu cristiano. Las monjas de Villabuena lo son de dulzura y candor evangélico. Estas figuras religiosas son rarísimas en un tiempo en que abunda, en la novela española, el tipo del monje malo [22] y prueban que el libro constituye una protesta contra la desamortización de 1835 y contra las calumnias que herían entonces al clero español.

Además, E. Gil ha visto con tristeza la ruina de la mayor parte de los bienes eclesiásticos después de la desamortización y no puede concebir otro recurso, para la conservación de las obras de arte, que el de instalar otra vez comunidades en ella. Lo dice muy claramente en su artículo sobre El Escorial: [23]

> establecer en el edificio una corporación que con espíritu de tal lo cuide y mantenga, cualquiera que su nombre sea...

Esto es lo esencial de las tendencias político-religiosas expresadas por E. Gil en *El Señor de Bembibre.* Desde luego, su programa político liberal, moderado, feminista e idealista no está expresado en la novela, sino en la poesía y sobre todo en los artículos de crítica. Nótese, sin embargo, el paternalismo de don Álvaro que hereda a Millán para recompensarle de sus fieles servicios [24] y la sumisión religiosa de los domésticos hacia sus buenos amos.

[22] Véase en particular la novelita de V. Boix, *El amor en el claustro o Eduardo y Adelaida,* publicada en Valencia en 1838.
[23] *Una visita al Escorial,* BAE, t. 74, p. 300b.
[24] *El Señor de Bembibre,* cap. XXIII.

El Señor de Bembibre, *novela romántica sentimental*

Ya se ha visto que la novela es sólo medio histórica. Si los acontecimientos históricos pertenecen al siglo XIV, tienen una relación perfecta con los del siglo XIX. En cuanto a los personajes, son todos personajes modernos vestidos a la antigua. *El Señor de Bembibre* es, en realidad, una novela contemporánea del siglo XIX y es normal, hablando de ella, referirse a la psicología romántica. Antes de engolfarse en una obra de índole romántica, es preciso darse cuenta de que la psicología de los personajes no obedece los criterios normales del psicoanálisis o la introspección. Si, muchas veces, se considera que la psicología romántica es falsa y hasta incoherente, esto se debe a que el autor se retrata frecuentemente en sus personajes. Se complace, pues, en la contemplación de otro "yo" colocado en situación extraña. Desde luego, lo considera con interés esencialmente artístico. El "yo-personaje" tendrá una actitud y una reacción sorprendentes, quizás, pero que producirán un efecto. Actitud, reacción y efecto son las tres claves de la psicología romántica que será desde luego menos cuidada que otras, pero más brillante, más sorprendente y, por fuerza, más reveladora del alma del poeta, por lo menos de lo que quiere aparentar ante el público.

Es evidente que el personaje principal de la novela es doña Beatriz. Es un ser nerviosísimo, sujeto a desmayos cada vez que recibe un choque moral importante, un ser poco equilibrado que vive únicamente con el espíritu. En sus accesos de fiebre, la enferma delira [25] hasta el punto de inquietar al lector que teme por su razón. Está además replegada sobre sí misma, abstraída en sus pensamientos, es tímida. En realidad, se trata de una exageración de rasgos físicos y psíquicos del propio autor, trasplantados a este personaje para crear un doble de su personalidad que sepa entenderle completamente.

Las lágrimas son abundantes, pero se trata de una ne-

[25] *El Señor de Bembibre,* cap. XIII, por ejemplo.

cesidad artística de la época. Lo que marca mejor la necesidad de sentimentalismo es el final de la novela y más particularmente los capítulos XXXV a XXXVIII. La muerte de doña Beatriz que no abarca menos de cuatro capítulos largos puede considerarse como un trozo bellísimo y de valor poético incalculable o como una ñoñería insoportable y lánguida. El trozo tiene una unidad perfecta conferida por el lago de Carucedo. Todo ocurre en sus orillas durante la primavera, y el autor opone siempre la decadencia física de la enferma a la pompa, el vigor y la belleza de la naturaleza. Lo que puede ocasionar cierta repulsión en dicho trozo es que parece que el mundo entero se detiene para ver morir a una sola mujer. Hasta el abad abandona su monasterio y los campesinos sus faenas del campo. Doña Beatriz se ha convertido en el centro del mundo. Pero este hecho es muy normal, ya que representa la personalidad del autor, su ideal poético, con su gracia y su belleza. Es muy normal que imagine E. Gil una contemplación de su propia muerte llorada por el mundo entero.

El Señor de Bembibre, *novela arqueológica y folklórica*

Cuando E. Gil escribe su importante obra *Bosquejo de un viaje a una provincia del interior,* quiere hacer una preparación directa a la novela que ya había emprendido, pero quiere más. Estas notas de viaje revelan a la vez el deseo de dar a conocer su región a los lectores madrileños y, sobre todo, traer la atención sobre los edificios antiguos para valorar su belleza en un tiempo en que las demoliciones de obras de arte eran un espectáculo generalizado. Junta su voz a la de otros tantos españoles ilustrados y generosos que clamaban al mismo tiempo contra el vandalismo bajo todas sus formas.[26] En esto, no hacen

[26] Se puede señalar un artículo de Espronceda, escrito en 1836, pero sólo publicado por Marrast en 1966 (*Articles et discours oubliés,* pp. 10-12); otro de Larra, *Conventos españoles, tesoros artísticos encerrados en ellos,* de 3 de agosto de 1835 (BAE,

sino seguir a V. Hugo[27] y Montalembert. Estamos seguros que E. Gil se inspiró en el librito de Montalembert *Du vandalisme et du catholicisme dans l'art* (1839), vigorosa protesta contra las destrucciones obradas en Francia. De Montalembert saca la clasificación de las distintas maneras del vandalismo: [28] "el vandalismo de los remiendos y el de la destrucción", igualmente lamentables ambos.

A la manera de V. Hugo que quiso provocar el interés de los franceses por la catedral de París escribiendo su famosa novela *Notre-Dame de Paris* (1832), E. Gil escribe *El Señor de Bembibre* para dar a conocer a los españoles los edificios más notables del Bierzo, esencialmente los dos monasterios de Carracedo y San Pedro de Montes y los dos castillos de Ponferrada y Cornatel. El lector podrá comparar provechosamente las descripciones de la novela y del relato de viaje,[29] y apreciará sin duda la habilidad con que E. Gil emplea estos edificios en su novela, generalmente sin alterarlos. Sólo nos contentaremos, pues, con dar algunos apuntes informativos que completarán las notas del texto.

El monasterio de Carracedo, cerca de Cacabelos, a orillas del Cúa, es fundación del rey de León don Bermudo II el Gotoso en 990. Lo construyó alrededor de un palacio suyo a la manera de Felipe II, siglos más tarde, con El Escorial. Las partes más antiguas del monasterio son, sin embargo, del siglo XII, y la parte más notable de las ruinas la constituye el palacio llamado de la reina doña Sancha, hermana del emperador Alfonso VII. En esta parte del monasterio tiene lugar la entrevista entre el abad y don Álvaro. [30]

---

t. 128, pp. 117-119); de Pedro de Madrazo, *Demolición de conventos,* en *El Artista,* t. III, entr. 9, pp. 97a-100a); del pintor V. Carderera, *Sobre demolición de los monumentos artísticos, Semanario Pintoresco,* 2.ª serie, t. II, núm. 29, de 18 de julio de 1840.

[27] V. Hugo, "Guerre aux démolisseurs", en *Revue des Deux Mondes,* del 15 de marzo de 1832.

[28] *Bosquejo de un viaje,* VIII, p. 345b (BAE, t. 74).

[29] V. el Apéndice.

[30] *El Señor de Bembibre,* cap. IV.

El monasterio de San Pedro de Montes está situado en una de las comarcas más montañosas y ásperas del Bierzo, al pie de la Aquiana. Gil escoge este monasterio sobre todo por su localización y la presencia de numerosas ermitas en sus alrededores. Desde esas alturas, don Álvaro podía perfectamente contemplar el escenario de sus pasados y desdichados amores.

El castillo de Ponferrada es el edificio del Bierzo que E. Gil conoce mejor y lo evoca en su poesía [31] antes de describirlo en su *Bosquejo*. La fortaleza, para el autor, es el símbolo del tiempo que pasa destruyéndolo todo. Simboliza la antigua grandeza de los Templarios y su actual ruina, constituyendo una muda lección moral. E. Gil describe el castillo tal como lo vio, es decir, con todas sus añadiduras del siglo XV, sin darse cuenta que los Templarios sólo conocieron la parte más antigua y menos pintoresca de la fortaleza, sin darse cuenta, sobre todo, que todas las inscripciones a que alude en el curso de la novela son posteriores a los Templarios. Comete además un error gravísimo confundiendo la cruz de Tau griega que abunda en el castillo, con la cruz del Temple. En realidad, los Templarios no dejaron huella de su estancia en Ponferrada.

El castillo de Cornatel es una fortaleza que por su situación acrobática impresionó mucho al autor, que la utiliza en *El lago de Carucedo* y *El Señor de Bembibre*. La descripción más importante se encuentra en el *Bosquejo de un viaje*. [32] En Cornatel ocurre un episodio importante de la novela que constituye un recuerdo de la historia de Aragón. Los diferentes episodios tácticos del sitio se deben a un estudio detenido de la topografía de parte del autor que tenía un indiscutible talento militar. Sin embargo, la galería secreta por la cual baja la caballería de los Templarios [33] parece más bien pertenecer al castillo de Ponferrada donde existe en realidad.

[31] *La niebla, El Sil, Un recuerdo de los templarios.*
[32] *Bosquejo de un viaje,* cap. V. Cf. ap., pp. 445 y sig.
[33] *El Señor de Bembibre,* cap. XXVI.

El castillo de Tordehumos es el único edificio notable de la novela que se sitúa fuera del Bierzo. Lo escogió E. Gil únicamente por razones cronológicas. El sitio de Tordehumos corresponde con la extinción de la Orden del Temple (1308). La breve descripción del capítulo XIV y las evocaciones posteriores muestran que E. Gil conocía esta fortaleza ahora completamente arruinada.

Los episodios folklóricos de la novela son poco numerosos, pero interesantes en un autor que escribió varios artículos bien documentados de costumbres rurales.[34]. El sitio de Cornatel le da la ocasión de describir los trajes regionales, masculinos y femeninos, de Galicia y de Cabrera.[35] En otra parte[36] asistimos al servicio fúnebre celebrado en Villabuena por el descanso del alma de los fundadores del monasterio. Es una escena muy viva y probablemente trasladada a Villabuena (cuyo monasterio ya no existía entonces) desde otro pueblo, San Miguel de las Dueñas sin duda. Tales evocaciones pertenecen enteramente al folklore del siglo XIX y no tienen nada que ver con una reconstrucción de la vida del siglo XIV.

El Señor de Bembibre, *poema de la naturaleza*

Es un tópico decir, ahora, que E. Gil es el pintor de la naturaleza berciana, y todos los críticos concuerdan para alabar sus cualidades sobre este punto. Es evidente el papel importantísimo del agua en las descripciones: ríos, lagos, rocío, nubes y niebla son elementos decisivos del paisaje. Hay que mencionar la importancia del pequeño lago de Carucedo evocado ya en la primera novela del autor. E. Gil utilizó la introducción de ésta para *El Señor de Bembibre.*[37] El agua es elemento de calma, tranquilidad.

[34] "Los maragatos", "Los montañeses de León", "Los asturianos", "Los pasiegos", publicados en 1839 en el *Semanario Pintoresco;* "El Maragato", "El Pastor trashumante" y "El Segador", publicados en 1843-1844 en *Los españoles pintados por sí mismos.*

[35] *El Señor de Bembibre,* cap. XXV.

[36] *El Señor de Bembibre,* cap. VII.

[37] V. Apéndice, p. 451.

Ignora E. Gil la tormenta, la lluvia y nunca describe el mar en esta novela.

No le gusta la llanura. Al contrario, las montañas del Bierzo le encantan y entre ellas sitúa casi toda su acción. Descuellan los montes de las Médulas, antiguas minas romanas, que le interesan por su color rojo y sus formas extrañas. Tiene la idea magnífica de situar en las Médulas una escena nocturna del mejor efecto,[38] con las llamas de los fuegos que alumbran de manera algo fantástica los soldados acostados y los centinelas. Los paisajes de E. Gil son amplios, tranquilos, suaves y armoniosos, llenos de árboles de formas variadas y frecuentemente animados por animales, aves particularmente.

Los cambios de estación se marcan de una manera muy vaga, pero realista a la vez, notando sobre todo el estado del cielo y las reacciones de los pájaros.[39] Existen, pues, dos clases de descripciones naturales: los grandes panoramas (p. ej., el Bierzo desde Cornatel en el cap. X) muy precisos, y las evocaciones atmosféricas que, al contrario, quedan muy vagas y subjetivas. Realismo y subjetivismo son las características esenciales de los paisajes de Gil. El realismo es evidente y basta con recorrer el país con el libro en la mano para averiguarlo. El subjetivismo lo es también. E. Gil se complace en paisajes adaptados a su carácter, suaves, cultivados, en que se nota la presencia humana. Finalmente, el escenario es un reflejo de los personajes: el lago de Carucedo es el alma de doña Beatriz, las Médulas la del conde de Lemus y el Bierzo en su conjunto la de Enrique Gil.

Es inexacto decir que antes de E. Gil, la naturaleza no existía en la novela española. Lo que pasa es que era, las más de las veces, imitación de Rousseau,[40] de Walter Scott,[41] o hasta puramente fantástica, sin modelo en la

[38] *El Señor de Bembibre,* cap. XXVIII.

[39] V., por ejemplo, el otoño, cap. XVIII; el invierno, capítulo XXIV, y la primavera, cap. XXXI.

[40] Escosura en *Ni rey ni roque,* por ejemplo.

[41] *Los bandos de Castilla,* de López Soler, por ejemplo.

realidad. Raras veces los novelistas románticos anteriores a E. Gil saben mirar e interpretar un paisaje. E. Gil fue el primero que lo acertó plenamente y eso es una de sus mayores glorias.

Fuentes literarias de El Señor de Bembibre

Fuentes antiguas. El Señor de Bembibre es una novela original, es decir, que no copió nada, al contrario de lo que se hacía entonces con harta frecuencia y sin escrúpulo.[42] Sin embargo, el autor tiene una cultura literaria y recibe influencias.

Entre las fuentes antiguas del libro, hay que mentar especialmente la *Biblia.* El lector se dará cuenta de las reminiscencias frecuentísimas de la Sagrada Escritura con especial predilección para los *Salmos,* el libro de *Job* y el *Cantar de los Cantares.* En cambio, a pesar de su buen conocimiento del latín, aprovecha muy poco las letras romanas antiguas. Entre los medievales conoce a Dante y la *Divina Comedia* pudo darle la idea del nombre, Beatriz, de la protagonista. Entre los clásicos, se puede hablar de Cervantes que con su *Quijote* prepara las reacciones y actitudes muy quijotescas de don Álvaro Yáñez y alguno que otro detalle secundario.

Los contemporáneos españoles. La primera mitad del argumento de *El Señor de Bembibre*[43] se parece enormemente a *Los amantes de Teruel* de Hartzenbusch. Son amores quebrantados por la falta de fortuna del mancebo que en las dos obras se aleja después de fijar un plazo; la joven se casa por presión de su madre después de la falsa noticia de la muerte de su amado. Esto es mucho, quizás, pero es todo. No influyó Hartzenbusch ni en el estilo ni en el pensamiento donde intervino Chateaubriand tan poderosamente.

El Duque de Rivas influyó sobre E. Gil por su *Don Álvaro,* pero esto se nota sobre todo en su primera novela

[42] Gran parte de la obra de López Soler es un plagio.
[43] Hasta el capítulo XVIII incluido.

El lago de Carucedo. El Señor de Bembibre recuerda, sin embargo, dos escenas. En la del rapto [44] interviene el abad de Carracedo a la manera del canónigo del drama. Pero, desde luego, la personalidad del abad es mucho más interesante, humana, cristiana, que la del canónigo. La muerte de don Álvaro también, aunque colocada en el marco de la Aquiana y de San Pedro de Montes, se parece mucho a la idéntica del drama (jornada V, esc. IX): muerte del ermitaño apartado del convento, ruido de la campanilla, llegada tardía de los monjes. Pero suprimió E. Gil la escena desagradable del duelo, la profanación de los hábitos y, sobre todo, el suicidio.

Los contemporáneos extranjeros. El mayor inspirador de E. Gil es Chateaubriand. Le enseña un romanticismo cristiano que vendrá a ser el suyo. *Le Génie du Christianisme* confiere a E. Gil el respeto hacia las órdenes religiosas y las cosas sagradas. *Le Génie du Christianisme* (1802) es una protesta contra los excesos de la Revolución Francesa y *El Señor de Bembibre* contra los excesos de la desamortización. Gil escribe el *Bosquejo de un viaje* como preparación de *El Señor de Bembibre.* Antes, Chateaubriand escribió el *Itinéraire de Paris à Jérusalem* como preparación de *Les Martyrs.* Además, algunos episodios de *Les Martyrs,* especialmente la expedición de Eudore a las Galias, modelo de la de don Álvaro a Tordehumos, recuerdan varios episodios de la novela española. *René* al fin propone el modelo de don Álvaro en los capítulos II y III.

Entre los novelistas, no se puede notar influencia decisiva de Rousseau ni de Bernardin de Saint Pierre.

A pesar de las apariencias, la influencia de Scott, si bien innegable, queda limitada. La concepción novelística de W. Scott, escritor prolijo que llena sus obras de acción sin interesarse mucho en las pasiones de sus personajes, es casi totalmente opuesta a la de Gil. Utilizó, sin embargo, abundantemente *The Talisman* e *Ivanhoe* como mina de informes sobre el Temple y nada más. La novela *The*

[44] *Don Álvaro,* jornada V, esc. IX.

bride of Lammermoor tiene mayores semejanzas con la acción. Sin embargo, es tan común el asunto de la novela (y de la ópera de Donizetti *Lucia di Lammermoor* que a Gil le gustaba mucho), que no prueba una influencia muy pronunciada. Todo eso significa que W. Scott no es un verdadero modelo para E. Gil que le toma varios elementos (el sitio de Torquilstone de *Ivanhoe* para el de Cornatel, el maestre de los Templarios de *The Talisman* para Saldaña), pero no su arte de novelar que es genuinamente suya.

E. Gil utilizó también a W. Scott a través de las novelas de López Soler y más especialmente *Los bandos de Castilla* (1830) que en realidad no es más que un torpe mosaico de tres novelas de Scott: *Ivanhoe, Quentin Durward* y *Waverley.*

La mayor originalidad de Gil, en su obra literaria, es que nace a la vida literaria como romántico, a la diferencia de los que, nacidos un poco antes, tuvieron que convertirse. La influencia francesa, la de Chateaubriand en particular, es evidente, muchísimo más que la británica de Scott.

Lo que más le diferencia de los novelistas contemporáneos suyos, es la ausencia de imitación. Recibe influencias varias e importantes, pero no copia. Sabe aprovecharlas haciéndolas suyas y sacando una obra de arte original.

III. Técnica novelística

Enrique Gil entre los novelistas españoles

Cuando E. Gil escribe sus dos novelas, el arte de la novela española ha sufrido un eclipse de casi dos siglos (aproximadamente 1650-1833) en que se escribieron poquísimas novelas en España. El género estaba aborrecido por escritores y moralistas y los primeros que trataron de restaurar el género tuvieron que vencer la indiferencia y el desvío al tiempo que hacían numerosos tanteos y errores. Los principales fueron los plagios a lo López Soler, la historia deformada hasta lo absurdo a lo Vayo[1] y, finalmente, la historia apenas novelizada de Martínez de la Rosa. La producción novelística queda muy escasa entre 1830 y 1843 (en aquellos catorce años no se publicaron en España más de 44 novelas originales, o sea, unas tres al año). Así es que, cronológicamente, se puede considerar a E. Gil como uno de los primeros novelistas modernos de España.

El problema de la novela histórica es la intromisión de elementos ficticios en la parte puramente histórica. Lo difícil para el novelista es hacer una mezcla de esos elementos de tal manera que sin alterar los acontecimientos históricos, cuadre perfectamente entre ellos la parte novelística. El hecho es que la Historia, la relación de los hechos políticos, constituye una parte ínfima de la vida real y deja muchos blancos que el novelista puede llenar a su antojo con tal que permanezca en los límites de lo verosímil. El escollo mayor que pueda encontrar un novelista es el período histórico demasiado rico, capaz de aplastar la ficción con su peso. Lo encontró E. Gil en su primera novela, *El lago de Carucedo,* en que escogió el período de la guerra de Granada, y por eso quiso en su gran obra escoger el reinado de Fernando IV, período oscuro en el que sobresale tan sólo el episodio grandioso de la caída del Temple. Así, tuvo las manos libres para colocar la parte puramente novelística en los blancos muy extensos que le dejaba la historia.

Otro escollo grave es la intervención, en la novela, de personajes históricos de primer plano, que se integran mal en una acción ficticia. Supo E. Gil alejar al segundo plano al papa y a los reyes, dar un papel episódico al infante don Juan y a don Juan Núñez de Lara, personajes históricos cuyos actos no se alteran. El único personaje histórico importante en la novela es el maestre del Temple, don Rodrigo Yáñez, pero como se conocen muy pocas

[1] Estanislao de Koska Vayo, *La conquista de Valencia por el Cid.*

cosas sobre él, el autor tenía entera libertad para hacerle obrar a su antojo.

Construcción general de la novela. Como muchos dramas de Zorrilla y Hartzenbusch, la novela de Gil está dividida en cuatro partes de unos diez capítulos; cada una podría llevar un título:

1. Cap. I a XI: *El rapto y la promesa.*
2. Cap. XII a XXI: *El sitio de Tordehumos.*
3. Cap. XXII a XXX: *La caída del Temple.*
4. Cap. XXXI a XXXVIII: *El amor y la muerte.*

La conclusión es un epílogo aparte.

Es evidente que *El Señor de Bembibre* no es una novela histórica en que la intriga amorosa es tan sólo un pretexto sin importancia. Está formada en realidad de dos novelas distintas: una histórica que podría llamarse *La caída del Temple en Castilla* y otra, novela de amor, que se llamaría *Los amantes del Bierzo.* Sin embargo, sería imposible disociarlas. Se compenetran del modo siguiente:

	Novela histórica	*Novela sentimental*
I.		Situación de los personajes.
II.		Entrevista de los amantes.
III.	Situación del Temple. Retrato de un Templario débil.	Entrevista entre don Álvaro y su tío.
IV.	Historia del Temple.	Visita al abad de Carracedo.
V.		Abuso de autoridad de don Alonso.
VI.		Preparativos de la cita.
VII.		La cita nocturna.
VIII.		Doña Beatriz recibe sucesivamente al conde y a su padre.
IX.		Preparación del rapto.

Novela histórica	*Novela sentimental*
X. Retrato de un Templario fanático.	Sigue la preparación del rapto.
XI.	Rapto fallido de doña Beatriz.
XII. Historia de la familia de Lara. Explicación del episodio de Tordehumos.	Don Álvaro se aleja del Bierzo.
XIII.	Enfermedad de doña Beatriz. Su vuelta a Arganza.
XIV. Sitio de Tordehumos.	Don Álvaro prisionero.
XV. Orden de supresión del Temple. Intrigas del infante don Juan.	Millán cree en la muerte de don Álvaro y difundirá la falsa noticia.
XVI.	Intrigas del conde de Lemus en Arganza.
XVII.	Doña Beatriz se casa con el conde de Lemus.
XVIII.	Vuelta de don Álvaro.
XIX.	Se hará Templario.
XX. Odio de los grandes contra el Temple.	Explicación de lo anterior.
XXI. Fin del sitio de Tordehumos.	Liberación de don Álvaro.
XXII. Situación política y militar del Temple.	Ingreso de don Álvaro en el Temple.
XXIII.	Millán se pone otra vez al servicio de su amo.
XXIV. Preparativos de los grandes contra el Temple.	Doña Beatriz en Villabuena. Sentimientos de los dos rivales.
XXV. Principio del sitio de Cornatel.	Sentimientos de los rivales.

Novela histórica	*Novela sentimental*
XXVI. Asalto a Cornatel.	Emboscada de don Álvaro.
XXVII. Preparativos de un nuevo ataque.	
XXVIII. Ataque del torreón.	
Muerte del conde de Lemus.	
XXIX.	Doña Beatriz en Villabuena.
XXX. Capitulación de los Templarios, su estancia en Ponferrada, su salida para Salamanca.	
XXXI.	El estado de doña Beatriz se agrava.
XXXII. Concilio de Salamanca.	
XXXIII. Los Templarios quedan libres.	Efecto moral de la medida en doña Beatriz.
XXXIV. Problema de la validez de los votos de don Álvaro	
XXXV. Salida de don Alonso para Francia.	Nueva agravación del estado de doña Beatriz.
XXXVI.	Pensamientos íntimos de doña Beatriz incluidos en la cartera verde.
XXXVII. Anulación de los votos de don Álvaro.	Progresos de la enfermedad.
XXXVIII.	Casamiento de los amantes y muerte de doña Beatriz.

Conclusión

Paradero de los principales personajes

Este cuadro muestra que lo más importante es la novela sentimental que domina siempre la acción histórica. E. Gil toma, en este punto el camino inverso del de Walter Scott.

En la primera parte, dedicada casi enteramente a la acción novelesca, el autor se contenta con presentar un resumen de la historia del Temple y mostrar dos caracteres opuestos. La segunda parte, consagrada a Tordehumos, se aleja algún tanto de los Templarios. La relación entre el Temple y la acción principal vendrá a ser evidente cuando al profesar don Álvaro en la milicia, la suerte de los amantes quedará ligada a la de los Templarios. Al fin, en la cuarta parte, cuando termina el concilio de Salamanca, el autor se interesa casi exclusivamente en la acción novelesca. Así es que la historia, muy tenue en la primera y la cuarta parte, sólo tiene importancia en la segunda y tercera. Sin embargo, las dos acciones están ligadas desde el principio por el hecho sencillo de que los dos pretendientes a la mano de doña Beatriz son también rivales políticos. Uno es aliado del Temple, el otro es su enemigo por ser un gran señor y por ser gallego. En efecto, el lector se da perfectamente cuenta de que si don Álvaro, ya aliado del Temple, casa con la heredera más rica del Bierzo, paso obligado entre Galicia y Castilla, el poder de los Templarios será absoluto en la región, es decir, que el conde de Lemus quedará encerrado en sus dominios de Monforte. Su pretensión a la mano de doña Beatriz no es capricho, sino cálculo político, así como, en sentido inverso, la ayuda que presta el comendador Saldaña a don Álvaro para realizar el rapto de su amada. Aquellos episodios sólo se justifican por el contexto político que justificará también la desaparición de don Álvaro en Tordehumos y las reservas para la anulación de los votos en Salamanca. La trama sentimental se encuentra, pues, ligada absolutamente a la histórica y la ligazón se refuerza más aún a partir del capítulo XXII, es decir, la profesión de don Álvaro. Pero acaba la acción histórica repentinamente a partir del capítulo XXXIV, dejando el sitio a la historia de amor que domina el conjunto. Así, a pesar de la dualidad de las acciones, se observa una unidad profunda de la obra gracias a la interferencia constante de una sobre otra.

El ritmo narrativo es amplio y lento. Una estadística muestra que las diferentes escenas se reparten del modo siguiente:

	Escenas
Diálogo	49
Psicología	30
Resumen	28
Descripciones	16
Acción	13
Poema en prosa	1
Total	137

Se nota la importancia reducidísima de las escenas de acción, muchas veces sustituidas por sencillos resúmenes. Lo importante es, por una parte, el diálogo y por otra el análisis psicológico. Esto significa que la novela no es una "historia", una narración, sino un estudio de pasiones y caracteres antagónicos. Es una novela psicológica más que histórica. Doña Beatriz, personaje principal, se destaca de modo muy particular y representa un modelo perfecto de psicología romántica.

Es imposible examinar aquí, uno a uno, los procedimientos novelísticos del autor. Sólo quisiéramos subrayar uno que, más que otros, parece importante: son las reminiscencias teatrales que se deben a varias causas, entre las cuales existen:

La relativa novedad del género novelístico en tiempos de Gil.
La importancia del teatro en la España romántica.
La influencia de *Don Álvaro* y *Los amantes de Teruel.*
La actividad de E. Gil como crítico teatral.

La composición de la novela en cuatro partes se asemeja mucho a los cuatro actos de un drama zorrillesco.

Cada uno de aquellos actos ocurre en un lugar privilegiado y los cambios de decorados no serían numerosos en cada acto:

En el acto I se veían el palacio de Arganza y el convento de Villanueva; en el acto II, Tordehumos y el parque de Arganza, en el acto III los castillos de Ponferrada y Cornatel y en el acto IV, la sala de audiencia del concilio de Salamanca y el lago de Carucedo. Total: ocho decorados principales.

Los domésticos de doña Beatriz y don Álvaro tienen un papel importante en la acción. El amor entre los domésticos forma una acción secundaria exactamente como en una comedia lopesca. Ni siquiera se olvidó al gracioso, el palafrenero Mendo. El abad de Carracedo y el comendador Saldaña son personajes particularmente escénicos y más que todos el conde de Lemus que es el personaje negro de los dramas del tiempo.

Varias escenas pertenecen a la técnica teatral. Por ejemplo, el capítulo XVII en que la madre moribunda pide un sacrificio a su hija. Ella accede al momento y como el abad se encuentra en la habitación y el conde está muy cerca, el casamiento puede celebrarse en seguida, sin aguardar al día siguiente, como si el autor quisiese ahorrar un cambio de decorados. Inmediatamente después, la madre muere y el abad profetiza la desgracia de don Alonso. Es una escena dramática más que novelística.

La escena de los capítulos XVIII y XIX en que don Álvaro vuelve a pedir cuentas a doña Beatriz se parece, con la salida sucesiva de nuevos personajes, a una escena de ópera. Se oyen sucesivamente el dúo, quatuor, sextuor y luego intervienen los coros hasta que al fin el tenor canta su cavatina en medio del silencio general.

Un tercer ejemplo se encuentra en el capítulo XXXIII. Un jinete se precipita en las aguas con su caballo para llevar un mensaje a doña Beatriz que está en un barco. La escena es imposible de realizar en el teatro, pero no tiene la menor dificultad para un novelista. Sin embargo, no se describe directamente, sino que el lector se entera de lo que ocurre mediante el diálogo de dos personajes que parecen vueltos hacia los bastidores. Hasta en la conclusión, hay dos detalles reveladores. El autor sale a la escena para saludar al público como se usaba entonces, en caso de éxito, en los estrenos dramáticos, y hace figurar el título de la obra en la última frase, procedimiento tradicional de los dramaturgos del Siglo de Oro.

El arte de paisajista no es exclusivamente pictórico. Los paisajes de E. Gil no interesan sólo la vista, sino que admiten sonidos, olores, sensaciones táctiles y hasta estados del alma extrasensoriales. Sin embargo, el autor tenía una vista particularmente aguda y los detalles son de una precisión extraordinaria. Le gustan los paisajes animados por hombres o animales. El alma del protagonista se pone frecuentemente en armonía con el paisaje que nunca es ficticio ni compuesto de elementos diversos, sino realmente descrito del natural. Los panoramas son amplios, casi gigantescos, pero varían los ángulos de visión para dar mayor importancia a un detalle u otro.

El estilo no puede detallarse aquí por falta de espacio. El lector encontrará datos interesantes sobre el particular en el artículo de Matías Montes Huidobro "Variedad formal y unidad interna en *El Señor de Bembibre*" [2] y en mi libro. [3] Nos contentaremos con evocar las características principales:

Estilo amplio, lento, armonioso y lánguido con una frase rítmica construida de manera muy simétrica a manera de los períodos latinos ciceronianos. Es un estilo cuidado hasta en sus menores detalles y se ve que E. Gil escribía en prosa con las mismas preocupaciones que en verso. No era solución de facilidad. En la prosa de E. Gil, lo vago del vocabulario iguala el rigor de la sintaxis. Es una prosa falta de naturalidad, pero musical como la poesía.

[2] *Papeles de Son Armadans,* año XIV, tomo LIII, núm. CLIX, pp. 232-255, junio de 1969.

[3] Cap. XXI, pp. 310-329.

Originalidad de E. Gil novelista

Bajo su aparente sencillez, *El Señor de Bembibre* es una obra de enorme complejidad interna, que tiene elementos históricos, folklóricos, regionalistas, sentimentalistas, y hasta de costumbres contemporáneas. Pero a pesar de tal diversidad, no adolece de heterogeneidad. Al contrario, la unidad de la obra queda perfecta.

Como novelista histórico, Gil entendió el interés de escoger un período mal conocido, sin personajes de primer plano. Se dio cuenta, sobre todo, de que la acción histórica queda sin interés si no tiene referencias constantes a la actualidad. Supo quedarse a igual distancia de dos defectos: la seudo crónica, engendro fantástico sin preparación histórica suficiente y la novela arqueológica que no busca otra cosa que darnos a conocer la vida cotidiana en tiempos remotos.

El Señor de Bembibre no se olvida nunca de la localización geográfica. El paisaje no es un sencillo elemento pintoresco. Constituye la condición *sine qua non* del relato. La precisión topográfica es absoluta y todas las peripecias pueden seguirse en un mapa. Con esta novela, E. Gil abre la vía hacia la novela regionalista ilustrada por Fernán Caballero, Pereda, Juan Valera, Blasco Ibáñez... Es novela sentimental que se coloca en la tradición de *Los amantes de Teruel.* En ella se encuentran los temas del amor demasiado perfecto para realizarse, de la maldad del mundo y la huida del tiempo; tema romántico que sería anacrónico si la acción histórica no tuviera también relaciones con la actualidad. *El Señor de Bembibre* es el retrato de una personalidad romántica, la de doña Beatriz, estudio de carácter de enorme importancia. Doña Beatriz es el modelo de la psicología romántica española.

El estilo es firme y fluido a la vez, aristocrático, teatral, y al mismo tiempo, poético y rítmico, lo que constituye una verdadera novedad.

El Señor de Bembibre es obra indefinible, muy compleja y riquísima que anuncia la mejor literatura de fines del siglo.

IV. Influencia de Enrique Gil

El Señor de Bembibre cae en el olvido casi en el momento mismo de su publicación. Nadie habla de él. Pocos lo leen. Sin embargo, E. Gil abre la puerta a dos tendencias importantes de la novela y el cuento españoles de fines de siglo: la leyenda histórica y la novela regionalista.

El autor en que E. Gil marca mejor su influencia es, desde luego, Bécquer, y tanto en su poesía como en sus cuentos, leyendas y relatos de viaje. Para atenernos exclusivamente a *El Señor de Bembibre,* se nota su influencia en *Desde mi celda,*[1] *La promesa,*[2] *La cruz del diablo*[3] y sobre todo *La ajorca de oro* en que la espera nocturna en la catedral de Toledo está grandemente inspirada en el capítulo VII de *El Señor de Bembibre.* El recuerdo de los Templarios de *El rayo de luna* y *El monte de las ánimas* parece provenir también de E. Gil.

Lo más característico, sin embargo, de esta influencia de Gil sobre Bécquer reside en el estilo y hasta el punto que los tres extractos de Bécquer que presentamos aquí parecen imitaciones de Gil:

> El sol había transpuesto la cumbre del monte; las sombras bajaban a grandes pasos por su falda; la brisa gemía entre los álamos de la fuente, y la niebla, elevándose poco a poco de la superficie del lago, comenzaba a envolver las rocas de su margen.[4]

> La medianoche tocaba a su punto. La luna, que se había ido remontando lentamente, estaba ya en lo más alto del cielo, cuando al entrar en una oscura alameda que conducía desde el derruido claustro a la margen del Due-

[1] *El Señor de Bembibre,* cap. XXVIII, y *Desde mi celda,* cartas VI-VIII.
[2] *El Señor de Bembibre,* cap. XXV.
[3] *El Señor de Bembibre,* cap. XXVIII.
[4] *Los ojos verdes,* cap. II.

ro, Manrique exhaló un grito, grito leve y ahogado, mezcla extraña de sorpresa, de temor y de júbilo.[5]

¿No habéis visto nunca en esos últimos instantes del crepúsculo de la noche levantarse de las aguas de un río, del haz de un pantano, de las olas del mar o de la profunda sima de una montaña un jirón de niebla que flota lentamente en el vacío, y, alternativamente, ya parece una mujer que se mueve y anda, y que vuela su traje al andar, ya un velo blanco prendido a la cabellera de alguna silfa invisible, ya un fantasma que se eleva en el aire, cubriendo sus huecos amarillos con un sudario sobre el que se cree ver dibujarse sus formas angulosas? Pues una alucinación de ese género experimenté yo al mirar adelantarse hacia la reja, como desasiéndose del fondo tenebroso del coro, aquella figura blanca, alta y ligerísima.[6]

Los dos escritores son muy diferentes. Gil es poeta abundante, torrencial y Bécquer es un poeta-platero que labra piezas de dimensiones reducidas. Gil es novelista y Bécquer es cuentista. Y, sin embargo, detalles de la obra de Gil le interesaron: descripción de una capilla de noche o de un grandioso panorama, colores suaves, claros, cambiantes de la atmósfera, impresión de calma y misterio, amor a la naturaleza tranquila del crepúsculo, creación de personajes algo misteriosos, sueño de una mujer ideal, blanca y vaporosa, todo está ya en la obra de Gil y se encuentra otra vez en la de Bécquer.

Entre obras inspiradas directamente por la de E. Gil, mencionaremos un drama de Mateo Garza, *El Señor de Bembibre* sacado de la novela y editado en Ponferrada en 1848. El drama es muy flojo y parece una caricatura de la novela. Tenemos que mentar también la obra poética de don Ricardo Alonso Montiel (Vatemar), arcipreste de Bembibre, que debe mucho a las dos novelas de E. Gil.

[5] *El rayo de luna,* cap. II.
[6] *Tres fechas,* cap. III. Comp. con *El Señor de Bembibre,* cap. VII.

Se nota también influencia difusa de E. Gil en muchos autores entre los cuales destacan Gertrudis Gómez de Avellaneda (sobre todo en sus cuentos: *Dolores* en particular), y Carolina Coronado en su poesía.

CONCLUSIÓN. ENRIQUE GIL, ESCRITOR ROMÁNTICO

Representa E. Gil un modelo acabado de autor romántico español. Es romántico por su vida. Por su nacimiento en una familia ávida de promoción social, por sus viajes, por su lucha sistemática para conquistar la gloria literaria, por su deseo de ver, hacer, sentir algo nuevo y su muerte repentina, absurda, entre las nieblas berlinesas.

Lo es por su carácter y su pensamiento. Idealismo, esplín, timidez, negación del mundo exterior, amor a la soledad y la independencia, contrariados por un deseo de acción, optimismo, humor y espíritu sociable y curioso. Quiere ser un guía para su país, presentar en sus obras un ejemplo político liberal y generoso, pero opuesto igualmente al carlismo y a los excesos revolucionarios. Sus preocupaciones políticas le llevan al estudio de la historia el cual le induce a visitar atentamente los lugares históricos ubicados en una naturaleza que, al fin, descubrirá. Por la historia accede a la naturaleza que tomará pronto un sitio importante en su obra. Es uno de los primeros escritores regionalistas, sin que eso signifique una orientación hacia el separatismo. Al contrario, el amor a la pequeña patria enaltece el patriotismo hacia España entera.

Es romántico al fin por su arte. Sin cortarse de los autores antiguos, se inspira sobre todo en sus contemporáneos. Es autor resueltamente moderno y cree que la literatura ha de hablar al pueblo, a las masas, enseñándole el camino con la lengua más universal, la de la pasión y el corazón.

JEAN-LOUIS PICOCHE

NOTICIA BIBLIOGRÁFICA

1. Manuscritos

Con excepción de unas pocas cartas y borradores, se perdieron todos los manuscritos de E. Gil y, en consecuencia, no hemos podido tenerlos a mano para esta edición. Nos hemos fijado, pues, exclusivamente en la edición original de Madrid 1844, la única publicada en vida del autor.

2. Obras completas

Obras completas de Don Enrique Gil y Carrasco. Edición, prólogo y notas de D. Jorge Campos. B.A.E. Tomo 74. Madrid. Atlas 1954. in 4.º XXXI — 610 pp.
Esta edición, muy poco cuidada y llena de enormes erratas, sólo es útil al que quiera conocer el conjunto de la obra de E. Gil.

3. Obras escogidas

Enrique Gil y Carrasco: *Obras en prosa* coleccionadas por D. Joaquín del Pino y D. Fernando de la Vera e Isla. Madrid. Imp. de D. E. Aguado, 1883. in 8.º. T. I: CIV-397 pp. T. II: 508 pp., errata. Edición muy cuidada.

4. El Señor de Bembibre

Las ediciones son numerosísimas y generalmente malas. Recomendamos tan sólo las siguientes:

El Señor de Bembibre. Novela original. Madrid, 1844, Est. Tip. de Francisco de Paula Mellado, Biblioteca Popular, en 8.º, 424 pp., 20 láms.

El Señor de Bembibre, Madrid, Gil Blas, Renacimiento, 1920, en 8.º, 391-1 pp., 1 lám.

El Señor de Bembibre, nota preliminar de F. S. R., Madrid, Aguilar, 1944 (Col. "Crisol", núm. 53), en 16, 540 pp. retr.

El Señor de Bembibre, Barcelona, Seix y Barral, 1946, 313 pp., 1 h., en 8.º, ilustrada.

El Señor de Bembibre, en *Antología de la Novela histórica española,* Madrid, Aguilar, 1963, pp. 1629-1793.

El Señor de Bembibre, Ed. y prólogo de Ramón Carnicer, Barral Ed., Barcelona, 1971, Libro de Enlace, núm. 49, en 8.º, 352 pp.

BIBLIOGRAFÍA SELECTA

A. Sobre el autor

Alonso Cortés, Narciso: "Un centenario", en *Viejo y nuevo.* Ed. Montero, Valladolid, 1915, en 8.º, 191 pp., pp. 79-85, y en *Revista Castellana,* 1915, año 1, núm. 1, pp. 16-21.

Campos, Jorge: Prólogo a *Obras Completas* de E. Gil y Carrasco, B.A.E., t. 74.

Gil y Carrasco, Eugenio: *Un ensueño. Biografía,* León, Vda. e hijos de Miñón, en 4.º, 26 pp. Reproducido en *Poesías líricas* de E. Gil, Madrid Medina y Navarro (s. a.), y en *Obras en Prosa* (V. supra), t. I.

Gullón, Ricardo: *Cisne sin lago. Vida y obra de Enrique Gil y Carrasco,* Ínsula, Madrid, en 8.º, 266 pp., lám.

Gullón, Ricardo: "La vida breve de Enrique Gil", en *Ínsula,* núm. 6, 15 de junio de 1946, p. 1 abc y 2 d.

Ledda, Giuseppina: "Il romanzo storico di Gil y Carrasco", en *Miscellanea di studi ispanici,* Istituto di Letteratura spagnola e Ispano Americana dell Università di Pisa, número 8, Pisa, 1964, en 8.º, 178 pp., pp. 133-146.

Lomba y Pedraja, José R.: *Enrique Gil y Carrasco. Su vida y obra literaria.* Tesis doctoral. Madrid, Imp. de los Sucesores de Hernando, 1915, en 8.º, 47 pp. También en *Revista de Filología española,* tomo II, cuad. 2, abril-junio 1915, pp. 137-179.

Montes Huidobro, Matías: "Variedad formal y unidad interna en *El Señor de Bembibre*", en *Papeles de Son Armadans,* año XIV, t. LIII, núm. 159, año 1969, pp. 233-255.

Nieto Taladrid, Mario: "Recuerdo de un romántico. Centenario de la muerte de Enrique Gil", en *El Español,* año V, núm. 174, de 23 de febrero de 1946.

Peers, Edgar-Allison: "Enrique Gil y Walter Scott", en *Ínsula,* núm. 6, de 15 de junio de 1946, pp. 1d y 2d.

Picoche, Jean-Louis: "Le sort des cendres d'Enrique Gil", *Les Langues Néo-Latines,* núm. 178, septiembre-octubre 1966, pp. 70-73.

——: *Un romantique espagnol: Enrique Gil y Carrasco (1815-1846).* Thèse présentée devant l'Université de Paris IV le 11 mars 1972. Service de reproduction des thèses. Université de Lille III, 1972, en 4.º, 1524 pp., en dos tomos, lám.

——: *Un romántico español: Enrique Gil y Carrasco (1815-1846),* Biblioteca Románica Hispánica (Estudios y ensayos, núm. 275), Ed. Gredos, Madrid, 1978, en 8.º, 398 pp.

Quintana Prieto, Augusto: "Enrique Gil y la Biblia", en *Promesa,* Ponferrada, 29 de septiembre de 1946.

Samuels, Daniel-George: *Enrique Gil y Carrasco. A Study in Spanish romanticism,* Instituto de las Españas en los Estados Unidos, 1939, New York, en 8.º, 250 pp., lám.

Varela, José Luis: "Semblanza isabelina de Enrique Gil", en *Cuadernos de literatura,* núms. 16-17-18, julio-diciembre de 1949, pp. 105-146.

Vida Leonesa, año II, núm. 53, de 18 de mayo de 1924. Número extraordinario dedicado a Enrique Gil.

B. Otras obras importantes

Azorín (José Martínez Ruiz): "El paisaje de España visto por los españoles", en *Obras Completas* (Madrid, Aguilar, Col. Joya), t. III, pp. 1117-1245.

Bastús, Joaquín: *Historia de los templarios,* Barcelona, Imp. de J. Verdaguer, 1834, en 8.º, 189 pp.

Blanco García: *La literatura española en el siglo XIX,* Madrid, Sáenz de Jubera, 1891-96, en 8.º, t. I: 1891, XV-443 páginas; t. II: 1891, 637 pp.; t. III: 1896, XVI-403 pp.

Carnicer, Ramón: *Donde las Hurdes se llaman Cabrera,* Barcelona, 1964, Seix-Barral, en 8.º, 193 pp., tab., lám., mapa plegado.

Cortada, Juan: *El templario y la villana.* Crónica del siglo XIV. Barcelona, Imp. de Brusi, 1840, en 8.º t. I: VIII-238 pp.; t. II: 219 pp.

Cortada, Juan: *El rapto de doña Almodis, hija del Conde de Barcelona D. Berenguer III,* narración histórica, Barcelona, por D. J. F. Piferrer, año 1836, en 8.º, 80 pp.

"Crónica de Don Fernando IV", en *Crónicas de los Reyes de Castilla,* t. I, B.A.E.; t. 66, Madrid, Atlas, 1963.

Ferreras, Juan de: *Historia de España.* Parte Séptima. Contiene los sucesos de el syglo XIV. Madrid, Imp. de Antonio Gonçalez de Reyes, 1721, XIV-354 pp., tab., en 8.º

Flórez, Enrique: *España Sagrada,* t. XVI. De la Santa Iglesia de Astorga. Madrid, Imp. G. Ramírez, 1762, en 4.º, 24-519 páginas.

Garibay y Zamalloa, Estevan: *Los XL libros del Compendio Historial de las Chronicas y universal historia de todos los reynos de España,* Imp. en Anveres por Christophoro Plantino, 1571, tomo I, in fol. P. lim., 1525 pp.

Hartzenbusch y Martínez, Juan Eugenio: *Los amantes de Teruel.* Introduction, édition critique et synoptique, précédées d'une étude sur le monde du théâtre à Madrid entre 1833 et 1850 par Jean-Louis Picoche, Paris, Centre de recherches Hispaniques, 1970, en 8.º. T. I: Introduction, 203 pp., tab., lám. T. II: Texte, 210 cuadros.

López, Santiago: *Historia y tragedia de los templarios,* Madrid, Aznar, 1813, en 4.º, VIII-112 pp. Seguido de *Los templarios,* tragedia escrita en francés por Mr. Raunouard *(sic* por Raynouard). Traducida al castellano y arreglada a nuestro teatro.

López Soler, Ramón: "Los Bandos de Castilla o el Caballero del Cisne", *Antología de la Novela Histórica Española,* Aguilar, 1963, pp. 44-217.

Luengo, José María: *Monumentos militares leoneses. El castillo de Ponferrada,* Ed. de la Crónica de León. León, 1929, Imp. y Lib. de J. López, en 8.º, 384 pp., lám. y grab.

Macías y García, Marcelo: *El obispado de Astorga a principios del siglo XIX.* Precioso manuscrito titulado "Catálogo de todos los curatos, sus Anexos, Conventos, Santuarios, ríos, lagos, y otras particularidades que se comprenden en todos y cada uno de los 25 arciprestazgos del Obispado de Astorga". Orense, La Popular, 1928, en 4.º, 137-III pp.

Mariana, Padre Juan de: *Obras,* t. I, B.A.E., t. 30.

Michelet, Jules: *Histoire de France.*

——: *Procès des Templiers,* Paris, Imp. Nationale, 1841-51, 2 vols., en 4.º.

Miñano y Bedoya, Sebastián de: *Diccionario geográfico-estadístico de España y Portugal,* en 4.º, Madrid, Imp. de Pierart-Peralta, 11 tomos, 1826-1829.

Pérez de Montalbán, Juan: *Los templarios.* Comedia famosa. En Primero Tomo de las Comedias del doctor Juan Pérez de Montalván... Año 1638. En Alcalá. En la imp. de Antonio Vázquez, en 8.º. VI-259 ff. (F. 66 r. a 87 v.).

Piñeyro, E.: *El romanticismo en España,* París, Garnier, s. f. (1935), en 8.º, XVIII-382 pp.

Quintana, Manuel José: *Obras Completas,* B.A.E., t. XIX.

Raynouard: *Les Templiers.* Tragédie en cinq actes. Nouvelle édition suivie des *Monuments historiques relatifs à la condamnation des Chevaliers du Temple et à l'abolition de leur Ordre.* Paris, Barba, 1823, en 8.º, 72-CIV pp.

Rodríguez Campomanes, Pedro: *Disertaciones históricas del Orden y Cavallería de los Templarios,* Madrid, A. Pérez de Soto, 1747, en 4.º, XLVIII-287 pp.

Salazar y Castro, Luis de: *Historia genealógica de la Casa de Lara,* justificada con instrumentos y escritos de inviolable fe, t. III, Madrid, Imp. Real M. de Llanos y Guzmán, año de 1697, en fol., 586 pp.

Salazar y Mendoza: *Origen de las dignidades seglares de Castilla y León,* con relación sumaria de los Reyes de estos Reynos, Toledo, D. Rodríguez, 1618, en fol., P. lim. 190 ff.

Sandoval, Fray Prudencio de: *Primera parte de las fundaciones de los Monesterios del Glorioso Padre San Benito, que los Reyes de España fundaron y dotaron...* Año 1601, Madrid, Luis Sánchez, en fol., t. I, 50 ff.; t. II, 96 ff.; t. III, 84 ff.

Scott, Walter: *The Talisman. Ivanhoe. The Bride of Lammermoor.*

Villanueva, Joaquín Lorenzo: *Viaje literario a las Iglesias de España,* t. V, Madrid, Imp. Real, año de 1806, en 8.º, 378 páginas.

Voltaire: *Essai sur les mœurs et l'esprit des nations.*

Yepes y Torres, Fray Antonio: *Crónica general de la Orden de San Benito,* estudio preliminar y edición por Fray Justo Pérez de Urbel, B.A.E., t. 123-124-125.

Zurita, Jerónimo: *Anales de la Corona de Aragón,* tomo I, Zaragoza, L. de Robles, 1610, en fol., 454 ff.

NOTA PREVIA

La única edición de *El Señor de Bembibre* publicada en vida del autor, es la de Madrid, Biblioteca Popular de Mellado, 1844. Por desgracia, se hicieron las correcciones mientras Enrique Gil estaba ya en Francia o en Prusia y no pudo intervenir personalmente, lo que dio lugar a gran número de errores. Además, se trata de una edición barata y muy poco cuidada. La mayor de las desgracias es que se desconoce el paradero del manuscrito autógrafo, resultando esta malhadada edición la única fuente posible para conocer, en la actualidad, la mayor novela del romanticismo español.

Existen, pues, varios pasajes del texto bastante oscuros o sorprendentes. Como no pude comparar con ninguna otra versión antigua, he creído preferible pecar por exceso de prudencia que no por demasiada temeridad. Por eso, excepto cuando se trata de evidentes erratas o de lapsus del autor o del impresor, he preferido dejar el texto intacto, esperando que algún día se pueda hacer otra edición más segura, después del hallazgo del manuscrito.

Se publica el texto íntegro, contrariamente a otras muchas ediciones que, por exceso de escrupulosidad, suprimen dos pasajes algo escabrosos del capítulo XXII, y, a veces, la casi totalidad del mismo capítulo.

Me hubiera gustado, para guardar plenamente a la novela su carácter decimonónico, conservar la ortografía y la puntuación antigua, pero resultó imposible, precisamente por la poca seguridad de ambas en la edición de 1844. Se modernizaron pues la ortografía y la acentuación. Sin embargo, se conservaron formas algo anticuadas, aunque no fuera de uso. Así se ortografía: "haca", "obscuro", "priesa", "yerba", "reló", "entrever".

Las voces compuestas se escriben también, según el uso del siglo pasado. Se leerá: "lugar-teniente", "al rededor", "así mismo", "un sin número". Al contrario, se leerá: "apropósito", "sopena" y "sino" por "si no".

La edición de 1844 no confiere mayúscula a los títulos nobiliarios o eclesiásticos, lo que se respetó. Se escribe pues: "el rey", "el papa", "el infante", "el conde", "el maestre", "el comendador", "el caballero".

La dignidad de "Merino Mayor del Bierzo" se encontró en cambio, con mayúscula y se conservó esta grafía para evitar una confusión con el homónimo.

El "Sumo Pontífice" se escribe a veces con mayúscula, en el original, y a veces sin ella. Se generalizó la mayúscula por señalar una distinción aparentemente más personal que la palabra "papa".

He creído oportuno poner una mayúscula a la palabra "Templario" cada vez que es sustantiva y a la palabra "Orden" cuando designa la Orden del Temple, ya que se trata de verdaderos nombres propios.

La puntuación es poco diferente de la actual. Se suplieron comas cada vez que faltaban. Se cambiaron muchos ";" y varios ":" por sencillas comas, ya que estos signos tenían entonces un significado menos fuerte que en la actualidad. Todos los diálogos se destacaron del texto, lo que no era siempre el caso y los signos "¡" y "¿" se suplieron cada vez que faltaban, lo que ocurre muy a menudo.

Así, he creído posible dar al público una edición cuidada y tan poco alejada del original como me lo permitió el estado lamentable de la edición de 1844, única e imprescindible base de mi trabajo.

J.-L. P.

EL SEÑOR
DE BEMBIBRE,[1]

NOVELA ORIGINAL

POR DON ENRIQUE GIL Y CARRASCO.

MADRID 1844:

ESTABLECIMIENTO TIPOGRÁFICO,
DE D. FRANCISCO DE P. MELLADO.

[1] Enrique Gil no escribió *novela histórica,* sino más sencillamente *novela original.* Esto significa sin duda que no se trata de una novela histórica a la manera de las de 1835, y menos aún de un plagio de W. Scott, Byron o V. Hugo a lo López Soler. Ya se nota que la intención del autor es hacer algo nuevo.

CAPÍTULO I

En una tarde de mayo[1] de uno de los primeros años del siglo XIV,[2] volvían de la feria de San Marcos de Cacabelos,[3] tres al parecer criados[4] de alguno de los grandes señores que entonces se repartían el dominio del Bierzo. El uno de ellos, como de cincuenta y seis años de edad,

[1] Empieza la novela en primavera para acabar también en primavera del año siguiente. Esto permite al autor evocar sucesivamente las diferentes estaciones del año.

[2] Se trata de la época en que empiezan las persecuciones contra los Templarios. Felipe el Hermoso manda arrestar a los Templarios franceses el 13 de octubre de 1307. Como ha ocurrido ya este acontecimiento, se puede suponer que empieza la acción de la novela en mayo de 1308. Sin embargo, el autor no indica exactamente el año porque existe una contracción cronológica de la acción histórica debida a la mayor rapidez de la acción puramente novelesca (v. Introducción, pp. 23-24).

[3] *Cacabelos*: villa situada a 7 kilómetros al este de Villafranca del Bierzo. Tenía (Miñano, t. II, p. 254b): "Dos ferias mensuales y otras tres estraordinarias. Feria [de San Marcos] el 25 de Abril." El día de San Marcos es, desde luego, el 25 de abril, pero en el curso del siglo XIX se había retrasado dicha feria que siguió un tiempo llevando el nombre de San Marcos y tomó luego el de Feria de la Cruz. Se celebraba a principios de mayo.

[4] Es un recurso de W. Scott (*Ivanhoe,* Ch. I) el de dejar a cargo de unos criados la exposición de la novela.

montaba una haca gallega[5] de estampa poco aventajada, pero que a tiro de ballesta descubría la robustez y resistencia propias para los ejercicios venatorios,[6] y en el puño izquierdo cubierto con su guante llevaba un neblí encaperuzado.[7] Registrando ambas orillas del camino, pero atento a su voz y señales, iba un sabueso[8] de hermosa raza. Este hombre tenía un cuerpo enjuto y flexible, una fisonomía viva y atezada y en todo su porte y movimientos revelaba su ocupación y oficio de montero.

Frisaba el segundo en los treinta y seis años y era el reverso de la medalla, pues a una fisonomía abultada y de poquísima expresión, reunía un cuerpo macizo y pesado, cuyos contornos de suyos poco airosos, comenzaba a borrar la obesidad. El aire de presunción con que manejaba un soberbio potro andaluz en que iba caballero, y la precisión con que le obligaba a todo género de movimientos, le daban a conocer como picador o palafrenero,[9] y el tercero por último que montaba un buen caballo de guerra e iba un poco más lujosamente ataviado, era un mozo de presencia muy agradable, de gran soltura y despejo, de fisonomía un tanto maliciosa y en la flor de sus años. Cualquiera le hubiera señalado sin dudar por que era el escudero o paje de lanza de algún señor principal.

Llevaban los tres conversación muy tirada, y como era natural, hablaban de las cosas de sus respectivos amos

[5] Haca gallega (y no jaca como escriben casi todas las ediciones). Es un recuerdo socarrón de la aventura de Rocinante (*Don Quijote,* I, 15) con aquellas yeguas y los mercaderes yangüeses. E. Gil alude a esta aventura en *El Segador* (BAE, t. 74, p. 281a).

[6] *venatorios*: de la caza.

[7] *neblí encaperuzado*: se trata de un ave de caza, cegada con una caperuza que le cubre los ojos durante los momentos de descanso.

[8] *sabueso*: perro de caza.

[9] Picador es el que doma caballos, palafrenero el que cuida de ellos. E. Gil presenta aquí a Mendo, el personaje cómico de la novela, que recuerda algún tanto al antiguo gracioso de la comedia lopesca.

elogiándolos [10] a menudo y entreverando las alabanzas con su capa correspondiente de murmuración.

—Dígote Nuño, decía el palafrenero, que nuestro amo obra como un hombre, porque eso de dar la hija única y heredera de la casa de Arganza a un hidalguillo de tres al cuarto, [11] pudiendo casarla con un señor tan poderoso, como el conde de Lemus, [12] sería peor que asar la manteca. [13] ¡Miren que era acomodo un señor de Bembibre!! [14]

—Pero hombre, replicó el escudero con sorna, aunque no fuesen encaminadas a él las palabras del palafrenero, ¿qué culpa tiene mi dueño de que la doncella de tu joven señora me ponga mejor cara que a ti [15] para que le trates como a real de enemigo? [16] Hubiérasle pedido a Dios que te diese algo más de entendimiento y te dejase un poco menos de carne, que entonces Martina te miraría con otros ojos, y no vendría a pagar el amo los pecados del mozo.

Encendióse en ira la espaciosa cara del buen palafrenero que revolviendo el potro se puso a mirar de hito en hito al escudero. Éste por su parte le pagaba en la misma

[10] E. Gil pinta siempre criados dechados de lealtad hacia sus amos. La lucha de las clases no existe ni por asomos en la novela.

[11] La gente de pueblo tiene su propio lenguaje y E. Gil se esfuerza en poner a cada uno las palabras que le convienen. Sin embargo, el estilo queda siempre muy elevado.

[12] Lemus y no Lemos. Así siempre en la edición. Sin embargo, el personaje histórico lleva el título de conde de Lemos (de la ciudad gallega de Monforte de Lemos). Un error tipográfico parece poco probable. Es posible que E. Gil haya querido imitar el habla regional con tendencia a cambiar en -u las -o finales átonas.

[13] V. nota 11.

[14] El castillo de Bembibre pertenecía a los condes de Alba y Aliste y don Álvaro Yáñez, señor de Bembibre, no es un personaje histórico. Sin duda escogió E. Gil la villa de Bembibre como feudo de don Álvaro por ser plaza de mediana importancia, lo que convenía a la situación social del protagonista.

[15] La intriga secundaria entre los criados, paralela a la de los amos, es un recurso escénico. Son frecuentes en esta novela las reminiscencias teatrales.

[16] Millán habla como hombre avezado a la guerra.

moneda, y además se le reía en las barbas, de manera que sin la mediación del montero Nuño, no sabemos en qué hubiera venido a parar aquel coloquio en mal hora comenzando.

—Mendo, le dijo al picador, has andado poco comedido al hablar del señor de Bembibre que es un caballero principal a quien todo el mundo quiere y estima en el país por su nobleza y valor, y te has expuesto a las burlas algo demasiadamente pesadas de Millán, que sin duda cuida más de la honra de su señor que de la caridad a que estamos obligados los cristianos.

—Lo que yo digo es que nuestro amo hace muy bien en no dar su hija a don Álvaro Yáñez, [17] y en que *velis nolis* [18] venga a ser condesa de Lemus y señora de media Galicia.

—No hace bien tal, repuso el juicioso montero, porque, sobre no tener doña Beatriz en más estima al tal conde que yo a un halcón viejo y ciego, si algo le lleva de ventaja al señor de Bembibre en lo tocante a bienes, también se le queda muy atrás en virtudes y buenas prendas y sobre todo en la voluntad de nuestra joven señora que por cierto ha mostrado en la elección más discernimiento que tú.

—El señor de Arganza, [19] nuestro dueño, a nada se ha obligado, replicó Mendo, y así que don Álvaro se vuelva por donde ha venido y toque soleta en busca de su madre gallega.

—Cierto es, que nuestro amo, no ha empeñado palabra, ni soltado prenda, a lo que tengo entendido; pero en ese

[17] Álvaro Yáñez. La elección del nombre y del apellido del protagonista no procede de la casualidad. Álvaro es el héroe del Duque de Rivas; Yáñez es el apellido del último maestre del Temple en Castilla y se sabe que es su sobrino.

[18] *Velis nolis*: quieras o no quieras.

[19] Don Alonso Ossorio es señor de Arganza, pueblecito situado a 6 kilómetros al norte de Cacabelos. El personaje no es histórico y E. Gil escogió tal pueblo por su agradable situación y porque tenía todavía en el siglo XIX una casa palacio arruinada, demolida y sustituida actualmente por un edificio moderno.

caso, mal ha hecho en recibir a don Álvaro del mismo modo que si hubiese de ser su yerno, y en permitir que su hija tratase a una persona que a todo el mundo cautiva con su trato y gallardía, y de quien por fuerza se había de enamorar una doncella de tanta discreción y hermosura como doña Beatriz.

—Pues si se enamoró, que se desenamore, contestó el terco palafrenero, además que no dejará de hacerlo en cuanto su padre levante la voz, porque ella es humilde como la tierra, y cariñosa como un ángel, la cuitada.

—Muy descaminado vas en tus juicios, respondió el montero; yo la conozco mejor que tú porque la he visto nacer; y aunque por bien dará la vida, si la violentan y tratan mal, sólo Dios puede con ella.

—Pero hablando ahora sin pasión y sin enojo, dijo Millán metiendo baza; [20] ¿qué te ha hecho mi amo, Mendo, que tan enemigo suyo te muestras? Nadie que yo sepa, habla así de él en esta tierra, sino tú.

—Yo no le tengo tan mala voluntad, contestó Mendo, y si no hubiera parecido por acá el de Lemus, lo hubiera visto con gusto hacerse dueño del cotarro [21] en nuestra casa, pero, ¿qué quieres, amigo? Cada uno arrima el ascua a su sardina, y conde por señor nadie lo trueca. [22]

—Pero mi amo, aunque no sea conde es noble y rico, y lo que es más, sobrino del maestre de los Templarios y aliado de la Orden. [23]

—Valientes herejes y hechiceros, exclamó entre dientes Mendo.

—¿Quieres callar, desventurado?, le dijo Nuño en voz

[20] Interviniendo en la conversación.

[21] *cotarro*: recinto donde se albergan los vagabundos de noche. El término es algo despectivo para designar los bienes del señor de Arganza.

[22] Tantos refranes recuerdan algún tanto el habla de Sancho Panza en *Don Quijote*.

[23] Este particular tendrá grandísima importancia en el curso de la novela. Por ahora, no es más que una ligera indicación que más tarde se aprovechará.

baja, tirándole del brazo con ira. Si te lo llegasen a oír, serían capaces de asparte como a San Andrés.[24]

—No hay cuidado, replicó Millán, a cuyo listo oído no se había escapado una sola palabra aunque dichas en voz baja. Los criados de don Álvaro nunca fueron espías ni mal intencionados, a Dios gracias, que al cabo, los que andan al rededor de los caballeros siempre procuran parecérseles.

—Caballero es también el de Lemus, y más de una buena acción ha hecho.

—Sí, respondió Millán, con tal que haya ido delante de gente para que la pregonen en seguida. ¿Pero sería capaz tu ponderado conde de hacer por su mismo padre lo que don Álvaro hizo por mí?

—¿Qué fue ello? preguntaron a la vez los dos compañeros.

—Una cosa que no se me caerá a dos tirones de la memoria. Pasábamos el puente viejo de Ponferrada, que como sabéis, no tiene barandillas,[25] con una tempestad desecha, y el río iba de monte a monte bramando como el mar: de repente revienta una nube, pasa una centella por delante de mi palafrén, encabrítase éste, ciego con el resplandor, y sin saber cómo, ni cómo no ¡paf! ambos vamos al río de cabeza. ¿Qué os figuráis que hizo don Álvaro? Pues, señor, sin encomendarse a Dios ni al diablo, metió las espuelas a su caballo y se tiró al río tras de mí. En poco estuvo que los dos no nos ahogamos. Por fin mi jaco[26] se fue por el río abajo y yo, medio atolondrado, salí a la orilla, porque él tuvo buen cuidado

[24] Las calumnias contra los Templarios se difundían más en Francia que en España. Mariana dice, sin embargo (lib. XV, capítulo X): "Los caballeros templarios... cuyo nombre era a todos aborrecible".

[25] *no tiene barandillas*: parece este detalle invención de E. Gil para el caso. En efecto, escribirá más adelante (cap. III): "al llegar al puente sobre el Sil, que por las muchas barras de hierro que tenía dió a la villa el nombre de Ponsferrata...", de lo que resulta un ilogismo.

[26] *jaco*: caballo pequeño y malo.

de llevarme agarrado de los pelos. Cuando me recobré a la verdad, no sabía cómo darle las gracias, porque se me puso un nudo en la garganta y no podía hablar; pero él que lo conoció se sonrió y me dijo: "vamos, hombre, bien está: todo ello no vale nada: sosiégate, y calla lo que ha pasado, porque sino, puede que te tengan por mal jinete".

—¡Gallardo lance, por vida mía!, exclamó Mendo con un entusiasmo que apenas podía esperarse de sus anteriores prevenciones, y de su linfático temperamento; ¡y sin perder los estribos! ¡ah buen caballero! ¡Lléveme el diablo, si una acción como ésta no vale casi tanto como el mejor condado de España! Pero a bien, continuó como reportándose, que si no hubiera sido por su soberbio Almanzor,[27] Dios sabe lo que le hubiera sucedido... ¡Son muchos animales! continuó, acariciando el cuello de su potro con una satisfacción casi paternal: y di, Millán, ¿qué fue del tuyo por último? ¿se ahogó el pobrecillo?

—No, respondió Millán, fue a salir un buen trecho más abajo y allí le cogió un esclavo moro del Temple[28] que había ido a Pajariel[29] por leña, pero el pobre animal había dado tantos golpes y encontrones que en más de tres meses no fue bueno.

Con estas y otras llegaron al pueblo de Arganza y se apearon en la casa solariega de su señor, el ilustre don Alonso Ossorio.[30]

[27] *Almanzor*: nombre del célebre caudillo moro. Se ha escogido tal nombre para evocar la raza del caballo.

[28] Los Templarios tenían, en efecto, esclavos, moros o negros.

[29] *Pajariel*: colina inmediata a Ponferrada al sudoeste.

[30] *Ossorio*: es probable que en la mente del autor se esconda detrás de Alonso Ossorio la familia Álvarez de Toledo, a la cual pertenecía el marquesado de Villafranca. Se sabe, por documentos fehacientes del archivo de dicha familia, en Villafranca, que existían vínculos entre los Ossorio, los Yáñez y los Balboa. (La madre de doña Beatriz se llama doña Blanca de Balboa.) Sin embargo, parece, a pesar de las dificultades lógicas, que doña Beatriz no sea, en la mente del autor, una Álvarez de Toledo, sino sencillamente una Gil (v. Introducción, pp. 26-27).

CAPÍTULO II

Algo habrán columbrado ya nuestros lectores, [31] de la situación en que a la sazón se encontraba la familia de Arganza y el señor de Bembibre, merced a la locuacidad de sus respectivos criados. Sin embargo por más que las noticias que les deben no se aparten en el fondo de la verdad, son tan incompletas, que nos obligan a entrar en nuevos pormenores, esenciales en nuestro entender para explicar los sucesos de esta lamentable historia.

Don Alonso Ossorio, señor de Arganza, había tenido dos hijos y una hija; pero de los primeros murió uno antes de salir de la infancia, y el otro murió peleando como bueno, en su primer campaña contra los moros de Andalucía. Así pues, todas sus esperanzas habían venido a cifrarse en su hija doña Beatriz que entonces tenía pocos años, pero que ya prometía tanta belleza como talento y generosa índole. Había en su carácter una mezcla de la energía que distinguía a su padre y de la dulzura y melancolía de doña Blanca de Balboa, [32] su madre, santa señora cuya vida había sido un vivo y constante ejemplo de bondad, de resignación y de piedad cristiana. Aunque con la pérdida temprana de sus dos hijos su complexión, harto delicada por desgracia, se había arruinado enteramente, no fue esto obstáculo para que en la crianza esmerada de su hija emplease su instrucción poco común en aquella época, [33] y fecundase las felices disposiciones de que la había dotado pródigamente la naturaleza. Sin más esperanza que aquella criatura tan querida y hermo-

[31] Es frecuente en la manera del autor intervenir personalmente y dirigirse a sus lectores para explicar algunos pormenores de la acción.

[32] Balboa es apellido común en el Bierzo. V. nota 30 del capítulo I y la Introducción, p. 26.

[33] Esto explicará más tarde las dotes de doña Beatriz, poetisa y tañedora de música a la vez.

sa, sobre ella amontonaba su ternura, todas las ilusiones del deseo y los sueños del porvenir. Así crecía doña Beatriz como una azucena gentil y fragante al calor del cariño maternal, defendida por el nombre y poder de su padre y cercada por todas partes del respeto y amor de sus vasallos, que contemplaban en ella una medianera segura para aliviar sus males y una constante dispensadora de beneficios.

Los años en tanto pasaban rápidos como suelen, y con ellos voló la infancia de aquella joven tan noble, agraciada y rica, a quien por lo mismo pensó buscar su padre un esposo digno de su clase y elevadas prendas. En el Bierzo entonces no había más que dos casas cuyos estados y vasallos estuviesen al nivel: una la de Arganza, otra la de la antigua familia de los Yáñez, cuyos dominios comprendían la fértil ribera de Bembibre [34] y la mayor parte de las montañas comarcanas. Este linaje había dado dos maestres al Orden del Temple [35] y era muy honrado y acatado en el país. Por una rara coincidencia a la manera que el apellido Ossorio pendía de la frágil existencia de una mujer, el de Yáñez estaba vinculado en la de un solo hombre no menos frágil y deleznable en aquellos tiempos de desdicha y turbulencias. Don Álvaro Yáñez y su tío don Rodrigo, maestre del Temple en Castilla, [36] eran los dos únicos miembros que quedaban de aquella raza ilustre y numerosa; rama seca y estéril, el uno por su edad y sus votos; y vástago el otro lleno de savia y lozanía que prometía larga vida y sazonados fru-

[34] La villa está situada en medio de una vega regada por el Boeza. El autor no describe casi nunca la comarca y evoca tan sólo la feracidad de la ribera con los adjetivos "feraz", "frondosa", "risueña", "amenísima", "fértil", tanto en *El Señor de Bembibre* como en *El Lago de Carucedo* y *Bosquejo de un viaje* (v. Apéndice, p. 444).

[35] Se trata de don Gonzalo Yáñez elegido en 1296 y don Pedro Yáñez "por el mismo tiempo" (Campomanes, p. 263). Además, figura en la lista de Campomanes un don Sancho Ibáñez (elegido en 1295) cuyo apellido no es más que una variante de Yáñez.

[36] Rodrigo Yáñez es un personaje histórico del cual se conoce poca cosa, lo que facilita su intervención en una novela.

tos. Don Álvaro había perdido de niño a sus padres, y su tío a la sazón comendador de la Orden, le había criado como cumplía a un caballero tan principal, teniendo la satisfacción de ver coronados sus trabajos y solicitud con el éxito más brillante. Había hecho su primer campaña en Andalucía, bajo las órdenes de don Alonso Pérez de Guzmán, [37] y a su vuelta trajo una reputación distinguida, principalmente a causa de los esfuerzos que hizo para salvar al infante don Enrique, [38] de manos de la morisma. Por lo demás la opinión en que según nuestros conocidos del capítulo anterior le tenía el país, y el rasgo contado por su escudero, darán a conocer mejor que nuestras palabras, su carácter caballeresco y generoso.

El influjo superior de los astros parecía por todas estas razones confundir el destino de estos dos jóvenes, y sin embargo debemos confesar que don Alonso tuvo que vencer una poderosa repugnancia para entrar en semejante plan. [39] La estrecha alianza que los Yáñez tuvieron siempre asentada con la Orden del Temple, estuvo mil veces para desbaratar este proyecto de que iba a resultar el engrandecimiento de dos casas esclarecidas y la felicidad de dos personas universalmente estimadas.

Los Templarios habían llegado a su período de riqueza y decadencia y su orgullo era verdaderamente insoportable a la mayor parte de los señores independientes. [40] [El] de Arganza lo había experimentado más de una vez, y devorado su cólera en silencio, porque la Orden dueña de los castillos del país podía burlarse de todos, pero su despecho se había convertido en odio hacia aquella mi-

[37] Se trata de Guzmán el Bueno, alcaide de Tarifa.

[38] El infante don Enrique era hermano del rey Alfonso el Sabio y tío, por consiguiente, del infante don Juan. En realidad, don Enrique estaba aliado con los moros.

[39] Indicación hecha para evitar incoherencia psicológica.

[40] Apunte sacado de la *Histoire de France* de Michelet (t. IV, liv. V, ch. 3), que es una de las fuentes históricas de Gil: "Les chevaliers revenaient inutiles, formidables, odieux."

licia tan valerosa como sin ventura.[41] Afortunadamente ascendió a maestre provincial de Castilla don Rodrigo Yáñez y su carácter templado y prudente enfrenó las demasías de varios caballeros y logró conciliarse la amistad de muchos señores vecinos descontentos. De este número fue el primero don Alonso, que no pudo resistirse a la cortés y delicada conducta del maestre, y sin reconciliarse por entero con la Orden, acabó por trabar con él sincera amistad. En ella se cimentó el proyecto de entronque de ambas casas, si bien el señor de Arganza no pudo acallar el desasosiego que le causaba la idea de que algún día sus deberes de vasallo podrían obligarle a pelear contra una Orden, objeto ya de celos y de envidia, pero de cuya alianza no permitía apartarse el honor a su futuro yerno. Como quiera, el poder de los Templarios y la poca fortaleza de la corona,[42] parecían alejar indefinidamente semejante contingencia, y no parecía cordura sacrificar a estos temores la honra de su casa y la ventura de su hija.

Bien hubiera deseado don Alonso y aun el maestre, que semejante enlace se hubiese llevado a cabo prontamente, pero doña Blanca cuyo corazón era todo ternura y bondad, no quería abandonar a su hija única en brazos de un hombre desconocido hasta cierto punto para ella; porque creía, y con harta razón, que el conocimiento recíproco de los caracteres y la consonancia de los sentimientos, son fiadores más seguros de la paz y dicha doméstica que la razón de estado y los cálculos de la conveniencia.[43] Doña Blanca había penado mucho con el

[41] Esto no muestra perfectamente la benevolencia de Gil hacia la Orden del Temple. Al contrario, hemos visto (v. Introducción, pp. 30 y sig.) que su opinión queda muy severa con respecto a los Templarios.

[42] Fernando IV, nacido en 1285, tuvo que luchar constantemente contra facciones rebeldes.

[43] Esto es un anacronismo en una novela del siglo XIV, pero bien es verdad que si la acción histórica es del siglo XIV, la acción sentimental lo es del siglo XIX.

carácter duro y violento de su esposo, y deseaba ardientemente excusar a su hija los pesares que habían acibarado su vida. Así pues, tanto importunó y rogó que al fin hubo de recabar de su noble esposo que ambos jóvenes se tratasen y conociesen sin saber el destino que les guardaban. ¡Solicitud funesta, que tan amargas horas preparaba para todos!

Este fue el principio de aquellos amores cuya espléndida aurora debía muy en breve convertirse en un día de duelo y de tinieblas. Al poco tiempo comenzó a formarse en Francia[44] aquella tempestad, en medio de la cual desapareció por último la famosa caballería del Temple. Iguales nubarrones asomaron en el horizonte de España,[45] y entonces los temores del señor de Arganza se despertaron con increíble ansiedad, pues harto conocía que don Álvaro era incapaz de abandonar en la desgracia a los que habían sido sus amigos en la fortuna, y según el giro que parecía tomar aquel ruidoso proceso, no era imposible que su familia llegase a presentar el doloroso espectáculo que siempre afea las luchas civiles. A este motivo que en el fondo no estaba desnudo de razón ni de cordura, se había agregado otro por desgracia más poderoso, pero de todo punto contrario a la nobleza que hasta allí no había dejado de resplandecer en las menores acciones de don Alonso. El conde de Lemus había solicitado la mano de doña Beatriz, por medio del infan-

[44] Los Templarios franceses fueron arrestados el 13 de octubre de 1307. En seguida empezó el procesó que duró siete años.

[45] A fines del año 1307, Felipe el Hermoso, rey de Francia, mandó a Jaime II de Aragón una carta para inducirle a arrestar a los Templarios como lo hiciera en su país. Jaime II contesta a dicha carta desde Teruel el 17 de noviembre de 1307 y luego recibe del papa (mayo de 1308) una carta con la orden de arrestar a los Templarios aragoneses. Esto ocurre, pues, en el momento preciso en que principia la novela (cf. Villanueva, *Viaje literario...*, t. V, carta XLIV, pp. 176-184). La carta del papa dirigida a Fernando IV de Castilla llegó un poco más tarde, en julio de 1308.

te don Juan,[46] tío del rey don Fernando el IV con quien unían a don Alonso relaciones de obligación y amistad desde su efímero reinado en León,[47] y atento sólo a la ambición de entroncar su linaje con uno tan rico y poderoso, olvidó sus pactos con el maestre del Temple, y no vaciló en el propósito de violentar a su hija, si necesario fuese para el logro de sus deseos.

Tal era el estado de las cosas en la tarde que los criados de don Alonso y el escudero de don Álvaro volvían de la feria de Cacabelos. El señor de Bembibre y doña Beatriz, en tanto estaban sentados en el hueco de una ventana de forma apuntada[48] abierta por lo delicioso del tiempo que alumbraba a un aposento espléndidamente amueblado y alhajado. Era ella de estatura aventajada, de proporciones esbeltas y regulares, blanca de color, con ojos y cabello negros[49] y un perfil griego de extraordinaria pureza. La expresión habitual de su fisonomía manifestaba una dulzura angelical, pero en su boca y en su frente cualquier observador mediano hubiera podido descubrir indicios de un carácter apasionado y enérgico. Aunque sentada se conocía que en su andar y movimientos debían reinar a la vez el garbo, la majestad y el decoro, y el rico vestido bordado de flores con colores muy vi-

[46] El infante don Juan es personaje histórico de gran importancia en el reinado de Fernando IV. Tío del rey, es uno de los señores más turbulentos de tan revesado período. Cf. Mariana, lib. XV, cap. I.

[47] Coronado rey de León, nunca llegó a reinar efectivamente.

[48] No se puede saber si es auténtico este detalle arquitectónico, ya que el actual edificio data de fines del siglo XIX. El vecino palacio de Canedo, contemporáneo y muy parecido (según tradición del país) al antiguo de Arganza, no tiene ventanas de forma apuntada.

[49] Normalmente, las heroínas son rubias y de ojos garzos. Es posible que haya aquí una asimilación entre la protagonista y la doncella querida del autor, Juana Baylina. E. Gil la describe así en *Anochecer*... (BAE, t. 74, p. 254b): "Era una doncella de ojos negros, de frente melancólica y de sonrisa angelical."

vos [50] que la cubría, realzaba su presencia llena de naturales atractivos.

Don Álvaro era alto, gallardo y vigoroso, de un moreno claro, ojos y cabello castaños, [51] de fisonomía abierta y noble y sus facciones de una regularidad admirable. Tenía la mirada penetrante [52] y en sus modales se notaba gran despejo y dignidad al mismo tiempo. Traía calzadas unas grandes espuelas de oro, espada de rica empuñadura y pendiente del cuello un cuerno de caza primorosamente embutido de plata, que resaltaba sobre su exquisita ropilla obscura, guarnecida de finas pieles. En una palabra, era uno de aquellos hombres que en todo descubren las altas prendas que los adornan, y que involuntariamente cautivan la atención y simpatía de quien los mira.

Estaba poniéndose el sol detrás de las montañas que parten términos entre el Bierzo y Galicia [53] y las revestía de una especie de aureola luminosa que contrastaba peregrinamente con sus puntos oscuros. Algunas nubes de formas caprichosas y mudables sembradas acá y acullá por un cielo hermoso y purísimo, se teñían de diversos colores según las herían los rayos del sol. En los sotos y huertas de la casa estaban floridos todos los rosales y la mayor parte de los frutales, y el viento que los movía

[50] También es un detalle raro. Normalmente, las heroínas románticas van vestidas de blanco y así ocurrirá con doña Beatriz en lo sucesivo. Por ahora, se trata de mostrar a la joven en todo su esplendor antes de la desdicha.

[51] *ojos y cabellos castaños*: lo físico corresponde quizá, aunque incompletamente, al propio autor, que tenía efectivamente el pelo castaño pero ojos garzos (cf. *Libro de matrículas y revalidaciones del Seminario de Astorga,* año de 1829 a 1830, en que se señala a don Enrique Gil "castaño, garzo", folio 45 r.). Desde luego, se verá muy pronto que el personaje tiene pocos puntos comunes con el autor.

[52] E. Gil tenía, en efecto, una vista agudísima que le permitía discernir los menores detalles en la lontananza. Esto se nota perfectamente en sus descripciones.

[53] Se trata de la sierra de Ancares que domina la ciudad de Villafranca del Bierzo.

mansamente venía como embriagado de perfumes. Una porción de ruiseñores y jilguerillos cantaban melodiosamente, y era difícil imaginar una tarde más deliciosa. Nadie pudiera creer, en verdad, que en semejante teatro iba a representarse una escena tan dolorosa.[54]

Doña Beatriz clavaba sus ojos errantes y empañados de lágrimas ora en los celajes del ocaso, ora en los árboles del soto, ora en el suelo; y don Álvaro, fijos los suyos en ella de hito en hito, seguía con ansia todos sus movimientos. Ambos jóvenes estaban en un embarazo doloroso sin atreverse a romper el silencio. Se amaban con toda la profundidad de un sentimiento nuevo, generoso y delicado, pero nunca se lo habían confesado. Los afectos verdaderos tienen un pudor y reserva característicos, como si el lenguaje hubiera de quitarles su brillo y limpieza. Esto cabalmente es lo que había sucedido con don Álvaro y doña Beatriz, que embebecidos en su dicha jamás habían pensado en darle nombre, ni habían pronunciado la palabra amor.[55] Y sin embargo, esta dicha parecía irse con el sol que se ocultaba detrás del horizonte, y era preciso apartar de delante de los ojos aquel prisma falaz que hasta entonces les había presentado la vida como un delicioso jardín.

Don Álvaro, como era natural, fue el primero que habló.

—¿No me diréis, señora, preguntó con voz grave y melancólica, qué da a entender el retraimiento de vuestro padre y mi señor para conmigo? ¿Será verdad lo que mi corazón me está presagiando desde que han empezado a correr ciertos ponzoñosos rumores sobre el conde de Lemus? ¿De cierto, de cierto pensarían en apartarme de vos? continuó, poniéndose en pie con un movimiento muy rápido.

[54] El contraste entre la naturaleza alegre y una escena dolorosa es un tópico del romanticismo. Se notará el mismo procedimiento en el capítulo XXXVIII.

[55] Existe una semejanza entre el amor de los protagonistas y el de *Los amantes de Teruel* de Hartzenbusch, que se aman antes de darse cuenta de ello.

Doña Beatriz bajó los ojos y no respondió.

—¡Ah! ¿con que es verdad? continuó el apesarado caballero, ¿y lo será también, añadió con voz trémula, que han elegido vuestra mano para descargarme el golpe?

Hubo entonces otro momento de silencio, al cabo del cual doña Beatriz levantó sus hermosos ojos bañados en lágrimas, y dijo con una voz tan dulce como dolorida:

—También es cierto.

—Escuchadme, doña Beatriz, repuso él, procurando serenarse. Vos no sabéis todavía cómo os amo, ni hasta qué punto sojuzgáis y avasalláis mi alma. Nunca hasta ahora os lo había dicho... ¿para qué había de hacer una declaración que el tono de mi voz, mis ojos y el menor de mis ademanes estaban revelando sin cesar? Yo he vivido en el mundo solo y sin familia, y este corazón impetuoso no ha conocido las caricias de una madre ni las dulzuras del hogar doméstico. Como un peregrino he cruzado hasta aquí el desierto de mi vida,[56] pero cuando he visto que vos érais el santuario adonde se dirigían mis pasos inciertos, hubiera deseado que mis penalidades fuesen mil veces mayores para llegar a vos purificado y lleno de merecimientos. Era en mí demasiada soberbia querer subir hasta vos, que sois un ángel de luz, ahora lo veo; pero ¿quién, quién, Beatriz, os amará en el mundo más que yo?

—¡Ah! ninguno, ninguno, exclamó doña Beatriz retorciéndose las manos y con un acento que partía las entrañas.

—¡Y sin embargo me apartan de vos! continuó don Álvaro. Yo respetaré siempre a quien es vuestro padre; nadie daría más honra a su casa que yo, porque desde que os amo se han desenvuelto nuevas fuerzas en mi alma, y toda la gloria, todo el poder de la tierra me parece poco para ponerlo a vuestros pies. ¡Oh Beatriz, Beatriz!

[56] Este trozo recuerda bastante la novelita de Chateaubriand *René.* Se verá en adelante que el personaje tiene mucho de René y mucho de Don Quijote.

cuando volví del Andalucía,[57] honrado y alabado de los más nobles caballeros, yo amaba la gloria[58] porque una voz secreta parecía decirme que algún día os adornaríais con sus rayos, pero sin vos que sois la luz de mi camino, me despeñaré en el abismo de la desesperación, y me volveré contra el mismo cielo!

—¡Oh Dios mío! murmuró doña Beatriz, ¿en esto habían de venir a parar tantos sueños de ventura y tan dulces alegrías?

—Beatriz, exclamó don Álvaro, si me amáis, si por vuestro reposo mismo miráis, es imposible que os conforméis en llevar una cadena que sería mi perdición y acaso la vuestra.

—Tenéis razón, contestó ella haciendo esfuerzos para serenarse. No seré yo quien arrastre esa cadena, pero ahora que por ventura os hablo por la última vez y que Dios lee en mi corazón, yo os revelaré su secreto. Si no os doy el nombre de esposo al pie de los altares y delante de mi padre, moriré con el velo de las vírgenes; pero nunca se dirá que la única hija de la casa de Arganza mancha con una desobediencia el nombre que ha heredado.[59]

—Y ¿si vuestro padre os obligase a darle la mano?

—Mal le conocéis: mi padre nunca ha usado conmigo de violencia.

—¡Alma pura y candorosa, que no conocéis hasta dónde lleva a los hombres la ambición![60] Y si vuestro padre os hiciese violencia, ¿qué resistencia le opondríais?

—Delante del mundo entero diría: ¡no!

57 *del Andalucía*: arcaísmo frecuente en el estilo de E. Gil.

58 *yo amaba la gloria*: cf. *Anochecer...*, BAE, t. 74, p. 259a: "¿amas mucho la gloria? / —¡Oh!... mi gloria eres tú". Es uno de los pocos rasgos del carácter de E. Gil que se encuentra también en don Álvaro.

59 Es el punto de arranque del conflicto interior de doña Beatriz, desgarrada entre el respeto filial y el amor.

60 *La isla desierta* es un poema de Enrique Gil que desarrolla este tema.

—Y ¿tendríais valor para resistir la idea del escándalo y el bochorno de vuestra familia?

Doña Beatriz rodeó la cámara con unos ojos vagarosos y terribles, como si padeciese una violenta convulsión, pero luego se recobró casi repentinamente, y respondió:

—Entonces pediría auxilio al Todopoderoso, y él me daría fuerzas; pero, lo repito, o vuestra o suya.[61]

El acento con que fueron pronunciadas aquellas cortas palabras descubría una resolución que no había fuerzas humanas para torcer. Quedóse don Álvaro contemplándola como arrobado algunos instantes, al cabo de los cuales le dijo con profunda emoción:

—Siempre os he reverenciado y adorado, señora, como a una criatura sobrehumana, pero hasta hoy no había conocido el tesoro celestial que en vos se encierra. Perderos ahora sería como caer del cielo para arrastrarse entre las miserias de los hombres.[62] La fe y la confianza que en vos pongo es ciega y sin límites, como la que ponemos en Dios en la hora de la desdicha.

—Mirad, respondió ella señalando el ocaso, el sol se ha puesto, y es hora ya de que nos despidamos. Id en paz y seguro, noble don Álvaro, que si pueden alejaros de mi vista no les será tan llano avasallar mi albedrío.

Con esto el caballero se inclinó, le besó la mano con mudo ademán, y salió de la cámara a paso lento. Al llegar a la puerta volvió la cabeza y sus ojos se encontraron con los de doña Beatriz, para trocar una larga y dolorosa mirada, que no parecía sino que había de ser la última. En seguida se encaminó aceleradamente al patio donde su fiel Millán tenía del diestro al famoso Almanzor, y subiendo sobre él salió como un rayo de aquella

[61] Lo mismo en *Los amantes de Teruel* (acto V, esc. III, verso 1838): "O mi mano mis padres te conceden / o me consagro a Dios."

[62] Es frecuente entre los románticos el tema del ángel caído. Cf. *La chute d'un ange* (1838) de Lamartine y el poema de Gil *A*... (BAE, t. 74, p. 28a): "¡Pobre poeta! ¡Serafín caído! Busca otra patria, sí."

casa, donde ya sólo pensaba en él una desdichada doncella, que en aquel momento, a pesar de su esfuerzo, se deshacía en lágrimas amargas.

CAPÍTULO III

Cuando don Álvaro dejó el palacio de Arganza, entre el tumulto de sentimientos que se disputaban su alma, había uno que cuadraba muy bien con su despecho y amargura, y que de consiguiente a todos se sobreponía. Era éste retar a combate mortal al conde [de] Lemus, y apartar de este modo el obstáculo más poderoso de cuantos mediaban entre él y doña Beatriz a la sazón. Aquel mismo día le había dejado en Cacabelos, con ánimo al parecer de pasar allí la noche, y de consiguiente éste fue el camino que tomó; pero su escudero que en lo inflamado de sus ojos, en sus ademanes prontos y violentos y en su habla dura y precipitada, conocía cuál podía ser su determinación después de la anterior entrevista, cuyo sentido no se ocultaba a su penetración, le dijo en voz bastante alta:

—Señor, el conde no está ya en Cacabelos, porque esta tarde, antes de salir yo, llegó un correo del rey y le entregó un pliego que le determinó a salir con la mayor diligencia, la vuelta de Lemus. [63]

Don Álvaro, en medio de la agitación en que se encontraba, no pudo ver sin enojo que el buen Millán se entrometiese de aquella suerte en sus secretos pensamientos; así es que le dijo con rostro torcido:

—¿Quién le mete al señor villano en el ánimo de su señor?

Millán aguantó la descarga y don Álvaro como hablando consigo propio, continuó:

—Sí, sí, un correo de la Corte... y salir después con

[63] Se trata de la ciudad gallega de Monforte de Lemos.

tanta priesa[64] para Galicia... Sin duda camina adelante la trama infernal... Millán, dijo en seguida con un tono de voz enteramente distinto del primero, acércate y camina a mi lado. Ya nada tengo que hacer en Cacabelos y esta noche la pasaremos en el castillo de Ponferrada, dijo torciendo el caballo y mudando de camino, pero mientras que allí llegamos quiero que me digas qué rumores han corrido por la feria acerca de los Caballeros Templarios.

—¡Extraños por vida mía, señor! le replicó el escudero: dicen que hacen cosas terribles y ceremonias de gentiles, y que el papa los ha descomulgado allá en Francia, y que los tienen presos y piensan castigarles; y en verdad que si es cierto lo que cuentan sería muy bien hecho, porque más son proezas de judíos y gentiles que de caballeros cristianos.

—Pero ¿qué cosas y qué proezas son ésas?

—Dicen que adoran un gato y le rinden culto como a Dios, que reniegan de Cristo, que cometen mil torpezas, y que por pacto que tienen con el diablo hacen oro, con lo cual están muy ricos; pero todo esto lo dicen mirando a los lados y muy callandito, porque todos tienen más miedo al Temple que al enemigo malo.[65]

Tras de esto el buen escudero comenzó a ensartar todas las groseras calumnias que en aquella época de credulidad y de ignorancia se inventaban para minar el poder del Temple, y que ya habían comenzado a producir en Francia tan tremendos y atroces resultados. Don Álvaro que pensando descubrir algo de nuevo en tan espinoso asunto había escuchado al principio con viva atención, cayó al cabo de poco tiempo en las cavilaciones

[64] Priesa por prisa. Uno de los numerosos arcaísmos usados por Gil, quizá por imitación de la lengua cervantina.

[65] Estos cargos copiados en Mariana (XV-X, BAE, t. 30, p. 443a), que añade: "¿Qué dirá el que esto leyere? ¿Por ventura no parecen estos cargos impuestos y semejables a consejas que cuentan las viejas?" Cree Mariana, sin embargo, en la culpabilidad de los Templarios.

propias de su situación y dejó charlar a Millán, que no por su agudeza y rico ingenio estaba exento de la común ignorancia y superstición. Sólo si al llegar al puente sobre el Sil, que por las muchas barras de hierro que tenía dio a la villa el nombre de Ponsferrata con que en las antiguas escrituras se la distingue,[66] le advirtió severamente que en adelante no sólo hablase con más comedimiento, sino que pensase mejor de una orden con quien tenía asentadas alianza y amistad y no acogiese las hablillas de un vulgo necio y malicioso. El escudero se apresuró a decir que él contaba lo que había oído, pero que nada de ello creía, en lo cual no daba por cierto un testimonio muy relevante de veracidad; y en esto llegaron a la barbacana[67] del castillo. Tocó allí don Álvaro su cuerno, y después de las formalidades de costumbre, porque en la milicia del Temple se hacía el servicio con la más rigorosa disciplina, se abrió la puerta, cayó en seguida el puente levadizo, y amo y escudero entraron en la plaza de armas.

Todavía se conserva esta hermosa fortaleza, aunque en el día sólo sea ya el cadáver de su grandeza antigua. Su estructura tiene poco de regular porque a un fuerte antiguo de formas macizas y pesadas, se añadió por los Templarios un cuerpo de fortificaciones más moderno,[68] en que la solidez y la gallardía corrían parejas; con lo cual quedó privada de armonía, pero su conjunto todavía ofrece una masa atrevida y pintoresca. Está situado sobre un hermoso altozano desde el cual se registra todo el Bierzo bajo, con la infinita variedad de sus accidentes,

[66] V. nota 25. Cortés y López, en su *Diccionario Geográfico-Histórico de la España Antigua* (Madrid, 1835, t. I, p. 266), propone la etimología *Puente Fravia* (de Flavium, debido a la antigua ciudad *Interamnium Flavium* que supone ser Ponferrada), corrompida luego en Puente Ferradia.

[67] *barbacana*: fortificación exterior que defiende la entrada del castillo.

[68] Error de E. Gil. Los Templarios se contentaron con la parte más antigua del edificio, la parte descrita aquí es una añadidura del siglo XV.

y el Sil que corre a sus pies para juntarse con el Boeza un poco más abajo, parece rendirle homenaje.[69]

Ahora ya no queda más del poderío de los Templarios que algunos versículos sagrados inscritos en lápidas,[70] tal cual símbolo de sus ritos y ceremonias y la cruz famosa, terror de los infieles,[71] sembrado todo aquí y acullá en aquellas fortísimas murallas; pero en la época de que hablamos era este castillo una buena muestra del poder de sus poseedores.

Don Álvaro dejó su caballo en manos de unos esclavos africanos y acompañado de dos aspirantes, subió a la sala maestral, habitación magnífica con el techo y paredes escaqueados de encarnado y oro,[72] con ventanas arabescas, entapizada de alfombras orientales[73] y toda ella como pieza de aparato, adornada con todo el esplendor correspondiente al jefe temporal y espiritual de una Orden tan famosa y opulenta.[74] Los aspirantes dejaron al caballero a la puerta, después del acostumbrado *bene-*

[69] Esta expresión se encuentra ya en el poema de E. Gil: *Un recuerdo de los Templarios* (BAE, t. 74, p. 33a): "También nos queda un cristalino río, / ... / Y que hoy, más generoso que los hombres, / Enfrena al paso su veloz corriente, / En homenaje a los pasados nombres, / En homenaje a la olvidada gente."

[70] La mayor parte de estos versículos es posterior a los Templarios.

[71] Se trata en realidad de la cruz de Tau en forma de T mayúscula que abunda en el castillo, hasta en las partes más modernas y que nunca fue del Temple. Se encuentra en numerosos edificios no templarios. Es cruz frecuente en la heráldica gallega y es el símbolo de la familia de los Tenes (cf. J. M. Luengo, *El castillo de Ponferrada,* León, 1929, p. 364). V. figura.

[72] Quedaban residuos de esta pintura en tiempos de E. Gil. Lo dice en *Bosquejo de un viaje* (v. p. 451): "... aun en una de las paredes se ven los restos de un mosqueado de encarnado y oro que ni el sol ni la lluvia han podido borrar del todo".

[73] El autor insiste sobre las relaciones de los Templarios con el próximo oriente.

[74] Ponferrada no era, en realidad, la residencia ordinaria de los maestres castellanos del Temple, que habitualmente residían en Zamora.

dicite,[75] y uno que hacía la guardia en la antecámara le introdujo al aposento de su tío. Era éste un anciano venerable, alto y flaco de cuerpo, con barba y cabellos blancos, y una expresión ascética y recogida, si bien templada por una benignidad grandísima. Comenzaba a encorvarse bajo el peso de los años, pero bien se echaba de ver que el vigor no había abandonado aún aquellos miembros acostumbrados a las fatigas de la guerra y endurecidos en los ayunos y vigilias. Vestía el hábito blanco de la Orden y exteriormente apenas se distinguía de un simple caballero. El golpe que parecía amagar al Temple, y por otra parte los disgustos que, según de algún tiempo atrás iba viendo claramente, debían abrumar a aquel sobrino querido, último retoño de su linaje, esparcían en su frente una nube de tristeza y daban a su fisonomía un aspecto todavía más grave.

El maestre que había salido al encuentro de don Álvaro, después de haberle abrazado con un poco más de emoción de la acostumbrada, le llevó a una especie de celda en que de ordinario estaba y cuyos muebles y atavíos revelaban aquella primitiva severidad y pobreza en cuyos brazos habían dejado a la Orden Hugo de Paganis[76] y sus compañeros y de que eran elocuente emblema los dos caballeros montados de un mismo caballo. Don Rodrigo así por el puesto que ocupaba, como por la austeridad peculiar a un carácter, quería dar este ejemplo de humildad y modestia. Sentáronse entrambos en taburetes de madera, a una tosca mesa de nogal, sobre la cual ardía una lámpara enorme de cobre, y don Álvaro, hizo al anciano una prolija relación de todo lo acaecido, que éste escuchó con la mayor atención.

—En todo eso, respondió por último, estoy viendo la

[75] Quiere mostrar el autor que la regla se conservó intacta hasta en el período de mayor decadencia.

[76] Hugo de Paganis (o mejor Hugues de Payns) es uno de los fundadores de la Orden con Geoffroy de Saint Omer. El emblema de la Orden era, en efecto, un caballo montado por dos jinetes, posible símbolo de pobreza.

mano del que degolló al niño Guzmán[77] delante de los adarves de Tarifa, y a la vista de su padre. El conde de Lemus está ligado con él y otros señores que sueñan con la ruina del Temple para adornarse con sus despojos, y temiendo que tu enlace con una señora tan poderosa en tierras y vasallos aumentaría nuestras fuerzas harto temibles ya para ellos en este país, han adulado la ambición de don Alonso, y puesto en ejecución todas sus malas artes para separaros. ¡Pobre doña Beatriz!, añadió con melancolía, ¿quién le dijera a su piadosa madre cuando con tanto afán y solicitud la criaba, que su hija había de ser el premio de una cábala tan ruin?

—Pero señor, repuso don Álvaro, ¿creéis que el señor de Arganza se hará sordo a la voz del honor y de la naturaleza?

—A todo hijo mío, contestó el Templario. La vanidad y la ambición secan las fuentes del alma, y con ellas se aparta el hombre de Dios de quien viene la virtud y la verdadera nobleza.

—Pero ¿no hay entre vos y él algún pacto formal?

—Ninguno. Menguado fue tu sino desde la cuna,[78] don Álvaro, pues de otra suerte no sucedería que doña Blanca que en tan alta estima te tiene fuese causa ahora de tu pesar. Ella se opuso al principio a vuestra unión porque quiso que su hija te conociese antes de darte su mano, y don Alonso, doblegando por la primera vez su carácter altanero, cedió a las solicitudes de su esposa. Así pues aunque su conciencia le condene, a nada podemos obligarle por nuestra parte.

—Con que ¿es decir, exclamó don Álvaro, que no me queda más camino que el que la desesperación me señale?

[77] Se trata del hijo de Guzmán el Bueno (cf. Quintana, *Esp. Célebres*, BAE, t. XIX, p. 215b). El infante don Juan, hermano del rey don Sancho, y por consiguiente tío del rey don Fernando IV, se había aliado con el rey de Marruecos. Puso sitio a Tarifa, defendida por Guzmán. El infante hizo degollar al hijo del alcaide que se negaba a entregar la plaza (1294).

[78] El personaje se acerca cada vez más a su homónimo del drama del Duque de Rivas.

—Te queda la confianza en Dios y en tu propio honor de que a nadie le es dado despojarte, respondió el maestre con voz grave entre severa y cariñosa. Además, continuó con más sosiego, todavía hay medios humanos que tal vez sean poderosos a desviar a don Alonso de la senda de perdición por donde quiere llevar a su hija. Yo no le hablaré sino como postrer recurso, porque a pesar de mi prudencia tal vez se enconaría el odio de que nuestra noble Orden va siendo objeto, pero mañana irás a Carracedo,[79] y entregarás una carta al abad de mi parte. Su carácter espiritual podrá darle alguna influencia sobre el orgulloso señor de Arganza y espero que si yo se lo pido, no se lo negará a un hermano suyo. Su orden y la mía nacieron en el seno de San Bernardo,[80] y de la santidad de su corazón recibieron sus primeros preceptos. Dichosos tiempos en que seguíamos la bandera del capitán invisible en demanda de un reino que no era de este mundo.

Don Álvaro al oírle se abochornó un poco viendo que en el egoísmo de su dolor se había olvidado de los pesares y zozobras que como una corona de espinas rodeaban aquella cana y respetable cabeza. Comenzó entonces a hablarle de los rumores que circulaban y el anciano apoyándose en su hombro bajó la escalera y le llevó al extremo de la gran plaza de armas cuyos muros dan al río.[81]

La noche estaba sosegada y la luna brillaba en mitad de los cielos azules y trasparentes. Las armas de los centinelas vislumbraban a sus rayos despidiendo vivos reflejos al moverse, y el río semejante a una franja de plata corría al pie de la colina con un rumor apagado y sordo. Los bosques y montañas estaban revestidos de aquellas formas vagas y suaves con que suele envolver la luna

[79] *Carracedo*: célebre monasterio cisterciense situado a orillas del Cúa, a 3 kilómetros al sur de Cacabelos (v. Apéndice, p. 440).

[80] Es exacto que San Bernardo es el padre espiritual de la Orden del Temple.

[81] Topografía exacta.

semejantes objetos, y todo concurría a desenvolver aquel germen de melancolía que las almas generosas encuentran siempre en el fondo de sus sentimientos. El maestre se sentó en un asiento de piedra que había a cada lado de las almenas y su sobrino ocupó el de enfrente.

—Tú creerás tal vez, hijo mío, le dijo, que el poder de los Templarios que en Castilla poseen más de veinte y cuatro encomiendas, sin contar otros muchos fuertes de menos importancia, en Aragón ciudades enteras y en toda la Europa más de nueve mil casas y castillos es incontrastable y que harto tiene la Orden en que fundar el orgullo y altanería con que generalmente se le da en rostro.[82]

—Así lo creo, respondió su sobrino.

—Así lo creen los más de los nuestros, contestó el maestre, y por eso el orgullo se ha apoderado de nosotros; el orgullo que perdió al primer hombre y perderá a tantos de sus hijos. En Palestina hemos respondido con el desdén y la soberbia a las quejas y envidia de los demás, y el resultado ha sido perder la Palestina, nuestra patria, nuestra única y verdadera patria. ¡Oh Jerusalén, Jerusalén! ¡ciudad de perfecto decoro, alegría de toda la tierra!, exclamó con voz solemne, ¡en ti se quedó la fuerza de nuestros brazos, y al dejar a san Juan de Acre, exhalamos el último suspiro! Desde entonces peregrinos en Europa, rodeados de rivales poderosos que codician nuestros bienes, corrompidas nuestras humildes y modestas costumbres primitivas, el mundo todo se va concitando en daño nuestro y hasta la tiara que siempre nos ha servido de escudo parece inclinarse del lado de nuestros enemigos. Nuestros hermanos gimen ya en Francia en los calabozos de Felipe, y Dios sabe el fin que les espera, ¡pero que se guarden!, exclamó con voz de trueno; allí nos han sorprendido, pero aquí y en otras partes aprestados nos encontrarán a la pelea. El papa podrá disolver

[82] Esto en muchos historiadores y sobre todo en Michelet, *Histoire de France,* t. IV, liv. V, ch. III.

nuestra hermandad y esparcirnos por la haz de la tierra, como el pueblo de Israel; pero para condenarnos nos tendrá que oír, y el Temple no irá al suplicio bajo la vara de ninguna potestad temporal como un rebaño de carneros.[83]

Los ojos del maestre parecían lanzar relámpagos y su fisonomía estaba animada de un fuego y energía que nadie hubiera creído compatible con sus cansados años.

El Temple tenía un imán irresistible para todas las imaginaciones ardientes por su misteriosa organización, y por el espíritu vigoroso y compacto que vigorizaba a un tiempo el cuerpo y los miembros de por sí. Tras de aquella hermandad tan poderosa y unida, difícil era y sobre todo a la inexperiencia de la juventud, divisar más que robustez y fortaleza indestructible, porque en semejante edad nada se cree negado al valor y a la energía de la voluntad: así es que don Álvaro no pudo menos de replicar:

—Tío y señor ¿ése creéis que sea el premio reservado por el Altísimo a la batalla de dos siglos[84] que habéis sostenido por el honor de su nombre? ¿Tan apartado le imagináis de vuestra casa?

—Nosotros somos, contestó el anciano, los que nos hemos desviado de él, y por eso nos vamos convirtiendo en la piedra de escándalo y de reprobación. ¡Y yo, continuó con la mayor amargura, moriré lejos de los míos, sin ampararlos con el escudo de mi autoridad, y la corona de mis cansados días será la soledad y el destierro! Hágase la voluntad de Dios, pero cualquiera que sea el destino reservado a los Templarios morirán como han vivido, fieles al valor y ajenos a toda indigna flaqueza.

A esta sazón la campana del castillo anunció la hora

[83] El discurso del maestre procede de una reflexión directa del autor sobre la situación del Temple a principios del siglo XIV. Constituye un ejemplo del estado de ánimo de un Templario que ya no cree en el porvenir de su Orden. Se le opondrá luego el carácter del comendador Saldaña.

[84] Estamos en 1308. La Orden del Temple se fundó en 1118 y se aprobó en el concilio de Troyes en 1128.

del recogimiento, con lúgubres y melancólicos tañidos[85] que derramándose por aquellas soledades y quebrándose entre los peñascos del río, morían a lo lejos mezclados a su murmullo con un rumor prolongado y extraño.

—La hora de la última oración y del silencio, dijo el maestre; vete a recoger, hijo mío, y prepárate para el viaje de mañana. Acaso te he dejado ver demasiado las flaquezas que abriga este anciano corazón, pero el Señor también estuvo triste hasta la muerte y dijo: "Padre, si puede ser, pase de mí este cáliz".[86] Por lo demás no en vano soy el maestre y padre del Temple en Castilla, y en la hora de la prueba, nada en el mundo debilitará mi ánimo.

Don Álvaro acompañó a su tío hasta su aposento y después de haberle besado la mano, se encaminó al suyo donde al cabo de mucho desasosiego se rindió al sueño postrado con las extrañas escenas y sensaciones de aquel día.

CAPÍTULO IV

La caballería del templo de Salomón había nacido en el mayor fervor de las cruzadas, y los sacrificios y austeridad que les imponía su regla dictada por el entusiasmo y celo ardiente de san Bernardo, les habían granjeado el respeto y aplauso universal. Los Templarios con efecto eran el símbolo vivo y eterno de aquella generosa idea que convertía hacia el sepulcro de Cristo los ojos

[85] El capítulo *Des cloches* del *Génie du Christianisme,* de Chauteaubriand, habla de los diferentes sonidos y significados sentimentales de las campanas (IVa parte, liv. I, ch. I). Aquí es normal, después de tan amargas reflexiones, que el tañido de las campanas parezca lúgubre y melancólico.

[86] *Ev. Marcos,* 14-34 y 36.

y el corazón de toda la cristiandad. En su guerra con los infieles, nunca daban ni admitían tregua, ni les era lícito volver las espaldas aun delante de un número de enemigos conocidamente superiores: así es que eran infinitos los caballeros que morían en los campos de batalla. Al desembarcar en el Asia los peregrinos y guerreros bisoños encontraban la bandera del Temple, a cuya sombra llegaban a Jerusalén sin experimentar ninguna de las zozobras de aquel peligroso viaje. El descanso del monje y la gloria y pompa mundana del soldado les estaban igualmente vedados, y su vida entera era un tejido de fatigas y abnegación. La Europa se había apresurado, como era natural, a galardonar una Orden que contaba en su principio tantos héroes como soldados, y las honras, privilegios y riquezas que sobre ella comenzaron a llover, la hicieron en poco tiempo temible y poderosa, en términos de poseer, como decía don Rodrigo, nueve mil casas y los correspondientes soldados y hombres de armas.

Como quiera, el tiempo que todo lo mina, la riqueza que ensoberbece aun a los humildes, la fragilidad de la naturaleza humana que al cabo se cansa de los esfuerzos sobrenaturales y sobre todo la exasperación causada en los Templarios por los desastres de la Tierra Santa, y las rencillas y desavenencias con los Hospitalarios de san Juan, llegaron a manchar las páginas de la historia del Temple, limpias y resplandecientes al principio. Desde la altura a que los habían encumbrado sus hazañas y virtudes, su caída fue grande y lastimosa. Por fin perdieron a san Juan de Acre, y apagado ya el fuego de las cruzadas a cuyo calor habían crecido y prosperado, su estrella comenzó a amortiguarse, y la memoria de sus faltas, la envidia que ocasionaban sus riquezas, y los recelos que inspiraba su poder, fue lo único que trajeron de la Palestina, su patria de adopción y de gloria, a la antigua Europa, verdadero campo de soledad y destierro para unos espíritus acostumbrados al estruendo de la guerra y a la incesante actividad de los campamentos.

A decir verdad, los temores de los monarcas no dejaban de tener su fundamento, porque los Caballeros Teutónicos acababan de arrojarse sobre la Prusia con fuerzas menores y más escaso poder que los Templarios, fundando un estado cuyo esplendor y fuerza han ido aumentándose hasta nuestros días. [87] Su número era indudablemente reducido, pero su espíritu altivo y resuelto, su organización fuerte y compacta, su experiencia en las armas y su temible caballería, contrabalanceaban ventajosamente las fuerzas inertes y pesadas que podía oponerles en aquella época la Europa feudal.

Para conjurar todos estos riesgos imaginó Felipe el Hermoso, rey de Francia, la medida, política sin duda, de aspirar al maestrazgo general de la Orden que todavía llevaba el nombre de ultramarino; pero el desaire que recibió junto con la codicia que le inspiró la vista del tesoro del Temple en los días que le dieron amparo contra una conmoción popular, acabó de determinar su alma vengativa a aquella atroz persecución que tiznará eternamente su memoria. El papa que como único juez de una corporación eclesiástica debía oponerse a las ilegales invasiones de un poder temporal, no se atrevía a contrariar al rey de Francia, temeroso de ver sujeta a la residencia de un concilio general la vida y memoria de su antecesor Bonifacio, como Felipe con toda vehemencia pretendía. De aquí resultaba que muchas gentes, y en especial los eclesiásticos, que veían la tibieza con que defendía la cabeza de la iglesia la causa de los Templarios, se inclinaban a lo peor, como generalmente sucede, y de este modo las viles y monstruosas calumnias de

[87] La Orden de los Caballeros Teutónicos se fundó en 1128, casi al mismo tiempo que la del Temple. Era exclusivamente alemana. Tenía los mismos objetivos, esencialmente la defensa de los Lugares Santos y la protección de los peregrinos. De vuelta a Europa, se instalaron poderosamente en Prusia, Estonia, Curlandia y Pomerania, pero su poder se quebró en la batalla de Tannenberg (1410) contra polacos y lituanienses. En 1809 Napoleón I suprimió la Orden, que se restableció en 1834.

Felipe, cada día adquirían más popularidad y consistencia entre una plebe supersticiosa y feroz.[88]

Aunque entre los Templarios españoles, la continua guerra con los Sarracenos conservaba costumbres más puras y acendradas, y daba a su existencia un noble y glorioso objeto de que estaban privados en Francia, también es cierto que los vicios consiguientes a la constitución de la Orden no dejaban de notarse en nuestra patria. Por otra parte el Temple en último resultado, era una Orden extranjera cuya cabeza residía en lejanos climas, al paso que a su lado crecían en nombre y reputación las de Calatrava, Alcántara y Santiago,[89] plantas indígenas y espontáneas en el suelo de la caballería española y capaces de llenar el vacío que dejaran sus hermanos en los escuadrones cristianos. Toda comparación, pues, entre unas Órdenes y la otra debía perjudicar a la larga a los caballeros del Temple, y por otra parte, conociendo los estrechos vínculos de su hermandad, difícil era separarlos de la responsabilidad de las acusaciones de la Corte de Francia. De manera que los Templarios españoles algo más respetados y un poco menos aborrecidos que los de otros países, no por eso dejaban de ser objeto de la envidia y codicia para los grandes y de aversión para los pequeños,

[88] Los elementos que utilizó E. Gil para este resumen de la historia del Temple los pudo encontrar en Mariana (lib. XV, cap. X), lo mismo que en Michelet (liv. V, ch. III), Campomanes (dis. V, pp. 79-80) y Zurita (t. I, lib. V, § LXXIII, fol. 428 r. a.).

[89] Es grande el interés de E. Gil hacia todas las órdenes caballerescas. En *El lago de Carucedo* el protagonista ingresa en la Orden de Calatrava, y en el artículo "San Marcos de León" trata ampliamente de la Orden de Santiago. En realidad, parece que E. Gil ansía para su propia patria un renuevo debido a un nuevo ideal caballeresco. Su pensamiento, heredero, sin duda, del de Campo Alange (cf. "A la aristocracia española", en *El Artista,* entrega 3, pp. 25-26, y Larra, "Exequias del Conde de Campo Alange", en *El Español,* núm. 442, de 16 de enero de 1837, y BAE, t. 128, pp. 292-294), es a la vez idealista, aristocrático y liberal.

perdiendo sus fuerzas y prestigio en medio de la especie de pestilencia moral que consumía sus entrañas.[90]

Estas reflexiones que a riesgo de cansar a nuestros lectores, hemos querido hacer para explicar la rápida grandeza y súbita ruina del Orden del Temple, se habían presentado muchas veces al carácter meditabundo y grave del maestre de Castilla, y sido causa de la melancolía y abstraimiento que en él se notaba de mucho tiempo atrás; pero la mayor parte de sus súbditos, lo achacaban a la piedad un poco austera que había distinguido siempre su vida. Don Álvaro, como ya hemos indicado, más ardiente y menos reflexivo, no acertaba a explicarse el desaliento de una persona tan valerosa y cuerda como su tío, y así es que al día siguiente caminaba la vuelta de Carracedo, algo más divertido en sus propias tristezas y zozobras que no preocupado de los riesgos que amenazaban a sus nobles aliados. De la plática que iba a tener con el abad de Carracedo, pendían tal vez las más dulces esperanzas de su vida, porque aquel prelado, como confesor de la familia de Arganza ejercía grande influjo en el ánimo de su jefe. Por otra parte su poder temporal[91] le daba no poca consideración y preponderancia, porque después de la bailía[92] de Ponferrada, nadie gozaba de más riquezas ni regía mayor número de vasallos que aquel famoso monasterio.

Don [Álvaro] caminaba, pues, combatido de mil opuestos sentimientos, silencioso y recogido; sin hacer caso, ora por esto, ora por la poca novedad que a sus ojos tenía, del risueño paisaje que se desplegaba al rededor, a los primeros rayos del sol de mayo. A su espalda quedaba la fortaleza de Ponferrada; por la derecha se ex-

[90] Ya se nota que E. Gil cree positivamente en la decadencia moral de la Orden.

[91] Los grandes monasterios administraban entonces grandes territorios y hasta poseían verdaderos ejércitos (como se verá más adelante) como cualquier señor feudal.

[92] *la bailía*: era a la vez el territorio y la cabeza de las encomiendas de órdenes religiosas y caballerescas.

tendía la dehesa de Fuentes Nuevas [93] con sus hermosos collados plantados de viñas que se empinaban por detrás de sus robles; por la izquierda corría el río entre los sotos, pueblos y praderas que esmaltan su bendecida orilla y adornan la falda de las sierras de la Aquiana [94] y al frente descollaba por entre castaños y nogales casi cubierta con sus copas y en vergel perpetuo de verdura, la majestuosa mole del monasterio fundado a la margen del Cúa, por don [Bermudo] el Gotoso y reedificado y ensanchado por la piedad de don Alonso el emperador, y de su hermana doña Sancha. [95] Cantaban los pájaros alegremente, y el aire fresco de la mañana venía cargado de aromas con las muchas flores silvestres que se abrían para recibir las primeras miradas del padre del día.

¡Delicioso espectáculo, en que un alma descargada de pesares no hubiese dejado de hallar goces secretos y vivos!

Gracias a la velocidad de Almanzor que don Álvaro había ganado en la campaña de Andalucía de un moro principal a quien venció, pronto se halló a la puerta del convento. Guardábanla dos como maceros, más por decoro de la casa, que no por custodia o defensa, que hicieron al señor de Bembibre el homenaje correspondiente a su alcurnia, y tirando uno de ellos del cordel de una campana avisó la llegada de tan ilustre huésped. Don

[93] *Fuentes Nuevas*: aldea situada a 5 kilómetros al noroeste de Ponferrada.

[94] *Aquiana* (llamada también Aguiana y Guiana): es el punto culminante de los montes Aquilianos (1848 metros), al sur del Bierzo. Domina Ponferrada desde lejos. Lleva cerca de su cumbre las ruinas de una ermita.

[95] El monasterio de Carracedo, fundado por el rey de León, Bermudo II el Gotoso, en 990 quedó destruido por Almanzor. Reedificado en el siglo XII por el emperador Alfonso VII y sobre todo su hermana doña Sancha, "reina del Bierzo y su señora", que es posiblemente la Santa Sancha, cuya fiesta se celebra el 13 de marzo. Residió la reina largo tiempo en el monasterio. Dos salas se creen antigua residencia suya. El monasterio quedó exclaustrado en 1820 y empezó entonces la ruina del edificio, del cual se conservan sin embargo notables vestigios.

Álvaro se apeó en el patio y acompañado de dos monjes que bajaron a su encuentro y de los cuales el más entrado en años le dio el ósculo de paz, pronunciando un versículo de la Sagrada Escritura, se encaminó a la cámara de respeto en que solía recibir el abad a los forasteros de distinción. Era ésta la misma donde la infanta doña Sancha hermana del emperador don Alonso había administrado justicia a los pueblos del Bierzo, derramando sobre sus infortunios los tesoros de su corazón misericordioso: gracioso aposento con ligeras columnas y arcos arabescos con un techo de primorosos embutidos al cual se subía por una escalera de piedra adornada de un frágil pasamano. Una reducida pero elegante galería le daba entrada y recibía luz de una cúpula bastante elevada y de algunos calados rosetones, todo lo cual junto con los muebles ricos pero severos que la decoraban, le daban un aspecto majestuoso y grave. [96]

Los religiosos dejaron en esta sala a don Álvaro por espacio de algunos minutos al cabo de los cuales entró el abad. Era éste un monje como de cincuenta años, calvo, de facciones muy marcadas, pero en que se descubría más austeridad y rigor que no mansedumbre evangélica, enflaquecido por los ayunos y penitencias, pero vigoroso aún en sus movimientos. Se conocía a primera vista que su condición austera y sombría, aunque recta y sana, le inclinaba más bien a empuñar los rayos de la religión que no a cubrir con las alas de la clemencia las miserias humanas. A pesar de todo recibió a don Álvaro con bondad y aun pudiéramos decir con efusión, atendido su carácter, porque le tenía en gran estima, y después de los indispensables comedimientos se puso a leer la carta del maestre. A medida que la recorría iban amontonándose nubarrones en su frente dura y arrugada,

[96] La parte descrita por E. Gil queda en buen estado y hasta se ha restaurado hace poco el "frágil pasamano" de la escalera. Es dudoso que el llamado palacio real haya servido a doña Sancha, pero lo dice la tradición. E. Gil describe este palacio-monasterio más detalladamente en el *Bosquejo de un viaje* (cap. IV) (v. Apéndice, p. 440).

tristes presagios para don Álvaro; hasta que concluída por último le dijo con su voz enérgica y sonora:

—Siempre he estimado a vuestra casa: vuestro padre fue uno de los pocos amigos que Dios me concedió en mi juventud, y vuestro tío es un justo, a pesar del hábito que le cubre; pero ¿cómo queréis que yo me mezcle ahora en negocios mundanos, ajenos a mis años y carácter, ni que vaya a desconcertar un proyecto en que el señor de Arganza piensa cobrar tanta honra para su linaje?

—Pero padre mío, contestó don Álvaro, la paz de vuestra hija de penitencia, el amor que la tenéis, la delicadeza de mi proceder, y tal vez el sosiego de esta comarca, son asuntos dignos de vuestro augusto ministerio y del sello de santidad que ponéis en cuanto tocáis ¿Imagináis que doña Beatriz encuentra gran ventura en brazos del conde?

—Pobre paloma sin mancilla, repuso el abad con una voz casi enternecida: su alma es pura como el cristal del lago de Carucedo,[97] cuando en la noche se pintan en su fondo todas las estrellas del cielo, y ese reguero de maldición, acabará por enturbiar y amargar esta agua limpia y serena.

Quedáronse entrambos callados por un buen rato, hasta que el abad como hombre que adopta una resolución inmutable le dijo:

—¿Seríais capaz de cualquier empresa, por lograr a doña Beatriz?

[97] *lago de Carucedo*: no hay que confundirlo con el monasterio de Carracedo. Este lago, profundo aunque de reducidas dimensiones se extiende en la orilla izquierda del Sil. Es lago artificial y fue creado por los romanos para recoger las aguas que lavaban el oro en las minas vecinas de las Médulas. Inspiró el título de la primera novela de Enrique Gil (v. Apéndice, p. 451). Muchas veces, las ediciones del *Señor de Bembibre* confunden los dos términos de Carucedo y Carracedo y la edición princeps comete a menudo este error. Lo rectificamos siempre porque aquí va escrito verdaderamente Carucedo. En los capítulos siguientes, se trata seguramente de un error del tipógrafo o de una corrección arbitraria.

—¿Eso dudáis, padre? contestó el caballero; sería capaz de todo lo que no me envileciese a sus ojos.

—Pues entonces, añadió el abad, yo haré desistir a don Alonso de sus ambiciosos planes, con una condición; y es que os habéis de apartar de la alianza de los Templarios.

El rostro de don Álvaro se encendió en ira, y en seguida perdió el color hasta quedarse como un difunto, en cuanto oyó semejante proposición. Pudo sin embargo contenerse, y se contentó con responder aunque en voz algo trémula y cortada.

—Vuestro corazón está ciego, pues no ve que doña Beatriz sería la primera en despreciar a quien tan mala cuenta daba de su honra; la dicha siempre es menos que el honor. ¿Cómo queríais que faltase en la hora del riesgo a mi buen tío y a sus hermanos? ¡Otra opinión creí mereceros!!

—Nunca estuvo la honra, respondió el abad con vehemencia, en contribuir a la obra de tinieblas, ni en hacer causa común con los inicuos.

—Y sois vos, le preguntó el caballero con sentido acento, vos, un hijo de San Bernardo[98] el que habla en esos términos de sus hermanos? ¿Vos oscurecéis de esa manera la cruz que resplandeció en la Palestina con tan gloriosos rayos, y que ha menguado en España las lunas sarracenas? ¿Vos humilláis vuestra sabiduría hasta recoger las hablillas de un vulgo fiero y maldiciente?

—¡Ah! repuso el monje con el mismo calor aunque con un acento doloroso; ¡pluguiera al cielo que sólo en boca de la plebe anduviese el nombre del Temple! pero el papa ve los desmanes del rey de Francia sin fulminar sobre él los rayos de su poder[99] y ¿pensáis que así abandonaría sus hijos, no ha mucho tiempo de bendición, si la inocencia no los hubiera abandonado antes? El jefe

[98] Era Carracedo monasterio cisterciense, órden fundada por San Bernardo.

[99] En realidad, era Clemente V casi prisionero del rey de Francia.

de la iglesia, hijo mío, no puede errar, [100] y si hasta ahora no ha recaído ya el castigo sobre los delincuentes, culpa es de su corazón benigno y paternal. ¡Oh dolor!, añadió levantando las manos y los ojos al cielo. ¡Oh vanidad de las grandezas humanas! ¿Por qué han seguido los caminos de la perdición y de la soberbia desviándose de la senda humilde y segura que les señaló nuestro padre común? Por su desenfreno acabamos de perder la Tierra Santa y ya será preciso pasar el arado sobre aquel alcázar a cuyo abrigo descansaba alegre la cristiandad entera, pero se ha convertido ya en templo de abominación.

Don Álvaro no pudo menos de sonreírse con algo de desdén y dijo:

—Mucho será que a tanto alcancen vuestras máquinas de guerra.

El abad le miró severamente y sin hablar palabra le asió del brazo y le llevó a una ventana. Desde ella se divisaba una colina muy hermosa, sombreadas sus faldas de viñedo al pie de la cual corría el Cúa, y cuya cumbre remataba no en punta sino en una hermosa explanada con el azul del cielo por fondo. Un montón confuso de ruinas la adornaba: algunas columnas estaban en pie aunque las más sin capiteles; en otras partes se alcanzaba a descubrir algún lienzo grande de edificio cubierto de yedra y todo el recinto estaba rodeado aún de una muralla por donde trepaban las vides y zarzas. Aquel "campo de soledad mustio collado" había sido el [*Bergidum*] romano. [101]

[100] El dogma de la infalibilidad pontificia fue definido por el concilio del Vaticano I en 1870. Además, no se trata aquí de errores dogmáticos, sino políticos, y nadie puede negar los errores humanos de los papas. E. Gil comete una confusión lamentable y harto frecuente.

[101] *Bergidum*: es una antigua ciudad romana que dio su nombre al Bierzo entero. Las ruinas, casi desaparecidas ahora, están muy cercanas al monasterio, pero no se ven desde la habitación en que ocurre la escena. Lo que calla el autor, revelándolo en el *Bosquejo de un viaje* (v. Apéndice, p. 424), es que los reyes quisieron varias veces restaurar la ciudad, pero que los monjes se opusieron siempre a su reedificación "y compraron del rey Fer-

Bien lo sabía don Álvaro pero el ademán de el [102] abad y la ocasión en que le ponía delante aquel ejemplo de las humanas vanidades y soberbias le dejó confuso y silencioso.

—Miradlo bien, le dijo el monje, mirad bien uno de los grandes y muchos sepulcros que encierran los esqueletos de aquel pueblo de gigantes. También ellos en su orgullo e injusticia se volvieron contra Dios como vuestros Templarios. [103] Id pues, id como yo he ido en medio del silencio de la noche, y preguntad a aquellas ruinas por la grandeza de sus señores, id, que no dejarán de daros respuesta los silbidos del viento y el aullido del lobo.

El señor de Bembibre antes confuso quedó ahora como anonadado y sin contestar palabra.

—Hijo mío, añadió el monje, pensadlo bien y apartaos que aún es tiempo, apartaos de esos desventurados sin volver la vista atrás, como el profeta que salía huyendo de Gomorra. [104]

—Cuando vea lo que me decís, respondió don Álvaro con reposada firmeza, entonces tomaré vuestros consejos. Los Templarios serán tal vez altaneros y destemplados, pero es porque la injusticia ha agriado su noble carácter. Ellos responderán ante el Soberano Pontífice y su inocencia quedará limpia como el sol. Pero en suma, padre mío, vos que veis la hidalguía de mis intenciones

---

nando II y de su hijo don Alfonso IX, la seguridad de que jamás se reedificaría." Lo hicieron temerosos de que la nueva ciudad viniese algún día a eclipsar al propio monasterio. Se puede entrever, pues, una sonrisa de E. Gil debajo de la declamación teatral del abad.

La cita "campo de soledad, mustio collado" proviene del poema de Rodrigo Caro *A las ruinas de Itálica.*

[102] *de el*: arcaísmo frecuente en la novela.

[103] Idea semejante queda expresada por E. Gil en su poema "Un recuerdo de los Templarios". Hasta puede suponerse que E. Gil ve en el estado actual del monasterio abandonado un ejemplo más de la vanidad de las cosas humanas.

[104] *Gomorra*: cf. *Gén.*, 19, 23-26. Se trata del profeta Lot.

¿no haréis algo por el bien de mi alma y por doña Beatriz a quien tanto amáis?

—Nada, contestó el monje: yo no contribuiré a consolidar el alcázar de la maldad y del orgullo.

El caballero se levantó entonces y le dijo:

—Vos sois testigo de que me cerráis todos los caminos de paz. ¡Quiera Dios que no os lo echéis en cara alguna vez!

—El cielo os guarde, buen caballero, contestó el abad, y os abra los ojos del alma.

En seguida le fue acompañando hasta el patio del monasterio y después de despedirlo se volvió a su celda donde se entregó a tristes reflexiones.

CAPÍTULO V

Aunque don Álvaro no fundase grandes esperanzas en su entrevista con el abad, todavía le causó sorpresa el resultado: flaqueza irremediable del pobre corazón humano que sólo a vista de la realidad inexorable y fría, acierta a separarse del talismán que hermosea y dulcifica la vida: la esperanza. El maestre por su parte conocía harto bien el fondo de fanatismo que en el alma del abad de Carracedo sofocaba un sin fin de nobles cualidades para no prever el éxito; pero así para consuelo de su sobrino como por obedecer a aquel generoso impulso que en las almas elevadas inclina siempre a la conciliación y a la dulzura, había dado aquel paso. Iguales motivos le determinaron a visitar al señor de Arganza, aunque la crítica situación en que se encontraba la Orden por una parte, y por otra la conocida ambición de don Alonso parecían deber retraerle de este nuevo esfuerzo; pero la ternura de aquel buen anciano por el único pariente que le quedaba, rayaba en debilidad, aunque exteriormente la dejaba asomar rara vez.

Así pues, un día de los inmediatos al suceso que acabamos de contar, salió de la encomienda [105] de Ponferrada con el séquito acostumbrado y se encaminó a Arganza. La visita tuvo mucho de embarazosa y violenta, porque don Alonso deseoso de ahorrarse una explicación cordial y sincera sobre un asunto en que su conciencia era la primera a condenarle, se encerró en el coto de una cortesía fría y estudiada, y el maestre por su parte convencido de que su resolución era irrevocable, y harto celoso del honor de su Orden y de la dignidad de su persona para abatirse a súplicas inútiles, se despidió para siempre de aquellos umbrales que tantas veces había atravesado con el ánimo ocupado en dulces proyectos.

Como quiera, el señor de Arganza un tanto alarmado con la intención que parecía descubrir el afecto de don Álvaro hacia su hija, resolvió acelerar lo posible su ajustado enlace a fin de cortar de raíz todo género de zozobras. Poco temía de la resistencia de su esposa acostumbrado como estaba a verla ceder de continuo a su voluntad; pero el carácter de la joven que había heredado no poco de su propia firmeza, le causaba alguna inquietud. Sin embargo, como hombre de discreción, a par que de energía, contaba a un tiempo con el prestigio filial y con la fuerza de su autoridad para el logro de su propósito. Así pues, una tarde que doña Beatriz sentada cerca de su madre, trabajaba en bordar un paño de iglesia que pensaba regalar al monasterio de Villabuena, [106] donde tenía una tía abadesa a la sazón, entró su padre en el aposento, y diciéndola que tenía que hablarle de un asun-

[105] *encomienda*: territorio sometido a la jurisdicción de una orden militar. Aquí, se trata más precisamente del castillo principal.

[106] *Villabuena*: pueblo vecino de Arganza donde estuvo un convento de mujeres, contemporáneo del de Carrecedo y fundado también por el rey Bermudo II el Gotoso. Desapareció el monasterio en 1530 (Flórez, t. XVI, tr. 56, cap. 4, p. 50b) a consecuencia de una crecida del Cúa, y las religiosas se refugiaron en el de San Miguel de las Dueñas, cerca de Ponferrada, que existe todavía.

to de suma importancia, soltó la labor y se puso a escucharle con la mayor modestia y compostura. Caíanla por ambos lados numerosos rizos negros como el ébano, y la zozobra que apenas podía reprimir la hacía más interesante. Don Alonso no pudo abstenerse de un cierto movimiento de orgullo al verla tan hermosa, en tanto que a doña Blanca por lo contrario, se le arrasaron los ojos de lágrimas pensando que tanta hermosura y riqueza serían tal vez la causa de su desventura eterna.

—Hija mía, la dijo don Alonso, ya sabes que Dios nos privó de tus hermanos y que tú eres la esperanza única y postrera de nuestra casa.

—Sí señor, respondió ella con su voz dulce y melodiosa.

—Tu posición por consiguiente, continuó su padre, te obliga a mirar por la honra de tu linaje.

—Sí, padre mío, y bien sabe Dios que ni por un instante he abrigado un pensamiento que no se aviniese con el honor de vuestras canas y con el sosiego de mi madre.

—No esperaba yo menos de la sangre que corre por tus venas. Quería decirte pues que ha llegado el caso de que vea logrado el fruto de mis afanes y coronados mis más ardientes deseos. El conde de Lemus, señor el más noble y poderoso de Galicia, favorecido del rey y muy especialmente del infante don Juan [107] ha solicitado tu mano y yo se la he concedido.

—¿No es ese conde el mismo, repuso doña Beatriz, que después de lograr de la noble reina doña María el lugar de Monforte en Galicia, abandonó sus banderas para unirse a las del infante don Juan? [108]

—El mismo, contestó don Alonso poco satisfecho de la pregunta de su hija, ¿y qué tenéis que decir dél?

—Que es imposible que mi padre me dé por esposo un hombre a quien no podría amar, ni respetar tan siquiera.

107 Invención del autor. V. más detalles sobre los actos históricos del personaje, cap. VIII, nota 127.

108 V. también la nota 127.

—Hija mía, contestó don [Alonso] con moderación, porque conocía el enemigo con quien se las iba a haber y no quería usar de violencia sino en el último extremo, en tiempo de discordias civiles no es fácil caminar sin caer alguna vez, porque el camino está lleno de escollos y barrancos.

—Sí, replicó ella, el camino de la ambición está sembrado de dificultades y tropiezos, pero la senda del honor y la caballería es lisa y apacible como una pradera. El conde de Lemus sin duda es poderoso, pero aunque sé de muchos que le temen y odian, no he oído hablar de uno que le venere y estime.

Aquel tiro dirigido a la desalmada ambición del de Lemus, que sin saberlo su hija venía a herir a su padre de rechazo, excitó su cólera en tales términos que se olvidó de su anterior propósito y contestó con la mayor dureza:

—Vuestro deber es obedecer y callar y recibir el esposo que vuestro padre os destine.

—Vuestra es mi vida, dijo doña Beatriz, y si me lo mandáis, mañana mismo tomaré el velo en un convento; pero no puedo ser esposa del conde de Lemus.

—Alguna pasión tenéis en el pecho, doña Beatriz, contestó su padre dirigiéndola escrutadoras miradas. ¿Amáis al señor de Bembibre? le preguntó de repente.

—Sí padre mío, respondió ella con el mayor candor.

—Y no os dije que le despidiérais.

—Y ya le despedí.

—Y ¿cómo no despedisteis también de vuestro corazón esa pasión insensata? Preciso será que la ahoguéis entonces.

—Si tal es vuestra voluntad, yo la ahogaré al pie de los altares: yo trocaré por el amor del esposo celeste el amor de don Álvaro que por su fe y su pureza era más digno de Dios, que no de mí, desdichada mujer. Yo renunciaré a todos mis sueños de ventura; pero no le olvidaré en brazos de ningún hombre.

—Al claustro iréis, respondió don Alonso, fuera de sí de despecho, no a cumplir vuestros locos antojos, no a tomar el velo de que os hace indigna vuestro carácter rebelde, sino a aprender en la soledad, lejos de mi vista y de la de vuestra madre, la obediencia y el respeto que me debéis.

Diciendo esto salió del aposento airado y cerrando tras de sí la puerta con enojo dejó solas a madre y a hija que por un impulso natural y espontáneo, se precipitaron una en brazos de la otra; doña Blanca deshecha en lágrimas y doña Beatriz comprimiendo las suyas con trabajo, pero llena interiormente de valor. En las almas generosas despierta la injusticia fuerzas cuya existencia se ignoraba, y la doncella lo sentía entonces. Había tenido bastante desprendimiento y respeto para no representar a su padre que si amaba a don Álvaro era porque todo en un principio parecía indicarle que era el esposo escogido por su familia; pero este silencio mismo contribuía a hacerle sentir más vivamente su agravio. Lo que quebrantaba su valor era el desconsuelo de su madre que no cesaba un punto en sus sollozos teniéndola estrechamente abrazada.

—Hija mía, hija mía, dijo por fin en cuanto su congoja le dejó hablar, ¿cómo te has atrevido a irritarle de esa manera, cuando nadie tiene valor para resistir sus miradas?

—En eso verá que soy su hija y que heredo el esfuerzo de su ánimo.

—¡Y yo, miserable mujer, exclamó doña Blanca haciendo los mayores extremos de dolor, que con mi necia prudencia te he alejado del puerto de la dicha pudiendo ahora gozarte segura en la ribera!

—Madre mía, dijo la joven enjugando los ojos de su madre; vos habéis sido toda bondad y cariño para mí y el día de mañana sólo está en la mano de Dios, sosegaos, pues, y mirad por vuestra salud. El Señor nos dará fuerzas para sobrellevar una separación, a mí sobre todo que soy joven y robusta.

La idea de la falta de su hija que ni un solo día se había apartado de su lado y que había desaparecido por un momento, hizo volver a la triste madre a todos sus extremos de amargura, en términos que doña Beatriz hubo de emplear todos los recursos de su corazón y de su ingenio en apaciguarla. La anciana, que por su carácter suave y bondadoso estaba acostumbrada a ceder en todas ocasiones y cuyo matrimonio había comenzado por un sacrificio algo semejante, aunque infinitamente menor que el que exigían de su hija, bien quisiera indicarla algo, pero no se atrevía. Por último, al despedirse le dijo:

—Pero, hija de mi vida, ¿no sería mejor ceder? [109]

Doña Beatriz hizo un gesto muy expresivo, pero no respondió a su madre sino abrazándola y deseándole buen sueño.

CAPÍTULO VI

La escena que acabamos de describir causó mucho desasosiego en el ánimo del señor de Arganza, porque harto claro veía ahora cuán hondas raíces había echado en el ánimo de su hija aquella malhadada pasión que así trastornaba todos sus planes de engrandecimiento. Poco acostumbrado a la contradicción y mucho menos de parte de aquella hija, dechado hasta entonces de sumisión y respeto, su orgullo se irritó sobremanera, si bien en el fondo y como a despecho suyo, parecía a veces alegrarse de encontrar en una persona que tan de cerca le tocaba, aquel valor noble y sereno y aquella elevación de sentimientos. Sin embargo, atento antes que todo a conservar ilesa su autoridad paternal, resolvió al cabo de dos días llevar a doña Beatriz al convento de [Villabuena], donde esperaba que el recogimiento del lugar, el ejemplo vivo de obediencia que a cada paso presenciaría, y sobre todo el ejemplo

[109] Las madres tienen generalmente papel muy poco importante en el teatro como en las novelas españolas. Es probable que E. Gil se inspirase, para crear a su doña Blanca, en la doña Margarita de *Los amantes de Teruel,* de Hartzenbusch. La acción de la novela es muy semejante a la del drama hasta el cap. XVIII.

de su piadosa tía, contribuirían a mudar las disposiciones de su ánimo.

Por secreto que procuró tener don Alonso el motivo de su determinación, se traslució sobradamente en su familia y aun en el lugar y como todos adoraban a aquella criatura tan llena de gracias y de bondad, el día de su partida fue uno de llanto y de consternación generales.[110] El mismo Mendo, el palafrenero que tan inclinado se mostraba a favorecer los proyectos de su amo y a llevar las armas de un conde, apenas podía contener las lágrimas. Don Alonso daba a entender con la mayor serenidad posible en medio del pesar que experimentaba que era una ausencia de pocos días y no llevaba más objeto que satisfacer el deseo que siempre había manifestado la abadesa de Villabuena de tener unos días en su compañía a su sobrina. A todo el mundo decía lo contrario su corazón y era trabajo en balde el que el anciano señor se tomaba.

Doña Beatriz se despidió de su madre a solas y en los aposentos más escondidos de la casa, y por esta vez ya no pudo sostenerla su aliento: así fue que rompió en ayes y en gemidos tanto más violentos cuanto más comprimidos habían estado hasta entonces. El corazón de una madre suele tener en las ocasiones fuerzas sobrehumanas, y bien lo mostró doña Blanca que entonces fue la consoladora de su hija y la que supo prestarle ánimo. Por fin doña Beatriz se desprendió de sus brazos y enjugándose las lágrimas bajó al patio donde casi todos los vasallos de su padre la aguardaban: sus hermosos ojos humedecidos todavía, despedían unos rayos semejantes a los del sol cuando después de una tormenta atraviesan las mojadas ramas de los árboles, y su talla majestuosa y elevada, realzada por un vestido oscuro, la presentaba en todo el esplendor de su belleza. La mayor parte de aquellas pobres gentes a quienes doña Beatriz había asistido en sus enfermedades

[110] Es frecuente, en los relatos de E. Gil, encontrar semejantes evocaciones de lamentos o alegrías colectivas entre los campesinos. Se trata en realidad de un coro de aldeanos tal como podría figurar en una ópera.

y socorrido en sus miserias, que siempre la habían visto aparecer en sus hogares como un ángel de consuelo y de paz, se precipitaron a su encuentro con voces y alaridos lamentables besándole unos las manos y otros la falda de su vestido. La doncella como pudo se desasió suavemente de ellos, y subiendo en su hacanea [111] blanca con ayuda del enternecido Mendo, salió del palacio extendiendo las manos hacia sus vasallos y sin hablar palabra, porque desde el principio se le había puesto un nudo en la garganta.

El aire del campo y su natural valor le restituyeron por fin un poco de serenidad. Componían la comitiva su padre, que caminaba un poco delante como en muestra de su enojo, aunque realmente por ocultar su emoción, el viejo Nuño, caballero en su haca de caza, pero sin halcón ni perro, el rollizo Mendo que aquel día andaba desatentado, y su criada Martina, joven aldeana, rubia viva y linda, de ojos azules y de semblante risueño y lleno de agudeza. [112] Como, con gran placer suyo, iba destinada a servir y acompañar a su señora durante su reclusión, no sabemos decir a punto fijo si era esto lo que más influía en el mal humor del caballerizo, que a pesar de los celos y disgustos que le daba con Millán, el paje de don Álvaro, tenía la debilidad de quererla. Viendo, pues, doña Beatriz, que habían entrado en conversación, dijo al montero, que por respeto caminaba un poco detrás.

—Acércate, buen Nuño, porque tengo que hablarte. Tú eres el criado más antiguo de nuestra casa, y como a tal sabes cuánto te he apreciado siempre.

—Sí, señora, contestó él con voz no muy segura; ¿quién me dijera a mí cuando os llevaba a jugar con mis halcones y perros que habían de venir días como éstos?

—Otros peores vendrán, pobre Nuño, si los que me quieren bien no me ayudan. Ya sabes de lo que se trata,

[111] *hacanea*: era una yegua mansa destinada a las señoras.

[112] Martina es la criada de la protagonista. Personaje imprescindible en dramas y comedias lopescas para formar con el criado masculino la pareja paralela a la de los amos. Se notará cada vez más que esta novela debe mucho al teatro.

y mucho me temo que la insdiscreta ternura de mi padre no me fuerce a tomar por esposo un hombre de todos detestado. Si yo tuviera parientes a quienes dirigirme, sólo de ellos solicitaría amparo; pero por desgracia soy la última de mi linaje. Preciso será, pues, que él me proteja, me entiendes, ¿te atreverías a llevarle una carta mía?

Nuño calló.

—Piensa, añadió doña Beatriz, que se trata de mi felicidad en esta vida y quizá en la otra. ¿También tú serías capaz de abandonarme?

—No, señora, respondió el criado con resolución, venga la carta, que yo se la llevaré, aunque hubiera que atravesar por medio toda la morería. Si el amo lo llega a saber me mandará azotar y poner en la picota [113] y me echará de casa que es lo peor; pero don Álvaro, que es el mismo pundonor y la misma bondad, no me negará un nicho en su castillo para cuidar de sus halcones y gerifaltes. [114] Y sobre todo sea lo que Dios quiera, que yo a buen hacer lo hago y él bien lo ve.

Doña Beatriz, enternecida, le entregó la carta, y casi no tuvo tiempo para darle las gracias porque Mendo y Martina se le incorporaron en aquel punto. Así pues, continuaron en silencio su camino por las orillas del Cúa, en las cuales estaba situado el convento de monjas de San Bernardo, hermano en su fundación del de Carracedo y en el cual habían sido religiosas dos princesas de sangre real. [115] El convento ha desaparecido, pero el pueblo de [Villabuena] junto al cual estaba, todavía subsiste y ocupa una alegre y risueña situación al pie de unas colinas plan-

113 *picota*: especie de columna, varias veces llamada *rollo,* en que exponían, en los pueblos, a los condenados a la vergüenza. Quedan todavía varias picotas en pie en pueblos de Castilla.

114 *gerifalte*: ave de cetrería muy parecida al halcón.

115 En realidad, hubo una reina y dos princesas. Flórez (t. XVI, p. 50a) dice, en efecto, que el rey de León don Alfonso IX dio el lugar a su primera mujer, Santa Teresa, "que fundó allí un monasterio Cisterciense y ella misma tomó el hábito... Tiénese allí por cierto que las hijas de la Reyna, Sancha y Dulce, tomaron en el mismo monasterio el hábito...".

tadas de viñedo. Rodéanlo praderas y huertas llenas las más de higueras y toda clase de frutales y las otras cercadas de frescos chopos y álamos blancos. El río le proporciona riego abundante y fertiliza aquella tierra en que la naturaleza parece haber derramado una de sus más dulces sonrisas.

Al cabo de un viaje de hora y media [116] se apeó la cabalgata delante del monasterio, a cuya portería salió la abadesa acompañada de la mayor parte de la comunidad, a recibir a su sobrina. Las religiosas todas la acogieron con gran amor, prendadas de su modestia y hermosura, y don Alonso, después de una larga conversación con su cuñada, se partió a escondidas de su hija, desconfiando de su energía y resolución, harto quebrantada con las escenas de aquel día. Nuño y Mendo se despidieron de su joven ama con más enternecimiento del que pudiera esperarse de su sexo y educación. Aquellos fieles criados, acostumbrados a la presencia de doña Beatriz que como una luz de alegría y contento parecía iluminar todos los rincones más obscuros de la casa, conocían que con su ausencia, la tristeza y el desabrimiento iban a asentar en ella sus reales. Conocían que don Alonso se entregaría más frecuentemente a los accesos de su mal humor sin el suave contrapeso y mediación de su hija; y por otra parte no se les ocultaba que los achaques, ya habituales de doña Blanca, agravados con el nuevo golpe, acabarían de oscurecer el horizonte doméstico. Así, pues, entrambos caminaron sin hablar palabra detrás de su amo no menos adusto y silencioso que ellos, y al llegar a Arganza, Mendo se fue a las caballerizas con el caballo de su señor y el suyo, y Nuño después de piensar [116 bis] su jaca, y cenar, salió cerca de medianoche con pretexto de aguardar una liebre en un sitio algo lejano, y de amaestrar un galgo nuevo de excelente traza, pero en realidad para llegar a Bembibre a

[116] Viaje largo por la corta distancia. Villabuena está a 4 kilómetros de Arganza.

[116 bis] *piensar*: dar el pienso a las caballerías.

deshora y entregar con el mayor recato la carta de doña Beatriz que poco más o menos decía así:

"Mi padre me destierra de su presencia por vuestro amor y yo sufro contenta este destierro; pero ni vos ni yo debemos olvidar que es mi padre, y por lo tanto si en algo tenéis mi cariño y alguna fe ponéis en mis promesas, espero que no adoptaréis ninguna determinación violenta. El primer domingo después del inmediato procurad quedaros de noche en la iglesia del convento, y os diré lo que ahora no puedo deciros. Dios os guarde, y os dé fuerzas para sufrir."

Nuño desempeñó con tanto tino como felicidad su delicado mensaje y sólo pudo hacerle aceptar don Álvaro una cadena de plata de que colgar el cuerno de caza en los días de lujo para memoria suya. Por lo demás, el buen montero todavía tuvo tiempo para volver a su aguardo y coger la liebre, que trajo triunfante a casa muy temprano deshaciéndose en elogios de su galgo.

CAPÍTULO VII [117]

El medio de que el señor de Arganza se había valido para arrancar del corazón de su hija el amor que tan firmes raíces había echado, no era a la verdad el más apropósito. Aquella alma pura y generosa, pero altiva, mal podía regirse con el freno del temor, ni del castigo. Tal vez la templanza y la dulzura hubieran recabado de ella cuanto la ambición de su padre podía apetecer, porque la idea del sacrificio suele ser instintiva en semejantes caracteres, y con más gusto la acogen a medida que se presenta con más atavíos de dolor y de grandeza, pero doña Beatriz, que según la exacta comparación del abad

117 Este capítulo está numerado VI en la edición original y el error se repercute hasta el final. En adelante, corregiremos sin advertirlo.

de Carracedo, se asemejaba a las aguas quietas y transparentes de el lago azul y sosegado de Carucedo, fácilmente se embravecía cuando la azotaba su superficie el viento de la injusticia y dureza. La idea sola de pertenecer a un tan mal caballero como el conde [de] Lemus, y de ser el juguete de una villana intriga, la humillaba en términos de arrojarse a cualquier violento extremo por apartar de sí semejante mengua.

Por otra parte, la soledad, la ausencia y la contrariedad, que bastan para apagar inclinaciones pasajeras, o culpables afectos, sólo sirven de alimento y vida a las pasiones profundas y verdaderas. Un amor inocente y puro acrisola el alma que le recibe y por su abnegación insensiblemente llega a eslabonarse con aquellos sublimes sentimientos religiosos, que en su esencia no son sino amor limpio del polvo y fragilidades de la tierra. Si por casualidad viene la persecución a adornarle con la aureola del martirio, entonces el dolor mismo lo graba profundamente en el pecho, y aquella idea querida llega a ser inseparable de todos los pensamientos, a la manera que una madre suele mostrar predilección decidida al hijo doliente y enfermo que no la dejó ni un instante de reposo.

Esto era cabalmente lo que sucedía con doña Beatriz. En el silencio que la rodeaba se alzaba más alta y sonora la voz de su corazón y cuando su pensamiento volaba al que tiene en su mano la voluntad de todos y escudriña con su vista lo más obscuro de la conciencia, sus labios murmuraban sin saber aquel nombre querido. Tal vez pensaba que sus oraciones se encontraban con las suyas en el cielo, mientras sus corazones volaban uno en busca de otro en esta tierra de desventuras, y entonces su imaginación se exaltaba hasta mirar sus lágrimas y tribulaciones como otras tantas coronas que la adornarían a los ojos de su amado.

Su tía, que también había amado y visto deshojarse en flor sus esperanzas bajo la mano de la muerte, respetaba los sentimientos de su sobrina y procuraba hacerle llevadero su cautiverio, dándole la posible libertad y tratándola con el más extremado cariño, porque su femenil agudeza le daba a entender claramente que sólo este proceder podía emplearse con aquella naturaleza a un tiempo de león, y de paloma. La prudente señora quería dejar obrar la lenta medicina del tiempo antes de arriesgar ninguna otra tentativa.

El día que doña Beatriz había señalado a don Álvaro en su carta, estaba elegido con gran discreción, porque en él se celebraban después de las vísperas los funerales de los regios patrones de aquella santa casa, que comúnmente solían atraer numeroso concurso, a causa de la limosna que se repartía; y de ordinario duraban hasta de noche. [118] Fácil le fue, por lo tanto, al caballero deslizarse a favor de un disfraz de aldeano por entre el gentío y meterse en un confesonario, [119] donde se escondió como pudo, mientras los paisanos del pueblo oían el sermón con la mayor atención. En las iglesias de aquel país, había y hay aún en algunas, confesonarios cerrados por delante, con unas puertas de celosía [120] y más de una vez han sucedido ocultaciones semejantes a la de nuestro caballero. Por fin, después de acabados los oficios, la iglesia se fue desocupando, las monjas rezaron sus últimas oraciones y el sacristán apagó las luces, y salió de la iglesia cerrando las puertas con sus enormes llaves.

Quedóse el templo en un silencio sepulcral y alumbrado por una sola lámpara, cuya llama débil y oscilante más que aclaraba los objetos, los confundía. Algunas cabezas de animales y hombres que adornaban los capiteles de las columnas lombardas, parecían hacer extraños gestos y visajes, y las figuras doradas de los santos de los altares, en cuyos ojos reflejaban los rayos vagos y trémulos de

[118] Es una escena folklórica, bien observada, que pertenece más al siglo XIX que al XIV.

[119] Es un anacronismo, ya que no existían confesonarios como los conocemos ahora antes del siglo XVI. La idea viene de la novela de García de Villalta *El golpe en vago,* en que ocurre una escena semejante (III, cap. 10), pero esta novela se sitúa en el siglo XVIII.

[120] Los hay todavía muchos de este tipo, y hasta en iglesias modernas como la de San Pedro de Ponferrada.

aquella luz mortuoria, parecían lanzar centellantes miradas sobre el atrevido que traía a la mansión de la religión y de la paz otros cuidados que los del cielo. El coro estaba obscuro y tenebroso, y el ruido del viento entre los árboles, y el murmullo de los arroyos que venían de fuera, junto con algún chillido de las aves nocturnas, tenían un eco particular y temeroso debajo de aquellas bóvedas augustas.

Don Álvaro no era superior a su siglo, y en cualquiera otra ocasión, semejantes circunstancias no hubiesen dejado de hacer impresión profunda en su ánimo; pero los peligros reales que le cercaban si era descubierto, el riesgo que corría en igual caso doña Beatriz, el deseo de aclarar el enigma obscuro de su suerte, y sobre todo la esperanza de oír aquella voz tan dulce, se sobreponían a toda clase de temores imaginarios. Oyó por fin la campana interior del claustro, que tocaba a recogerse, luego voces lejanas como de gentes que se despedían, pasos por aquí y acullá, abrir y cerrar puertas, hasta que al último, todo quedó en un silencio tan profundo como el que le envolvía. [121]

Salió entonces del confesonario y se acercó a la reja del coro bajo, aplicando el oído con indecible ansiedad y engañándose a cada instante creyendo percibir el leve sonido de los pasos y el crujido de los vestidos de doña Beatriz. Por fin, una forma blanca [122] y ligera apareció en el fondo obscuro del coro y, adelantándose rápida y silenciosamente, presentó a los ojos de don Álvaro, ya un poco habituados a las tinieblas, los contornos puros y airosos de la hija de Ossorio.

[121] Esta escena es a la vez literaria e imaginaria, ya que el convento había desaparecido desde largo tiempo en el siglo XIX. Pudo E. Gil encontrar el modelo en *El golpe en vago* (V. *supra*), *The Talisman* de W. Scott (Ch. IV), *Los bandos de Castilla* de López Soler y hasta en el cuento de Zorrilla *La mujer negra* (*O. C.*, t. II, pp. 2126-2127). A su vez, esta descripción se repercute con seguridad en la leyenda de Bécquer *La ajorca de oro.*

[122] Al fin, como buena heroína romántica, aparece doña Beatriz con vestido blanco que llevará hasta el fin.

Más fácil le fue a ella distinguirle, porque el bulto de su cuerpo se dibujaba claramente en medio de los rayos desmayados de la lámpara que por detrás le herían. Adelantóse, pues, hasta llegar a la verja con el dedo en los labios como una estatua del silencio, que hubiese cobrado vida de repente, y volviendo la cabeza, como para dirigir una postrera mirada al coro, preguntó con voz trémula:

—¿Sois vos don Álvaro?

—Y ¿quién sino yo, respondió él, vendría a buscar vuestra mirada en medio del silencio de los sepulcros? Me han dicho que habéis sufrido mucho con la separación de vuestra madre, y aunque en esta obscuridad no distingo bien vuestro semblante, me parece ver en él la huella del insomnio y de las lágrimas. ¿No se ha resentido vuestra salud?

—No, a Dios gracias, respondió ella casi con alegría, porque como penaba por vos, el cielo me ha dado fuerzas. No sé si el llanto habrá enturbiado mis ojos, ni si el pesar habrá robado el color de mis mejillas, pero mi corazón siempre es el mismo. Pero somos unos locos, añadió como recobrándose, en gastar así estos pocos momentos que la suerte nos concede y que sin gran peligro nuestro tal vez no volverán en mucho tiempo. ¿Qué imagináis, don Álvaro, de haberos yo llamado de esta suerte?

—He imaginado, respondió él, que leíais en mi alma, y que con vuestra piedad divina os compadecíais de mí.

—Y ¿no habéis meditado algún proyecto temerario y violento? ¿No habéis pensado en romper mis cadenas con vuestras manos atropellando por todo?

Don Álvaro no respondió y doña Beatriz continuó con un tono que se parecía al de la reconvención:

—Ya veis que vuestro corazón no os engañaba y que yo leía en él como en un libro abierto; pero sabed que no basta que me améis, sino que me creáis y aguardéis noblemente. No quiero que os volváis contra el cielo, cuya autoridad ejerce mi padre, porque ya os dije que yo jamás mancharía mi nombre con una desobediencia.

—¡Oh, Beatriz!, contestó don Álvaro con precipitación, no me condenéis sin oírme. Vos no sabéis lo que es vivir desterrado de vuestra presencia: vos no sabéis sobre todo cómo despedaza mis entrañas la idea de vuestros pesares, que yo, miserable de mí, he causado sin tener fuerzas para ponerles fin. Cuando os veía dichosa en vuestra casa, de todos acatada y querida, el mundo entero no me parecía sino una fiesta sin término, una alegre romería a donde todos iban a rendir gracias a Dios por el bien que su mano les vertía. Cuando los pájaros cantaban por la tarde, sólo de vos me hablaban con su música: la voz del torrente me deleitaba porque vuestra voz era la que escuchaba en ella; y la soledad misma parecía recogerse en religioso silencio sólo para escuchar de mis labios vuestro nombre. Pero ahora la naturaleza entera se ha obscurecido, las gentes pasan junto a mí silenciosas y tristes, en mis ensueños os veo pasar por un claustro tenebroso con el semblante descompuesto y lleno de lágrimas, y el cabello tendido, [123] y el eco de la soledad que antes me repetía vuestro nombre, sólo me devuelve ahora mis gemidos. ¿Qué queréis? la desesperación me ha hecho acordar entonces de que era noble, de que penábais por mí, de que tenía una espada y de que con ella cortaría vuestras ligaduras.

—Gracias, don Álvaro, respondió ella enternecida, veo que me amáis demasiado, pero es preciso que me juréis aquí delante de Dios, que a nada os arrojaréis sin consentimiento mío. Sois capaz de sacrificarme hasta vuestra fama, pero ya os lo he dicho, yo no desobedeceré a mi padre.

—No puedo jurároslo, señora, respondió el caballero, porque ya lo estáis viendo; la persecución y la violencia han empezado por otra parte y tal vez sólo las armas podrán salvaros. Mirad que os pueden arrastrar al pie del altar y allí arrancaros vuestro consentimiento.

—No creáis a mi padre capaz de tamaña villanía.

[123] Semejante imagen se encuentra ya en el poema de Gil *A*... (BAE, t. 74, p. 27b): "Lentas cruzaban la tiniebla oscura, / Con suelta cabellera, / Cantando en bajo son su desventura / Con trova lastimera."

—Vuestro padre, replicó don Álvaro con cólera, tiene empeñada su palabra, según dice, y además cree honraros a vos y a su casa.

—Entonces yo solicitaré una entrevista con el conde y le descubriré mi pecho y cederá.

—¡Quién, él, ¿ceder él?, contestó don Álvaro fuera de sí y con una voz que retumbó en la iglesia; ceder cuando justamente en vos estriban todos sus planes! ¡Por vida de mi padre, señora, que sin duda estáis loca!

La doncella se sobrepuso al susto que aquella voz le había causado, y le dijo con dulzura pero con resolución:

—En ese caso yo os avisaré, pero hasta entonces juradme lo que os he pedido. Ya sabéis que nunca, nunca seré suya.

—¡Doña Beatriz! exclamó de reptente una voz detrás de ella.

—Jesús mil veces, exclamó acercándose involuntariamente a la reja mientras don Álvaro maquinalmente echaba mano a su puñal. Ah ¿eres tú, Martina? añadió reconociendo a su fiel criada que había quedado de acecho, pero de la cual se había olvidado por entero.

—Sí, señora, respondió la muchacha, y venía a deciros que las monjas comenzarán a levantarse muy pronto porque ya está amaneciendo.

—Preciso será, pues, que nos separemos, dijo doña Beatriz con un suspiro; pero nos separaremos para siempre, si no me juráis por vuestro honor lo que os he pedido.

—Por mi honor lo juro, respondió don Álvaro.

—Id, pues, con Dios, noble caballero, yo recurriré a vos si fuere menester, y estad seguro de que nunca maldeciréis la hora en que os confiasteis a mí.

Ama y criada se apartaron entonces con precipitación y don Álvaro, después de haberlas seguido con los ojos, se escondió de nuevo. A poco rato las campanas del monasterio tocaron a la oración matutina con regocijados sonidos, y el sacristán abrió las puertas de la iglesia dirigiéndose a la sacristía, por manera que don Álvaro pudo salir sin ser visto. Encaminóse luego precipitadamente al monte, donde Millán había pasado la noche con los caballos, y montando en ellos, por sendas y veredas excusadas llegaron prontamente a Bembibre.

CAPÍTULO VIII

Los días que siguieron al encierro de doña Beatriz fueron efectivamente para el señor de Bembibre todo lo penosos y desabridos que le hemos oído decir; y aun algo más. Sin embargo, su natural violento e impetuoso mal podía avenirse con un pesar desmayado y apático, y día y noche había estado trazando proyectos a cual más desesperados. Unas veces pensaba en forzar a mano armada el asilo pacífico de Villabuena al frente de sus hombres de armas en mitad del día y con la enseña de su casa desplegada. Otras resolvía enviar un cartel al conde de Lemus. Ya imaginaba pedir auxilio a algunos caballeros Templarios y sobre todo al comendador Saldaña, alcaide de Cornatel [124] que sin duda se hubieran prestado en odio del enemigo común, y ya finalmente, aunque como relámpago fugaz, parto de la tempestad que estremecía su alma, llegó a aparecérsele la idea de una alianza con un jefe de bandidos y proscritos llamado el Herrero, [125] que de cuando en cuando se presentaba en aquellas montañas a la cabeza de una cuadrilla de gentes, restos de las disensiones domésticas que habían agitado hasta entonces la corona de Castilla.

[124] Saldaña, alcaide de Cornatel. El personaje y la fortaleza tendrán un papel importantísimo. V. cap. X, notas 144, 149 y 150.

[125] *el Herrero*: es posible que este personaje, muy episódico, de la novela se deba a El Velludo, personaje importante de la novela de Espronceda *Sancho Saldaña*. Pero también es cierto que en la España del siglo XIX el bandidaje, consecuencia de las guerras napoleónicas y carlistas, hacía estragos enormes.

Como quiera, a cada una de estas quimeras salía al paso prontamente ya la noble figura de doña Beatriz indignada de su audacia, ya el venerable semblante de su tío el maestre que le daba en rostro con los peligros que acarreaba a la Orden, ya finalmente la voz inexorable de su propio honor que le vedaba otros caminos; y entonces el caballero volvía a su lucha y a sus angustias, temblando por su única esperanza y entregado a todos los vaivenes de la incertidumbre. En tal estado sucedió la escena de que hemos dado cuenta a nuestros lectores y don Álvaro hubo de ceder en sus desmandados propósitos, por ventura avergonzado de que la elevación de ánimo de una sola y desamparada doncella así aleccionase su impaciencia. De todas maneras aquella conversación que había descorrido enteramente el velo y manifestado el corazón de su amante en el lleno de su virtud y belleza, contribuyó no poco a sosegar su espíritu rodeado hasta allí de sombras y espantos.

Así se pasó algún tiempo sin que don [Alonso] hostigase a su hija, siguiendo en esto los consejos de su mujer y de la piadosa abadesa; y doña Beatriz, por su parte, sin quejarse de su situación y convertida en un objeto de simpatía y de ternura para aquellas buenas religiosas, que se hacían lenguas de su hermosura y apacible condición, gozaba, como hemos dicho, de bastante libertad y paseaba por las huertas y sotos que encerraba la cerca del monasterio, y su corazón llagado se entregaba con inefable placer a aquellos indefinibles goces del espíritu, que ofrece el espectáculo de una naturaleza frondosa y apacible. Su alma se fortificaba en la soledad y aquella pasión pura en su esencia se purificaba y acendraba más y más en el crisol del sufrimiento ahondando sus raíces a manera de un árbol místico en el campo del destierro, y levantando sus ramas marchitas en busca del rocío bienhechor de los cielos. [126]

[126] Es una idea platónica cristiana.

Esta calma, sin embargo, duró muy poco. El conde de Lemus volvió a presentarse reclamando sus derechos y don Alonso entonces intimó a su hija su última e irrevocable resolución. Como éste era un suceso que forzosamente había de llegar, la joven no manifestó sorpresa ni disgusto alguno y se contentó con rogar a su padre que la dejase hablar a solas con el conde, demanda a que no pudo menos de acceder.

Como nuestros lectores habrán de tratar un poco más de cerca a este personaje en el curso de esta historia, no llevarán a mal que les demos una ligera idea de él. Don Pedro Fernández de Castro, conde de Lemus [127] y señor el

[127] *Don Pedro Fernández de Castro, conde de Lemus*: sólo es personaje medio histórico. Existen dos personajes que vivieron casi al mismo tiempo y llevaban el mismo nombre y apellido. Eran medio hermanos. Del mayor se sabe, por Sandóval (pp. 303 y ss.), que era conde de Lemos, pertiguero mayor de Santiago y señor de Cabrera y Ribera. A su medio hermano, mucho más joven, le llamaron don Pedro Fernández de Castro el de la Guerra. Este último sirvió al rey Alfonso XI y murió en 1343 en el sitio de Algeciras. Desde luego, en la novela, se trata del hermano mayor, ya que al más joven le armaron caballero tan sólo en 1331, fecha demasiado tardía. Don Pedro Fernández de Castro (el que no lleva apodo y nos interesa aquí) es el hijo de don Fernán Ruiz de Castro (Sandóval, p. 310b), y se conoce únicamente por dos documentos históricos: —la firma de un acuerdo sobre la tutela del futuro rey Alfonso XI (Palazuelos, 1.º de agosto de 1305); —un documento de 24 de julio de 1356 en el cual el rey Alfonso XI confirmaba los privilegios de exención de impuestos para las iglesias de Pancorbo. Se ignora la fecha de su muerte.

El relato de E. Gil corresponde mejor al padre de este personaje, don Fernando Ruiz de Castro. Después de ayudar al rey Fernando IV contra el infante don Juan, pide a la reina doña María, en 1312, el castillo de Monforte. Como se lo negó, se apodera por fuerza de la fortaleza, y entonces le pone sitio el infante don Felipe, tío del rey Alfonso XI, y don Fernando muere en la contienda. El infante se apodera entonces de los títulos del difunto y los devuelve pronto a su hijo, don Pedro. Según Salazar de Mendoza (*Dignidades*, lib. III, fol. 84 v. a.), don Fernán obtuvo del rey el castillo de Monforte, que había sido ya de su familia, y luego pasó a las filas del infante don Juan, muriendo en el combate.

más poderoso de toda Galicia, era un hombre a quien venía por juro de heredad la turbulencia, el desasosiego y la rebelión, pues sus antecesores a trueque de engrandecer su casa, no habían desperdiciado ocasión entre las muchas que se les presentaron, cuando el trono glorioso de San Fernando se deslustró en manos de su hijo y de su nieto con la sangre de las revueltas intestinas. Don Pedro, por su parte, como venido al mundo en época más acomodada a estos designios, pues alcanzó la minoría turbulenta de don Fernando el Emplazado, aumentó copiosamente sus haciendas y vasallos, con la ayuda del infante don Juan, que entonces estaba apoderado del reino de León, [128] y sin escrupulizar en ninguna clase de medios. Por aquel tiempo fue cuando con amenaza de pasarse al usurpador, arrancó a la reina doña María la dádiva del rico lugar de Monforte con todos sus términos, abandonándola en seguida y engrosando las filas de su enemigo. Esta ruindad que, por su carácter público y ruidoso, de todos era conocida, tal vez no equivalía a los desafueros de que eran teatro entonces sus extendidos dominios. Frío de corazón, como la mayor parte de los ambiciosos, sediento de poder y riquezas con que allanar el camino de sus deseos, de muchos temido, de algunos solicitado y odiado del mayor número, su nombre había llegado a ser un objeto de repugnancia para todas las gentes dotadas de algún pundonor y bondad. A vueltas de tantos y tan capitales vicios no dejaba de poseer cualidades de brillo: su orgullo desmedido se convertía en valor siempre que la ocasión lo requería; sus modales eran nobles y desembarazados, y no faltaba a los deberes de la liberalidad en muchas circunstancias, aunque la vanidad y el cálculo fuesen el móvil secreto de sus acciones.

Este era el hombre con quien debía unir su suerte doña Beatriz. Cuando llegó el día de la entrevista se adornó uno de los locutorios del convento con esmero para recibir a un señor tan poderoso, y presunto esposo de una

[128] En realidad, el infante don Juan, aunque coronado rey de León, no llegó nunca a reinar.

parienta inmediata de la superiora. La comitiva del conde con don Alonso y algún otro hidalguillo del país ocupaban una pieza algo apartada, mientras él, sentado en un sillón a la orilla de la reja, aguardaba con cierta impaciencia y aun zozobra la aparición de doña Beatriz.

Llegó por fin ésta, acompañada de su tía y ataviada como aquel caso lo pedía, y haciendo una ligera reverencia al conde se sentó en otro sillón destinado para ella en la parte de adentro de la reja. La abadesa, después de corresponder al cortés saludo y cumplimientos del caballero, se retiró dejándolos solos. Doña Beatriz, entretanto, observó con cuidado el aire y facciones de aquel hombre que tantos disgustos le había acarreado y que tantos otros podía acarrearle todavía. Pasaba de treinta años [129] y su estatura era mediana; su semblante, de cierta regularidad, carecía, sin embargo, de atractivo o, por mejor decir, repulsaba, por la expresión de ironía que había en sus labios delgados revestidos de cierto gesto sardónico; por el fuego incierto y vagaroso de sus miradas en que no asomaba ningún vislumbre [129 bis] de franqueza y lealtad, y finalmente por su frente altanera y ligeramente surcada de arrugas, rastro de pasiones interesadas y rencorosas, no de la meditación ni de los pesares. Venía cubierto de un rico vestido y traía al cuello pendiente de una cadena de oro la cruz de Santiago. Habíase quedado en pie y con los ojos fijos en aquella hermosa aparición, que sin duda encontraba superior a los encarecimientos que le habían hecho. Doña Beatriz le hizo un ademán lleno de nobleza para que se sentase.

—No haré tal, hermosa señora, respondió él cortésmente, porque vuestro vasallo nunca querría igualarse con vos, que en todos los torneos del mundo seríais la reina de

[129] Se ignoran las fechas de nacimiento y de muerte del personaje. Era probablemente más joven que lo presenta el autor. Vivía todavía en 1356 y firmaba ya actos oficiales en 1305. En 1308 podía tener, pues, unos veintidós a veinticinco años.

[129 bis] Empleado en masculino en el texto.

la hermosura. ¡Ojalá fuerais igualmente la de los amores!

—Galán sois, respondió doña Beatriz, y no esperaba yo menos de un caballero tal; pero ya sabéis que las reinas gustamos de ser obedecidas, y así espero que os sentéis. Tengo además que deciros cosas en que a entrambos nos va mucho, añadió con la mayor seriedad.

El conde se sentó no poco cuidadoso, viendo el rumbo que parecía tomar la conversación, y doña Beatriz continuó:

—Excusado es que yo os hable de los deberes de la caballería y os diga que os abro mi pecho sin reserva. Cuando habéis solicitado mi mano sin haberme visto, y sin averiguar si mis sentimientos me hacían digna de semejante honor, me habéis mostrado una confianza que sólo con otra igual puedo pagaros. Vos no me conocéis y por lo mismo no me amáis.

—Por esta vez habéis de perdonar, repuso el conde. Cierto es que no habían visto mis ojos el milagro de vuestra hermosura, pero todos se han conjurado a ponderarla, y vuestras prendas, de nadie ignoradas en Castilla, son el mayor fiador de la pasión que me inspiráis.

Doña Beatriz, disgustada de encontrar la galantería estudiada del mundo, donde quisiera que sólo apareciese la sinceridad más absoluta, respondió con firmeza y decoro:

—Pero yo no os amo, señor conde, y creo bastante hidalga vuestra determinación, para suponer que sin el alma no aceptaríais la dádiva de mi mano.

—¿Y por qué no? doña Beatriz, repuso él con su fría y resuelta urbanidad: cuando os llaméis mi esposa, comprenderéis el dominio que ejercéis en mi corazón, me perdonaréis esta solicitud tal vez harto viva, con que pretendo ganar la dicha de nombraros mía, y acabaréis sin duda por amar a un hombre cuya vida se consagrará por entero a preveniros por todas partes deleites y regocijos y que encontrará sobradamente pagados sus afanes con una sola mirada de esos ojos.

Doña Beatriz comparaba en su interior este lenguaje artificioso en que no vibraba ni un solo acento del alma, con la apasionada sencillez y arrebato de las palabras de su don Álvaro. Conoció que su suerte estaba echada irrevocablemente, y entonces, con una resolución digna de su noble energía, respondió:

—Yo nunca podré amaros, porque mi corazón ya no es mío.

Tal era en aquel tiempo el rigor de la disciplina doméstica, y tal la sumisión de las hijas a la voluntad de los padres, que el conde se pasmó al ver lo profundo de aquel sentimiento, que así traspasaba los límites del uso en una doncella tan compuesta y recatada. Algo sabía de los desdichados amores que ahora empezaban a servir de estorbo en su ambiciosa carrera, pero acostumbrado a ver ceder todas las voluntades delante de la suya, se sorprendía de hallar un enemigo tan poderoso en una mujer tan suave y delicada en la apariencia. Con todo, su perseverancia nunca había retrocedido delante de ningún género de obstáculos; así es que recobrándose prontamente, respondió no sin un ligero acento sardónico que toda su disimulación no fue capaz de ocultar:

—Algo había oído decir de esa extraña inclinación hacia un hidalgo de esta tierra; pero nunca pude creer que no cediese a la voz de vuestro padre y a los deberes de vuestro nacimiento.

—Ése a quien llamáis con tanto énfasis hidalgo, respondió doña Beatriz sin inmutarse, es un señor no menos ilustre que vos. La nobleza de su estirpe sólo tiene por igual la de sus acciones, y si mi padre juzga que tan reprensible es mi comportamiento, no creo que os haya delegado a vos su autoridad, que sólo en él acato.

Quedóse pensativo el conde un rato como si en su alma luchasen encontrados afectos, hasta que en fin sobreponiéndose a todo, según suele suceder, la pasión dominante, respondió con templanza y con un acento de fingido pesar:

—Mucho me pesa, señora, de no haber conocido más a fondo el estado de vuestro corazón, pero bien véis que habiendo llevado tan adelante este empeño, no fuera honra de vuestro padre ni mía exponernos a las malicias del vulgo.[130]

—¿Quiere decir, replicó doña Beatriz con amargura, que yo habré de sacrificarme a vuestro orgullo? ¿De ese modo amparáis a una dama afligida y menesterosa? ¿Para eso traéis pendiente del cuello ese símbolo de la caballería española?[131] Pues sabed, añadió con una mirada propia de una reina ofendida, que no es así como se gana mi corazón. Id con Dios, y que el cielo os guarde, porque jamás nos volveremos a ver.

El conde quiso replicar, pero le despidió con un ademán altivo que le cerró los labios, y levantándose se retiró paso a paso y como desconcertado más que con el justo arranque de doña Beatriz, con la voz de su propia conciencia. Sin embargo, la presencia de don Alonso y de los demás caballeros, restituyó bien presto su espíritu a sus habituales disposiciones, y declaró que por su parte ningún género de obstáculo se oponía a la dicha que se imaginaba entre los brazos de una señora, dechado de discreción y de hermosura. El señor de Arganza al oírlo, y creyendo tal vez que las disposiciones de su hija hubiesen variado, entró en el locutorio apresuradamente.

Estaba la joven todavía al lado de la reja con el semblante encendido y palpitante de cólera; pero al ver entrar a su padre, que a pesar de sus rigores era en todo extremo querido a su corazón, tan terribles disposiciones se trocaron en un enternecimiento increíble, y con toda la violencia de semejantes transiciones, se precipitó de rodillas delante de él, y extendiendo las manos por entre las barras de la reja, y vertiendo un diluvio de lágrimas, le dijo con la mayor angustia:

—¡Padre mío, padre mío!, ¡no me entreguéis a ese hombre indigno! ¡no me arrojéis en brazos de la deses-

[130] La escena de *Los amantes de Teruel* entre don Rodrigo y doña Margarita (acto II, esc. 8, vers. 1838) se parece mucho a ésta, aunque se trate de un diálogo entre la madre y el pretendiente.

[131] Era pertiguero mayor de Santiago.

peración y del infierno! ¡Mirad que seréis responsable delante de Dios de mi vida y de la salvación de mi alma!

Don Alonso, cuyo natural franco y sin doblez no comprendía el disimulo del conde, llegó a pensar que su discreción y tino cortesano habían dado la última mano a la conversación de su hija, y aunque no se atrevía a creerlo, semejante idea se había apoderado de su espíritu mucho más de lo que podía esperarse de tan corto tiempo. Así, pues, fue muy desagradable su sorpresa viendo el llanto y desolación de doña Beatriz. Sin embargo, le dijo con dulzura:

—Hija mía, ya es imposible volver atrás: si éste es un sacrificio para vos, coronadlo con el valor propio de vuestra sangre, y resignaos. Dentro de tres días os casaréis en la capilla de nuestra casa con toda la pompa necesaria.

—¡Oh, señor! ¡pensadlo bien! ¡dadme más tiempo tan siquiera!...

—Pensado está, respondió don Alonso, y el término es suficiente para que cumpláis las órdenes de vuestro padre.

Doña Beatriz se levantó entonces, y apartándose los cabellos con ambas manos de aquel rostro divino, clavó en su padre una mirada de extraordinaria intención, y le dijo con voz ronca:

—Yo no puedo obedeceros en eso, y diré "no" al pie de los altares.

—¡Atrévete, hija vil! respondió el señor de Arganza fuera de sí de cólera y de despecho, y mi maldición caerá sobre tu rebelde cabeza y te consumirá como fuego del cielo. Tú saldrás del techo paterno bajo su peso, y andarás como Caín, errante por la tierra.

Al acabar estas tremendas palabras se salió del locutorio, sin volver la vista atrás, y doña Beatriz después de dar dos o tres vueltas como una loca, vino al suelo con un profundo gemido. Su tía y las demás monjas acudieron muy azoradas al ruido, y ayudadas de su fiel criada la transportaron a su celda.

Enrique Gil y Carrasco. Grabado anónimo.

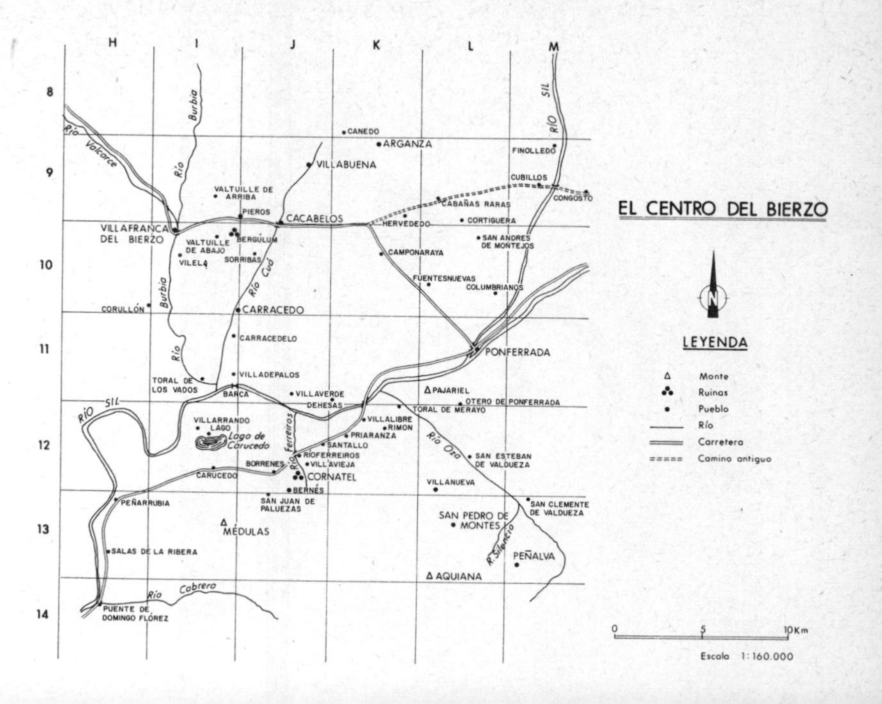

Mapa del centro del Bierzo.

CAPÍTULO IX

El parasismo de la infeliz señora fue largo,[132] y dio mucho cuidado a sus diligentes enfermeras, pero al cabo cedió a los remedios y sobre todo a su robusta naturaleza. Un rato estuvo mirando al rededor con ojos espantados, hasta que poco a poco y a costa de un grande esfuerzo, manifestó la necesaria serenidad para rogar que la dejasen sola con su criada, por si algo se la ofrecía. La abadesa, que conocía muy bien la índole de su sobrina, enemiga de mostrar ninguna clase de flaqueza a los ojos de los demás, se apresuró a complacerla, diciéndole algunas palabras de consuelo y abrazándola con ternura.

A poco de haber salido las monjas, doña Beatriz se levantó de la cama en que la habían reclinado, con la agilidad de un corzo y, cerrando la puerta por dentro, se volvió a su asombrada doncella, y la dijo atropelladamente:

—¡Quieren llevarme arrastrando al templo de Dios, a que mienta delante de él y de los hombres! ¿no lo sabes, Martina? ¡Y mi padre me ha amenazado con su maldición si me resisto!... ¡todos, todos me abandonan! ¡Oyes!, ¡es menester salir! es menester que él lo sepa, y ojalá que él me abandone también, y así Dios solo me ampara en su gloria.

—Sosegaos, por Dios, señora, respondió la doncella consternada, ¿cómo queréis salir con tantas rejas y murallas?

—No, yo no, respondió doña Beatriz, porque me buscarían y me cogerían, pero tú puedes salir y decirle a qué estado me reducen. Inventa un recurso cualquiera... aunque sea mentira, porque, ya lo estás viendo, los hombres se burlan de la justicia y de la verdad. ¿Qué haces? aña-

[132] Aquí se nota el primer quebranto en la salud de doña Beatriz. Concluirá muy rápidamente en tuberculosis pulmonar, como ya se verá en adelante.

dió con la mayor impaciencia, viendo que Martina seguía callada; ¿dónde están tu viveza y tu ingenio? Tú no tienes motivos para volverte loca como yo.

En tanto que esto decía, medía la estancia con pasos desatentados y murmurando otras palabras que apenas se le entendían. Por fin el semblante de la muchacha se animó como con alguna idea nueva y le dijo alborozada:

—Albricias, señora, que en esta misma noche estaré fuera del convento y todo se remediará; pero, por Dios y la Virgen de la Encina, [133] que os soseguéis, porque si de ese modo os echáis a morir, a fe que vamos a hacer un pan como unas hostias. [134]

—Pero ¿qué es lo que intentas?, preguntó su ama, admirada no menos de aquella súbita mudanza que del aire de seguridad de la muchacha.

—Ahora es, respondió ésta, cuando la madre tornera va a preparar la lámpara del claustro: yo me quedaré un poco de tiempo en su lugar, y lo demás corre de mi cuenta: pero cuenta con asustaros, aunque me oigáis gritar y hacer locuras.

Diciendo esto salió de la celda brincando como un cabrito, no sin dar antes un buen apretón de manos a su señora. La prevención que le dejaba hecha no era ciertamente ociosa, porque a poco tiempo comenzaron a oírse por aquellos claustros tales y tan descompasados gritos y lamentos, que todas las monjas se alborotaron y salieron a ver quién fuese la causadora de tal ruido. Era ni más ni menos que nuestra Martina que con gestos y ademanes propios de una consumada actriz [135] iba gritando a voz en cuello:

[133] *Virgen de la Encina*: Estatua de madera que se venera en la parroquia de la Encina, en Ponferrada. Es actualmente patrona del Bierzo. Según la leyenda, la encontró un Templario en una encina, pero en la realidad no puede ser la imagen anterior al siglo XV.

[134] Un pan sin levadura, es decir, que vamos a obrar sin provecho.

[135] No hay que olvidar que era E. Gil crítico teatral y conocía los recursos escénicos.

—¡Ay, padre de mi alma! ¡pobrecita de mí que me voy a quedar sin padre! ¿dónde está la madre abadesa que me dé licencia para ir a ver a mi padre antes de que se muera?

La pobre tornera seguía detrás como atortolada de ver la tormenta que se había formado no bien se había apartado del torno.

—Pero muchacha, le dijo por fin, ¿quién ha sido el corredor de esa mala nueva?, que cuando yo volví ya no oí la voz de nadie detrás del torno, ni pude verle.

—¿Quién había de ser? respondió ella con la mayor congoja, sino Tirso, el pastor de mi cuñado, que iba el pobre sin aliento a Carracedo a ver si el padre boticario [136] le daba algún remedio? ¡Buen lugar tenía él de pararse! Pero ¿dónde está la madre abadesa?

—Aquí, respondió ésta que había acudido al alboroto, pero ¿a estas horas te quieres ir cuando se va a poner el sol?

—Sí, señora, a estas horas, replicó ella siempre con el mismo apuro, porque mañana ya será tarde.

—¿Y dejando a tu señora en este estado? repuso la abadesa.

Doña Beatriz que también estaba allí contestó con los ojos bajos y con el rostro encendido por la primera mentira de toda su vida:

—Dejadla ir, señora tía, porque amas puede Dios depararle muchas y padres no le ha dado sino uno.

La abadesa accedió entonces, pero en vista de la hora insistió en que la acompañase el cobrador de las rentas del convento. [137] Martina bien hubiera querido librarse de un testigo de vista importuno, pero conoció con su claro discernimiento que el empeñarse en ir sola sería dar que pensar, y exponerse a perder la última áncora de salvación

[136] Existe todavía en la cerca del monasterio de Carracedo una casita que se llama por tradición la botica de los monjes.

[137] Es un recuerdo familiar. El padre del poeta ejerció un tiempo dicho oficio a favor del marqués de Villafranca y del cabildo de la misma villa.

que quedaba a su señora. Así, pues, dio las gracias a la prelada, y mientras avisaban al cobrador, se retiró con su señora a su celda como para prepararse a su impensada partida. Doña Beatriz trazó atropelladamente estos renglones:

"Don Álvaro: dentro de tres días me casan si vos o Dios no lo impedís. Ved lo que cumple a vuestra honra y a la mía, pues ese día será para mí el de la muerte."

No bien acababa de cerrar aquella carta cuando vinieron a decir que el escudero de Martina estaba ya aguardando, porque como los criados del monasterio vivían en casas pegadas a la fábrica, siempre se les encontraba a mano y prontos. Doña Beatriz dio algunas monedas de oro y plata a su criada y sólo la encargó la pronta vuelta, porque si podía acomodarse al arbitrio inventado, su noble alma era incapaz de contribuir gustosa a ningún género de farsa ni engaño. La muchacha, que ciertamente tenía más de malicia y travesura que no de escrúpulo, salió del convento fingiendo la misma priesa y pesadumbre que antes, oyendo las buenas razones y consuelos del cobrador, como si realmente las hubiese menester. El lugar a donde se dirigían era Valtuille, [138] muy poco distante del monasterio porque de allí era Martina y allí tenía su familia; pero sin embargo, ya comenzaba a anochecer cuando llegaron a las eras. Allí se volvió Martina al cobrador y, dándole una moneda de plata, le despidió so color de no necesitarle ya, y de sacar de cuidado a las buenas madres. Dio él por muy valederas las razones en vista del agasajo, y repitiéndola alguno de sus más sesudos consejos, dio la vuelta más que de paso a Villabuena. Ocurriósele, por el camino, que las monjas le preguntarían por el estado del supuesto enfermo, y aun estuvo por deshacer lo andado para informarse, en cuyo caso toda la maraña se desenredaba y el embuste venía al suelo con su propio peso:

[138] Dos aldeas llevan este nombre, ambas a 4 kilómetros al este de Villafranca, una al norte y otra al sur de la carretera nacional número VI. Se trata probablemente de Valtuille de Arriba, muy cercano a Villabuena.

pero afortunadamente se echó la cuenta de que con cuatro palabras, algún gesto significativo y tal cual meneo de cabeza, salía del paso airosamente y se ahorraba además tiempo y trabajo, y de consiguiente se atuvo a tan cuerda determinación.

Martina, por su parte, queriendo recatarse de todo el mundo, fue rodeando las huertas del lugar, y saltando la cerca de la de su cuñado, se entró en la casa cuando menos la esperaban. Tanto su hermana como su marido la acogieron con toda la cordialidad que nuestros lectores pueden suponer y que sin duda se merecía por su carácter alegre y bondadoso. Pasados los primeros agasajos y cariños, Martina preguntó a su cuñado si tenía en casa la yegua torda.

—En casa está, respondió Bruno, así se llamaba el aldeano, por cierto que como ha sido año de pastos, parece una panera [139] de gorda. Capaz está de llevarse encima, el mismo pilón de Carracedo. [140]

—No está de sobra, replicó Martina, porque esta noche tiene que llevarnos a los dos a Bembibre.

—¿A Bembibre? repuso el aldeano, ¡tú estás loca, muchacha!

—No sino en mi cabal juicio, contestó ella; y en seguida, como estaba segura de la discreción de sus hermanos, se puso a contarles los suscesos de aquel día. Marido y mujer escuchaban la relación con el mayor interés, porque siendo renteros hereditarios de la casa de Arganza, y teniendo además a su servicio una persona tan allegada, parecían en cierto modo de la familia. No faltó en medio del relato aquello de: ¡pobre señora! ¡maldita vanidad! ¡despreciar a un hombre como don Álvaro!, ¡pícaro conde!, y otras por el estilo, con que aquellas gentes sencillas, y

[139] Cesta utilizada para llevar pan. La comparación parece poco acertada.

[140] Se trata de una pila circular, de piedra berroqueña, que lleva por adorno una escultura de origen romano. Representa una figura humana con dos cántaros. Enrique Gil la vio en su sitio. Ahora, adorna el jardín público de Villafranca y la llaman "la chata" por la cara aplastada del personaje.

poco dueñas por lo tanto de los primeros movimientos, significaban su afición a doña Beatriz, y al señor de Bembibre, cosa en que tantos compañeros tenían. Por fin, concluido el relato, la hermana de Martina se quedó como pensativa, y dijo a su marido con aire muy desalentado:

—¿Sabes que una hazaña como ésa puede muy bien costarnos los prados y tierras, que llevamos en renta y a más de esto, a más, la malquerencia de un gran señor?

—Mujer, respondió el intrépido Bruno ¿qué estás ahí diciendo de tierras, y de prados? ¡No parece sino que doña Beatriz, es ahí una extraña, o una cualquiera! Y sobre todo más fincas hay que las del señor de Arganza, y no es cosa de tantas cavilaciones eso de hacer el bien. Con que así, muchacha, añadió dando un pellizco a Martina, voy ahora mismo a aparejar la torda, y ya verás qué paso llevamos los dos por esos caminos.

—Anda, que no te pesará, respondió la sutil doncella, moviendo el bolsillo que le había dado su ama; que doña Beatriz no tiene pizca de desagradecida. Hay aquí más maravedís de oro que los que ganas en todo el año con el arado.

—Pues por ahora, respondió el labriego, tu ama habrá de perdonar, que alguna vez han de poder hacer los pobres el bien sin codicia, y sólo por el gusto de hacerlo. Con que sea madrina del primer hijo que nos dé Dios, me doy por pagado y contento.

Dicho esto se encaminó a la cuadra silbando una tonada del país, y se puso a enalbardar la yegua con toda diligencia, en tanto que la mujer, contagiada enteramente de la resolución de su marido, decía a su hermana con cierto aire de vanidad:

—¡Es mucho hombre este Bruno! Por hacer bien, se echaría a volar desde el pico de la Aquiana.

En esto ya volvía él con la yegua aderezada y sacándola por la puerta trasera de la huerta, para meter menos ruido, montó en ella poniendo a Martina delante, y después de decir a su mujer que antes de amanecer estarían ya de vuelta, se alejaron a paso acelerado. Era la torda, animal muy valiente; y así es que a pesar de la carga, tardaron poco en verse en la fértil ribera de Bembibre, bañada entonces por los rayos melancólicos de la luna que rielaba en las aguas del Boeza,[141] y en los muchos arroyos que como otras tantas venas suyas, derraman la fertilidad y alegría por el llano. Como la noche estaba ya adelantada, por no despertar a la ya recogida gente del pueblo, torcieron a la izquierda y por las afueras se encaminaron al castillo, sito en una pequeña eminencia y cuyos destruidos paredones y murallas, tienen todavía una apariencia pintoresca en medio del fresco paisaje que enseñorean.[142] A la sazón todo parecía en él, muerto y silencioso; pero los pasos del centinela en la plataforma del puente levadizo, una luz que alumbraba un aposento de la torre de en medio y esmaltaba sus vidrieras de colores y una sombra que de cuando en cuando se pintaba en ellos, daban a entender que el sueño no había cerrado los ojos de todos.[143] Aquella luz era la del aposento de don Álvaro y su sombra, la que aparecía de cuando en cuando en la vidriera. El pobre caballero hacía días que apenas podía conciliar el sueño a menos de haberse entregado a violentas fatigas en la caza.

Llegaron nuestros aventureros al foso y llamando al centinela dijeron que tenían que dar a don Álvaro un mensaje importante. El comandante de la guardia, viendo que sólo era un hombre y una mujer, mandó bajar el puente y dar parte al señor de la visita. Millán, que como paje andaba más cerca de su amo, bajó al punto a recibir a los huéspedes, a quienes no conoció hasta que Martina le dio un buen pellizco diciéndole:

—Hola, señor bribón, ¡cómo se conoce que piensa su merced poco en las pobres reclusas y que al que se muere le entierran!

[141] *Boeza*: el principal afluente del Sil. Pasa por Bembibre y desemboca en Ponferrada.

[142] Ya no existe ninguna obra exterior del castillo de Bembibre. Sólo se conservan los subterráneos.

[143] Esta imagen se encuentra ya en Scott (*The bride of Lammermoor,* Ch. VII) y en Larra (*El doncel...*, cap. XXVII).

—Enterrada tengo yo el alma en los ojuelos de esa cara, reina mía, contestó él con un tono entre chancero y apasionado, pero ¿qué diablos te trae a estas horas por esta tierra?

—Vamos, señor burlón, respondió ella, enséñenos el camino y no quiera dar a su amo las sobras de su curiosidad.

No fue menor la sorpresa de don Álvaro, que la de su escudero, aunque su corazón présago y leal le dio un vuelco terrible. Cabalmente el día antes había recibido nuevas de la guerra civil que amagaba en Castilla y de la cual mal podía excusarse; y la idea de una ausencia en aquella ocasión agravaba no poco sus angustias. Martina le entregó silenciosamente el papel de su señora que leyó con una palidez mortal. Sin embargo, como hemos dicho más de una vez, no era de los que en las ocasiones de obrar se dejan abrumar por el infortunio. Repúsose, pues, lo mejor que pudo y empezó por preguntar a Martina, si creía que hubiese algún medio de penetrar en el convento.

—Sí, señor, respondió ella, porque como más de una vez me ha ocurrido que con un señor tan testarudo como mi amo algún día tendríamos que hacer nuestra voluntad y no la suya, me he puesto a mirar todos los agujeros y resquicios, y he encontrado que los barrotes de la reja por donde sale el agua de la huerta están casi podridos, y que con un mediano esfuerzo podrían romperse.

—Sí, pero si tu señora ha de estarse encerrada en el monasterio mientras tanto, nada adelantamos con eso.

—¡Qué! no señor, repuso la astuta aldeana, porque como mi ama gusta de pasearse por la huerta hasta después de anochecer, muchas veces cojo yo la llave y se la llevo a la hortelana, pero como siempre me manda colgarla de un clavo cualquier día puedo dejar otra en su lugar y quedarme con ella para salir a la huerta a la hora que nos acomode.

—En ese caso, repuso don Álvaro, di a tu señora que mañana a medianoche me aguarde junto a la reja del agua. Tiempo es ya de salir de este infierno en que vivimos.

—Dios lo haga, respondió la muchacha con un acento tal de sinceridad, que se conocía la gran parte que le alcanzaba en las penas de su señora, y un poco además del tedio de la clausura. Despidióse en seguida porque ningún tiempo le sobraba para estar al amanecer en Villabuena según lo reclamaba así su plan, como la urgencia del recado que llevaba de don Álvaro. Así que volvió a subir en la torda con el honrado Bruno, pero en brazos de Millán, y volvieron a correr por aquellos desiertos campos, hasta que al rayar el alba, se encontraron en las frescas orillas del Cúa. Cabalmente tocaban entonces a las primeras oraciones, de consiguiente no pudo llegar más a tiempo. Al punto la rodearon las monjas preguntándole con su natural curiosidad qué era lo que había ocurrido.

—¿Qué había de ser, pecadora de mí, respondió ella con el mayor enojo, sino una sandez de las muchas de Tirso? Vio caer a mi padre con el accidente que le da de tarde en tarde, y sin más ni más vino a alborotarnos aquí y hasta a Carracedo fue, sin que nadie se lo mandase. No, pues, si otra vez no escogen mejor mensajero, a buen seguro que yo me mueva, aunque de cierto se muera todo el mundo.

Diciendo esto se dirigió a la celda de su señora dejando a las buenas monjas entregadas a sus reflexiones sobre la torpeza del pastor y lo pesado del chasco. El remiendo de Martina, aunque del mismo paño, como suele decirse, no estaba tan curiosamente echado que al cabo de algún tiempo no pudiesen verse las puntadas; pero contaba con que tanto ella como su señora estuviesen ya por entonces al abrigo de los resultados.

CAPÍTULO X

Don Álvaro salió de su castillo muy poco después de Martina y encaminándose a Ponferrada, subió al monte de Arenas,[144] torció a la izquierda, cruzó el Boeza y sin entrar en la bailía tomó la vuelta de Cornatel.[145] Caminaba orillas del Sil, ya entonces junto con el Boeza, y con la pura luz del alba e iba cruzando aquellos pueblos y valles que el viajero no se cansa de mirar, y que a semejante hora estaban poblados con los cantares de infinitas aves. Ora atravesaba un soto de castaños y nogales, ora un linar cuyas azuladas flores semejaban la superficie de una laguna, ora praderas fresquísimas y de un verde delicioso y de cuando en cuando solía encontrar un trozo de camino cubierto a manera de dosel con un rústico emparrado. Por la izquierda subían en un declive manso a veces y a veces rápido, las montañas que forman la cordillera de la Aquiana[146] con sus faldas cubiertas de viñedo, y por la derecha se dilataban hasta el río huertas y alamedas de gran frondosidad. Cruzaban los aires bandadas de palomas torcaces con vuelo veloz y sereno al mismo tiempo: las pomposas oropéndolas y los vistosos gayos revoloteaban entre los árboles, y pintados jilgueros y desvergonzados gorriones se columpiaban en las zarzas de los setos. Los ganados salían con sus cencerros y un pastor jovencillo iba tocando en una flauta de corteza de castaño una tonada apacible y suave.

Si don Álvaro llevase el ánimo desembarazado de las angustias y sinsabores que de algún tiempo atrás acibaraban sus horas, hubiera admirado sin duda aquel paisaje que tantas veces había cautivado dulcemente sus sentidos en días más alegres; pero ahora su único deseo era llegar pronto al castillo de Cornatel, y hablar con el comendador Saldaña, su alcaide.

Por fin, torciendo a la izquierda y entrando en una encañada profunda y barrancosa por cuyo fondo corría un

[144] *monte de Arenas*: colina situada a 6 kilómetros al nordeste de Ponferrada.

[145] *Cornatel*: castillo situado a 15 kilómetros al oeste de Ponferrada en una peña que domina el Sil. Se llama también Ulver.

[146] V. la nota 94 del cap. IV.

riachuelo,[147] se le presentó en la cresta de la montaña la mole del castillo iluminada ya por los rayos del sol, mientras los precipicios de alrededor estaban todavía obscuros y cubiertos de vapores. Paseábase un centinela por entre las almenas y sus armas despedían a cada paso vivos resplandores.[148] Difícilmente se puede imaginar mudanza más repentina que la que experimenta el viajero entrando en esta profunda garganta: la naturaleza de este sitio es áspera y montaraz, y el castillo mismo cuyas murallas se recortan sobre el fondo del cielo parece una estrecha atalaya entre los enormes peñascos que le cercan y al lado de los cerros que le dominan. Aunque el foso se ha cegado y los aposentos interiores se han desplomado con el peso de los años, el esqueleto del castillo todavía se mantiene en pie y ofrece el mismo espectáculo que entonces ofrecía visto de lejos.[149]

Don Álvaro cruzó el arroyo y comenzó a trepar la empinada cuesta en que serpenteaba el camino, que después de numerosas curvas y prolongaciones acababa en las obras exteriores del castillo. Iba su ánimo combatido de deseos y esperanzas a cual más inciertas, pero determinado a aceptar las numerosas ofertas del comendador Saldaña y ponerlas a prueba en aquella ocasión, en que se trataba de algo más que su propia vida. Resuelto a esconder su plan y los resultados de él a los ojos de todo el mundo, y seguro de que la templanza y austeridad de su tío no le permitirían prestarle su ayuda, sus imaginaciones y esperanzas sólo descansaban en el alcaide de Cornatel. Su castillo de Bembibre no le ofrecía el sigilo necesario para

[147] Es el río Ferreiros que cruza la aldea del mismo nombre al pie del castillo de Cornatel.

[148] Hay imagen semejante en el poema *La niebla,* de Enrique Gil (BAE, p. 9b): "Roja chispa de su fuego, / Que después tú disfrazabas / Hasta mentir el reflejo / De perfilada armadura / O de rutilante yelmo."

[149] El castillo de Cornatel impresionó mucho a Enrique Gil, que escribe sobre él en *El lago de Carucedo* y *Bosquejo de un viaje.* Le compara a menudo a "un nido de águilas colgado sobre un horroroso precipicio" (v. Apéndice, p. 445).

la empresa que meditaba, sopena de encender la guerra en aquella pacífica comarca, y por otra parte ningún velo pudiera encontrar tan tupido y espeso como el misterio temeroso y profundo que cercaba todas las cosas de aquella Orden.

El comendador, que, según su inveterada costumbre, estaba en pie al romper el día, viendo un caballero que subía la cuesta, y conociéndole cuando ya estuvo más cerca, salió a recibir con un afecto casi paternal a tan ilustre huésped, mirado entre todos los Templarios como el apoyo más fuerte de su Orden en aquella tierra. Era don Gutierre de Saldaña hombre ya entrado en días; de regular estatura, pelo y barba como de plata; pero ágil y fuerte en sus movimientos como un mancebo. Su semblante hubiera infundido sólo veneración a no ser por la inquietud y desasosiego de alma que privaba a aquel noble busto romano del reposo y calma que tan naturales adornos son de la ancianidad. Eran sus ojos vivos y rasgados de increíble fuerza, y en su frente elevada y espaciosa se pintaban como en un fiel espejo pensamientos semejantes a las nubes tormentosas que coronan las montañas, que unas veces se disipan azotadas del viento y otras veces descargan sobre la atemorizada llanura. Cualquiera al verle hubiera dicho que las pasiones habían ejecutado su estrago en aquel natural poderoso y enérgico, pero de cuantas habían agitado su juventud, para todos desconocida y enigmática, sólo una había quedado por señora de aquel alma profunda e insondable como un abismo. [150] Esta pasión era el amor a su Orden y el deseo de acrecentar su honra y su opulencia, término cuyo logro no encontraba en él diferencia en los caminos. Su vida se había pasado en la Tierra Santa en continuas batallas con los infieles y en medio

[150] El retrato del comendador Saldaña debe mucho al del maestre de los Templarios en la novela de Scott *The Talisman* (Ch. IX). También se parece algún tanto al Templario Bois-Guilbert de *Ivanhoe*. Todos tienen, como Saldaña, una ambición desmedida. Ambicionan para su Orden una dominación total sobre el mundo entero. Sin embargo, Saldaña queda honrado mientras que los Templarios de Scott son poco menos que bandidos.

de los odios de los caballeros de San Juan [151] y de los príncipes que tan fieros golpes dieron al poder de los Cristianos en la Siria, y por último había asistido a la ruina de San Juan de Acre o Tolemaida, postrer baluarte de la cruz en aquellas regiones apartadas. [152] Entonces dio la vuelta a España, su patria, herida su alma altiva y rebelde en lo más vivo, pensando en la Tierra Santa que perdían para siempre sus hermanos, y cargado en fin con todos los vicios que legítimamente podían atribuirse a la milicia del Temple. Parecióle que en vista de la tibieza con que la Europa comenzaba a mirar la conquista de ultramar, sólo para los Templarios estaba guardada tamaña empresa y en el desvarío de su despecho y de su orgullo llegó a imaginar la Europa entera convertida en una monarquía regida por el gran maestre, y que al son de las trompetas de la Orden y al rededor del Balzá [153] se movía de nuevo y como animada de una sola voluntad en demanda del Santo Sepulcro. El ejemplo de los Caballeros Teutónicos en Alemania acabó de encender su fantasía volcánica, y vueltos sus ojos a Jerusalén, trabajando sin cesar por el engrandecimiento de su hermandad y codiciando para ella alianzas y apoyos en todas partes, sus amigos se habían convertido para él en hijos queridos y sus contrarios en criaturas odiosas, como si el mismo infierno las vomitara. Aquel alma sombría y tremenda exacerbada con la desgracia y lejos de la abnegación y la humildad, fuentes puras de la institución, se había amargado con las aguas del orgullo y de la venganza, móvil entonces el más poderoso de sus acciones. Como quiera, la fe iluminaba todavía

[151] La orden de los Hospitalarios de San Juan, derivada de la orden de San Benito, se creó en Jerusalén en 1099. Echados de Palestina en 1291 se retiraron a Chipre y luego a Rodas. Luego, establecidos en Malta, los caballeros dieron a su orden, en 1530, el nombre de Orden de Malta. Fueron grandes adversarios de los Templarios.

[152] San Juan de Acre cayó en 1291.

[153] El Balzá, o mejor Beauséant, era el estandarte de la Orden del Temple, que llevaba la divisa: *Non nobis, Domine, sed nomini tuo da gloriam.*

aquel abismo, si bien su luz hacía resaltar más sus tinieblas.

Este hombre extraordinario quería a don Álvaro con pasión no sólo a causa de su confederación con la Orden, sino por sus prendas hidalgas y elevado ingenio. No parecía sino que un reflejo de sus días juveniles se pintaba en aquella figura de tan noble y varonil belleza. Hasta le habían oído hablar con una mal disimulada emoción de la desdichada pasión del noble mancebo, cosa extraña en su austeridad y adusto carácter. Los recientes sucesos de Francia acababan de dar la última mano a sus extraños proyectos, porque una vez arrojado el guante por los príncipes, la poderosa Orden del Temple tendría que presentar la gran batalla, de la cual, en su entender, debía resultar la total sumisión de la Europa y tras de ello la reconquista de Jerusalén.[154] Sin embargo, por muchas que fueran las tinieblas con que el orgullo y el error cegaban su entendimiento, de cuando en cuando la verdad le mostraba algún vislumbre[154 bis] que si no bastaba para disiparlas, sobraba para introducir en su alma la inquietud y el recelo. Con esto se había llegado a hacer más ceñudo y menos tratable que de costumbre, y fuese por respeto a sus meditaciones o por motivo menos piadoso, los caballeros y aspirantes esquivaban su conversación.

Paseábase, pues, solo en uno de los torreones que miran hacia poniente, cuando divisó con su vista de águila y acostumbrada a distinguir los objetos a largas distancias en los vastos desiertos de la Siria a nuestro caballero que con su paje de lanza iban subiendo a buen paso el agrio repecho que conducía y conduce al castillo. Bajó, pues, a la puerta misma a recibirlo, no sólo con la cortesía propia de su clase, sino también con la sincera cordialidad que siempre le inspiraba aquel gallardo mancebo.

—¿De dónde bueno tan temprano? le dijo abrazándole estrechamente.

[154] Tales proyectos eran sin duda reales y fueron probablemente la causa principal de la caída de la Orden.

[154 bis] V. nota 129 bis del cap. VIII.

—De mi castillo de Bembibre, respondió el caballero.

—¡De Bembibre! contestó el comendador como admirado. Quiere decir que habéis andado de noche y que vuestra prisa debe ser muy grande y ejecutiva.

Don Álvaro hizo una señal de afirmación con la cabeza y el anciano, después de examinarle atentamente, le dijo:

—¡Por el Santo Sepulcro, que tenéis el mismo semblante que teníamos los Templarios el día que nos embarcamos para Europa! ¿Qué os ha pasado en este mes en que no hemos podido echaros la vista encima?

—Ni yo mismo sabría decíroslo, respondió don Álvaro, y sobre todo aquí, añadió echando una mirada al rededor.

—Sí, sí, tenéis razón, contestó Saldaña, y asiéndose de su brazo subió con él al mismo torreón [155] en que antes estaba.

—¿Qué es lo que pasa?, preguntó de nuevo el comendador.

El joven por única respuesta sacó del seno la carta de doña Beatriz y se la entregó. Como era tan breve, el comendador la recorrió de una sola ojeada, y dijo frunciendo el entrecejo de una manera casi feroz, aunque en voz baja:

—¡Ira de Dios, señores villanos! ¿con qué queréis acorralarnos y destrozar además el pecho de gentes que valen algo más que vosotros? ¿Y qué habéis pensado?, repuso volviéndose a don Álvaro.

—He pensado arrancarla de su convento aunque hubiese de romper por medio de todas las lanzas de Castilla; pero llevarla a mi castillo ofrece muchos riesgos para ella, y venía a pediros ayuda y consejo.

—Ni uno ni otro os faltarán. Habéis obrado como discreto, porque si a vuestro castillo os la llevaseis, o tendríais que abrir de grado sus puertas a quien fuese a buscarla, o se encendería al punto la guerra, cosa que daría gran pesar a vuestro tío y a nadie traería ventaja por ahora.

[155] Este torreón domina toda la comarca y está construido en el borde de un precipicio vertical.

—Si yo pudiera esconderla en las cercanías, repuso don Álvaro, hasta que pasase el primer alboroto, la pondría después en un convento de la Puebla de Sanabria [156] donde es abadesa una parienta mía.

—Pues en ese caso, replicó Saldaña, traedla a Cornatel, porque si a buscarla vinieren, a fe que no la encontrarán. Junto al arroyo y cubierta con malezas al lado de una cruz de piedra, está la mina del castillo y por allí podéis introducirla. En mis aposentos no entra nadie, y nadie de consiguiente la verá. Pero a lo que dice la carta, mucha diligencia habéis menester para impedir un suceso que ha de quedar concluido pasado mañana.

—Y tanta, respondió don Álvaro, que esta misma noche pienso dar cima a la empresa.

Y en seguida le contó la visita de Martina y la traza concertada que al comendador le pareció muy bien.

Quedáronse entonces entrambos en silencio como embebecidos en la contemplación del soberbio punto de vista que ofrecía aquel alcázar reducido y estrecho, pero que semejante al nido de las águilas, dominaba la llanura. [157] Por la parte de oriente y norte le cercaban los precipicios y derrumbaderos horribles, por cuyo fondo corría el riachuelo que acababa de pasar don Álvaro, con un ruido sordo y lejano, que parecía un continuo gemido. Entre norte y ocaso se divisaba un trozo de la cercana ribera del Sil lleno de árboles y verdura, más allá del cual se extendía el gran llano del Bierzo poblado entonces de monte y dehesas, y terminado por las montañas que forman aquel hermoso y feraz anfiteatro. El Cúa, encubierto por las interminables arboledas y sotos de sus orillas, corría por la izquierda al pie de la cordillera besando la falda del antiguo *Bergidum,* [158] y bañando el monasterio

[156] *Puebla de Sanabria*: ciudad de la provincia de Zamora, a 111 kilómetros al noroeste de la capital. Se encuentra a corta distancia del Bierzo, en línea recta, franqueando La Cabrera.

[157] Empieza aquí una de las grandes descripciones del Bierzo. Todo está perfectamente observado, aunque tal panorama sólo puede distinguirse en días muy claros y exentos de niebla.

[158] V. nota 101, cap. IV.

de Carracedo. Y hacia el poniente, por fin, el lago azul y transparente de Carucedo,[159] harto más extendido que en el día, parecía servir de espejo a los lugares que adornan sus orillas y a los montes de suavísimo declive que le encierran. Crecían al borde mismo del agua, encinas corpulentas y de ramas pendientes parecidas a los sauces que aún hoy se conservan, chopos altos y doblegadizos como mimbres que se mecían al menor soplo del viento y castaños robustos y de redonda copa. De cuando en cuando una bandada de lavancos y gallinetas de agua revolaba por encima describiendo espaciosos círculos, y luego se precipitaba en los espadañales de la orilla o levantando el vuelo desaparecía detrás de los encarnados picachos de las Médulas.

Saldaña tenía clavados los ojos en el lago, mientras don Álvaro, siguiendo con la vista las orillas del Cúa, procuraba en vano descubrir el monasterio de Villabuena oculto por un recodo de los montes.

—¡Dichosas orillas del mar Muerto! prorrumpió por fin con un suspiro el anciano comendador. ¡Cuánto más agradables y benditas eran para mí sus arenas, que la frescura y lozanía que engalana aquellas orillas!

Aquella repentina exclamación que revelaba el sentido de sus largas meditaciones, arrancó de su distracción a don Álvaro.

Acercóse entonces al Templario, y le dijo:

—¿No confiáis en que los caballos del Temple vuelvan a beber las aguas del Cedrón?[160]

—¡Que sino confío! exclamó el caballero con una voz semejante a la de una trompeta. ¿Y quién sino esta confianza mantiene la hoguera de mi juventud bajo la nieve de estas canas? ¿Por qué conservo a mi lado esta espada, si no es por la esperanza de lavarla en el Jordán del orín de la mengua y del vencimiento?

—Os confieso, contestó don Álvaro, que al ver la tor-

[159] V. nota 97, cap. IV.

[160] *Cedrón*: torrente de Palestina que desemboca en el mar Muerto.

menta que parece formarse contra vuestra Orden, algunas veces he llegado a dudar de vuestras glorias futuras y hasta de vuestra existencia.

—Sí, replicó el Templario con amargura, ése es el premio que da Felipe en Francia a los que le salvaron de las garras de un populacho amotinado.[161] Ése sin duda el que nos prepara el rey don Jaime por haber criado en nuestro nido el águila que con un vuelo glorioso fue a posarse en las mezquitas de Valencia[162] y las montañas de Mallorca. Ése tal vez el que don Fernando el IV guarda a los únicos caballeros que entre los lobos hambrientos de Castilla no han embestido su mal guardado rebaño. Pero nosotros saldremos de las sombras de la calumnia como el sol de las tinieblas de la noche, nosotros abatiremos a los soberbios y levantaremos a los humildes, nosotros reuniremos el mundo al pie del Calvario, y allí comenzará para él la era nueva.

—¿Habéis oído alguna vez las reflexiones de mi tío?

—Vuestro tío es una estrella limpia y sin mancha en el cielo de nuestra Orden, replicó el comendador, y tal vez dice verdad; pero vuestro tío se olvida, añadió con orgulloso entusiasmo, que el primer don del cielo es el valor que todavía habita en el corazón de los Templarios como en su tabernáculo sagrado. Acaso es cierto que el orgullo nos ha corrompido; pero ¿quién ha vertido más sangre por la causa de Dios? ¿Dónde estaban para nosotros el cariñoso calor del hogar doméstico, el noble ardor de la ciencia y el reposo del claustro?[163] ¿Qué nos quedaba sino el poder y la gloria? Cualquiera que sea nuestra culpa,

[161] Felipe el Hermoso de Francia se amparó en el Temple el 30 de diciembre de 1306 cuando la sublevación de París, a consecuencia de varias devaluaciones de la moneda.

[162] Alude Saldaña al rey Jaime I de Aragón, criado en Monzón por los Templarios durante su minoría de edad, aproximadamente de 1214 a 1217, siendo maestre en Aragón Guillén de Monredón.

[163] "Le soldat a la gloire, le moine le repos. Le Templier abjurait l'un et l'autre. Il réunissait ce que les deux vies ont de plus dur, les périls et les abstinences." (Michelet, *Histoire de France,* t. IV, liv. V, ch. 3).

con nuestra sangre la volveremos a lavar, y con nuestras lágrimas en las ruinas del palacio de David. Pero ¿quiénes son esos gusanos viles que han dejado el sepulcro de Cristo en poder de los perros de Mahoma para juzgarnos a nosotros, a quien todo el poder del cielo y del infierno apenas fue bastante a arrojar de aquellas riberas?

Calló entonces por un rato, y después, tomando la mano de su compañero, le dijo con un acento casi enternecido:

—Don Álvaro, vuestra alma es noble y no hay cosa que no comprenda, pero vos no sabéis lo que es haber sido dueños de aquella tierra milagrosa y haberla perdido. Vos no podéis imaginaros a Jerusalén en medio de su gloria y majestad. Y ahora, continuó con los ojos casi bañados de lágrimas, ahora está sentada en la soledad llorando hilo a hilo en la noche, y sus lágrimas en sus mejillas. El laúd de los trovadores ha callado como las arpas de los profetas, y ambos gimen al son del viento colgados de los sauces de Babilonia. Pero nosotros volveremos del destierro, añadió con un tono casi triunfante, y levantaremos otra vez sus murallas con la espada en una mano y la llana en la otra, y entonaremos en sus muros el cántico de Moisés al pie de la cruz en que murió el hijo del hombre. [164]

Aquel rostro sulcado [165] por los años se había encendido, y su noble figura animada por el fuego que inspiran todas las pasiones verdaderas y vestida con aquel hermoso ropaje blanco que tan bien decía con su edad, asomada a los precipicios de Cornatel que por su hondura y obscuridad pudieran compararse al valle de la muerte, parecía el profeta Ezequiel evocando los muertos de sus sepulcros para el juicio final. [166] Don Álvaro, que tan fácilmente se dejaba subyugar por todas las emociones generosas, apretó fuertemente la mano del anciano y le dijo conmovido:

164 Este discurso es una mezcla de textos bíblicos diversos: *Lam. Jer.* 1-1,2; *Salmos* 136-1,2; *Neh.* 4-11,12; *Ex.* 15-1, sq, y los *Evangelios.*

165 *sulcado*: arcaísmo por surcado.

166 *Ezequiel,* 37, 1-14.

—Dichoso el que pudiera contribuir a la santa obra. No será mi brazo el que os falte.

—Mucho podéis hacer, contestó Saldaña. ¡Quiera Dios coronar nuestros nobles intentos!

Bajaron entonces a los aposentos del comendador que eran unas cuantas cámaras de tosca estructura, una de las cuales tenía una escalera que descendía a la mina. Saldaña entregó a don Álvaro la llave de la puerta o trampa exterior y, bajando con él, le hizo notar todos los anditos y pasadizos subterráneos. [167] Volvieron otra vez a los aposentos, donde hicieron una frugal comida, y al caer el sol salió de nuevo don Álvaro con su escudero. Habíale ofrecido Saldaña algunas buenas lanzas por si quería escolta con que mejor asegurar su intento; pero el joven la rehusó prudentemente, haciéndole ver que el golpe era de astucia y no de fuerza, y que cuanto pudiese llamar la atención, perjudicaría su éxito. Encaminóse, pues, solo con su escudero a la orilla del Sil que cruzó por la barca de Villadepalos. [168] Después se internó en la dehesa que ocupaba entonces la mayor parte del fondo del Bierzo, y dando un gran rodeo para evitar el paso por Carracedo, tomó, ya muy entrada la noche, la vuelta de Villabuena.

CAPÍTULO XI

Tiempo es ya de que volvamos a doña Beatriz, cuya situación era sin duda la más violenta y terrible de todas.

[167] Comete Saldaña una grave falta facilitando la entrada de una mujer en un castillo del Temple. En la regla del Temple (art. LXXII) se decía que el Templario debía huir de toda mujer y hasta del beso de sus madres o hermanas.

[168] *Villadepalos*: aldea a 4 kilómetros al sur de Carracedo y no lejos del confluente del Sil y del Cúa. A 2 kilómetros de la aldea se encontraba un barco que permitía cruzar el Sil para pasar directamente de Carracedo a Carucedo y Cornatel. Don Álvaro toma el camino normal.

La agitación nerviosa y calenturienta[169] que le había causado la terrible escena con su padre, y la inminencia del riesgo, le habían dado fuerzas para arrojarse a cualquier extremo a trueque de huir de los peligros que la amagaban, pero cuando Martina desapareció para llevar su mensaje y aquella violenta agitación se fue calmando para venir a parar por último en una especie de postración, comenzó a ver su conducta bajo diverso aspecto, a temblar por lo que iba a suceder como había temblado por lo pasado y a encontrar mil dudas y tropiezos, donde su pasión sólo había visto antes resolución y caminos llanos. Ningún empacho había tenido el día de su encierro en solicitar la entrevista de la iglesia, porque semejante paso sólo iba encaminado a contener a su amante en los límites del deber, e inclinarle al respeto en todo lo que emanase de su padre. La paz de aquella tierra y la propia opinión la habían determinado a semejante paso; pero ahora tal vez para encender esta guerra, para confiarse a la protección de su amante, para arrojarse a las playas de lo futuro sin el apoyo de su padre, sin las bendiciones de su madre, era para lo que llamaba a don Álvaro. Aquel era su primer acto de rebelión, aquel el primer paso fuera del sendero trillado y hasta allí fácil de sus deberes, y la propensión al sacrificio que descansa en el fondo de todas las almas generosas, no dejó también de levantarse para echarle en cara que, atenta únicamente a su ventura, no pensaba en la soledad y aflicción que envenenarían los últimos días de sus ancianos padres. Su pobre madre en particular, tan enferma y lastimada, se le representaba sucumbiendo bajo el peso de su falta y extendiendo sus brazos a su hija que no estaba allí para cerrarle los ojos y recoger su último suspiro.

Si tales reflexiones se hubieran representado solas a su imaginación, claro es que hubiesen dado en el suelo con todos sus propósitos; pero el vivo resentimiento que

[169] Es normal el nerviosismo, pero la calentura no corresponde a un ataque de nervios y es ya un síntoma de otra afección orgánica, la tuberculosis en este caso.

la violencia de su padre le causaba, y la frialdad de alma del conde, cuyos ruines propósitos ni aun bajo el velo de la cortesía habían llegado a encubrirse, le restituían toda la presencia de ánimo que era menester en tan apurado trance. Y como entonces, no dejaba de aparecerse a su imaginación la noble y dolorida figura de don Álvaro que venía a pedirle cuenta de sus juramentos y a preguntarle con risa sardónica qué había hecho de su pasión, de aquella adoración profunda, culto verdadero con que siempre la había acatado, sus anteriores sentimientos al punto cedían a los que más fácil y natural cabida habían hallado en su corazón. De esta manera dudas, temores, resolución y arrepentimientos se disputaban aquel combatido y atribulado espíritu.

La vuelta de Martina que con tanta prontitud como ingenio había desempeñado su ardua comisión, la asustó más que la alegró, porque era señal de que aquella tremenda crisis tocaba a su término. Contóle con alegría y viveza la muchacha todas las menudencias de su correría, y concluyó con la noticia de que aquella misma noche, a las doce, don Álvaro entraría por la reja del agua en la huerta, y que entrambas se marcharían a donde Dios se la deparase con sus amantes, porque, como decía el señor de Bembibre, era aquél demasiado infierno para tres personas solas.

Doña Beatriz, que había estado paseando a pasos desiguales por la habitación, cruzando las manos sobre el pecho de cuando en cuando, y levantando los ojos al cielo, se volvió entonces a Martina y le dijo con ceño:

—¿Y cómo, loca, aturdida, le sugeriste semejante traza? ¿Te parece a ti que son éstos juegos de niño?

—A mí, no, contestó con despejo la aldeana: a quien se lo parece es al testarudo de vuestro padre y al otro danzante de Galicia. Ésos sí que miran como juego de niños echaros el lazo al pescuezo y llevaros arrastrando por ahí adelante. ¡Miren qué aliño de casa estaría, la mujer llorando por los rincones y el marido par ahí urdiéndolas y luego regañando si le salen mal!

Doña Beatriz, al oír esta pintura tan viva como exacta de la suerte que le destinaban, levantó los ojos al cielo retorciéndose las manos, y Martina, entre enternecida y enojada, le dijo:

—¡Vamos, vamos, que ese caso no llegará Dios mediante! ¡Con tantos pesares ya habéis perdido el color, ni más ni menos que el otro que parece que le han desenterrado! Esta noche salimos de penas y veréis qué corrida damos por esos campos de Dios. Una libra de cera he ofrecido a la Virgen de la Encina, si salimos con bien.

Todas estas cosas que a manera de torbellino salían de la rosada boca de aquella muchacha, no bastaron a sacar a doña Beatriz de su distracción inquieta y dolorida. Llegó por fin la tarde y como no se dispusiese a salir de la celda, su criada le hizo advertir que mal podían ejecutar su intento si no iban a la huerta. Entonces la señora se levantó como si un resorte la hubiera movido, y como para desechar toda reflexión inoportuna, se encaminó precipitadamente al sitio de sus acostumbrados paseos.

Era la tarde purísima y templada y la brisa que discurría perezosamente entre los árboles apenas arrancaba un leve susurro de sus hojas. El sol se acercaba al ocaso por entre nubes de variados matices, y bañaba las colinas cercanas, las copas de los árboles y la severa fábrica del monasterio de una luz cuyas tintas variaban, pero de un tono general siempre suave y apacible. Las tórtolas arrullaban entre los castaños, y el murmullo del Cúa tenía un no sé qué de vago y adormecido que inclinaba el alma a la meditación. Difícil era mirar sin enternecimiento aquella escena sosegada y melancólica, y el alma de doña Beatriz tan predispuesta de continuo a esta clase de emociones, se entregaba a ellas con toda el ansia que sienten los corazones llagados.

Cierto era que con pocas alegrías podía señalar los días que había pasado en aquel asilo de paz, pero al cabo el cariño con que había sido acogida y el encanto que derramaba en su pecho la santa calma del claustro, tenían natural atractivo a sus ojos. ¿Quién sabe lo que le aguardaba el porvenir en sus regiones apartadas?... Doña Beatriz se sentó al pie de un álamo, y desde allí como por despedida tendía dolorosas miradas a todos aquellos sitios testigos y compañeros de sus pesares, a las flores que había cuidado con su mano, a los pájaros para quienes había traído cebo más de una vez y a los arroyos, en fin, que tan dulce y sonoramente murmuraban. Embebecida en estos tristes pensamientos no echó de ver que el sol se había puesto y callado las tórtolas y pajarillos, hasta que la campana del convento tocó a las oraciones. Aquel son que se prolongaba por las soledades y se perdía entre las sombras del crepúsculo, asustó a doña Beatriz que lo escuchó como si recibiera un aviso del cielo, y volviéndose a su criada le dijo:

—¿Lo oyes, Martina? Ésa es la voz de Dios que me dice: "Obedece a tu padre." [170] ¿Cómo he podido abrigar la loca idea de apelar a la ayuda de don Álvaro?

—¿Sabéis lo que yo oigo? replicó la muchacha con algo de enfado, pues es ni más ni menos que un aviso para que os recojáis a vuestra celda y tengáis más juicio y resolución, procurando dormir un poco.

—Te digo, la interrumpió doña Beatriz, que no huiré con don Álvaro.

—Bien está, bien está, repuso la doncella, pero andad y decídselo vos, porque al que le vaya con la nueva, buenas albricias le mando. Lo que yo siento es haberme dado semejante priesa por esos caminos, que no hay hueso que bien me quiera, y a mí me parece que tengo calentura. ¡Trabajo de provecho, así Dios me salve!

En esto entraron en el convento, y Martina se fue a la celda de la hortelana, donde, contra las órdenes de su ama, hizo el trueque de llaves proyectado.

Las noches postreras de mayo duran poco, y así no tardaron en oír las doce en el reló del convento. Ya antes que dieran, había hecho su reconocimiento por los tene-

[170] Idea expresada ya por Chateaubriand (*Génie du Christianisme*, IV Part, liv. I, *Des cloches*). El autor francés evoca el significado que tienen las campanas para el que está a punto de cometer una mala acción.

brosos claustros la diligente Martina, y entonces, volviéndose a su ama, le dijo:

—Vamos, señora, porque estoy segura de que ya ha limado o quebrado los barrotes, y nos aguarda como los padres del Limbo el santo advenimiento.[171]

—Yo no tengo fuerzas, Martina, replicó doña Beatriz acongojada, mejor es que vayas tú sola y le digas mi determinación.

—¿Yo, eh? respondió ella con malicia. ¡Pues no era mala embajada! Mujer soy y él un caballero de los más cumplidos, pero mucho sería que no me arrancase la lengua. Vamos, señora, añadió con impaciencia, poco conocéis el león con quien jugáis. Si tardáis, es capaz de venir a vuestra misma celda y atropellarlo todo. ¡Sin duda queréis perdernos a los tres!

Doña Beatriz, no menos atemorizada que subyugada por su pasión, salió apoyada en su doncella y entrambas llegaron a tientas a la puerta del jardín. Abriéronla con mucho cuidado y, volviendo a cerrarla de nuevo, se encaminaron apresuradamente hacia el sitio de la cerca por donde salía el agua del riego. Como la reja contemporánea de don Bermudo el Gotoso,[172] estaba toda carcomida de orín, no había sido difícil a un hombre vigoroso como don Álvaro arrancar las barras necesarias para facilitar el paso desahogado de una persona, de manera que cuando llegaron, ya el caballero estaba de la parte de adentro. Tomó silenciosamente la mano de doña Beatriz que parecía de hielo y la dijo:

—Todo está dispuesto, señora; no en vano habéis puesto en mí vuestra confianza.

Doña Beatriz no contestó y don Álvaro repuso con impaciencia:

—¿Qué hacéis? Tanto tiempo os parece que nos sobra?

[171] Alusión a los justos muertos antes de Cristo y libertados por su bajada al limbo.

[172] Bermudo el Gotoso fundó el monasterio a fines del siglo x.

—Pero, don Alvaro, preguntó ella, con sola la mira de ganar tiempo ¿a dónde queréis llevarme?

El caballero le explicó entonces rápida, pero claramente, todo su plan juicioso como bien concertado, y al acabar su relación, doña Beatriz volvió a guardar silencio. Entonces la zozobra y la angustia comenzaron a apoderarse del corazón de don Álvaro que también se mantuvo un rato sin hablar palabra, fijos los ojos en los de doña Beatriz que no se alzaban del suelo. Por fin, acallando en lo posible sus recelos, le dijo con voz algo trémula:

—Doña Beatriz, habladme con vuestra sinceridad acostumbrada. ¿Habéis mudado por ventura de resolución?

—Sí, don Álvaro, contestó ella con acento apagado y sin atreverse a alzar la vista: yo no puedo huir con vos sin deshonrar a mi padre.

Soltó él entonces la mano, como si de repente se hubiera convertido entre las suyas en una víbora ponzoñosa y clavando en ella una mirada casi feroz, le dijo con tono duro y casi sardónico:

—¿Y qué quiere decir entonces vuestro dolorido y extraño mensaje?

—¡Ah! contestó ella con voz dulce y sentida, ¿de ese modo me dais en rostro con mi flaqueza?

—Perdonadme, respondió él, porque cuando pienso que puedo perderos, mi razón se extravía y el dolor llega a hacerme olvidar hasta de la generosidad. Pero decidme, ¡ah! decidme, continuó arrojándose a sus pies, que vuestros labios han mentido cuando así queríais apartarme de vos. ¿No vais con vuestro esposo, con el esposo de vuestro corazón? Esto no puede ser más que una fascinación pasajera.

—No es sino verdadera resolución.

—Pero ¿lo habéis pensado bien? repuso don Álvaro. ¿No sabéis que mañana vendrán por vos para llevaros a la iglesia y arrancaros la palabra fatal?

Doña Beatriz se retorció las manos lanzando sordos gemidos, y dijo:

—Yo no obedeceré a mi padre.

—Y vuestro padre os maldecirá, ¿no lo oísteis ayer de su misma boca?

—¡Es verdad, es verdad! exclamó ella espantada y revolviendo los ojos; él mismo lo dijo. ¡Ah!, añadió en seguida con el mayor abatimiento, hágase entonces la voluntad de Dios y la suya.

Don Álvaro, al oírla, se levantó del suelo donde todavía estaba arrodillado como si se hubiese convertido en una barra de hierro ardiendo y se plantó en pie delante de ella con un ademán salvaje y sombrío, midiéndola de alto a bajo con sus fulminantes miradas. Ambas mujeres se sintieron sobrecogidas de terror, y Martina no pudo menos de decir a su ama casi al oído:

—¿Qué habéis hecho, señora?

Por fin don Álvaro hizo uno de aquellos esfuerzos que sólo a las naturalezas extremadamente enérgicas y altivas son permitidos, y dijo con una frialdad irónica y desdeñosa que atravesaba como una espada el corazón de la infeliz:

—En ese caso, sólo me resta pediros perdón de las muchas molestias que con mis importunidades os he causado, y rendir aquí un respetuoso y cortés homenaje a la ilustre condesa de Lemus, cuya vida colme el cielo de prosperidad.

Y con una profunda reverencia se dispuso a volver las espaldas, pero doña Beatriz, asiéndole del brazo con desesperada violencia, le dijo con voz ronca:

—¡Oh, no así, no así, don Álvaro! ¡Cosedme a puñaladas si queréis, que aquí estamos solos y nadie os imputará mi muerte, pero no me tratéis de esa manera, mil veces peor que todos los tormentos del infierno!

—Doña Beatriz, ¿queréis confiaros a mí?

—Oídme, don Álvaro, yo os amo, yo os amo más que a mi alma, jamás seré del conde... pero, escuchadme, y no me lancéis esas miradas.

—¿Queréis confiaros a mí y ser mi esposa, la esposa de un hombre que no encontrará en el mundo más mujer que vos?

—¡Ah!, contestó ella congojosamente y como sin sentido; sí, con vos, con vos hasta la muerte.

Y entonces cayó desmayada entre los brazos de Martina y del caballero.

—Y ¿qué haremos ahora? preguntó éste.

—¿Qué hemos de hacer? contestó la criada, sino acomodarla delante de vos en vuestro caballo y marcharnos lo más a prisa que podamos. Vamos, vamos, no ¿habéis oído sus últimas palabras? Algo más suelta tenéis la lengua que mañosas las manos.

Don Álvaro juzgó lo más prudente seguir los consejos de Martina, y acomodándola en su caballo con ayuda de Martina y Millán salió a galope por aquellas solitarias campiñas, mientras escudero y criada hacían lo propio. El generoso Almanzor, como si conociese el valor de su carga, parece que había doblado sus fuerzas y corría orgulloso y engreído, dando de cuando en cuando gozosos relinchos. En minutos llegaron como un torbellino al puente del Cúa y atravesándolo comenzaron a correr por la opuesta orilla con la misma velocidad.

El viento fresco de la noche y la impetuosidad de la carrera habían comenzado a desvanecer el desmayo de doña Beatriz, que asida por aquel brazo a un tiempo cariñoso y fuerte, parecía transportada a otras regiones. Sus cabellos sueltos por la agitación y el movimiento ondeaban al rededor de la cabeza de don Álvaro como una nube perfumada, y de cuando en cuando rozaban su semblante. Como su vestido blanco y ligero resaltaba a la luz de la luna más que la obscura armadura de don Álvaro, y semejante a una exalación celeste entre nubes, parecía y desaparecía instantáneamente entre los árboles, se asemejaba a una sílfide cabalgando en el hipogrifo de un encantador. Don Álvaro, embebido en su dicha, no reparaba que estaban cerca del monasterio de Carracedo, [173] cuando de repente una sombra blanca y negra [174] se atravesó rápida-

[173] Es efectivamente el camino de Villabuena a Cornatel.

[174] Los colores del hábito del monje. En realidad, el escapulario cisterciense es marrón, pero es de noche.

mente en medio del camino y con una voz imperiosa y terrible gritó:

—¿Adónde vas, robador de doncellas?

El caballo, a pesar de su valentía, se paró y doña Beatriz y su criada, por un común impulso, restituida la primera al uso de sus sentidos por aquel terrible grito, y la segunda casi perdido el de los suyos de puro miedo, se tiraron inmediatamente al suelo. Don Álvaro, bramando de ira, metió mano a la espada, y picando con entrambas espuelas, se lanzó contra el fantasma en quien reconoció con gran sorpresa suya al abad de Carracedo.

—¡Cómo así! le dijo en tono áspero; ¡un señor de Bembibre trocado en salteador nocturno!

—Padre, le interrumpió don Álvaro, ya sabéis que os respeto a vos y a vuestro santo hábito, pero, por amor de Dios y de la paz, dejadnos ir nuestro camino. No queráis que manche mi alma con la sangre de un sacerdote del Altísimo.

—Mozo atropellado, respondió el monje, que no respetas ni la santidad de la casa del Señor, ¿cómo pudiste creer que yo no temería tus desafueros y procuraría salirte al paso?

—Pues habéis hecho mal, replicó don Álvaro rechinando los dientes. ¿Qué derecho tenéis vos sobre esa dama ni sobre mí?

—Doña Beatriz, respondió el abad con reposo, estaba en una casa en que ejerzo autoridad legítima [175] y de donde fraudulentamente la habéis arrancado. En cuanto a vos, esta cabeza calva os dirá más que mis palabras.

Don Álvaro entonces se apeó y envainando su espada y procurando serenarse le dijo:

—Ya veis, padre abad, que todos los caminos de conciliación y buena avenencia estaban cerrados. Nadie mejor que vos puede juzgar de mis intenciones, pues que no

175 Efectivamente, el abad de Carracedo ejercía autoridad sobre las monjas de Villabuena y la mayor parte de los monasterios del Bierzo.

ha muchos días os descubrí mi alma como si os hablara en el tribunal de la penitencia, así pues, sed generoso, amparad al afligido y socorred al fugitivo y no apartéis del sendero de la virtud y la esperanza, dos almas a quienes sin duda en la patria común, unió un mismo sentimiento antes de llegar a la patria del destierro.

—Vos habéis arrebatado con violencia a una principal doncella del asilo que la guardaba, y éste es un feo borrón a los ojos de Dios y de los hombres.

Doña Beatriz, entonces, se adelantó con su acostumbrada y hechicera modestia y le dijo con su dulce voz:

—No, padre mío, yo he solicitado su ayuda, yo he acudido a su valor; yo me he arrojado en sus brazos y heme aquí.

Entonces le contó rápidamente y en medio del arrebato de la pasión las escenas del locutorio, su desesperación, sus dudas y combates; y exaltándose con la narración, concluyó asiendo el escapulario del monje con el mayor extremo del desconsuelo y exclamando:

—Oh, padre mío, libradme de mi padre, libradme de este desgraciado a quien he robado su sosiego, y sobre todo, libradme de mí misma porque mi razón está rodeada de tinieblas y mi alma se extravía en los despeñaderos de la angustia que hace tanto tiempo me cercan.

Quedóse todo entonces en un profundo silencio que el abad interrumpió por fin con su voz bronca y desapacible, pero trémula a causa del involuntario enternecimiento que sentía.

—Don Álvaro, dijo, doña Beatriz se quedará conmigo para volver a su convento y vos tornaréis a Bembibre.

—Ya que tratáis de arrancarla de mis manos, debierais antes arrancarme la vida. Dejadnos ir nuestro camino y ya que no queráis contribuir a la obra de amor, no provoquéis la cólera de quien os ha respetado aun en vuestras injusticias. Apartaos os digo, o por quien soy que todo lo atropello, aun la santidad misma de vuestra persona.

—¡Infeliz! contestó el anciano, los ojos de tu alma están ciegos con tu loca idolatría por esta criatura. Hiéreme y mi sangre irá en pos de ti gritando venganza como la de Abel.[176]

Don Álvaro, fuera de sí de enojo, se acercó para arrancar a doña Beatriz de manos del abad, usando si preciso fuese de la última violencia, cuando ésta se interpuso y le dijo con calma:

—Deteneos, don Álvaro, todo esto no ha sido más que un sueño de que despierto ahora, y yo quiero volverme a Villabuena, de donde nunca debí salir.

Quedóse don Álvaro yerto de espanto y como petrificado en medio de su colérico arranque y sólo acertó a replicar con voz sorda.

—¿A tanto os resolvéis?

—A tanto me resuelvo, contestó ella.

—Doña Beatriz, exclamó don Álvaro con una voz que parecía querer significar a un tiempo las mil ideas que se cruzaban y chocaban en su espíritu; pero como si desconfiase de sus fuerzas se contentó con decir:

—¡Doña Beatriz... adiós!

Y se dirigió adonde estaba su caballo con precipitados pasos.

La desdichada señora rompió en llanto y sollozos amarguísimos, como si el único eslabón que la unía a la dicha se acabase de romper en aquel instante. El abad entonces penetrado de misericordia se acercó rápidamente a don Álvaro y asiéndole del brazo le trajo como a pesar suyo delante de doña Beatriz.

—No os partiréis de ese modo, le dijo entonces, no quiero que salgáis de aquí con el corazón lleno de odio. ¿No tenéis confianza, ni en mis canas, ni en la fe de vuestra dama?

—Yo sólo tengo confianza en las lanzas moras y en que Dios me concederá una muerte de cristiano y de caballero.

—Escúchame, hijo mío, añadió el monje con más ternura de la que podía esperarse en su carácter adusto y desabrido; tú eres digno de suerte más dichosa y sólo Dios

176 *Génesis,* cap. 4.

sabe cómo me atribulan tus penas. Gran cuenta darán a su justicia los que así destruyen su obra, yo, que soy su delegado aquí y ejerzo jurisdicción espiritual, no consentiré en ese malhadado consorcio, manantial de vuestra desventura. He visto qué premio dan a tu hidalguía y en mí encontrarás siempre un amparo. Tú eres la oveja sola y extraviada, pero yo te pondré sobre mis hombros y te traeré al redil del consuelo. [176 bis]

—Y yo, repuso doña Beatriz, renuevo aquí delante de un ministro del altar el juramento que tengo ya hecho y de que no me hará perjurar ni la maldición misma de mi padre. ¡Oh, don Álvaro! ¿por qué queréis separaros de mí en medio de vuestra cólera? ¿Nada os merecen las persecuciones que he sufrido y sufro por vuestro amor? ¿Es ésa la confianza que ponéis en mi ternura? ¿Cómo no veis que si mi resolución parece vacilar es que mis fuerzas flaquean y mi cabeza se turba en medio de la agonía que sufro sin cesar, yo, desdichada mujer, abandonada de los míos, sin más amparo que el de Dios y el vuestro?

El despecho de don Álvaro se convirtió en enternecimiento, cuando vio que el desabrimiento [176 ter] del abad y el inesperado cambio de doña Beatriz se trocaban en bondad paternal y en tiernas protestas. Su índole natural era dulce y templada, y aquella propensión a la cólera y a la dureza que en él se notaba hacía algún tiempo, provenía de las contrariedades y sinsabores que por todas partes le cercaban.

—Bien veis, venerable señor, dijo al abad, que mi corazón no se ha salido del sendero de la sumisión, sino cuando la iniquidad de los hombres me ha lanzado de él. Han querido arrebatármela y eso es imposible, pero si vos queréis mediar y me ofrecéis que no se llevará a cabo ese casamiento abominable, yo me apartaré de aquí como si hubiera oído la palabra del mismo Dios.

—Toca esta mano a que todos los días baja la majestad

[176 bis] *Ev.* Mat. 18,12-14 y Luc. 15,1-7.

[176 ter] La ed. original reza "descubrimiento", probable errata.

del cielo,[177] replicó el monje, y vete seguro de que mientras vivas y doña Beatriz abrigue los mismos sentimientos, no pasará a los brazos de nadie, ni aunque fueran los de un rey.

—Doña Beatriz, dijo acercándose a ella y haciendo lo posible por dominar su emoción; yo he sido injusto con vos y os ruego que me perdonéis. No dudo de vos, ni he dudado jamás; pero la desdicha amarga y trueca las índoles mejores. Nada tengo ya que deciros, porque ni las lágrimas, ni los lamentos, ni las palabras os revelarían lo que está pasando en mi pecho. Dentro de pocos días partiré a la guerra que vuelve a encenderse en Castilla. A Dios, pues, os quedad, y rogadle que nos conceda días más felices.

Doña Beatriz reunió las pocas fuerzas que le quedaban para tan doloroso momento y acercándose al caballero, se quitó del dedo una sortija y la puso en el suyo diciéndole:

—Tomad ese anillo, prenda y símbolo de mi fe pura y acendrada como el oro.

Y en seguida, cogiendo el puñal de don Álvaro, se cortó una trenza de sus negros y largos cabellos que todavía caían deshechos por sus hombros y cuello y se la dio igualmente. Don Álvaro besó entrambas cosas y la dijo:

—La trenza la pondré dentro de la coraza[178] al lado del corazón, y el anillo no se apartará de mi dedo; pero si mi escudero os devolviese algún día entrambas cosas, rogad por mi eterno descanso.

—Aunque así fuera, os aguardaré un año, y pasado él, me retiraré a un convento.

—Acepto vuestra promesa, porque si vos murieseis igualmente, ninguna mujer se llamaría mi esposa.

—El cielo os guarde, noble don Álvaro, pero no os entreguéis a la amargura. Cuidad que la esperanza es una virtud divina.

Éstas parece que debían ser sus últimas palabras, pero lejos de moverse parecían clavados en la tierra, y sujetos

[177] Alusión a la Eucaristía.
[178] Pieza de la armadura que protege el pecho.

por su recíproca y dolorosa mirada, hasta que por fin, movidos de un irresistible impulso, se arrojaron uno en brazos de otro, diciendo doña Beatriz en medio de un torrente de lágrimas:

—Sí, sí, en mis brazos aquí junto a mi corazón... qué importa que este santo hombre lo vea... antes ha visto Dios la pureza de nuestro amor.

Así estuvieron algunos instantes, como dos puros y cristalinos ríos que mezclan sus aguas, al cabo de los cuales se separaron, y don Álvaro montando a caballo, después de recibir un abrazo del abad, se alejó lentamente volviendo la cabeza atrás hasta que los árboles lo ocultaron. Millán se quedó por disposición de su amo, para acompañar a doña [Beatriz] y a su criada a Villabuena. El anciano entonces dio un corto silbido, y un monje lego, que estaba escondido tras de unas tapias, se presentó al momento. Díjole algunas palabras en voz baja, y al cabo de poco tiempo se volvió con la litera del convento, conducida por dos poderosas mulas. Entraron en ella ama y criada; retiróse el lego; asió Millán de la mula delantera, montó el abad en su caballo, [179] y emprendieron de esta suerte el camino de Villabuena, adonde llegaron todavía de noche. Por la brecha de la reja volvieron a entrar las fugitivas, y Martina casi en brazos condujo a su señora a la habitación, en tanto que el abad daba la vuelta a Carracedo, más satisfecho de su prudencia, con la cual todo se había remediado sin que nada se supiese, que su pedestre acompañante del término de su aventura nocturna.

Al día siguiente cuando los criados del conde, y del señor de Arganza, fueron al convento llevando los presentes de boda, encontraron a doña Beatriz atacada de una calentura abrasadora, [180] perdido el conocimiento, y en medio de un delirio espantoso.

[179] Normalmente, los eclesiásticos utilizaban mulas, pero aquí se trata de un prelado que es al mismo tiempo señor feudal y jefe de guerra.

[180] Calentura debida a la tuberculosis. Es imposible que una emoción provoque semejante reacción.

CAPÍTULO XII

Extraño parecerá tal vez a nuestros lectores, que tan a punto estuviese el abad de Carracedo, para destruir los planes de felicidad de don Álvaro y doña Beatriz, por quien suponemos que no habrá dejado de interesarse un poco su buen corazón, y sin embargo, es una cosa natural. Cuando el señor de Bembibre se despidió de él en su primera entrevista, su resolución y sus mismas palabras le dieron a entender que su energía natural estimulada por la violenta pasión que le dominaba, no retrocedería delante de ningún obstáculo, ni se cansaría de inventar planes y ardides. Era doña Beatriz su hija de confesión, y todas las cosas a ella pertenecientes excitaban su cuidado y solicitud; pero desde su ida a Villabuena, por honor de una casa de su orden y que estaba bajo su autoridad, su vigilancia se había redoblado y no sin fruto. Un criado de Carracedo, había visto un aldeano montar en un soberbio caballo en uno de los montes cercanos a Villabuena y salir con uno al parecer escudero, por trochas y veredas, como apartándose de poblado. Lo extraño del caso le movió a contárselo al abad, y éste por las señas y la dirección que llevaba conoció que don Álvaro rondaba los alrededores y que en vista de la insistencia del conde de Lemus, trataría tal vez de robar a su amante. Comunicó, pues, sus órdenes a todos los guarda bosques del monasterio, y al barquero de Villadepalos (pues la barca era del monasterio) también para que acechasen todo con vigilancia, y le diesen parte inmediatamente de cuanto observasen. La escapatoria de la discreta y aguda Martina, sin embargo, no llegó a sus oídos; pero la venida de don Álvaro de Cornatel, el estudiado rodeo que le vieron tomar los guardas para apartarse del convento, y sobre todo la idea de que al siguiente día expiraba el plazo señalado a doña Beatriz, fueron otros tantos rayos de luz que le indicaron aquella noche como la señalada para la ejecución del atrevido plan. Suponiendo con razón que Cornatel fuese el punto destinado para la fuga, hizo retirar la barca al otro lado y como el Sil iba crecido con las nieves de las montañas que se derretían [181] y no se podía vadear, desde luego se aseguró que su plan no saldría fallido. Cierto es que don Álvaro podía llevarse a doña Beatriz a Bembibre, o cruzar el río por el puente de Ponferrada, en cuyo caso burlaría sus afanes; pero ambas cosas ofrecían tales inconvenientes que sin duda debían arredrar a don Álvaro. El puente estaba fortificado y sin orden del maestre nadie hubiera pasado por él a hora tan desusada, cosa que nuestro caballero deseaba sobre todo evitar. Así, pues, las redes del prelado estaban bien tendidas, y el resultado de la tentativa de don Álvaro fue el que por su desdicha debiera de ser necesariamente.

Como quiera no creía el buen religioso que la pasión de doña Beatriz hubiese echado en su alma tan hondas raíces, ni que a tales extremos la impeliese el deseo de huir [de] un matrimonio aborrecido. Acostumbrado a ver doblegarse a todas las doncellas de alto y bajo nacimiento delante de la autoridad paterna, imaginaba que sólo una fascinación pasajera podía mover a doña Beatriz a semejante resolución, y cabalmente las consecuencias de esta falta fueron las que se propuso atajar. Pero cuando por sus ojos vio la violencia de aquel contrariado afecto y el manantial de desdichas que podía abrir la obstinación del señor de Arganza, determinó oponerse resueltamente a sus miras. Su corazón, aunque arrebatado de fanático celo, no había desechado, sin embargo, ninguno de aquellos generosos impulsos, propios de su clase y estado, y además quería a doña Beatriz con ternura casi paternal. En el secreto de la penitencia, aquella alma pura y sin mancha se le había presentado en su divina desnudez y cautivado su cariño, como era inevitable. Por otra parte, bien veía que don Álvaro, caballero y pundonoroso, si en aquella época los había, sólo acosado por la desesperación y la injusticia,

181 Estamos en primavera.

se lanzaba a tan violentos partidos. Así, pues, al día siguiente, muy temprano, salió a poner en ejecución su noble propósito, cosa de que con gran pesadumbre suya le excusó la enfermedad de doña Beatriz, que todo lo retardó por sí sola. No le pareció justo entonces amargar la zozobra del señor de Arganza, que ya empezaba a recoger el fruto de sus injusticias, pero no cejó ni un punto de lo que tenía determinado.

Don Álvaro por su parte, desde Carracedo se fue en derechura a Ponferrada, donde llegó antes de amanecer, pero no queriendo alborotar a nadie a hora tan intempestiva, y con el objeto de recobrarse antes de presentarse a su tío, estuvo vagando por las orillas del río hasta que los primeros albores del día trocaron en su natural color las pálidas tintas de que revestía la luna las almenas y torreones de aquella majestuosa fortaleza. Entró entonces en ella, y con la franqueza propia de su carácter, aunque exigiéndole antes su palabra de caballero de guardar su declaración en el secreto de su pecho y no tomar sobre lo que iba a saber providencia alguna, contó a su tío todos los sucesos del día anterior. Escuchóle el anciano con vivo interés, y al acabar le dijo:

—Buen valedor has encontrado en el abad de Carracedo, y la desgracia te ha traído al mismo punto en que yo quise ponerte cuando aún no se había desencadenado esta tormenta. Yo conozco al abad, y por mucha que sea la enemiga y el rencor con que mira a nuestra caballería, su alma es recta y no se apartará de la senda de la verdad. ¡Pero, Saldaña!... añadió con pesadumbre, uno de los ancianos de nuestro pueblo, encanecido en los combates, ¡prestar su ayuda, y lo que es más el castillo que gobierna a semejantes propósitos! ¡Consentir que atravesase una mujer los umbrales del Temple, cuando hasta el beso de nuestras madres y hermanas nos está vedado! [182]

[182] V. nota 167 del cap. X. Hay que notar que don Rodrigo no toma ninguna medida disciplinaria contra Saldaña. Es un viejo débil que ya no sabe qué actitud adoptar. E. Gil pudo leer la Regla del Temple en Bastús y en Campomanes.

Don Álvaro intentó disculparle.

—No, hijo mío, contestó el maestre, esto que contigo ha hecho por el cariño que te tiene, hubiera él hecho igualmente por un desconocido, con tal que de ello resultase crecimiento a nuestro poder y menoscabo al de nuestros enemigos.[183] Harto conocido le tengo: su alma iracunda y soberbia se ha exasperado con nuestras desdichas, y sólo sueña en propósitos de ambición y en medios puramente humanos para restaurar nuestro decoro. En sus ojos todos son buenos si conducen a este fin. ¡En él se ofrece viva y de manifiesto la decadencia de nuestra Orden!

Don Álvaro dijo entonces a su tío que pensaba partir al punto a Castilla, y el anciano se lo aprobó, no sólo porque como señor mesnadero[184] estaba obligado a servir al rey en la ocasión que se ofrecía, sino también con el deseo de que los peligros y azares de la guerra que tan bien cuadraban a su carácter, le divirtiesen de sus sinsabores y pesares. Por esta vez su bandera, compañera inseparable de la del Temple, tenía que ir sola en busca del enemigo, pues los caballeros recelosos con sobrado fundamento de la potestad real, y pendientes del giro que tomasen en el vecino reino de Francia los atropellos cometidos en la persona de su maestre ultramarino y demás caballeros, juzgaron prudente mantenerse neutrales en la guerra intestina de que iba a ser teatro la desventurada Castilla.

Al día siguiente salió don Álvaro de Bembibre camino de Carrión con parte de su mesnada, dejando el cuidado de conducir la otra parte a Melchor Robledo, uno de sus oficiales; y su castillo, en manos de los caballeros Templarios de Ponferrada. En tanto que allá llega y se junta la hueste del rey don Fernando IV, forzoso será que demos a nuestros lectores alguna idea de las nuevas turbulencias que en diversos sentidos llamaban a los pueblos y a los ricos hombres a las armas.

[183] Así se explica en efecto la actitud de Saldaña.

[184] El señor mesnadero tenía una mesnada o pequeño ejército para servir al rey.

La familia de los Laras,[185] poderosísima en Castilla, tenía vinculados en su casa la turbulencia y el desasosiego, no menos que la nobleza y la opulencia. El jefe actual de este linaje, don Juan Núñez de Lara, había estado largo tiempo desnaturalizado de Castilla, y entrado en ella a mano armada cuando la gloriosa reina doña María[186] tenía las riendas del gobierno; pero desbaratado su escuadrón por don Juan de Haro,[187] cayó, en poder de la reina, prisionero. Despojáronle entonces de todos sus castillos y heredades, pero poco tardaron en volvérselas, y para sellar más fuertemente esta avenencia le hicieron mayordomo del rey, puesto el más aventajado y codiciado de su casa. Corrían, empero, los tiempos tan turbios y alterados, y el carácter del Núñez de Lara era tan enojadizo y revoltoso, que todas estas mercedes no fueron bastantes a corregir sus malas propensiones. El infante don Juan, que tan funesto nombre ha dejado en nuestra historia para servir de sombra y de contraste a la resplandeciente figura de Guzmán el Bueno,[188] mal hallado con la pérdida de su soñado reino de León, tardó poco en trabar con él amistad y alianza, deseoso de fundar en ella sus pretensiones al señorío de Vizcaya, que pertenecía a su mujer doña María Díaz de Haro, como heredera de su padre el conde don Lope, pero que sin embargo, no había salido de las manos de don Diego, su tío, poseedor de él a la sazón. Era este pleito muy ajeno y difícil de componer y pocos señores además lo deseaban sinceramente, porque con semejantes bandos

[185] Para este resumen histórico se inspira E. Gil en Mariana (lib. XV, cap. 8), en Garibay (*Compendio historial,* lib. XII, cap. 32), así como en la *Crónica de Don Fernando IV* (cap. XV, BAE, t. 66, pp. 153a-154a). La mayor parte de los informes los encuentra en Salazar y Castro, *Historia genealógica de la Casa de Lara,* tomo III, lib. XVII, cap. IX. El resumen cuadra perfectamente con la realidad histórica.

[186] Madre del rey don Fernando IV.

[187] Este hecho en la *Crónica de D. Fernando IV,* cap. VI (BAE, t. 66, p. 115b).

[188] V. Quintana, el estudio dedicado a Guzmán el Bueno en *Vidas de los españoles célebres,* BAE, t. XIX, pp. 211-218.

y desavenencias el poder de la corona se enflaquecía al compás de sus usurpaciones y desafueros, y no llegaba el caso de poner coto a este germen de debilidad que atacaba el corazón del estado. Las revueltas de la menor edad del rey, habían enseñado a los señores el camino de la rebelión, y así el brazo como el discurso del rey, eran ambos flojos en demasía para atajar tan grave daño.

A pesar de todo, por la discreción y habilidad de la reina doña María llegó a sosegarse la diferencia de don Diego de Haro, y del infante don Juan, entregando aquel el señorío de Vizcaya a su sobrina doña María Díaz, y recibiendo éste en trueque las villas de Villalba y Miranda; pero el rey, cuyo natural ligero y poco asentado fue causa gran número de veces de que se desgraciasen muy sabias combinaciones políticas, excluyó de esta avenencia y concierto, en que mediaron los principales señores de su corona, a su mayordomo don Juan Núñez de Lara con quien comenzaba a disgustarse y desabrirse. Según era de esperar de sus fueros y altanería, mirólo Lara, como un ultraje sangriento y despidiéndose del rey con palabras ásperas y descomedidas, fuese a encerrar en Tordehumos, lugar fuerte.[189] Repartió su gente por Iscar, Montejo y otros lugares, y proveyéndose de armas, víveres y pertrechos, se preparó a arrostrar la cólera del rey.

Éste, por su parte, no menos resentido de las demasías de don Juan Núñez, después de tener consejo con los suyos, envió a requerirle con un caballero que, pues tan mal sabía agradecer sus mercedes, saliese al punto de la tierra y le entregase las villas de Moya y Cañete en que le heredara poco antes. Contestóle don Juan Núñez con su

[189] Tordehumos está a 12 kilómetros al sudoeste de Medina de Río Seco. El castillo se encuentra ahora casi enteramente destruido, pero E. Gil pudo verlo en mejor estado, ya que se conoce un grabado de Severini del año 1849 que muestra todavía una torre del homenaje completa y murallas medio derruidas (v. lámina).

Según los historiadores, empieza el sitio en julio o en septiembre de 1308.

acostumbrada insolencia que no saldría de una tierra donde era tan natural como el más natural de ella, y que en cuanto a las villas harto bien ganadas las tenía. Con esto el rey juntó sus tropas y se preparó a cercarle en Tordehumos.

A pesar de estas disensiones, tanto el monarca como los señores del partido de Lara estaban acordes en un punto: el odio a los Templarios, y sobre todo en el deseo de repartirse sus despojos.[190] Cierto es que el rey no había recibido daño de la Orden en las pasadas turbulencias y que los caballeros se habían mantenido neutrales cuando menos, durante aquella época azarosa, pero no lo es menos que un miembro de ella, el comendador Martín Martínez, había entregado al infante don Juan, el castillo y plaza del puente de Alcántara.[191] El rey, sin embargo, tuvo más en cuenta este hecho aislado que el comportamiento decoroso de toda la Orden, y por otra parte, el deseo de reparar con sus bienes los descalabros de la corona, y de acallar con ellos la codicia de sus ricos hombres acabaron de inclinar la balanza de su ánimo en contra de tan ilustre milicia. No obstante, como el papa Clemente V no acababa de fulminar sus anatemas, ni se atrevía a tomar bajo su protección a aquella tan perseguida caballería, estaban los ánimos en suspenso y con la espada a medio sacar de la vaina. De todas maneras no se cesaba un punto de minar en la opinión los cimientos del Temple y de urdir sordas cábalas para el día en que hubiesen de romperse las hostilidades. El infante don Juan centro de todas ellas, no reposaba un momento, y como dejamos ya indicado, los proyectos del conde de Lemus y las amarguras de doña Beatriz y de don Álvaro eran obra de aquellas manos, que así asesinaban en la cuna los niños inocentes, como las esperanzas más santas y legítimas.[192] Los Templarios eran

[190] Hecho perfectamente averiguado.
[191] No se ha podido averiguar el particular.
[192] Así se relaciona íntimamente la historia de amor con la novela histórica.

dueños de las entradas de Galicia por la parte del puerto de Piedrafita, [193] Valdeorras, [194] con los castillos de Cornatel y del Valcarce. [195] Las fortalezas de Corullón, [196] Ponferrada, Bembibre dominaban las llanuras más pingües del país y por otra parte si las casas de Yáñez y Ossorio llegaban a enlazarse, sus numerosos vasallos montañeses de las fuentes del Boeza y del Burbia [197] cerrarían gran porción de entradas y desfiladeros y harían casi inexpugnable la posición de la Orden en aquella comarca. Harto claro veían esto el infante y los suyos, y de ahí nacían las persecuciones del conde que lejos de venir a la jornada de Tordehumos, se quedó en los confines de Galicia y en el Bierzo, así para llevar adelante su particular propósito, como para juntar fuerzas contra los Templarios con quienes parecía inevitable un rompimiento.

Encontróse pues, solo don Álvaro, en medio de la hueste de Castilla, o por mejor decir, acompañado de la natural ojeriza y recelo que inspiraba su alianza estrecha y sincera con el Temple, su valor, su destreza en las armas, y la nombradía que había sabido alcanzarse de antemano. Por fin junto el ejército real, y completa ya la gente del señor de Bembibre que con el segundo tercio acaudillado por Robledo, se le había incorporado, moviéronse de Carrión y fueron a ponerse sobre Tordehumos con grandes aprestos, bagajes y máquinas de guerra.

[193] *Piedrafita*: puerto principal de acceso a Galicia desde el Bierzo. Lo franquea la actual CN-VI entre Villafranca y Lugo.

[194] *Valdeorras*: o El Barco de Valdeorras, ciudad sobre el Sil, en la provincia de Orense, a 50 kilómetros de Ponferrada. Es también uno de los pasos entre Galicia y el Bierzo. Lo cruza la carretera de Ponferrada a Orense.

[195] *Valcarce*: castillo que domina el puerto de Piedrafita.

[196] *Corullón*: pueblo cercano a Villafranca. Posee una fortaleza. No es evidente que dicho castillo haya sido de los Templarios.

[197] El Burbia es con el Valcarce un río de Villafranca. Se nota por esta exposición el perfecto conocimiento estratégico del terreno. El Bierzo constituye un cerrojo entre Galicia y Castilla, lo que explica perfectamente los proyectos del conde de Lemus.

CAPÍTULO XIII

Justamente el señor de Bembibre se alejaba del Bierzo cuando la fiebre se cebaba en doña Beatriz con terrible saña, y la infeliz le llamaba a gritos en medio de su delirio. ¿Quién le dijera a él cuando en lo más alto de la sierra que divide al Bierzo de los llanos de Castilla [198] volvió su caballo para mirar otra vez aquella tierra cuyos recuerdos llenaban su corazón, quién le dijera que aquella doncella angelical su único amor y su única esperanza para el porvenir, yacía en el lecho del dolor mirando con ojos encendidos y extraviados a cuantos la rodeaban y consumidos sus delicados miembros por el ardor de la calentura? Tal era, sin embargo, la tremenda realidad, y mientras la cuchilla de la muerte amagaba a la una, corría el otro por su parte a innumerables riesgos y peligros. Así de dos hojas nacidas en el mismo ramo y mecidas por el mismo viento cae la una al pie del árbol paterno, en tanto que la compañera vuela con las ráfagas del otoño a un campo desconocido y lejano.

Figúrense nuestros lectores la consternación que causaría en Arganza la triste noticia de la enfermedad de su única heredera. Doña Blanca por la primera vez de su vida soltó la compresa a su dolor y a sus quejas, y se desató en reproches e invectivas contra la obstinación de su esposo y contra los planes que así amenazaban aquella criatura tan querida, en términos que aun al conde, a pesar de la hospitalidad, le alcanzó parte de su cólera. Inmediatamente declaró su resolución de ir a Villabuena a pesar de sus dolencias, y de asistir a su hija, y don Alonso, temeroso de causar una nueva desgracia contrariándola en medio de su agitación, ordenó que en una especie de silla de manos la trasladasen al monasterio. En cuanto lle-

[198] Alude al puerto del Manzanal, entre Astorga y Ponferrada.

gó, sus miembros casi paralíticos parecieron desatarse, y sus dolores habituales cesaron, por manera que todos estaban maravillados de verlo. ¡Admirable energía la del amor maternal, santo destello del amor divino que para todo encuentra fuerzas y jamás se cansa de los sacrificios y fatigas más insoportables!

Doña Beatriz no conoció ya a su madre aunque sus miradas se clavaban incesantemente en ella y parecía poner atención a todas las palabras de ternura que de sus labios salían, pero era aquella especie de atención a un tiempo intensa y distraída que se advierte en los locos. Su delirio tenía fases muy raras y diversas: a veces era tranquilo y melancólico y otras lleno de convulsiones y de angustias. El nombre de su padre y el de su amante eran los que más frecuentemente se le escapaban, y aunque el del conde se le escuchaba alguna vez, siempre era tapándose la cara con las sábanas o haciendo algún gesto de repugnancia.

Un monje anciano de Carracedo muy versado en la física y que conocía casi todas las plantas medicinales que se crían por aquellos montes, estaba constantemente a su cabecera observando los progresos del mal, y había ya propinado a la enferma varias bebidas y cordiales; pero el mal, lejos de ceder, parecía complicarse y acercarse a una crisis temible. Una noche en que su tía, su madre y el buen religioso estaban sentados al rededor de su lecho, se incorporó, y mirando a todas partes con atención, se fijó en la escasa luz de una lámpara que en lo más apartado de la pieza lanzaba trémulos y desiguales resplandores. Estuvo un rato contemplándola y luego preguntó con una voz débil, pero que nada había perdido de su armonioso metal: [199]

—¿Es la luz de la luna?... pero yo no la veo en las ondas del río... ¡Tampoco la dicha baja del cielo para

[199] El monólogo que sigue es uno de los más hermosos y constituye una novedad: irrupción de lo fantástico y lo ultrarracional dentro de la novela española. El empleo de textos sagrados en semejantes trozos se debe a la influencia de Chateaubriand.

regocijar nuestros corazones! —Aquí dio un profundo suspiro y luego exclamó vivamente: —¡No importa, no importa! Desde el firmamento nos alumbrará... Sí, sí, ¡venga tu caballo moro!... ¡Ay! ¡me parece que he perdido la vida y que un espíritu me lleva por el aire, pero los latidos de tu corazón han despertado el mío! voy a perder el juicio de alegría, déjame cantar el salmo del contento: "Al salir Israel de Egipto"...[200] Pero mi madre, mi pobre madre, exclamó con pesadumbre: ¡ah! yo la escribiré y cuando sepa que soy feliz se alegrará también!

Sonrióse entonces melancólicamente, pero cambiando al punto de ideas gritó desaforadamente con espanto y arrojándose fuera de la cama con una violencia tal, que la abadesa y su madre apenas podían sujetarla:

—¡La sombra! ¡la sombra! ¡ay! ¡yo he caído del cielo!... ¿quién me levantará?... ¡Adiós!... no vuelvas la cabeza atrás para mirarme que me partes el corazón. ¡Ya se ha perdido entre los árboles!... ahora es cuando debo morirme... ¡alma cristiana, prepara tu ropa de boda y ve a encontrar tu celestial esposo!

Entonces fatigada cayó otra vez sobre las almohadas en medio de las lágrimas de las dos señoras, y comenzó a respirar con mucha congoja y anhelo. El monje le tomó entonces el pulso y mirándole a los ojos con mucha atención, se fue a sentar a un extremo de la celda con aire abatido y meneando la cabeza. Doña Blanca que lo vio se arrojó de rodillas en un reclinatorio que allí había y asiendo un crucifijo que sobre él estaba y abrazándolo estrechamente exclamaba con una voz ronca y ahogada:

—¡Oh, Dios mío; no a ella, no a ella, sino a mí! es mi hija única ¡yo no tengo otra hija! vedla, Señor, tan joven, ¡tan buena y tan hermosa! ¡tomad mi vida!, ved que no son mis lágrimas las solas que correrán por ella, porque es un vaso de bendición en quien se paran los ojos de todos, ¡oh Señor! oh Señor ¡misericordia!

La abadesa que a pesar de que más necesidad tenía de consuelos que poder para darlos, acudió a sosegar a su

[200] *Salmo* 104, 37-38.

hermana diciéndole que si así se abandonaba a su dolor, mal podía aprovechar las pocas fuerzas que le quedaban para asistir a su hija. Surtió este consejo el efecto deseado; pues doña Blanca con esta idea se serenó muy pronto; tal era el miedo que tenía a verse separada de su hija.

En tal estado se pasaron algunos días, durante los cuales no cesaron las monjas de rogar a Dios por la salud de doña Beatriz. Hubo que establecer una especie de turno para la asistencia, pues todas a la vez querían quedarse para velarla y asistirla. El luto parecía haber entrado en aquella casa sin aguardar a que la muerte le abriese camino. Sin embargo, después de doña Blanca, nadie estaba tan atribulada como Martina, de cuyo lindo y alegre semblante habían desaparecido los colores tan frescos y animados que eran la ponderación de todos. Por lo que hace al señor de Arganza que a pesar de sus rigores amaba con verdadera pasión a su hija, oprimido por el doble peso del pesar y del remordimiento, apenas se atrevía a presentarse por Villabuena, pero pasaba días y noches sin gozar un instante de verdadero reposo y a cada paso estaba enviando expresos que volvían siempre con nuevas algo peores.

Por fin el médico declaró que su ciencia estaba agotada y que sólo el celestial [201] podría curar a doña Beatriz. Entonces se le administró la extremaunción, porque como no había recobrado el conocimiento, no pudo dársele el viático. [202] La comunidad toda deshecha en lágrimas acudió a la ceremonia y cada una se despidió en su interior de aquella tan cariñosa y dulce compañera, que en medio de los sinsabores que la habían cercado de continuo, mientras había vivido en el convento, no había dado a nadie el más leve disgusto.

[201] *Celestial*: es raro el empleo de esta palabra como sustantivo; acaso se deba considerarla adjetivo y completar con "amparo" o "apoyo".

[202] Extremaunción es un sacramento dado a los enfermos para el recobro de la salud. El viático es la última comunión del moribundo y tiene que recibirlo con todas sus facultades mentales.

No hubo fuerzas humanas que arrancasen a doña Blanca del lado de su hija la noche que debía morir; así pues, hubieron de consentir en que presenciase el doloroso trance. Hacia media noche, sin embargo, doña Beatriz pareció volver en sí del letargo que había sucedido a la agitación del delirio, y clavando los ojos en su fiel criada le dijo en voz casi imperceptible:

—¿Eres tú, pobre Martina? ¿Dónde está mi madre? ¡Me pareció oír su voz entre sueños!

—Bien os parecía, señora, replicó la muchacha reprimiéndose por no dejar traslucir la alegría tal vez infundada y loca que con aquellas palabras había recibido: mirad al otro lado, que ahí la tenéis.

Doña Beatriz volvió entonces la cabeza, y sacando ambos brazos tan puros y bien formados no hacía mucho, y entonces tan descarnados y flacos [203] se los echó al cuello y apretándola contra su pecho con más fuerza de la que podía suponerse, exclamó prorrumpiendo en llanto:

—¡Madre mía de mi alma! ¡madre querida!

Doña Blanca fuera de sí de gozo, pero procurando reprimirse, le respondió:

—Sí, hija de mi vida, aquí estoy: pero serénate que todavía estás muy mala, y eso puede hacerte daño.

—No lo creáis, replicó ella, no sabéis cuánto me alivian estas lágrimas, únicas dulces que he vertido hace tanto tiempo. Pero vos estáis más flaca que nunca... ¡ah! sí ¡es verdad! ¡todos hemos sufrido tanto! ¡Y vos también, tía mía! Y mi padre ¿dónde está?

—Pronto vendrá, replicó doña Blanca; pero vamos, sosiégate amor mío, y procura descansar.

Doña Beatriz, sin embargo, siguió llorando y sollozando largo rato: tantas eran las lágrimas que se habían helado en sus ojos y oprimían su pecho. Por fin rendida del todo, cayó en un sueño profundo y sosegado durante el cual rompió en un abundante sudor. [204] El anciano se acercó

[203] La flaqueza es también un síntoma de tuberculosis.
[204] Otro síntoma clínico de tuberculosis.

entonces a ella, y reconociendo cuidadosamente su respiración igual y sosegada y su pulso, levantó los ojos y las manos al cielo, y dijo:

—Gracias te sean dadas a ti, Señor, que has suplido la ignorancia de tu siervo y la has salvado.

Y cogiendo a doña Blanca, atónita y turbada, de la mano, la llevó delante de una imagen de la Virgen y arrodillándose con ella, empezó a rezar la Salve en voz baja, pero con el mayor fervor. La abadesa y Martina imitaron su ejemplo, y cuando acabaron, entrambas hermanas se arrojaron una en los brazos de otra, y doña Blanca pudo también desahogar su corazón oprimido.

El sueño de la enferma duró hasta muy entrada la mañana siguiente, y en cuanto se despertó y el médico volvió a asegurar que ya había pasado el peligro, las campanas del convento comenzaron a tocar a vuelo y en el monasterio fue un día de gran fiesta. Don Alonso volvió a ver a su hija, pero aunque no había renunciado a su plan, tanto por la palabra empeñada, cuanto por lo mucho que lisonjeaba su ambición, resolvió no violentar su voluntad siguiendo en esto los impulsos de su propio corazón y los consejos del prelado de Carracedo. El conde por su parte, aunque momentáneamente, se alejó del país, y de todas maneras doña Beatriz no experimentó al salir de la enfermedad ningún género de contrariedad ni persecución. Sin embargo, la convalecencia parecía ir larga, y como el monasterio podía traerle a la imaginación más fácilmente las desagradables escenas de que había sido teatro, por orden del monje de Carracedo que con tan paternal solicitud la había asistido, la trasladaron a Arganza, donde todos los recuerdos eran más apacibles y consoladores. El pueblo entero que la había contado por muerta la recibió como nuestros lectores pueden figurarse con fiestas, bailoteos y algazaras que la esplendidez del señor hacía más alegres y animados. Hubo su danza y loa correspondiente, un mayo más alto que una torre, y por añadidura una especie de farsa medio guerrera, medio venatoria, dispuesta y acaudillada por nuestro amigo Nuño el montero, que aquel día parecía haberse quitado veinte años de encima.[205] Por lo que toca al rollizo Mendo, se alegró tanto de la vuelta de Martina, que no parecía sino que la taimada aldeana le correspondía decididamente. Muchos fueron los tragos y tajadas con que la celebró, pero si hubiera tenido noticia de sus escapatorias nocturnas, y sobre todo de la última, probablemente no se libra de una indigestión. De todas maneras la ignorancia le hacía dichoso como a tantos otros, y como él se convertía en sustancia todas las burlas y aun bufidos de la linda doncella, estaba que no cabía en su pellejo, harto estirado ya por su gordura.[206] Añádase a esto que la mala sombra de Millán andaba lejos rompiéndose la crisma contra las murallas de Tordehumos y que Martina volvía más interesante con la ligera palidez que le habían causado sus vigilias y congojas, y tendremos completamente explicado el regocijo del buen palafrenero.

CAPÍTULO XIV

Volvamos ahora a don Álvaro, que bien ajeno de semejantes sucesos, había llegado a Tordehumos con la hueste del rey. Este pueblo que don Juan Núñez había provisto y reparado con la mayor diligencia, está en la pendiente de una colina dominada por un castillo, y no lejos pasa el río llamado Rioseco. La posición es buena; las murallas estaban entonces en el mejor estado; la guarnición era valerosa y suficiente y su jefe diestro, experimentado y valiente. Ya en otro tiempo le había sitiado el rey en Aranda,[207] de donde se salió a despecho de su cólera, y esta memoria le daba aliento para desafiarle desde

[205] Tales fiestas populares son más propias, sin duda, del folklore decimonónico que del medieval.

[206] Mendo se parece algún tanto a Sancho Panza.

[207] V. *Crónica de D. Fernando IV,* cap. XIV (BAE, t. 66, pp. 143b-144a).

Tordehumos, lugar más acomodado a la defensa. Tenía además la fundada esperanza de que nunca llegarían a estrecharle hasta el extremo, porque conservaba en el campo enemigo inteligencias y valimiento de que fiaba no menos que de su valor, el éxito de la empresa. El infante don Juan, aunque servía bajo las banderas de su sobrino,[208] no por eso había desatado los antiguos vínculos de amistad que le unían con el de Lara, antes entre sus enemigos era donde pensaba servirle mejor; ruin manejo que sólo cabía en la doblez de aquel alma villana. Hernán Ruiz de Saldaña, Pero Ponce de León[209] y algunos otros principales señores, también estaban en el plan, si bien no encubrían sus pensamientos ni conducta bajo el manto de celo hipócrita por los intereses del rey en que se cobijaba el infante don Juan. Así es que el cerco emprendido con gran calor, iba aflojándose y entibiándose de día en día, con gran pesadumbre del rey, que no tardó mucho en caer en la cuenta de su daño.

Como quiera, los caballeros más afectos a su persona, o más leales, no dejaban de pelear con ardor en las frecuentes salidas que hacían los sitiados, y don Álvaro que por su aislamiento ignoraba parte de estas tramas, y que por la rectitud de sus sentimientos era incapaz de entrar en ellas andaba entre los que más se distinguían. Sucedió, pues, que una noche, saliendo los cercados con gran sigilo, dieron impensadamente sobre el real enemigo cuya mayor parte estaba descuidada, cayendo con más furia sobre el ala del señor de Bembibre y demás caballeros fieles al rey. Don Álvaro que no solía prescindir de las precauciones y vigilancia propias de la guerra, salió al punto con la mitad de su prevenida gente a rechazar la imprevista embestida, enviando aviso inmediatamente al cuartel del rey para que le sostuviesen en el ataque que emprendía. En el desorden introducido y en la dañada intención del infante

[208] El infante era tío del rey.

[209] Esto en Salazar y Castro, t. III, lib. XVII, cap. IX, p. 174. Se trata, sin embargo, de Pedro (o Pero) Ponce de Cangas y no Pero Ponce de León.

consistió sin duda que el refuerzo pedido no llegase. La noche estaba muy obscura, los enemigos se aumentaban sin cesar: los gritos de rabia, de temor y de dolor se mezclaban con las órdenes de los cabos; las armas y escudos despedían chispas en la obscuridad con el incesante martilleo y la escena llegó a hacerse temerosa y horrible de veras. Por fin los enemigos comenzaron a extenderse por las alas del reducido y abandonado escuadrón, y don Álvaro, estrechado entonces, comenzó a retirarse ordenadamente resistiendo con su acostumbrado valor el empuje contrario.[210] Su gente por último, comenzó a desbandarse y don Álvaro herido ya en el pecho, recibió otra herida en la cabeza, con lo cual vino al suelo debajo de su noble caballo que herido también hacía rato, parecía haber conservado su brío, sólo para ayudar a su jinete. Entonces sobrevino nueva pelea al rededor del caído caballero, pues sus soldados hacían desesperados esfuerzos para arrancarle del poder de los enemigos; pero el número de éstos era ya tan grande y el aliento que recibían de don Juan Núñez que mandaba en persona esta encamisada,[211] tal que, por último, ensangrentados y rotos hubieron de tomar la huída dejándolo en sus manos. Lara que lo reconoció y que ya de antemano le estimaba, hizo vendar sus heridas y transportarle con gran cuidado a su castillo. Por último como los refuerzos del rey iban llegando, él mismo se retiró en buen orden sin experimentar daño ni escarmiento. Sus soldados alegres con el botín recogido, dieron también la vuelta muy animosos, formando vivo contraste con las tropas del rey, mustios y descontentos de lo que había pasado.

El fiel Millán, que había peleado como correspondía al lado de su amo en aquella noche fatal, separado de él por el tropel de los fugitivos en el momento crítico, por la mañana muy temprano se presentó a las puertas de Torde-

[210] Se nota cómo don Álvaro no es un héroe de leyenda, sino un jefe de guerra que puede ser vencido a pesar de su valor.

[211] Sorpresa o emboscada nocturna en que los atacantes van vestidos de camisa blanca para conocerse mejor.

humos, pidiendo que le tomasen por prisionero con su amo, de quien venía a cuidar durante sus heridas. Lara mandó recibirle al punto, y llamándole a su presencia le alabó mucho su fidelidad y le regaló una cadena de plata encargándole encarecidamente la asistencia de un caballero tan cumplido como su amo. Por lo que hace a la mesnada de éste, reducida casi a la mitad por la tremenda refriega de la noche, y heridos la mayor parte de los que sobrevivieron, se reunieron bajo el mando de Melchor Robledo y se pusieron a retaguardia del campo para curarse y restablecerse lo posible.

El rey por su parte, aunque don Álvaro no fuese muy de su devoción por su alianza con los Templarios, no por eso dejó de sentir su prisión y heridas, porque sobrado conocía que una lanza tan buena y un corazón tan noble le hacían infinita falta en medio de las voluntades, cuando menos tibias, que le rodeaban.

Don Álvaro tardó bastantes horas en volver a su conocimiento por el aturdimiento de su caída y por la mucha sangre que con sus heridas había perdido. Lo primero que vieron sus ojos al abrirse fue a su fiel Millán que de pie al lado de su cama, estaba observando con particular solicitud todos sus movimientos. A los pies estaba también en pie un caballero de aspecto noble, aunque algo ceñudo habitualmente, cubierto con una rica armadura azul, llena de perfiles y dibujos de oro de exquisito trabajo. Finalmente, a la cabecera se descubría un personaje de ruin aspecto, con ropa talar obscura y una especie de turbante o tocado blanco en la cabeza. El caballero era don Juan Núñez de Lara, y el otro sujeto el rabino Ben Simuel, su físico,[212] hombre muy versado en los secretos de las

[212] Ben Simuel es personaje histórico. Salazar y Castro habla de él (t. III, lib. XVII, cap. IX, p. 166). Sin embargo, la idea de utilizar dicho personaje puede provenir de Scott (Isaac de *Ivanhoe,* Galeotti Marti de *Quentin Durward*), López Soler (Ben Samuel de *Los bandos de Castilla*), Larra (Mosén Abrahén Abenzarsal del *Doncel*...), Espronceda (Abraham de *Sancho Saldaña*).

ciencias naturales y a quien el vulgo ponía por lo tanto sus ribetes de nigromante y hechicero. Su raza y creencia le hacían odioso, y su exterior tampoco era a propósito para granjearse el cariño de nadie.[213]

Don Álvaro extendió sus miradas alrededor y encontrando las paredes de un aposento en lugar de los lienzos y colgaduras de su tienda, y aquellas personas para él desconocidas, comprendió cuál era su suerte y no pudo reprimir un suspiro. Lara se acercó entonces a él y tomándole la mano le aseguró que no estaba sino en poder de un caballero que admiraba su valor y sus prendas; que se sosegase y cobrase ánimo para sanar en breve de sus heridas que, aunque graves, daban esperanzas de curación no muy lejana.

—Finalmente, añadió apretándole la mano, no veáis en don Juan Núñez de Lara vuestro carcelero, sino vuestro enfermero, servidor y amigo.

Don Álvaro quiso responder, pero Ben Simuel se opuso encargándole mucho el silencio y el reposo; y haciéndole beber una poción calmante, se salió con don Juan de la habitación dejando al herido caballero en compañía de Millán. En cuanto se fueron, don Álvaro le preguntó con voz muy débil:

—¿Me oyes, Millán?

—Sí, señor, respondió éste, ¿qué me queréis?

—Si muero, toma de mi dedo el anillo, y del lado izquierdo de mi coraza la trenza que me dio doña Beatriz aquella noche fatal, y se la llevarás de mi parte diciéndola... no, nada le digas.

—Está bien, señor; si Dios os llama a sí se hará como decís, pero por ahora sosegaos y mirad por vos.

—Don Álvaro procuró descansar, pero a pesar de la medicina sólo logró algún reposo interrumpido y desigual; tales eran los dolores que sus heridas le causaban.

213 Sin embargo, E. Gil no lo muestra como charlatán o intrigante. Es un buen médico y honrado servidor.

CAPÍTULO XV

A los pocos días de haber caído don Álvaro prisionero, ocurrió por fin una novedad que todos esperaban con ansia grandísima en el campamento del rey. Vinieron cartas del papa Clemente V con la orden de proceder al arresto y enjuiciamiento de todos los Templarios de Europa y secuestro de sus bienes, y con ellas noticias de los horribles suplicios de algunos caballeros de la Orden en Francia.[214] Aquel pontífice débil y cobarde, había consentido que los sacasen de su fuero, entregándolos en manos de una comisión especial, que equivalió a ponerlos en las del verdugo. Clemente temblaba de que Felipe el Hermoso quisiese poner en juicio la majestad del pontificado, en la persona, o por mejor decir, en la memoria de su antecesor Bonifacio,[215] y a trueque de evitarlo, le dejaba bañarse en la sangre de los Templarios y cebarse en sus bienes. En Francia, sin embargo, la audacia del rey y el desconcierto de lo imprevisto del golpe y la desatinada conducta del maestre general ultramarino Jacobo de Molay[216] había allanado el camino de una empresa tan escabrosa y difícil, pero en España, donde la Orden estaba sobre sí y donde era quizás más poderosa que en ninguna otra nación, menester era emplear infinita destreza y valor. Cierto es que ni en Portugal, ni en Aragón, ni en Castilla

[214] En efecto, ocurre este acontecimiento al mismo tiempo que el sitio de Tordehumos. Mariana cuenta ambos episodios en el mismo capítulo de su *Historia*: "Clemente V, Pontífice máximo" (lib. XV, cap. 8). Sin embargo, el suplicio final de los Templarios franceses sólo tuvo lugar en 1314. E. Gil alude quizás a los tormentos que les dieron para obtener sus confesiones.

[215] Recuerdo de la terrible lucha de prerrogativas que sostuvo Felipe el Hermoso contra el papa Bonifacio VIII, y que sólo acabó a la muerte del último en 1303.

[216] *Jacques de Molay*: gran Maestre de los Templarios, confesó los delitos de la Orden y, luego, se retractó. Pero eso ocurrió en 1314, es decir, después del fin de la novela. Hay, pues, un ligero anacronismo.

se les desaforaba, antes se les sujetaba a concilios provinciales; pero después de lo que había pasado en el reino vecino, parecía natural que desconfiasen de la potestad civil y que no quisiesen soltar las armas. Por otra parte, nada tenía de extraño que quisiesen vengar las afrentas de su Orden, por cuyo honor y crecimiento estaban obligados a sacrificar hasta su propia vida. Preciso era desconcertar su acción en lo posible, y apercibirse al combate al mismo tiempo.

El rey don Fernando a pesar de suceso de tanto bulto, para el cual parecía necesitar el auxilio de todos sus ricos hombres, no por eso desistía de su saña contra don Juan Núñez de Lara, resuelto sin duda a volver a su corona el brillo que en las pasadas revueltas había perdido. El infante don Juan mediaba entre el rey y su rebelde vasallo, y como este carácter le daba facilidad para pasar muchas veces a Tordehumos, poco tardó en concertar con su dueño el plan que hacía tanto tiempo estaba madurando. Don Álvaro era el apoyo más firme de los Templarios en el reino de León, y el más ardiente y poderoso de sus aliados. Aunque su castillo de Bembibre estaba guarnecido por soldados de la Orden, claro estaba que si moría su dueño, habrían de desocuparlo, y de todos modos los vasallos de la casa de Yáñez no tardarían en apartarse de sus banderas. No era el infante hombre que delante de la sangre retrocediese: el rival de su valido estaba en manos de don Juan Núñez de Lara; con él venía al suelo una de las principales barreras que apartaban la rica herencia del Temple de sus manos codiciosas, ¿qué más podía desear?

No bien llegaron las bulas del papa Clemente, al punto pasó a Tordehumos, y allí subiendo con su castellano a una torre solitaria del castillo, comenzaron una plática muy viva y acalorada.[217]

[217] La conversación entre don Juan Núñez de Lara y el infante don Juan es histórica. Alude a ella Salazar y Castro (lib. XVII, cap. IX, p. 174) y Garibay (t. I, lib. XIII, cap. XXXII, p. 856). Pero se verificó al pie de la muralla y no en la torre.

Con gran sorpresa y aun susto de los que desde abajo les miraban, don Juan Núñez, con ademanes descompuestos, echó mano a la espada, como si de su huésped recibiese alguna ofensa; pero sin duda se hubo de arrepentir, porque a poco rato volvió el acero a la vaina con muestras de gran cortesía, y entrambos caballeros se dieron las manos. El infante bajó poco después y tomó el camino real con muestras de gran satisfacción y contento.

La sangre perdida y la gravedad de sus heridas habían reducido a don Álvaro a una postración grandísima; pero la ciencia de Ben Simuel y los cuidados de Millán, junto con las atenciones de don Juan Núñez, habían logrado arrancarlo de la jurisdicción de la muerte y volverle aunque con pasos muy perezosos al camino de la vida. La calentura había ido cediendo y los dolores eran mucho menos vivos, de manera que sin los cuidados que acibaraban su pensamiento, fácil era calcular que su convalecencia hubiera sido más rápida.

Una tarde entró don Juan de Lara en su aposento y tomando asiento a su cabecera mientras Millán los dejaba solos para que hablasen con más libertad, le preguntó asiéndole de la mano:

—¿Cómo os sentís, noble don Álvaro? ¿Estáis contento de mi carcelería?

—Me encuentro ya muy aliviado, señor don Juan, respondió el herido, gracias a vuestros obsequios y atenciones que casi me harían dar gracias al cielo de mi prisión.

—Según eso, ¿bien podréis escucharme una cosa de gran cuantía que tengo que deciros?

—Podéis comenzar, si gustáis.

Don Juan, entonces, principió a contarle por extenso las noticias recibidas de Francia y la prisión, embargo de bienes y encausamiento de los Templarios ordenados en las cartas del papa Clemente, recibidas poco había en los reales de Castilla.

—Bien conozco, concluyó diciendo, que en la hidalguía de vuestra alma no cabe abandonar una alianza que hubiéseis asentado con caballeros como vos, pero ya veis que asistir a los Templarios abandonados del vicario de

Jesucristo y cargados con el grave peso de una acusación tan fundada en la criminal demanda que acaso van a intentar, sería hacer traición a un mismo tiempo a vuestros deberes de cristiano y bien nacido. Si en algo estimáis, pues, la fina voluntad que de asistiros y serviros he mostrado, ruégoos que desde ahora rompáis la confederación que tenéis con esa Orden, objeto del odio universal, y no os apartéis de vuestros amigos y aliados naturales.

Don Álvaro que estaba íntimamente convencido de la iniquidad de la acusación dirigida contra el Temple y que nunca hubiera creído en el jefe supremo de la iglesia tan culpable debilidad, escuchó la relación de don Juan con una emoción violenta y profunda, cambiando muchas veces de color y apretando involuntariamente los puños y los dientes con muestras de dolor y de cólera. Por fin enfrenando como mejor pudo los tumultuosos movimientos de su espíritu, respondió:

—Los Templarios se sujetarán al juicio que les abren, en justa obediencia [del] mandato del Sumo Pontífice, única autoridad de ellos reconocida, aunque tan ruinmente se postra delante del rey de Francia; pero ni dejarán las armas ni se darán a prisión, ni soltarán sus bienes y castillos sino caso de ser a ello sentenciados por los concilios. Por lo que a mí toca, don Juan de Lara, os perdono el juicio que de mí habéis formado, en gracia de tantos obsequios y cuidados como os debo; pero os suplico que aprendáis a conocerme mejor.

La legítima humillación que don Juan sufría, despertó su ira y despecho, pero deseoso de que la cuestión mejorase de terreno, y al mismo tiempo de apurar todos los medios de conciliación y templanza, replicó:

—Pero ¡qué! ¿no teméis manchar la limpieza de vuestra fama, ligándoos con un cuerpo agangrenado con tantas infamias y abominaciones, a quien toda la cristiandad rechaza como a un leproso?

—Señor don Juan, os matáis en balde, queriendo persuadirme a mí lo que tal vez vos mismo no creéis. Por lo demás, no toda la cristiandad rechaza el Temple, pues no se os esconde que el sabio rey de Portugal ha enviado sus embajadores al papa para protestar de las tropelías y maldades de que está siendo objeto esta ilustre milicia.[218]

—¡Mal aconsejado rey!, dijo el de Lara.

—El mal aconsejado sois vos, repuso don Álvaro con impaciencia, en menguar así vuestro propio decoro. Id con Dios, que ni mi corazón ni mi brazo faltarán nunca a esos perseguidos caballeros.

Lara frunció el ceño y le preguntó con voz altanera:

—¿Olvidáis que sois mi prisionero?

—Sí, a fe que lo había olvidado, porque vos me habéis dicho que erais mi amigo y no mi carcelero; pero ya que volvéis a vuestro natural papel, sabed que aunque me tengáis a vuestra merced, mi corazón y mi espíritu se ríen de vuestras amenazas.

Don Juan se mordió los labios y guardó silencio por un buen rato, durante el cual sin duda su alma naturalmente noble y recta le estuvo haciendo sangrientos reproches por su proceder; pero con su genial obstinación se aferró más y más en el partido adoptado. Por fin levantándose dijo a su prisionero.

—Don Álvaro, ya conocéis de oídas mi índole arrebatada y violenta: los primeros movimientos no están en nuestra mano. Olvidad cuanto os he dicho, y no me juzguéis sino como hasta aquí me habéis juzgado.

Dicho esto se salió de la cámara, y don Álvaro con el descuido propio de los hombres esforzados, cuando sólo de su vida se trata, se entregó a sus habituales reflexiones. El de Lara estuvo paseando en la plataforma de uno de los torreones el resto de la tarde con pasos desiguales, hablando consigo propio en ocasiones, gesticulando con vehemencia, y sentándose de cuando en cuando arrobado en profundas distracciones. Por fin, largo rato después de

[218] El rey don Dionis o Dionisio I de Portugal sostuvo siempre la causa de los Templarios y, cuando su extinción, creó la Orden de Cristo, para que ingresaran en ella los Templarios portugueses (Campomanes, dis. VII, pp. 134-136).

puesto el sol, cuando los áridos campos circunvecinos iban desapareciendo entre los velos de la noche, bajó por la angosta escalera de caracol, y encaminándose a la sala principal del castillo, mandó a llamar por un paje a su físico Ben Simuel. Poco tardó en asomar por la puerta la cara de zorro del astuto judío, y sentándose al lado de su señor, entablaron en voz muy baja una viva conversación, de que el paje no pudo percibir nada sin embargo de estar en la puerta, hasta que por fin Ben Simuel levantándose, y después de escuchar las últimas palabras de don Juan que las acompañó con un gesto muy expresivo y semblante casi amenazador, se salió de la sala con bastante diligencia.

Cerca de las diez de la noche serían, cuando el mismo judío se presentó en el encierro de don Álvaro con una copa en una salvilla, y después de reconocer sus vendajes, le hizo tomar aquella poción con que le dijo que reconciliaría el sueño. Despidióse en seguida y don Álvaro comenzó a sentir cierta pesadez que después de tantos insomnios parecía pronóstico de un sueño sosegado. Apenas tuvo tiempo de decir a Millán que le dejase solo, y que cerrase la puerta por fuera sin entrar hasta que llamase, y al punto se quedó profundamente adormecido. El buen escudero no menos necesitado de descanso que su amo hizo cuanto se le mandaba, y echando la llave y guardándosela en el bolsillo, se tendió cuán largo era en una cama que para él habían puesto en un caramanchón vecino, y no despertó hasta el día siguiente, cuando ya el sol estaba bastante alto. Acercóse entonces a la puerta por ver si su señor se rebullía o quejaba, pero nada oyó.

—Vamos, dijo para sí, de esta vez sus melancolías han podido menos que el sueño y cuando despierte, Dios mediante, se ha de encontrar otro.

Aguardó, pues, otro rato bueno, durante el cual comenzó a inquietarse, pensando que tanto dormir podría hacer daño a su señor; pero pasada una hora y media ya no pudo contener su impaciencia, y metiendo la llave en la cerradura y dándole vuelta con mucho tiento, entró de puntillas hasta la cama de don Álvaro, y después de vacilar todavía un poco, por fin se decidió a llamarle meneándole suavemente al mismo tiempo. Don Álvaro ni se movió ni dio respuesta alguna, y Millán de veras asustado acudió a abrir una ventana; pero ¡cuál no debió de ser su asombro y consternación, cuando vio el cuerpo de su señor inanimado y frío, apartados los vendajes, desgarradas las heridas y toda la cama inundada en sangre!

Al principio se quedó como de una pieza agarrotado por el espanto, la sorpresa y el dolor; pero en cuanto pudo moverse, salió dando gritos y con los cabellos erizados todavía por los corredores del castillo. Al ruido acudieron algunos hombres de armas y criados, y por último el mismo Lara seguido de Ben Simuel. Millán ahogado por los sollozos que por fin habían podido abrirse paso por medio de su estupor y asombro, les conduce hasta el lecho de su malogrado amo, y cayó sobre él abrazándole estrechamente. Don Juan no pudo contener una mirada errante y tremenda que dirigió a su médico; pero recobrándose al punto y revolviendo fieramente al rededor, y fijándola alternativamente en sus soldados y en Millán, mandó a éste con voz imperiosa que contase lo que había sucedido. Así lo hizo con toda la sencillez e ingenuidad de su dolor, hasta que llegando a decir cómo había dejado solo a don Álvaro, el judío que había estado registrando el cuerpo, se volvió a él con ojos airados y le dijo:

—¡Mira, desgraciado!, ¡mira tu obra! Tu amo en un ensueño o en un acceso de delirio ha roto sus vendajes y se ha desangrado. ¡Cómo dejar solo a un caballero tan mal herido!

El desdichado escudero empezó a mesarse los cabellos hasta que empleando Lara su autoridad logró que acabase su relación y entonces condolido de su pena le dijo:

—Tú no has hecho sino obedecer a tu señor y en nada eres culpable. Además todos nos hemos engañado: ¿quién no creía a este noble mancebo libre ya de todo riesgo? ¡Dios ha querido afligirme permitiendo que un castillo mío fuese testigo de semejante desgracia! Mañana se dará sepultura a este ilustre caballero en el panteón de este castillo.

—No ha de ser así por vida vuestra, señor, le interrumpió Millán, antes entregádmelo a mí, para que lo lleve a Bembibre y lo entierre con sus mayores. ¡Válgame Dios!, exclamó en voz imperceptible, y ¡qué responderé a su tío el maestre, y a doña Beatriz cuando me pregunten por él!

—El cuerpo de don Álvaro, replicó don Juan, descansará en este castillo hasta que restablecida la paz y acabadas estas funestas disensiones, pueda yo mismo con todos los caballeros de mi casa y mis aliados trasladarlo al panteón de su familia, con la pompa correspondiente a su estirpe y alto valor.

Como esto parecía redundar en honra de su malogrado señor, y por otra parte, como sabía que don Juan Núñez era absoluto en sus voluntades, hubo de conformarse con lo dispuesto. El cuerpo de don Álvaro estuvo todo aquel día de manifiesto en la capilla del castillo, acompañado del inconsolable escudero, y escoltado por cuatro hombres de armas que de cuando en cuando se relevaban. El capellán extendió la fe de muerto correspondiente, y aquella misma noche depositó en la bóveda del castillo, en un sepulcro nuevo, los restos de aquel joven desdichado.

Al día siguiente, Millán se presentó a don Juan para que le diese permiso de volver al Bierzo, y después de alabar mucho su fidelidad, se lo otorgó, acompañándolo de un bolsillo lleno de oro.

—Muchas gracias, noble señor, respondió él rehusándolo. Don Álvaro dejó hecho su testamento al venir a esta desventurada guerra, y estoy seguro de que habrá mirado por su pobre escudero de cuya fidelidad estaba él bien seguro.

—Eso no importa, replicó don Juan haciéndole tomar la bolsa, tú eres un buen muchacho y además el único placer de que disfrutamos los poderosos, es el de dar.

Millán salió entonces del castillo, y yendo a encontrarse con Robledo, le contó la tragedia acaecida. La noticia que al instante corrió por el campo llenó de disgusto a todos, porque si bien no miraban a don Álvaro con cariño, no por eso dejaban de estimar su brillante valor de que tan fresca memoria dejaba. La mesnada volvió a sus prados y montañas nativas llena de luto y de tristeza por la muerte de su señor, verdadero padre de sus vasallos, y por la de tantos otros hermanos de armas cuyos huesos blanqueaban ya a la luna en los áridos campos de Castilla. Millán los dejó atrás y se adelantó a llevar a Arganza y a Ponferrada la fatal nueva.

CAPÍTULO XVI

Doña Beatriz, como dejamos dicho, volvió a la casa paterna en medio del regocijo de los suyos que tantas razones tenían para estimarla. Su padre como deseoso de borrar las pasadas violencias, o bien convencido de que poco valían para sojuzgar un ánimo tan esforzado, la trataba con la antigua bondad, sin mentarle siquiera sus proyectos favoritos. El conde de Lemus que frecuentemente era huésped de la casa, penetrado sin duda de los mismos sentimientos, o por mejor decir convencido de que otro era el camino que llevaba al logro de sus afanes, escaseaba sus visitas a doña Beatriz y había trocado sus importunidades en un respeto profundo y en una deferencia siempre cortés y delicada. La urbanidad de sus modales y la profunda simulación de su carácter acostumbrado a los más tortuosos caminos, le ayudaron eficazmente en la difícil tarea de cambiar la opinión que acerca de su persona y sentimientos, había formado doña Blanca. Doña Beatriz, sin embargo, nunca podía acallar la voz que repetía en su memoria las frías y altaneras palabras de aquel hombre en el locutorio de Villabuena. Harto bien lo conocía él, y por eso todos sus conatos se dirigían a lavar esta mancha que sin duda le afeaba a los ojos de la joven. Y por último, fuerza es confesarlo, a pesar de la dureza y frialdad de aquel alma, el candor y la belleza de doña Beatriz habían llegado a penetrar en ella por intervalos y con un vislumbre[218 bis] nuevo y desconocido, que a veces suavizaba su natural aspereza.

Como suele acontecer a personas arrastradas por una pasión, la señora de Arganza se había sostenido con particular entereza a pesar de sus achaques, mientras duró la enfermedad y convalecencia de su hija. El dolor y la alegría sucesivamente le habían dado fuerzas, y sólo cuando ambos extremos fueron cediendo, la naturaleza recobró su curso con todo el ímpetu consiguiente a tan larga compresión. Así pues, cuando doña Beatriz volvió no ya a su natural robustez porque esto no llegó a suceder, sino en sí, su madre comenzó a flaquear y al poco tiempo se postró enteramente al rigor de sus dolencias. De esta suerte el vivo rayo de contento que había iluminado aquella noble familia, tardó poco en obscurecerse del todo, y de nuevo comenzaron las torturas y congojas de la incertidumbre.

Tenían los males de doña Blanca intervalos frecuentes y lúcidos en que su razón se despejaba; pero entonces una melancolía profunda se derramaba en todos sus discursos y pensamientos. Su alma apasionada y tierna, pero humilde y apacible, no había conocido más camino que la resignación, ni más norte que la obediencia. Habíase inclinado vivamente a don Álvaro mientras su voluntad había caminado de acuerdo con la de su noble esposo, y aun le conservaba una afición involuntaria a pesar de las desavenencias ocurridas; pero últimamente la fuerza que toda su vida había preponderado en su espíritu, acabó de ladearla hacia la voluntad manifiesta de su esposo. En un carácter tímido y sosegado como el suyo, la idea de nuevas discordias entre el padre y la hija era una especie de pesadilla que continuamente la estaba oprimiendo. También en su juventud habían violentado su inclinación, y al cabo los cuidados domésticos, la conformidad

[218 bis] El autor sigue empleando esta palabra en masculino (v. nota 129 [bis], cap. VIII).

religiosa y el amor de sus hijos, le habían proporcionado momentos de reposo y aun de felicidad. ¿Quién puede adivinar lo que pasa en el corazón, ni quién sería bastante audaz para asegurar que apagadas las terribles llamaradas de la juventud, su hija no acabase por agradecer la solicitud de su padre, consolándose como ella se había consolado y regocijándose por último de dejar a sus descendientes un nombre ilustre y las riquezas que siempre lo realzan? El mal concepto que en un principio había formado del conde se había ido desvaneciendo, gracias a la perseverancia, artificio y destreza de su conducta, y la buena señora juzgaba que lo mismo debería acontecer a su hija.

Por desgracia todos estos argumentos que tanto peso tenían en una índole como la suya nada tenían que ver con la elevación de sentimientos y energía de resolución que distinguía a su hija. Doña Beatriz jamás se hubiera contentado con obedecer a su esposo, porque necesitaba respetarle y estimarle, y por otra parte su condición era de aquellas que nunca aciertan a transigir con la injusticia y luchan sin tregua hasta el último momento. Los bienes de la tierra, los incentivos de la vanidad nunca habían fascinado sus ojos; pero estas disposiciones se habían fortificado en la soledad del claustro y en medio de su atmósfera religiosa, donde todos los impulsos de aquel alma generosa habían recibido un muy subido y frío temple. No parecía sino que en el borde de la eternidad, al cual estuvo asomada, su alma se había iniciado en los misterios de la nada que forma las entrañas de las cosas terrenas, y se había adherido con más ahínco a la pasión que la llenaba, fiel trasunto del amor celeste por su pureza y sinceridad.[219] Sin embargo la mudanza de ideas y el nuevo giro que al parecer tomaban los pensamientos de aquella madre tan cariñosa y con tanto extremo querida, afectaban su corazón, no atreviéndose a contradecirla en medio de sus padecimientos y no cabiendo en su memoria por otra parte más imagen que la del

[219] Un rasgo del platonismo de Enrique Gil.

ausente don Álvaro. Este enemigo de nueva especie, con quien tenía que combatir, era ciertamente harto más temible que los atropellos y desafueros anteriormente empleados.

Tal era la situación de la familia de Arganza, cuando una tarde de verano estaban sentadas entrambas señoras en la misma sala, y a la misma ventana en que vimos por la primera vez a don Álvaro despedirse de la señora de sus pensamientos. Doña Blanca parecía sumida en la dolorosa distracción que experimentaba después de sus accesos, recostada sin fuerzas en un gran sillón de brazos. Su hija acababa de dejar y tenía a un lado el arpa [220] con que había procurado divertir sus pesares, y sus ojos se fijaban en aquel sol que iba a ponerse, que había alumbrado la salida de don Álvaro de aquellos umbrales y que todavía no había traído el día del consuelo. Sus pensamientos naturalmente volaban a los tendidos llanos de Castilla en busca de aquel joven digno de más benigno destino, cuando de repente el galope de un caballo que pasaba por debajo de la ventana las sacó de sus meditaciones. Doña Beatriz se asomó rápidamente a la ventana; pero jinete y caballo doblaban la esquina en busca de la puerta principal, y sólo pudo percibir un vislumbre que parecía traerle a la memoria una figura conocida. Al punto las herraduras sonaron en el patio, y las pisadas de un hombre armado se oyeron en la escalera poco distante del aposento. A poco rato entró Martina precipitada, y con el semblante de un difunto, dijo como sin saber lo que decía:

—Señora, es Millán...

La misma palidez de la criada se difundió instantáneamente por las facciones de su ama que sin embargo respondió:

—Ya sé lo que me trae: mi corazón me lo acaba de decir; que entre al instante. La doncella salió y a poco

[220] *el arpa*: es un instrumento muy del gusto romántico, pero doña Beatriz tiene dotes artísticas raras en el siglo XIV. Es una joven del siglo XIX.

rato entró Millán por la puerta en que doña Beatriz tenía clavados los ojos que parecían saltársele de las órbitas. Doña Blanca toda alarmada se levantó aunque con mucho trabajo y fue a ponerse al lado de su hija, y Martina se quedó a la puerta enjugándose los ojos con una punta de su delantal, mientras Millán se adelantaba con pasos inciertos y turbados hasta ponerse delante de doña Beatriz. Allí quiso hablar, pero se le anudó la voz en la garganta y así alargó sin decir una palabra anillo y trenza. ¡Toda explicación era inútil porque ambas prendas venían manchadas de sangre! [221] Martina entonces rompió en sollozos, y Millán tardó poco en acompañarla. Doña Beatriz tenía fija la misma mirada desencajada y terrible en el anillo y en la trenza, hasta que por último bajando los ojos y exalando un suspiro histérico, dijo con voz casi tranquila:

—Dios me lo dio, Dios me lo quitó, sea por siempre bendito.

Doña Blanca, entonces, se colgó del cuello de su hija y deshecha en lágrimas le decía:

—No hija querida, no manifiestes esa tranquilidad que me asusta más que tu misma muerte. ¡Llora, llora en los brazos de tu madre! ¡Grande es tu pérdida! ¡Mira, yo también lloro, porque yo también le amaba! ¡Ay! ¡quién no amaba aquel alma divina encerrada en tan hermoso cuerpo!

—Sí, sí, tenéis razón, exclamó ella apartándola; pero dejadme; y ¿cómo murió, Millán? ¿Cómo murió, te digo?

—Murió desangrado en su cama, abandonado de todos y aun de mí, respondió el escudero con una voz apenas articulada.

Entonces fue cuando los miembros de doña Beatriz comenzaron a temblar con una convulsión dolorosa que por último la privó de sentido. Largo rato tardó en volver en sí, pero los sacudimientos de su naturaleza ya quebrantada por la anterior enfermedad, fueron menos vio-

[221] Este recurso (falsa prueba de la muerte del protagonista) existe ya en *Los amantes de Teruel* (acto III, esc. III de la versión de 1838).

lentos. Por fin cuando volvió en sí, los muchos lamentos que su madre empleaba adrede para excitar sus lágrimas, y sobre [todo] los consuelos religiosos del abad de Carracedo que acababa de llegar, desataron el manantial de su llanto. Esta crisis, sin embargo, no fue menos violenta que la otra porque eran tales su congoja y sus sollozos que muchas veces creyeron que se ahogaba. En este fatal estado pasó la noche entera y la mañana siguiente, hasta que por la tarde se levantó por fin una voraz calentura. Como quiera, a los pocos días sintió mejoría y pudo ya levantarse. Su semblante, sin embargo, comenzó a perder su frescura y a notarse en su mirada un no sé qué de encendido e inquieto.[222] Su carácter se hizo así mismo pensativo y recogido más que nunca; su devoción tomó un giro más ardiente y apasionado; sus palabras salían bañadas de un tono particular de unción y melancolía y aunque las escaseaba en gran manera, eran más dulces, cariñosas y consoladoras que nunca. Jamás se oía en sus labios el nombre de aquel amante adorado ni se quejaba de su desdicha; sólo Martina creía percibirle entre sueños y en el movimiento de sus labios cuando rezaba. Por lo demás cuidaba y asistía a los enfermos del pueblo con sin igual solicitud y esmero, hacía limosnas continuas y su caridad era verdaderamente inagotable. Finalmente la aureola que [la] rodeaba a los ojos de aquellas gentes sencillas pareció santificarse e iluminarse más vivamente, y su hermosura misma, aunque ajada por la mano del dolor, parecía desprenderse de sus atractivos terrenos para adornarse con galas puramente místicas y espirituales.

El conde de Lemus con su natural discreción y tino se ausentó de Arganza en aquella época a Galicia, donde le llamaban sus cábalas y manejos, y cuando volvió al cabo de algún tiempo, su conducta fue más reservada circunspecta y decorosa que nunca.

Cualquiera puede figurarse la acogida triste y sentida

[222] Éstas son también manifestaciones tuberculosas y no tienen nada que ver con crisis nerviosas.

que haría el anciano maestre al escudero de su sobrino, portador de aquella dolorosísima nueva. Acababa de recibir las terribles noticias de Francia tras de las cuales veía venir irremediablemente la ruina de su gloriosa Orden, cuando introdujeron a Millán en su aposento. Este golpe acabó con su valor, porque como noble era amante de la gloria de su linaje extinguido ya a la sazón por la muerte de aquel joven que sus manos y consejos habían formado, hasta convertirle en un dechado de nobleza y en un espejo de caballería. Aquel venerable viejo encanecido en la guerra, y famoso en la Orden por su valor y austeridad, se abandonó a los mismos extremos que pudiera una mujer, y sólo al cabo de un largo rato y como avergonzado de su debilidad recobró su superioridad sobre sí propio.

Millán continuando en su amarga peregrinación subió por fin al castillo de Cornatel y dio parte al comendador Saldaña de lo ocurrido. El caballero recibió la noticia con valor, pero sintió en su corazón una pena agudísima. Don Álvaro era la única persona que había logrado insinuarse hacía mucho tiempo en aquel corazón de todo punto ocupado por el celo de su Orden y los planes de su engrandecimiento. Descansaban además en aquel mancebo bizarro y generoso gran número de sus más floridas esperanzas, y tanto en su pecho como en su entendimiento dejaba un grandísimo vacío. Quedóse pensativo por algún tiempo y por fin, como herido de una idea súbita, dijo a Millán:

—¿No has traído el cuerpo de tu señor?

Millán le contó entonces las razones y pretextos de don Juan de Lara, a los cuales no hizo Saldaña sino mover la cabeza, y por último dijo:

—Aquí hay algún misterio. [223]

El escudero que atentamente le escuchaba le dijo entonces:

—Cómo, señor, ¿pensaríais que no fuese cierto?

[223] Las dudas acerca de la supuesta muerte existen también en *Los amantes de Teruel*, pero en Mari-Gómez, la criada.

—¡Cómo! ¡cómo!, repuso el comendador, recobrándose, y luego añadió con tristeza: Y tan cierto como es, ¡pobre mozo!

Millán, que había querido entreveer una esperanza en las palabras del comendador, se convenció entonces de su locura y despidiéndose del caballero se volvió a Bembibre. A los pocos días hizo abrir judicialmente el testamento de su señor en que se encontró heredado en pingües tierras viñas y prados, y asegurada su fortuna.[224] El resto de sus bienes debía pasar [a la] Orden del Temple, después de infinitas mandas y limosnas.

CAPÍTULO XVII

Algunos meses se pasaron en este estado hasta que una mañana, al volver de la capilla donde largo tiempo habían estado orando, declaró doña Beatriz a su madre, con voz muy serena y entera, su voluntad de tomar el velo de las esposas del Señor en Villabuena.

—Ya véis, madre mía, le dijo, que no es esto una determinación tomada en el arrebato de un justo dolor. Adrede he dejado pasar tantos días, durante los cuales se ha arraigado más y más en mi alma esta resolución, que por lo invariable parece venida de otro mundo mejor, ajeno a las vicisitudes y miserias del nuestro. La soledad del claustro es lo único que podrá responder a la profunda soledad que rodea mi corazón, y la inmensidad del amor divino lo único que puede llenar el vacío inconmensurable de mi alma.

Doña Blanca se quedó como herida de un rayo con una declaración que nunca había previsto, aunque no era sino muy natural, y que así daba en tierra con todas las esperanzas de su esposo y aun con las suyas propias.

224 Aquí asoma algo del pensamiento social, muy paternalista, de Enrique Gil.

No obstante, disipado en parte su asombro, tuvo fuerzas bastantes para responder:

—Hija mía, los días de mi vida están contados, y no creo que pienses en privarme de tus cuidados, único bálsamo que los alarga. Después de mi muerte, tú consultarás con tu conciencia, y si tienes valor para acabar así con tu linaje, y dejar morir en la soledad a tu anciano padre, el Señor te perdone y bendiga, como te perdono y bendigo yo.

El alma de doña Beatriz naturalmente generosa y desprendida, y a fuer de tal tanto más inclinada al sacrificio cuanto más doloroso se le presentaba, se conmovió profundamente con estas palabras a un mismo tiempo cariñosas y sentidas. No era fácil cambiar un propósito en tantas razones fundado, pero la idea de los pesares de su madre, que en ningún tiempo había tenido para ella sino consuelos y ternura, socavaba los cimientos de su enérgica voluntad. Poco trabajo de consiguiente costó a doña Blanca arrancarle la promesa de que nunca durante su vida volvería a mentarle semejante resolución; no atreviéndose a pedirle que desistiese de ella absolutamente, tanto porque fiaba del tiempo y de sus esfuerzos sucesivos, cuanto porque bien se le alcanzaban los miramientos y pulso que necesitaba el carácter de su hija.

Como quiera, a poco se había obligado ésta, porque tan tasados estaban ciertamente los días de la enferma y postrada doña Blanca, que inmediatamente cayó en cama, convertidas sus habituales dolencias en una agudísima y ejecutiva. La edad, su complexión no muy robusta, la pérdida de sus hijos y sobre todo la enfermedad y pesares de doña Beatriz junto con la incertidumbre fatal en que la tenía sumida su anunciada vocación, habían concurrido a cortar los últimos hilos de su vida. La joven en el extravío de su dolor no pudo menos de atribuirse gran parte de la culpa de aquel desdichado suceso, y por primera vez comenzó a atormentar su alma el torcedor del remordimiento. Hasta el dolor de su padre parecía oprimirla con su peso; cargos desacertados sin duda, pues el término de aquella vida estaba irrevocablemente marcado, y sólo la exaltación de su sensibilidad podía pintarle como reprensible una conducta tan desinteresada y amante como la suya.

Doña Blanca durante su enfermedad no cesaba de dirigir a su hija miradas muy significativas y penetrantes, y de estrechar su mano. No parecía sino que deseosa de declararle su pensamiento, se contenía por no hacer más amarga la hora de la separación, de suyo tan amarga y lastimosa. Por fin llegando el mal a su extremidad, el abad de Carracedo que como amigo y confesor de la familia no se había apartado de su cabecera, le administró todos los auxilios y consuelos de la religión.

Con ellos pareció cobrar ánimos la enferma y salió por fin de la noche en que todos creyeron recoger su postrer suspiro; pero su ansiedad parecía mayor. El alba de un día lluvioso y triste comenzaba ya a colorear los vidrios de colores de las ventanas,[225] cuando doña Blanca, asiendo la mano de su hija, le dijo con voz apagada:

—Hace muchos días que está pesando sobre mí una idea de la cual podrías tú librarme, y darme una muerte descansada y dulce.

—¡Madre mía!, respondió con efusión doña Beatriz, mi vida, mi alma entera son vuestras. ¿Qué no haré yo porque lleguéis al trono del eterno contenta de vuestra hija?

—Ya sabes, continuó la enferma, que nunca he querido violentar tus inclinaciones... ¿Cómo había de intentarlo en esta hora suprema, en que la terrible eternidad me abre sus puertas? Tu voluntad es libre, libre como la de los pájaros del aire, pero tú no sabes los recelos que llevo al sepulcro sobre tu porvenir y sobre la suerte de nuestro linaje...

—Acabad, señora, contestó doña Beatriz con dolorosa resignación, que a todo estoy dispuesta.

—Sí, respondió la madre, pero de tu pleno y entero consentimiento... Sin embargo, si el noble conde de Le-

[225] Anacronismo muy frecuente. Normalmente las casas medievales, hasta las más ricas, no tenían cristales. El vidrio, artículo de gran lujo, se destinaba exclusivamente a las iglesias.

mus no fuese ya tan desagradable a tus ojos, si hubiese desarmado tu severidad, como ha desarmado la mía... El cielo sabe que mi fin sería muy sosegado y dichoso.

Doña Beatriz arrancó entonces un doloroso suspiro de lo íntimo de sus entrañas y dijo:

—¡Venga el conde ahora mismo, y le daré mi mano en el instante, delante de vos! [226]

—¡No, no! exclamaron a un tiempo, aunque con distintos acentos la enferma y el abad de Carracedo que estaba sentado al otro lado de la cama. ¡Eso no puede ser!

Doña Beatriz sosegó a entrambos con un gesto lleno de dignidad y en seguida replicó con calma y tranquilidad:

—Así será, porque tal es la voluntad de mis padres, en un todo acorde con la mía propia. ¿Dónde está el conde?

Don Alonso hizo seña a un paje que inmediatamente trajo al noble huésped. El abad, mientras tanto, había estado hablando vivamente y con enérgicos ademanes al señor de Arganza, y por los de éste se podía venir en conocimiento de que se excusaba con el enardecido monje. El conde de Lemus se llegó mesuradamente a la presencia de doña Beatriz y de su madre.

—Una palabra, señor caballero, dijo la joven apartándole a un extremo del aposento donde habló con él un breve instante, al cabo del cual el conde se inclinó profundamente puesta la mano en el pecho, como en señal de asentimiento. [227]

Entonces volvieron delante del lecho de doña Blanca, y la doncella, dirigiéndose al abad, le dijo:

—¿Qué dudáis, padre mío?, mi voluntad es invariable, y sólo nos falta que pronunciéis las sagradas palabras.

El abad oyendo esto, aunque con repugnancia y con el corazón traspasado de amargura a vista de aquel tremendo sacrificio, pronunció con voz ronca la fórmula del sacra-

[226] La influencia de la madre en la decisión de su hija es también un recurso de *Los amantes de Teruel* (acto III, esc. V).

[227] Es imprescindible que no se consuma el matrimonio (v. el cap. XXXVI, pp. 388 y 390).

mento [228] y ambos esposos quedaron ligados con aquel tremendo vínculo que sólo desata la mano de la muerte.

Tales fueron las bodas de doña Beatriz en que sirvió de altar un lecho mortuorio, y de antorchas nupciales los blandones de los sepulcros. Doña Blanca murió por fin, aquella misma tarde, de manera que las lágrimas, los lamentos y los cánticos funerales, venían a ser los himnos de regocijo de aquel día. ¡Raro y discordante contraste en cualquier otra ocasión semejante, consonancia íntima y perfecta de aquel desposorio cuyos frutos, de amargura y desdicha debían de ser!

Doña Beatriz en cuanto expiró su madre se aferró a su cuerpo con tan estrecho y convulsivo abrazo, que hubo necesidad de emplear la fuerza para separarla de aquel sitio de dolor. El abad y don Alonso se quedaron solos por un momento delante del cadáver todavía caliente.

—¡Pobre y angelical señora!, tu ciega solicitud y extremada ternura han labrado la desdicha de la hija única. ¡La paz sea sobre tus restos! ¡Pero vos, añadió volviéndose al señor de Arganza con el ademán de un profeta, vos habéis herido el árbol en la raíz!, y sus ramas no abrigarán vuestra casa, ni vos os sentaréis a su sombra, ni veréis sus renuevos florecer y verdeguear en vuestros campos. La soledad os cercará en la hora de la muerte, y los sueños que ahora os fascinan serán vuestro más doloroso torcedor.

Diciendo esto, se salió de la sala dejando como aniquilado a don Alonso que cayó sobre un sitial hasta que el de Lemus echándole de menos, vino a sacarle de su abatimiento. Llevóselo en seguida y dos o tres doncellas y un sacerdote entraron a velar el cadáver de aquélla, cuya grandeza y riquezas cabían ya en la estrechez y miseria del sepulcro.

[228] Error muy difundido. E. Gil confunde la bendición nupcial con el sacramento. En realidad el sacerdote no interviene en el sacramento conferido mutuamente por ambos esposos. El sacerdote es sólo el testigo principal y luego bendice la unión de los ya casados.

CAPÍTULO XVIII

Por tan extraños caminos el alma generosa y esforzada de doña Beatriz vino a sucumbir bajo el peso de su misma abnegación y a sacrificar el corto reposo que le brindaba el porvenir a una expiación soñada. Con tan raro concierto y eslabonamiento de circunstancias, a cual más desdichadas, uno por uno se disiparon tantos sueños de ventura como habían merecido su florida primavera, y al despertar se encontró la esposa de un hombre cuya perversidad y vileza todavía estaban por manifestarse en su infernal desnudez. Los días de su gloria habían pasado y la corona se había caído de su cabeza, pero todavía le quedaba un consuelo en medio de tantos males, y era la esperanza de bajar temprano al sepulcro a reunirse con el verdadero esposo que había elegido en su juventud y cuyos recuerdos por donde quiera la acompañaban, como la columna de fuego que guiaba a los Israelitas por el desierto en mitad de la noche. [229] Nadie mejor que ella sabía que las fuentes de la vida comenzaban a cegarse en su pecho con las arenas de la soledad y del desconsuelo, y que aquel alma impetuosa y ardiente que sin cesar luchaba por romper su cárcel, acabaría no muy tarde por levantar el vuelo desde ella. Sus noches desde la enfermedad de Villabuena eran inquietas, y los sucesos posteriores habían aumentado su ansiedad y desasosiego. La muerte de su madre acababa de cerrar el círculo de soledad y desamparo en que empezaba a verse aprisionada, y estremecida su complexión con tantos golpes y trastornos, su respiración comenzaba a ser anhelosa; palpitaba a veces con violencia su corazón y sólo un torrente de lágrimas podía hacer cesar la opresión que sentía en aquellos momentos: otras veces sentía correr un fuego abrasador por sus venas y latir con violencia y por largo

[229] *Éxodo,* 13, 20-22.

tiempo el pulso, exaltándose al propio tiempo su imaginación o cayendo en una especie de estupor que duraba a menudo muchas horas. Aquel cuerpo noble y bien formado, dechado de tantas gracias y cifra de tantas perfecciones, hacía tiempo que iba perdiendo la morbidez de sus formas y las alegres tintas de la salud. Las facciones se adelgazaban insensiblemente; el color pálido de la cara se hacía más notable por el subido carmín que coloreaba una pequeña parte de las mejillas; [230] los ojos aumentaban en aquella clase de brillantez que pinta aun a los menos conocedores, que padecen el cuerpo y el espíritu a un tiempo mismo; y a estas señales físicas de un profundo padecimiento interior se agregaba aquel paso rápido de la exaltación en las ideas y sentimientos, al desaliento y la melancolía, que indica tan claramente la unión íntima del cuerpo y del espíritu.

El otoño había sucedido a las galas de la primavera y a las canículas del verano, y tendía ya su manto de diversos colores por entre las arboledas, montes y viñedos del Bierzo. Comenzaban a volar las hojas de los árboles: las golondrinas se juntaban para buscar otras regiones más templadas, y las cigüeñas describiendo círculos al rededor de las torres en que habían hecho su nido, se preparaban también para su viaje. El cielo estaba cubierto de nubes pardas y delgadas por medio de las cuales se abría paso de cuando en cuando un rayo de sol, tibio y descolorido. Las primeras lluvias de la estación que ya habían caído, amontonaban en el horizonte celajes espesos y pesados, que adelgazados a veces por el viento y esparcidos entre las grietas de los peñascos y por la cresta de las montañas, figuraban otros tantos cendales y plumas abandonados por los genios del aire en medio de su rápida carrera. [231] Los ríos iban ya un poco turbios e hinchados, los pajarillos volaban de un árbol a otro sin soltar sus trinos armoniosos, y las ovejas corrían por las laderas y

[230] Otro síntoma de tuberculosis.

[231] En su poesía también E. Gil finge creer en un animismo de la naturaleza. Es influencia probable de Ossian.

por los prados recién despojados de su yerba, balando ronca y tristemente. La naturaleza entera parecía despedirse del tiempo alegre y prerararse para los largos y obscuros lutos del invierno.

Las tres de la tarde serían, cuando en uno de estos días, dos caballeros armados de punta en blanco descendían del puerto de Manzanal [232] y entraban en la ribera frondosa de Bembibre. Llevaban calada entrambos la celada y sólo les seguía un escudero de facciones atezadas y cabello ensortijado. [233] El uno de ellos que parecía el más joven, llevaba una armadura negra, el escudo sin divisa y casco negro también, coronado de un penacho muy hermoso del mismo color, cuyas plumas tremolaban airosamente a merced del viento. Mucho debía importarle que no le conociesen, cuando bajo semejante disfraz se encubría. El otro que por su cuerpo ligeramente encorvado y por la menor soltura de sus movimientos parecía un poco más anciano, era, sin duda, un Templario, pues llevaba la cruz encarnada en el manto blanco y en el escudo los dos caballeros montados en un mismo caballo, que eran las armas de la Orden. A bastante distancia de estos dos personajes caminaban como hasta quince o veinte hombres de armas también con las divisas del Temple.

Era aquel día el que la Iglesia destina para la conmemoración de los difuntos, y las campanas de todos los pueblos llamaban a vísperas a sus moradores para orar por las almas de los suyos. Las mujeres acudían a la iglesia cubiertas con sus mantillas de bayeta negra, llevando cada una en su canasto de mimbres la acostumbrada ofrenda del pan y las velas de cera amarilla. Los hombres envueltos en sendas y cumplidas capas acudían también silenciosos y graves a la religiosa ceremonia. [234]

Como en el Bierzo está y estuvo siempre muy diseminada la población, la proximidad de las aldeas hace que sus campanas se oigan distintamente de unas a otras. La

[232] El puerto que da acceso al Bierzo desde Astorga.
[233] Se trata de un esclavo moro de los Templarios.
[234] Buena observación folklórica.

hora de la oración que sorprende al cazador en algún pico elevado y solitario tiene un encanto y solemnidad indefinible, porque los diversos sonidos, cercanos y vivos los unos, confusos y apagados los otros, imperceptibles y vagos los más remotos, derramándose por entre las sombras del crepúsculo y por el silencio de los valles, recorren un diapasón infinito y melancólico, y llenan el alma de emociones desconocidas.[235]

Caminaban nuestros dos viajeros de día muy claro y de consiguiente carecía el paisaje y la música de las campanas de aquel misterio que la proximidad de la noche comunica a toda clase de escenas y sensaciones, pero según el profundo silencio que guardaban, no parecía sino que aquellos lentos y agudos tañidos que semejantes a una sinfonía fúnebre y general por la ruina del mundo venían de todos los collados, de las llanuras y de los precipicios, embargaban profundamente su alma. ¿Quién sabe de dónde venían aquellos dos forasteros y si eran nativos de aquella tierra? ¿Quién sabe si aquellas voces de metal que ahora sólo hablaban de la muerte, habían entonado un himno de alegría el día de su nacimiento, les habían despertado en los días de fiesta con sus repiques, y les traían entonces al pensamiento mil pasadas historias y recuerdos? Tal vez eran éstas las ideas que en ellos se despertaban, pero no se las comunicaban uno a otro; y callados y absortos en sus meditaciones, caminaban a largo y tendido paso sin reparar en las miradas de aquellos sencillos campesinos. Por fin doblaron la cuesta de Congosto[236] y siguieron el camino del Bierzo abajo.

Aquella misma tarde, doña Beatriz acompañada de todos sus criados y vasallos del pueblo de Arganza, había acudido a las exequias comunes de la gran familia de Cristo,

[235] Empleo muy acertado de los sonidos en la descripción de un paisaje.

[236] *Congosto*: aldea situada a 11 kilómetros al nordeste de Ponferrada. En el siglo XIX la carretera real de Astorga a Lugo no cruzaba Ponferrada y, pasando por Congosto, enlazaba directamente Bembibre con Cacabelos y Villafranca. Los jinetes siguen, pues, este camino.

y orado fervorosamente sobre la sepultura apenas cerrada de aquella madre que tanto había querido, y quería aún. También había rogado al Ser Supremo [237] por el eterno descanso de aquel que la adoraba con fe tan profunda y cuyos huesos descansaban en tierra extraña, lejos de los de sus padres y hermanos. En aquel día de común tristeza se representaban como en un animado panorama las cortas alegrías de su vida, las escenas de dolor que las habían seguido, el sepulcro que había devorado silenciosamente sus esperanzas terrenas, y la prisión de sus fatales lazos que sin cesar elevaban sus pensamientos en alas de la religión hacia las regiones de lo futuro. Con semejantes impresiones su corazón se había oprimido más que de costumbre, y acabados los oficios, había sentido la necesidad de respirar el aire libre, necesidad que por su violencia probaba muy bien el trastorno que su constitución iba sufriendo. Echó, pues, con su fiel Martina por una calle de árboles de las muchas que cruzaban el soto y huertas de la antigua y noble casa, y fatigada de su corto paseo, sentóse al pie de un nogal frondoso y acopado, por cuyo pie corría un arroyuelo manso y limpio [238] con sus orillas coronadas de trébol y yerba buena. Allí, con el codo en las rodillas y la mejilla apoyada en la mano, seguían sus ojos aquellas diáfanas aguas con el aire abatido y desmayado que de continuo solía seguir a sus accesos más vivos. La fiel y cariñosa doncella, única tal vez que conocía a fondo los pesares de su señora y concebía serios temores sobre el fin de aquella fatal melancolía, se había apartado un poco, acostumbrada a respetar estos momentos de distracción y abandono que en medio de la sorda e interna agitación de doña Beatriz, podían pasar por un verdadero descanso. La pobre muchacha no había querido separarse de su ama en la hora de la amargura, porque habiéndose criado en la casa, tenía por ella toda la ternura

[237] Palabra del vocabulario filosófico dieciochesco, bastante raro en este texto.

[238] Corre, en efecto, un arroyo muy cerca de la actual casa solariega de Arganza.

de una hermana junto con el respeto y sumisión completa, propios de su estado. Millán establecido ya y deseoso de coronar con el matrimonio sus sinceros amores, siempre había encontrado aplazamientos y dificultades que si bien no eran muy de su gusto, siempre encontraban sin embargo disculpa a sus ojos, porque se hacía cargo de que si su amo viviese y hubiese menester su ayuda o compañía, bien podían esperar todas las Martinas del mundo hasta el día mismo del juicio. Sólo una cosa le afligía y era ver que el alegre y vivo natural de la aldeana se había trocado un poco con tantos sustos y tristezas, y que las rosas mismas de sus mejillas habían perdido sus vivos matices. Como quiera, todavía conservaba su gracia y donaire, y sobre todo aquel excelente corazón con que de todos se daba a querer.

—Por fin hoy, decía para sí, contemplando a su ama, estará un poco más a sus anchas la pobrecilla, porque el viejo y el otro pájaro andan por las montañas en no sé qué manejos. Dios me perdone, ya es mi amo y me ha regalado las arracadas y cadena que guardo en mi cofre, y, sin embargo, ni con ésas me pasa de los dientes para adentro. Es verdad que el que conoció a don Álvaro por maldito que fuese su genio en ocasiones, bien creerá que este señor con todo su condado y su fachenda, no le llega a la suela del zapato. Así me hubiera yo casado con él, como volar. No sé qué mal espíritu le metió a nuestra santa ama semejante terquedad en la cabeza en la hora de la muerte. ¡Dios la tenga en su gloria!, pero lo que es el amo que no se moría y tenía el uso cabal de sus sentidos y potencias, no sé yo qué bien le salgan sus soberbias y fantasías. Bien oí yo lo que le dijo el abad de Carracedo, que por cierto no ha vuelto a poner aquí los pies desde entonces. En verdad, en verdad, que muchas veces he pensado en aquellas palabras y que cuando veo cómo pasa las noches en claro mi señora y las congojas que le dan, no sé qué me da a mí también el corazón. ¡Válgame Dios, y tan contentos como hubiéramos podido estar todos! No se lo demanden a quien tiene la culpa en el día del juicio.

Aquí llegaba la buena Martina en sus reflexiones, cuando sintiendo pasos detrás de sí volvió la cabeza y vio la abultada persona de Mendo que echando los bofes por andar de prisa, venía hacia ella con toda la idea de una novedad muy grande pintada en su espacioso y saludable semblante.

—¿Qué ocurre, Mendo?, preguntó la muchacha, que nunca desaprovechaba la ocasión de dispararle alguna pulla; ¿qué traéis con esa cara de palomino asustado, que no parece sino que veis la mala visión de siempre?

Esta alusión a la inquietud y comezón que le causaban las visitas un poco frecuentes de Millán, no fue muy del agrado del buen palafrenero que de seguro hubiera respondido, si se le hubiera ocurrido algo de pronto, pero como no era la prontitud del ingenio la cualidad que más campaba en él, y como por otra parte el recado que traía era urgente, se contentó con responder:

—En cuanto a la visión puede que la espante yo haciéndole la señal de la cruz en los lomos; pero no es ése el caso. Has de saber que al meter yo el caballo Reduán [239] por la reja del cercado, de repente se me acercaron dos caballeros, el uno de esos nigrománticos de Templarios y el otro no, y preguntándome por doña Beatriz, dijeron que querían hablarla dos palabras. Por cierto que el caballo del uno me parece que le conozco.

—Más valía que conocieses al jinete, dime: ¿qué señas tiene?

—Ambos traen baja la visera, y el que no es Templario, viene con armas negras, que parece el mesmo enemigo malo.

—¿Sabes, hombre, que me da en qué pensar la tal visita y no sé si decírselo al ama?

—Decírselo, eso sí, porque yo tengo que volver con el recado y aunque ellos me lo dijeron con mucha aquella y buen modo, si no les llevo la respuesta, Dios sabe lo que vendrá, porque ni uno ni otro me han dado buena espina.

[239] Nombre usado en los romances fronterizos.

Doña Beatriz que había oído las últimas palabras de la conversación les ahorró sus dudas y escrúpulos preguntándoles de qué se trataba, a lo cual Mendo repuso, contestando palabra por palabra como a Martina.

—¡Un caballero del Temple!, dijo ella como hablando entre sí. ¡Ah!, tal vez querrán proponer a mi padre o al conde algún partido honroso para la guerra que amenaza, y me elegirán a mí por medianera. Que vengan al punto, dijo a Mendo. ¡También la hora de la desgracia ha llegado para esta noble Orden! ¡Quiera Dios que no sea el maestre!

—Pero, señora, ¿aquí en este sitio y sola los queréis recibir?

—Necio eres, Mendo, repuso doña Beatriz, ¿qué temores puede causar a una dama la presencia de dos caballeros? Anda y que no tengan motivo para quejarse de nuestra cortesía.

—El diablo es esta nuestra ama, iba diciendo entre dientes el caballerizo; ¡ella no tiene miedo ni aunque sea a un vestiglo! ¡cuidado con fiarse de los Templarios que son unos brujos declarados y serán capaces de convertirla en rata! No, pues yo en cuanto les dé el recado, por sí o por no voy a avisar a la gente de casa por lo que pueda suceder.

Los encubiertos caballeros en cuanto recibieron el permiso se entraron a caballo en el cercado y se encaminaron por las señas que les dio el palafrenero hacia donde quedaba su señora.

—¡Pues!, dijo éste poco satisfecho de semejante llaneza: ¡como si fuera por su casa se meten! No, pues como se salgan un punto de lo regular, yo les prometo que les pese de la burla.

Y diciendo esto se encaminó a la casa.

Echaron pie a tierra los desconocidos poco antes de llegar a doña Beatriz, y el caballero de las armas negras con un paso no muy seguro [240] se fue acercando a ella seguido del Templario. La señora con ojos espantados y

[240] Por sus recientes heridas.

clavados en él, seguía con ademán atónito todos sus movimientos, como colgada de un suceso extraordinario y sobrenatural. Si el sepulcro rompiese alguna vez sus cadenas, sin duda creería que la sombra de don Álvaro era lo que así se le aparecía. El caballero se alzó lentamente la celada [241] y dijo con una voz sepulcral:

—¡Soy yo, doña Beatriz!

Martina dio entonces un tremendo grito y cayó al suelo sin fuerzas, cerrando los ojos por no ver el espectro de don Álvaro, pues por tal le descubrían la palidez de sus facciones y su voz trémula y hueca. Su ama al contrario, aunque sujeta a la misma engañosa ilusión, lejos de temer la imagen de su amante, se arrojó hacia ella con los brazos abiertos temiendo que entre ellos se le deshiciese y exclamando con un acento que salía de lo más hondo del corazón.

—¡Ah!, ¿eres tú, sombra querida, eres tú? ¿Quién te envía otra vez a este valle de lágrimas y delitos que no te merecía? Mis ojos desde tu muerte no han hecho más que seguir el rastro de luz que tu alma dejó en los aires al encumbrarse al empíreo, no he abrigado más deseo sino el de juntarme contigo. [242]

—Tened, doña Beatriz, repuso el caballero (porque como presumirán nuestros lectores menos preocupados que aquella desventurada mujer, él mismo y no su espíritu era el que se aparecía) porque todavía no sé si debo bendecir o maldecir este instante que nos reúne.

—¡Ah!, replicó doña Beatriz sin poner atención en lo que le decía, y palpando sus manos y sus armados brazos, ¿pero eres tú?, ¿pero estás vivo?

—Vivo, sí, respondió él, aunque bien puede decirse que acabo de salir de la huesa.

—¡Justicia divina! exclamó ella con el acento de la desesperación, cuando ya no le cupo ninguna duda; ¡es

[241] O mejor la visera, ya que la celada cubre la cabeza.

[242] Influencia posiblemente ossiánica. En el poema *Comala,* la protagonista aprende de un traidor la falsa noticia de la muerte de Fingal. Al volver su amante, lo toma por una sombra.

EL CASTILLO DE TOR-DE-HUMOS.

Castillo de Tordehumos. Grabado de Severini. *Semanario pintoresco español,* 15 de abril de 1849.

Reproducción de los signos esotéricos grabados en piedra en el castillo de Ponferrada.

él, el mismo! ¡Miserable de mí! ¿Qué es lo que he hecho?

Diciendo esto se retiró unos cuantos pasos hasta apoyarse en el tronco de un árbol, retorciéndose los brazos.

Don Álvaro echó una ojeada al Templario que también había levantado su visera y no era otro sino el comendador Saldaña, al que parecía pedirle perdón. En seguida se acercó a doña Beatriz y le dijo con acento al parecer respetuoso y sosegado, pero en realidad iracundo y fiero:

—Señora, el comendador que veis ahí presente me ha asegurado que sois la esposa del conde de Lemus, y aun cuando no ha mucho que le debí la libertad y la vida, y sus años le aseguran el respeto de todos, no sé en qué estuvo que no le arrancase la lengua con que me lo dijo y el corazón por las espaldas. Voy viendo que no mintió, pero aún me quedan tantas dudas que si vos no me las desvanecéis, nunca llegaré a creerlo.

—Cuanto os ha dicho es la pura verdad, respondió doña Beatriz: id con Dios, y abreviad esta conversación que sin duda será la postrera.

—La postrera será sin duda alguna, repuso él con el mismo acento, pero fuerza será que me oigáis. ¿Que es verdad decís? Lo siento por vos más que por mí porque habéis caído de un modo lamentable, y me habéis engañado ruin y bajamente.

—¡Ah! no, exclamó doña Beatriz juntando las manos, nunca...

—Escuchadme todavía, dijo don Álvaro, interrumpiéndola con un gesto duro e imperioso. Vos no sabéis todavía hasta dónde ha llegado el amor que os he tenido. Yo no había conocido familia ni más padre que mi buen tío, y vos lo érais todo para mí en la tierra, y en vos se posaban todas mis esperanzas a la manera que las águilas cansadas de volar se posan en las torres de los templos. ¡Ah!, templo y muy santo era para mí vuestra alma, y cuando la dicha me abrió sus puertas, procuré despojarme antes de entrar en él de todas las fragilidades y pobrezas humanas. Con vos mi vida cambió enteramente: los arrebatos de la imaginación, las ilusiones del deseo, los sueños de gloria, los instintos del valor, todo tenía un blanco, porque todo iba a parar a vos. Mis pensamientos se purificaban con vuestra memoria: en todas partes veía vuestra imagen como un reflejo de la de Dios, procuraba ennoblecerme a mis propios ojos para realzarme a los vuestros, y os adoraba en fin como pudiera haber adorado un ángel caído que pensase subir otra vez al cielo por la escala mística del amor. Tenía por divina la fortuna de encontrar gracia en vuestros ojos, e imaginándoos una criatura más perfecta que las de la tierra, sin cesar trabajaba mi espíritu para asemejarme a vos. Saben los cielos, sin embargo, que una sola sonrisa vuestra, la ventura de llegar mis labios a vuestra mano eran galardón sobrado de todos mis afanes.

La voz varonil de don Álvaro destemplada en un principio por la cólera, a despecho de sus esfuerzos, se había ido enterneciendo poco a poco hasta que por último se asemejaba al arrullo de una tórtola. Doña Beatriz dominada desde el principio por una profunda emoción, había estado con los ojos bajos, hasta que al fin dos hilos copiosos de lágrimas comenzaron a correr por su semblante marchito ya, pero siempre hermoso. Al escuchar las últimas palabras de don Álvaro se redobló su pena, y dirigiéndole una tristísima mirada le dijo con voz interrumpida por los sollozos:

—¡Oh, sí! ¡es verdad! ¡hubiéramos sido demasiado felices! No cabía tanta ventura en este angosto valle de lágrimas.

—Ni en vos cabía la sublimidad de que en mi ilusión os adornaba, respondió el sentido caballero. ¿Os acordáis de la noche de Carracedo?

—Sí me acuerdo, respondió ella.

—¿Os acordáis de vuestra promesa?

—Presente está a mi memoria, como si acabase de salir de mis labios.

—Pues bien, aquí me tenéis que vengo a reclamar vuestra palabra, porque aún no se ha pasado un año; y a pediros cuenta del amor que en vos puse y de mi confianza sin límites. ¿Qué habéis hecho de vuestra fe? ¿No me respondéis y bajáis los ojos? Respondedme... ved que soy yo quien os pregunta; ¡ved que os lo mando en nombre de mis esperanzas destruidas, de mi desdicha presente y de la soledad y la amargura que habéis amontonado en mi porvenir!

—Todo está por demás entre nosotros, replicó ella. El comendador os ha dicho la verdad: soy la esposa del conde de Lemus.

—Beatriz, exclamó el caballero, por vos, por mí mismo, explicaos. En esto hay algún misterio infernal sin duda alguna. [243] Mirad, ¡yo no quisiera despreciaros! yo quiero que os disculpéis, que os justifiquéis; ya que os pierdo, no quisiera maldecir vuestra memoria. Decidme que os arrastraron al altar, decidme que os amedrentaron con la muerte, que perturbaron vuestra razón con maquinaciones infernales; decidme, en fin, algo que os restituya la luz que veo en vos obscurecida y que ha llenado mi pecho de hiel y de tinieblas.

Doña Beatriz volvía a su silencio, cuando Martina recobrada ya de su susto y viendo que era el señor de Bembibre, no un espíritu, sino en cuerpo y alma el que tenía delante, no pudo menos de responder por su ama.

—Sí, señor, sí que la violentó su madre, y del peor modo posible, porque ella quiso desde luego irse al convento y esperaros allí aunque todos decían que estabais en el otro mundo, y en seguida quedarse monja tan profesa como la abadesa su tía. Por más señas que...

—Silencio, Martina, replicó su señora con energía, y vos, don Álvaro, nada creáis, porque he dispuesto de mi mano libre y voluntariamente [244] delante del abad de Carracedo que me dio la bendición nupcial. Ya veis, pues, que ninguna violencia pudo haber.

—¿Con que según eso, vos sola os habéis apartado del camino de la verdad? Por vos lo siento, otra vez vuelvo a

[243] Los argumentos de don Álvaro están calcados en los de Marsilla (*Amantes de Teruel,* acto V, esc. III).

[244] Condición para la validez del matrimonio. Isabel expresa lo mismo en *Los amantes de Teruel* (acto V, esc. III): "Y con todo, Marsilla... ¿lo creyeras? / al altar he llegado voluntaria..."

decíroslo, porque envilecéis mi amor que era la llama más pura de mi vida. ¡Quién me dijera algún día que os había de tener por más vil y despreciable que el polvo de los caminos!

—¡Don Álvaro!, le interrumpió el Templario, ¿cómo os olvidáis así de vos mismo y ultrajáis a una dama?

—Dejadle, noble anciano, repuso doña Beatriz; razón tiene para enojarse y aun para maldecir el día en que me vio por vez primera. Don Álvaro, prosiguió dirigiéndose a él, Dios juzgará en su día entre los dos, porque él es el único que tiene la llave de mi pecho, y a sus ojos no más están patentes sus arcanos. Sólo os ruego que me perdonéis, porque mi vida sin duda será breve, y no quisiera morir con el peso de vuestro odio encima de mi corazón. A Dios, pues; idos pronto porque vuestra vida y tal vez mi honra están peligrando en este punto en que nos despedimos para siempre, y en que de nuevo os ruego que me perdonéis, y os olvidéis de quien tan mal premio supo dar a vuestra acendrada hidalguía.

Estas palabras pronunciadas con tanta modestia y dulzura, pero en que vibraba una entonación particular, parecían revelar a don Álvaro en medio de su pesadumbre y su cólera el inmenso sacrificio que aquella dulce y celestial criatura se imponía. El metal de su voz tenía a un mismo tiempo algo de sonoro y desmayado, como si su música fuese un eco del alma que en vano se esforzaba por repetir en toda su pureza los órganos ya cansados. Don Álvaro notó también el estrago que los sinsabores y los males habían hecho en aquel semblante, modelo de gracia noble y a la par lozana y florida. Su ira y despecho se trocó de nuevo en un enternecimiento involuntario y acercándose más a ella, con toda la efusión de su corazón, le dijo:

—Beatriz, por Dios santo, por cuanto pueda ser de algún precio para vos en esta vida o en la otra, descifradme este lúgubre enigma, que me oprime y embarga como un manto de hielo. Disipad mis dudas...

—¿Os parece, le contestó ella interrumpiéndole con el mismo tono patético y grave, que hemos bebido poco del cáliz de aflicción, que tan hidrópica sed os aqueja de nuevos pesares?

—¡Ay, señora de mi alma!, exclamó Martina acongojada: ¿qué es lo que veo por la calle grande de árboles? ¡Desdichadas de nosotras!, ¡es mi señor y el conde y todos los criados de la casa! ¿Qué va a suceder, Dios mío?

Doña Beatriz entonces pasó de su resignada calma a la más tremenda agitación, y agarrando a don Álvaro por el brazo con una mano y señalándole con la otra un sendero encubierto entre los árboles, le decía con los ojos desencajados y con una voz ronca y atropellada:

—¡Por aquí! ¡por aquí, desventurado! este sendero conduce a la reja del cercado y llegaréis antes que ellos. ¡Oh, Dios mío!, ¿para esto lo habéis traído otra vez delante de mis ojos?... ¿Pero qué hacéis? ¡mirad que vienen!...

—Dejadlos que vengan, dijo don Álvaro, cuyos ojos al solo nombre del conde habían brillado con singular expresión.

—¡Cielo santo!, ¿estáis en vos? ¿No veis que estáis solos y ellos son muchos y vienen armados? ¡Oh, no os sonriáis desdeñosamente!, ¡yo soy una pobre mujer que no sé lo que me digo! ¡bien sé que vuestro valor triunfará de todo, pero pensad en mi honra que vais a arrastrar por el suelo y no me sacrifiquéis a vuestro orgullo! ¡Ah!, ¡por Dios, noble comendador, lleváosle, lleváosle, porque le matarán y yo quedaré amancillada!

—Sosegaos, señora, contestó el anciano, la fuga nos deshonraría mucho más a todos, y en cuanto a vuestra honra nadie dudará de ella cuando ponga por garante estas canas.

El ruido se oía ya más cerca, y las muchas voces y acalorada conversación, parecían indicar alguna resolución enérgica y decidida.

—Bien veis que ya es tarde, dijo entonces don Álvaro, pero sosegaos, añadió con sonrisa irónica, que no es éste el lugar y mucho menos la ocasión de la sangre.

Doña Beatriz viendo la inutilidad de sus esfuerzos, rendida y sin ánimo, se había dejado caer al pie del nogal que sombreaba el arroyo.

CAPÍTULO XIX

Como presumirán nuestros lectores, el necio apuro del caballerizo era la causa de este desagradable accidente, pues en cuanto se despidió de los forasteros, echó a correr a la casa, esparciendo una alarma que ninguna clase de fundamento tenía. Por casualidad el conde y su suegro, a quienes no se esperaba aquel día, habían dado la vuelta impensadamente y encontrando sus gentes un poco azoradas y en disposición de acudir al soñado riesgo de su señora, se encaminaron allá con ellos, un poco recelosos por su parte, pues la guerra implacable y poco generosa que hacían a los Templarios en la opinión, y los preparativos de todo género en que no cesaban un punto, les daban a temer cualquier venganza o represalias.

Cuando don Álvaro y el comendador sintieron ya cerca el tropel, como de común acuerdo se calaron la celada y como dos estatuas de bronce aguardaron la llegada. El primero que asomó su ancha carota y su cuerpo de costal, fue el buen Mendo que muy pagado de su papel, no quería ceder a nadie la delantera. Venía todo sofocado y sin aliento, y sudando por cada pelo una gota.

—¡Martina! ¡Martina!, dijo en cuanto llegó; y el ama, ¿qué han hecho de ella?...

La muchacha le señaló a doña Beatriz con el dedo y le dijo en voz baja con cólera:

—¡Desgraciado y necio de ti! ¿qué es lo que has hecho?

En tanto llegaron todos, y mientras don Alonso y su yerno se encaraban con los forasteros, sus criados se fueron extendiendo en corro al rededor de ellos, contenidos y enfrenados por su actitud imponente y reposada. Adelantóse el conde entonces con su altanera cortesía, y dirigiéndose al de las armas negras, le dijo:

—¿Me perdonaréis, caballero, que os pregunte el motivo de tan extraña visita y os ruegue que me descubráis vuestro nombre y semblante?

—Soy, respondió él, levantando la visera, don Álvaro Yáñez, señor de Bembibre, y venía a reclamar de doña Beatriz Ossorio, el cumplimiento de una palabra ya hace algún tiempo empeñada.

—¡Don Álvaro!, exclamaron a un tiempo los dos, aunque con distinto acento y expresión, porque la exclamación del de Arganza revelaba el candor y la sinceridad de su asombro, al paso que la del conde manifestaba a un tiempo despecho, asombro, vergüenza y humillación. Había dado dos pasos atrás, y desconcertado y trémulo añadió:

—¡Vos aquí!

—¿Os sobrecoge mi venida?, contestó don Álvaro con sarcasmo; no me maravilla a fe: vos contábais con que la muerte o la vejez por lo menos, me cogiese en el calabozo que me dispuso vuestra solicitud y la de vuestro amigo el generoso infante don Juan, ¿no es verdad?

—¡Ah, don Juan Núñez!, murmuró el conde en voz baja, víctima todavía de su sorpresa.

—¿Todavía os quejáis de él?, contestó don Álvaro con el mismo tono irónico. Ingrato sois, por vida mía, porque en los seis meses [245] que ha durado mi sepultura, me han dicho que habíais alcanzado el logro de vuestros afanes y casádoos con doña Beatriz; de manera que siendo ya tan poderoso, y destruidos los Templarios, casi podíais coronaros por rey de Galicia. Sin embargo, si he llegado antes de tiempo y en ello os doy pesar, me volveré a mi deleitoso palacio hasta que para salir me vaya orden vuestra. ¿Qué no haré yo por granjearme la voluntad de un caballero tan cumplido, con los caídos tan generoso, con los fuertes tan franco y tan leal?

Don Alonso y su hija, como si asistiesen a un espectáculo del otro mundo, estaban escuchando mudos y turbados estas palabras con que comenzaban a distinguir el

[245] En realidad no son más que cuatro meses (de julio a principios de noviembre), pero el autor trata de dejar las fechas imprecisas para que el lector no se dé cuenta de las libertades cronológicas (cf. Introducción, p. 23).

cúmulo de horrores y perfidias que formaban el nudo de aquel lamentable drama. Por fin don Alonso, dando treguas al tumulto de sensaciones que se levantaba en su pecho, dijo al conde:

—¿Es cierto lo que cuenta don Álvaro? Porque no os habéis asustado de verle, sino de verle aquí: ¿es cierto que yo, mi hija, y todos nosotros somos juguetes de una trama infernal?

El conde irritado ya con la ironía de don Álvaro, sintió renacer su orgullo y altanería, viéndose de esta suerte interrogado:

—De mis acciones a nadie tengo que responder en este mundo, contestó con ceño [al] señor de Arganza. En cuanto a vos, señor de Bembibre, declaro que mentís como villano y mal nacido que sois. ¿Quién sale garante de vuestras mal urdidas calumnias?

—En este sitio, yo, respondió el comendador descubriendo su venerable y arrugado rostro; en Castilla, don Juan de Lara, y en todas partes y delante de los tribunales del rey estos papeles, añadió mostrando unos que se encerraban en una cartera.

—¡Ah, traidor!, exclamó el conde desenvainando la espada y yéndose para don Álvaro: aquí mismo voy a lavar mi afrenta con tu sangre. Defiéndete.

—Deteneos, conde, le replicó don Alonso metiéndose por medio; estos caballeros están en mi casa y bajo el fuero de la hospitalidad. Además no es ésta injuria que se lave con un reto obscuro, sino que debéis pedir campo al rey en presencia de todos los ricos hombres de Castilla y limpiar vuestra honra harto obscurecida por desgracia.

—Debéis pensar también, replicó gravemente don Álvaro, que el presente es caso de menos valer, y que habiendo descendido con vuestro atentado a la clase de pechero, ni sois ya mi igual ni puedo medirme con vos. [246]

—Está bien, replicó el conde, conozco vuestro ardid, pero eso no os valdrá. ¡Ah valerosos vasallos!, continuó

[246] Don Álvaro indica que, habiendo decaído el conde por su traición, ya no puede luchar con él.

volviéndose al grupo, atadme al punto a esos embaidores [247] como rebeldes y traidores al rey don Fernando de Castilla: señor de Bembibre, comendador Saldaña, presos sois en nombre de su autoridad.

—Ninguno de los míos se mueva, repuso don Alonso, o le mandaré ahorcar del árbol más alto del soto.

Pero era el caso que entre los circunstantes sólo tres o cuatro eran criados del señor de Arganza: los demás pertenecían a la hueste del conde, y avezados a cumplir puntualmente toda clase de órdenes, se preparaban a obedecer también la que ahora recibían. Aunque no pasaban de una docena, parecían gente resuelta y estaban medianamente armados, de manera que guiados y acaudillados por una persona de valor como su señor, no era difícil que diesen en tierra con dos solos caballeros, anciano el uno, y el otro aunque joven, escaso de fuerzas a juzgar por su semblante. Estaban además en medio de un coto cercado de paredes y a pie, con lo cual toda huida parecía imposible, pero no por eso se mostraban dispuestos a rendirse, sino a emprender una vigorosa defensa. Don Alonso viendo la inutilidad de sus protestas, se había puesto al lado de los recién venidos con ánimo al parecer de ayudarles, pero desarmado como estaba fácil hubiera sido a las gentes de su yerno apartarlo a viva fuerza del lugar del combate.

Doña Beatriz entonces se levantó y poniéndose por medio de los encarnizados enemigos, dijo al conde con tranquila severidad:

—Esos caballeros son iguales a vos y ninguna autoridad podéis ejercer sobre ellos. Además las leyes de la caballería prohíben hacer uso de la fuerza entre personas cuyos agravios tienen a Dios y a los hombres por jueces. Sed noble y confesad que un arrebato de cólera os ha sacado del camino de la cortesía.

—El rey ha mandado prender a todos los caballeros del Temple y a cuantos les prestaren ayuda, y yo, a fuer de vasallo, sólo estoy obligado a obedecerle.

[247] *embaidores*: embaucadores, engañadores.

—Como obedecísteis a su noble madre cuando el asunto de Monforte, exclamó [el] Templario con amargura.[247 bis]

—Además, señora, prosiguió el conde como si no hubiese sentido el tiro; sin duda se os olvida que no estáis en vuestro lugar rogando por vuestro amante, con quien os encuentro sola y en sitios desusados.

—No es a mí a quien deshonran esas sospechas, respondió ella con dulzura, porque sabe el cielo que ni con el pensamiento os he ofendido: sino al pecho ruin que las da calor y origen. De todas maneras, os perdono, sólo con que no hostiguéis a esos nobles caballeros.

—No os dé pena de nosotros, generosa doña Beatriz, respondió el comendador: este debate se acabará sin sangre, y nosotros seremos los dueños de ese ruin y mal caballero.

Al acabar estas palabras hizo una señal al paje o esclavo que le acompañaba, y él, asiendo un cuerno de caza que a la espalda traía pendiente de una bordada bandolera, lo aplicó a los labios y sacó de él tres puntos agudos y sonoros que retumbaron a lo lejos. Al instante mismo y semejante a un cercano temblor de tierra, se oyó el galope desbocado de varios caballos de guerra, y no tardó en aparecer la guardia que vimos atravesar la ribera de Bembibre detrás de nuestros caballeros. Habíanse quedado cubiertos con unos árboles y setos cerca de la reja del cercado, con orden de impedir que la cerrasen y de acudir a la primera señal. Mendo, en medio de su priesa no pensó en atajarles la entrada, y por consiguiente ninguno de los circunstantes podía preveer semejante suceso. Los hombres de armas del Temple superiores en número, harto mejor armados que sus enemigos y montados además en arrogantes caballos, se mostraron a los ojos de aquellas gentes tan de súbito que no se les figuró sino que por una de las diabólicas artes que ejercían los caballeros, la tierra los había vomitado, y una legión de espíritus malignos venía detrás de ellos en su ayuda. Dieron, pues, a correr por el bosque con desaforados gritos, invo-

[247bis] Véase la nota 127, pág. 122.

cando todos los santos de su devoción; en cuanto al conde no se movió, porque aunque el peligro que le amenazaba era de los inminentes después del ruin comportamiento que acababa de observar, su orgullo no pudo avenirse a la idea de la fuga. Quedóse por lo tanto mirando con altanería a sus enemigos, como si los papeles estuviesen trocados.

—Y ahora, don villano, le dijo Saldaña con ira, ¿qué merced esperáis de nosotros, sino es que con una cuerda bien recia os ahorquemos de una escarpia [248] del castillo de Ponferrada, para que aprendan los que os asemejan a respetar las leyes de la caballería?

—Eso hubiera hecho yo con vosotros de haberos tenido entre mis manos, respondió él, con frialdad; no me quejaré de que me paguéis en mi moneda.

—Vuestra moneda no pasa entre los nobles; id en paz, que en algo nos habemos [249] de diferenciar, dijo don Álvaro; pero tened entendido que si como caballero, y señor independiente no he aceptado vuestro reto, me encontraréis en la demanda del Temple, porque desde mañana seré Templario.

Un relámpago de feroz alegría brilló en las siniestras facciones del conde que respondió:

—Allí nos encontraremos, y vive Dios que no os escaparéis de entre mis garras como os escapáis ahora, y que los candados que os echaré no se abrirán tan pronto como los de Tordehumos y su traidor castellano.

Con estas palabras se alejó dirigiéndoles una mirada de despecho y sin encontrar con las de su suegro, ni su esposa que no fue poca fortuna, porque sin duda aquel alma vil se hubiera gozado en la especie de estupor que le causó la terrible declaración de don Álvaro.

—¿Es un sueño lo que acabo de escuchar?, repuso la desdichada mirándole con ojos extraviados y con el color de la muerte en las mejillas; ¿vos?, ¿vos Templario?

[248] *escarpia*: clavo acodado. Es signo de desprecio de parte de Saldaña.

[249] *habemos, sic.*

—¿Eso dudáis?, contestó él, ¿no os lo había dicho vuestro corazón?

—¡Ah!, y vuestra noble casa, repuso doña Beatriz, y vuestro linaje esclarecido que en vos se extingue?

—Y ¿no habéis visto extinguirse otras cosas aún más nobles, más esclarecidas y más santas? ¿No habéis visto la estatua de la fe volcada de su pedestal, apagarse las estrellas y caer despedidas del cielo, y quedarse el universo en medio de una noche profunda? [250] Tal vez vuestros ojos no hayan sido testigos de estas escenas, pero yo las he presenciado con los de mi alma y no las puedo apartar de ellos.

—¡Oh! sí, replicó doña Beatriz, despreciadme, escarnecedme, decid que os he engañado traidoramente, arrastradme por el suelo, pero no toméis el hábito del Temple. ¿Sabéis vos las tragedias de Francia?, ¿sabéis el odio que se ha encendido contra ellos en toda la cristiandad?

—¿Qué queréis? Eso cabalmente me ha determinado a seguir su bandera. ¿Pensáis que soy yo de los que abandonan a los desgraciados?

—Está bien, heridme, heridme en el corazón con los filos de vuestras palabras; yo no me defenderé, ¡pero sed hombre, luchad con vuestro dolor y no estanquéis la sangre ilustre que corre por vuestras venas!

—Os cansáis en vano, señora; tengo empeñada mi palabra al comendador.

—Verdad es, repuso el anciano conmovido, pero recordad que yo no la acepté, porque la disteis en un arrebato de dolor.

—Pues ahora la ratifico. ¿Qué poder tienen para apartarme de mi propósito tan especiosos argumentos, ni qué interés puede tomarse en mi destino la poderosa condesa de Lemus?

Doña Beatriz abrumada por tan terribles golpes, no respondió ya sino con sordos y ahogados gemidos. Don Álvaro cuyo pecho lastimado se movía al impulso de encontradas pasiones como el mar al soplo de contrarios vien-

[250] Interpretación libre de la *Pasión* según Lucas, 23, 44-45.

tos, exclamó entonces fuera de sí con la expresión del dolor más profundo:

—¡Beatriz! ¡Beatriz! justificaos, decidme que no me habéis vendido: ¡mi corazón me está gritando que no habéis menester mi perdón!, corred ese velo que os presenta a mis ojos con las tintas de la maldad y la bajeza.

Adelantóse entonces el señor de Arganza con continente grave y dolorido y preguntó a don Álvaro:

—¿No sabéis nada de las circunstancias que acompañaron las bodas de mi hija?

—No, a fe de caballero, respondió él.

Don Alonso se volvió entonces a su hija y mirándole con una mezcla inexplicable de tristeza y de ternura, dijo a don Álvaro:

—Todo lo vais a saber.

—¡Oh! no, padre mío: dejadle con sus juicios temerarios; tal vez se curen con el cauterio del orgullo las llagas de su alma: ¡pensad que vais a hacerle más infeliz!

—¡El orgullo, doña Beatriz!, replicó el contristado caballero: mi orgullo erais vos y mi humillación vuestra caída.

—No, hija mía, repuso don Alonso, bien me lo predijo el santo abad de Carracedo, pero la venda no había caído hasta hoy de mis ojos. ¿Qué importa que me cubras con el manto de tu piedad, si no has de acallar por eso la voz de mi conciencia?

Entonces contó por menor a don Álvaro y pintándose con negros colores todas las circunstancias del sacrificio de doña Beatriz y las amenazas del abad de Carracedo que tan tristemente comenzaban a cumplirse aquel día. La conducta del anciano había sido realmente culpable, pero el oro, la gloria y el poder del mundo juntos no le hubieran movido a entregar su hija única en los brazos de un hombre tan manchado. El noble proceder de la joven, su desinterés en cargar con tan grave culpa como la que su amante le imputaba sólo para que más fácilmente pudiera consolarse de la pérdida de su amor, creyéndola indigna de él, aquella abnegación imponderable, decimos, había acabado de desgarrar las entrañas del anciano que terminó su relación entre lamentos terribles y golpeándose el pecho. Quedáronse todos en un profundo silencio que duró un gran espacio, hasta que don Álvaro dijo con un profundo suspiro:

—Razón teníais, doña Beatriz, en decir que semejante declaración me haría más desdichado. Dos veces os he amado, y dos os pierdo. ¡Dura es la prueba a que la providencia me sujeta! Sin embargo el cielo sabe cuán inefable es el consuelo que recibo en veros pura y resplandeciente como el sol en mitad de su carrera. No nos volveremos a ver, pero detrás de las murallas del Temple me acordaré de vos...

Doña Beatriz rompió otra vez en amargo llanto viéndole persistir tan tenazmente en su resolución, y él añadió:

—No lloréis, porque mi intento se me logrará sin duda. Dicen que amenaza a esta milicia inminente destrucción. No lo creo, pero, si así fuese, ¿cómo podréis extrañar que yo sepulte las ruinas de mi esperanza bajo estas grandes y soberbias ruinas? Y luego ¿no sois vos harto más desgraciada que yo? Pensad en vuestros dolores no en los míos... Adiós, no os pido que me deis a besar vuestra mano, porque es de otro dueño, pero vuestro recuerdo vivirá en mi memoria a la manera de aquellas flores misteriosas que sólo abren sus cálices por la noche sin dejar de ser por eso puras y fragantes. Adiós...

Don Alonso le hizo una señal con la mano para que acortase tan dolorosa escena.

—Sí, sí; tenéis razón. ¡Adiós para siempre porque jamás ¡oh! jamás volveremos a encontrarnos!

—Sí, sí, respondió ella con religiosa exaltación levantando los ojos y las manos al cielo: ¡allí nos reuniremos sin duda!

Al acabar estas palabras se arrojó en los brazos de su padre, y don Álvaro sin detenerse a más montó de un brinco en su caballo y metiéndole los acicates, desapareció como un relámpago, seguido del comendador y su escasa tropa. Cuando ya se desvaneció el ruido que hacían, doña Beatriz se enjugó los ojos, y apartándose suavemente de los brazos de su padre, se puso a mirar el semblante alterado del anciano, que clavados los ojos en el suelo y pálido como la muerte, parecía haber comprendido de una vez el horror de su obra. Conociólo su generosa hija, y acercándose a él con semblante apacible y casi risueño le dijo:

—Vamos, señor, sosegaos. ¿Quién no ha pasado en el mundo penalidades y trabajos? ¿No sabéis que es tierra de paso y campo de destierro? El tiempo trae muchas cosas buenas consigo, y Dios nos ve sin cesar desde su trono.

—¡Ojalá que no me viera a mí!, repuso el anciano, meneando la cabeza, ¡ojalá que ni sus ojos ni los míos penetrasen en las tinieblas de mi conciencia! ¡Hija mía! ¡hija de mi dolor! ¿Y soy yo el que te he entregado a ti, ángel de luz, en los brazos de un malvado? Sí, tú puedes estar serena, porque tu sacrificio te ensalzará a tus ojos y te dará fuerzas para todo; pero yo, miserable de mí, ¿con qué me consolaré? Yo, parricida de mi única hija, ¿cómo encontraré perdón en el tribunal del Altísimo?

—¡Qué queréis!, le dijo doña Beatriz: vos buscabais mi felicidad, y no la habéis encontrado: ¡os engañaron como a mí!... ¡resignémonos con nuestra suerte, porque Dios es quien nos la envía!

—No, hija mía, no te esfuerces en consolarme, pero tú no serás de ese indigno: yo iré al rey, yo iré a Roma [250 bis] a pie con el bordón de peregrino en la mano, yo me arrojaré a las plantas del Pontífice y le pediré que te vuelva tu libertad, que deshaga este nudo abominable...

—Guardaos bien de poner vuestra honra en lenguas del vulgo, repuso doña Beatriz con seriedad. Además, padre mío, ¿de qué me serviría ya la libertad? ¿No habéis oído que pasado mañana será ya Templario?

—¡Ese peso más sobre mi conciencia culpable!, exclamó el señor de Arganza, tapándose la cara con ambas manos, ¿también se perderá por mí un caballero tan cumplido? ¡Ay! ¡todas las aguas del Jordán no me lavarían de mi culpa!

[250 bis] El papa residía entonces en Francia.

Doña Beatriz apuró en vano por un rato todos los recursos de su ingenio y todo el tesoro de su ternura para distraer a su padre de su pesar. Por fin ya obscurecido, volvieron los dos a casa seguidos de la pensativa Martina que con las escenas de aquella tarde andaba muy confusa y pesarosa. Al llegar se encontraron a varios criados que venían en su busca; pues aunque el conde les había dicho que los caballeros venían de paz, y que su cólera había sido injusta, añadiéndoles además que no perturbasen la plática de su amo, con la tardanza comenzaban a impacientarse y no quisieron aguardar a más.

El conde por su parte deseoso de evitar las desagradables escenas que no hubieran dejado de ocurrir con su suegro y su esposa, salió precipitadamente para Galicia, dejando al tiempo y a su hipocresía el cuidado de soldar aquella quiebra: determinación que, como presumirán nuestros lectores, no dejó de servir de infinito descanso a padre y a hija en la angustia suma que les cercaba. ¡Triste consuelo el que consiste en la ausencia de aquellas personas que debiendo sernos caras por los lazos de la naturaleza llegan a convertirse a nuestros ojos por un juego cruel del destino, en objetos de desvío y de odio!

CAPÍTULO XX

Nuestros lectores nos perdonarán si les obligamos a deshacer un poco de camino para que se enteren del modo con que se prepararon y acontecieron los extraños sucesos a que acaban de asistir. Muévenos a ello no sólo el deseo de darles a conocer esta verdadera historia, sino el justo desagravio de un caballero que sin duda les merecerá mala opinión, y que sin embargo no estaba tan desnudo de todo buen sentimiento, como tal vez se figuran. Este caballero era don Juan Núñez de Lara.

Quien quiera que vea su propensión a la rebelión y desasosiego, su amistad con el infante don Juan, y su desagradecimiento a los favores y mercedes del rey, fácilmente se inclinará a creer que semejantes cualidades serían bastantes para sofocar cuántos buenos gérmenes pudiesen abrigarse en su alma, sin embargo no era así don Juan Núñez; revoltoso, tenaz y desasosegado no había faltado a pesar de todo a las leyes sagradas del honor y de la caballería. Así fue que cuando don Álvaro cayó en sus manos, ya vimos la cortesía con que comenzó a tratarle y el agasajo con que fue recibido en su castillo de Tordehumos; sobrevinieron a poco las pláticas con el infante, sobre las bulas de [Clemente],[251] a propósito del enjuiciamiento de los Templarios, y allí determinó el pérfido y antiguo maquinador a don Juan Núñez a separar de una manera o de otra a don Álvaro de la alianza de los caballeros, bien persuadidos ambos de que su causa recibiría un doloroso golpe, especialmente en el Bierzo. Bien hubiera querido el infante que el tósigo o el puñal le desembarazasen de tan terrible enemigo; pero su ligera indicación encontró tal acogida que ya vimos a don Juan Núñez sacar la espada para dar la respuesta. Por lo tanto hubo de recoger velas con su astucia acostumbrada, y aun así lo único que alcanzó, fue que diesen al señor de Bembibre un narcótico con el cual pasase por muerto, y que entonces lo aprisionasen estrecha y cautelosamente hasta que roto y vencido el enemigo común, pudiese volver a la luz un caballero tan valeroso y afamado.

Buen cuidado tuvo el pérfido don Juan, ocultarle la segunda parte de su trama infernal, pues sobrado conocía que si Lara llegaba a columbrar que se trataba de hacer violencia a una dama como doña Beatriz, al momento mismo y sin ningún género de rescate hubiera soltado a don Álvaro para que con su espada cortase los hilos de tan vil intriga. Así pues, con el color del público bien,

[251] El texto reza: *Bonifacio:* lapsus evidente de E. Gil que quiso aludir a Clemente V y no a su predecesor. Alude a la conversación entre los dos don Juan en Tordehumos (cap. XV).

se decidió don Juan Núñez a una acción que tan amargos resultados debía producirle más adelante: pero sin embargo, no se resolvió del todo, sin intentar antes los medios de la persuasión, más por satisfacerse a sí propio que con la esperanza de coger fruto. El resultado de sus esfuerzos fue el que vimos; y en la misma noche Ben Simuel preparó un filtro con que todas las funciones vitales de don Álvaro, se paralizaron completamente. En tal estado entró por una puerta falsa, y desgarrando los vendajes de don Álvaro y regando la cama con sangre preparada al intento, facilitó la escena que ya presenciamos y que tanto afligió al buen Millán, desasosegando también al principio al mismo Lara con la tremenda semejanza de la muerte. Nada, pues, más natural que su resistencia a soltar el supuesto cadáver que en la noche después de sus exequias, fue trasladado por don Juan y su físico a un calabozo muy hondo que caía bajo uno de los torreones angulares, el menos frecuentado del castillo. Allí le sujetaron fuertemente y le dejaron solo para que al recobrar el uso de sus sentidos no recibiese más impresiones que las que menos daño le trajesen en medio de la debilidad producida por un tan largo parasismo.

Don Álvaro volvió en sí muy lentamente, y tardó largo espacio de tiempo en conocer el estado a que le habían reducido. Vio la obscuridad que le rodeaba: pero pensó que sería de noche, pero luego al hacer un movimiento, sintió los grillos y esposas que le sujetaban pies y manos, y al punto cayó en la cuenta de su situación. Sin embargo, con la ayuda de un rayo de luz que penetraba por un angosto y altísimo respiradero abierto oblicuamente en la pared, vio que su cama era muy rica y blanda, y algunos taburetes y sitiales que había por allí esparcidos, contrastaban extrañamente con la desnudez de las paredes y la lobreguez del sitio. Sus heridas estaban vendadas con el mayor cuidado, y en un poyo cerca de la cama había preparada una copa de plata con una bebida aromática. La estrechez a que lo reducían junto con unas atenciones tan prolijas, era una especie de contradicción propia para desconcertar una imaginación más entera, y reposada que la suya.

Entonces un ruido de pasos que se sentía cerca y que parecían bajar una empinada escalera de caracol vino a sacarle de sus desvaríos. Abrieron una cerradura, descorrieron dos o tres cerrojos, y por fin entraron por la puerta dos personas, en quienes a pesar de su debilidad reconoció al instante a Lara y al rabino, su físico. Traía el primero en la mano, una lámpara y un manojo de llaves; y el segundo una salvilla con bebidas, refrescos y algunas conservas. Don Juan, entonces, se acercó al prisionero con visible empacho y le dijo:

—Don Álvaro, sin duda os maravillará cuanto por vos está pasando; pero la salud de Castilla lo exige así y no me ha sido dable obrar de otra manera. Sin embargo una sola palabra vuestra os volverá la libertad: renunciad a la alianza del Temple y sois dueño de vuestra persona. De otra suerte, no saldréis de aquí, porque sabed que estáis muerto para todo el mundo, menos para Ben Simuel y para mí.

Como don Álvaro había perdido la memoria del día anterior a causa de su debilidad, no dejó de recibir sorpresa al ver entrar a Lara y a su físico; pero entonces todo lo percibió de una sola ojeada y con aquel sacudimiento recobró parte de su energía y fortaleza. Así pues, respondió a don Juan.

—No es éste el modo de tratar a los caballeros como yo, que en todo son vuestros iguales, menos en la ventura, y mucho menos el de arrancarme un consentimiento que me deshonraría. De todo ello, don Juan Núñez, me daréis cuenta a pie o a caballo, en cuanto mi prisión se acabe.

—En eso no hay dudar, respondió Lara con sosiego; pero mientras tanto quisiera proceder como quien soy con vos y haceros más llevaderos los males de esta prisión, que sólo la fuerza de las circunstancias me obligan a imponeros. Dadme, pues, vuestra palabra de caballero de que no intentaréis salir de este encierro, mientras yo no os diere libertad o mientras a viva fuerza o por capitulación mía, no tomasen este castillo.

Don Álvaro se quedó pensativo un rato al cabo del cual respondió:

—Os la doy.

Lara entonces le soltó grillos y esposas y además le entregó las llaves del calabozo diciéndole:

—En caso de asalto tal vez no podría yo librar vuestra vida de los horrores del incendio y del pillaje: por eso pongo vuestra seguridad en vuestras manos. Por lo demás quisiera saber si algo necesitáis para complaceros al punto.

Don Álvaro le dio las gracias repitiendo no obstante su reto.

A la visita siguiente, Lara trajo sus armas al preso diciéndole que el cerco se iba estrechando, y que si llegaban a dar el asalto, allí le dejaba con que defenderse de los desmanes enemigos. Esta nueva prueba de confianza dejó muy obligado a don Álvaro, que por otra parte se veía regalado y agasajado de mil modos, restablecido ya de sus heridas.

Cuando se obligó a no intentar su evasión por ningún camino, hízole titubear un poco la memoria de doña Beatriz que a tantos peligros y maquinaciones dejaba expuesta; pero la fe ciega que en ella tenía depositada disipó todos sus recelos. En cuanto a la ayuda que pudiera proporcionar a su tío el maestre y a sus caballeros, la tenía él en su modestia por de poco valer, y como por otra parte los había dejado dueños de su castillo, no le afligía tanto por este lado el verse aherrojado de aquella suerte. Últimamente como don Juan había incluido en las condiciones su única esperanza racional, que era la de que el rey echase de Tordehumos a su castellano de grado o por fuerza, no encontró reparo en ligarse de tan solemne manera.

Como quiera, por más que tuviese a menos la queja y se desdeñase de pedir merced, no por eso dejaba de suspirar en el hondo de su pecho por los collados del

Boeza y las cordilleras de Noceda [252] donde tan a menudo solía fatigar al colmilludo jabalí, al terrible oso y al corzo volador. Acostumbrado al aire puro de sus nativas praderas y montañas, inclinado por índole natural a vagar sin objeto los días enteros a la orilla de los precipicios, en los valles más escondidos y en las cimas más enriscadas a ver salir el sol, asomar la luna y amortiguarse con el alba las estrellas, el aire de la prisión se le hacía insoportable y fétido, y su juventud se marchitaba como una planta roída por un gusano oculto. Por la noche veía correr en sueños todos los ríos frescos y murmuradores de su pintoresco país, coronados de fresnos, chopos y mimbreras que se mecían graciosamente al soplo de los vientos apacibles, y allá a lo lejos una mujer vestida de blanco, unas veces radiante como un meteoro, pálida y triste otras como el crepúsculo de un día lluvioso, cruzaba por entre las arboledas que rodeaban un solitario monasterio. Aquella mujer joven y hermosa siempre, tenía la semejanza y el suave contorno de doña Beatriz; pero nunca acertaba a distinguir claramente sus facciones. [253] Entonces solía arrojarse de la cama para seguirla y al tropezar con las paredes de su calabozo, todas sus apariciones de gloria se trocaban en la amarga realidad que le cercaba.

Con semejante lucha que su altivez le obligaba a ocultar y que por lo mismo se hacía cada vez más penosa, su semblante había ya perdido el vivo colorido de la salud, y Ben Simuel que conocía la insuficiencia de toda su habilidad para curar esta clase de dolencias, sólo se limitaba a consejos y proverbios sacados de la Escritura que no dejaban de hacer impresión en el ánimo de don Álvaro naturalmente dado a la contemplación. Don Juan Núñez, no parecía sino que, empeñado mal su grado en tan

[252] *Noceda*: pueblo y montañas circunvecinas, a 13 kilómetros al norte de Bembibre.

[253] Esta visión se encuentra ya en el poema *A*... (BAE, t. 74, p. 27b).

odiosa demanda, quería borrar su conducta a fuerza de atenciones y de obsequios, tales por lo menos como eran compatibles con tan violento estado de cosas.

Continuaba el sitio entre tanto con bastante apremio de los sitiados, pues el rey no pensaba en cejar de su empeño hasta reducir a su rebelde vasallo. A no pocos señores deudos y aliados de Lara pesábales de tanto tesón, y en los demás el miedo de ver crecer la autoridad real a costa de sus fueros y regalías entibiaba de todo punto la voluntad; pero de todos modos, nadie hasta entonces había desamparado los reales.

Un día, poco antes de amanecer, despertaron a don Álvaro el galope y relincho de los caballos, el clamoreo de trompetas y atambores, la gritería de la guarnición y de la gente de afuera, el crujir de las cadenas de los puentes levadizos, los pasos y carreras de los hombres de armas y ballesteros, y finalmente un tumulto grandísimo dentro y fuera del castillo. Por último las voces y la confusión y estruendo, se oyeron en los patios interiores de la fortaleza y don Álvaro que creyendo trabado el combate, iba ya a echar mano a sus armas, se mantuvo a raya no poco sorprendido de no oír el martilleo de las armas, los lamentos e imprecaciones del combate y aquella clase de desorden temeroso y terrible que nunca deja de introducirse en un puesto ganado por asalto. Las voces por el contrario parecían ser de concordia y alegría, y al poco rato ya no se oyó más que aquel sordo murmullo que nunca deja de desprenderse de un gran gentío. De todo esto coligió don Álvaro que sin duda don Juan había hecho con el rey algún concierto honroso, y que sus huestes habían entrado amigablemente y de paz en la fortaleza. Causóle gran alegría semejante idea y con viva impaciencia se puso a aguardar la visita de cualquiera de sus dos alcaides paseándose por su calabozo apresuradamente. Poco tardó en satisfacerse su anhelo, porque en cuanto fue de día claro, entró don Juan Núñez en la prisión con el rostro radiante de júbilo y orgullo, y el continente de un hombre que triunfa de las dificultades, a fuerza de perseverancia y arrojo.

—No, no es el linaje de los Laras el que sucumbirá delante de un rey de Castilla: no está ya en su mano apretarme en Tordehumos, ni aun parar delante de sus murallas dentro de algún tiempo. Ahora aprenderá a su costa ese rey mozo [254] y mal aconsejado a no despreciar sus ricos hombres, que valen tanto como él.

Éstas fueron las primeras palabras que se vertieron de la plenitud de aquel corazón soberbio, y que al punto dieron en tierra con los vanos pensamientos y esperanzas de don Álvaro. Lara vuelto en sí de aquel arrebato de gozo y viendo anublarse la frente de su prisionero, se arrepintió de su ligereza, y le dio mil excusas delicadas y corteses de haberle anunciado de aquella manera una nueva que naturalmente debía contristarle.

Rogóle entonces don Álvaro que le contase el fundamento de su orgullosa alegría, que era el haberse pasado a sus banderas don Pedro Ponce de León, y don Hernán Ruiz de Saldaña [255] no menos solicitados de la amistad que tenían con él asentada que enojados de lo largo del sitio y de la pertinacia del rey. Con esta deserción quedaba tan enflaquecido el ejército real y tan pujante don Juan Núñez, que por fuerza tendría que avenirse el monarca al rigor de las circunstancias y aceptar las condiciones de su afortunado vasallo. Don Juan contó también a su prisionero la mala voluntad y encono que en toda España se iba concitando contra los Templarios, y que sólo esperaba el rey a salir de aquella empresa para despojarles de todas sus haciendas y castillos, que todavía no habían querido entregar.

—Y ¿es posible, exclamó por último, que un caballero como vos se aparte así de sus hermanos, sólo por defender una causa de todos desahuciada?

—Ya os lo dije otra vez, respondió don Álvaro con enojo, el mundo entero no me apartará del sendero del honor;

[254] En 1308, Fernando IV tenía veintitrés años.

[255] Cf. Salazar y Castro, t. III, lib. XVII, cap. IX, p. 174. Don Pedro Ponce no era "de León", sino "de Cangas".

pero vos, os lo repito, encontraréis tal vez algún día en la punta de mi lanza, el premio de esta prisión inicua e injusta que me hacéis sufrir.

—Si muero a vuestras manos, contestó Lara con templanza, no me deshonrará muerte semejante; pero por extraña que os parezca mi conducta, harto más negra se mostraría a mis ojos sino atara ese brazo que tanto había de sostener esa casa de indignidad y reprobación.

Diciendo esto cerró la puerta y desapareció. ¿Estaba realmente convencido de la culpabilidad de los Templarios, o no eran sus palabras sino el fruto de la ambición y de la política? Ambas cosas se disputaban el dominio de su entendimiento, pues aunque su ambición era grande y su educación no le permitía acoger las groseras creencias del vulgo, al cabo tampoco sabía elevarse sobre el nivel de una época ignorante y grosera, que acogía las calumnias levantadas al Temple con tanta mayor facilidad cuanto más torpes y monstruosas se presentaban.

Puede decirse que entonces fue cuando deshecha su última esperanza empezó don Álvaro a sentir todos los rigores de su prisión. El conflicto en que según todas las apariencias iba a verse don Rodrigo su tío, espoleaba los ardientes deseos que de acudir en su socorro siempre tuvo, y últimamente llegó a pensar con cuidado en las asechanzas que durante su incomunicación absoluta con el mundo de afuera, pudieran armarse a doña Beatriz. En su mano estaban las llaves de su prisión: colgadas en la pared su armadura y espada; pero harto más le custodiaban y aprisionaban que con todos los cerrojos y guardianes del mundo. Sin embargo, más de una vez maldijo la ligereza con que había empeñado su fe, pues a no ser por ella, aun sujeto y aherrojado, tal vez hubiera podido hacer en provecho de su libertad lo que ahora ni siquiera de lejos se ocurría a su alma pura y caballerosa. Con tantas contrariedades y sinsabores, sus fuerzas cada vez iban a menos, en términos que Ben Simuel llegó a concebir serios temores, caso que aquella reclusión se dilatase por algún tiempo.

CAPÍTULO XXI

Bien ajeno se hallaba por cierto el desdichado cautivo de que lejos de Tordehumos y en los montes de su país había un hombre cuyo leal corazón, desechando por un involuntario instinto, la idea de su muerte, sólo pensaba en descorrer el velo que semejante suceso encubría, y para ello trabajaba sin cesar. Este hombre era el comendador Saldaña a quien una voz, sin duda venida del cielo, inspiró desde luego varias dudas sobre la verdadera suerte de don Álvaro. Parecíale y con razón extraño el empeño de don Juan Núñez en guardar el cadáver, cuando ningún deudo tenía con el señor de Bembibre, faltando en esto a la establecida práctica de entregar los muertos a los amigos o parientes, sin dilatarles la honra de la sepultura en los lugares de su postrer descanso. Por otra parte las circunstancias que precedieron a la tragedia, tenían en sí un viso de misterio que le hacía insistir en su idea, porque nunca pudo tiznar a Lara con la sospecha de un asesinato deliberado y frío. Sin embargo, como la fe y declaración que trajo Millán a todo mundo habían convencido y satisfecho, y como sus barruntos más tenían de presentimiento que de racional fundamento, apenas se atrevía a comprometer la gravedad de sus años y consejo, dando a conocer un género de pensamientos que sin duda todos calificarían de desvarío y flaqueza senil.

Así y todo semejante idea se arraigaba en él un día y otro; hasta que cansado de luchar con ella aun durante el sueño, escribió una carta al maestre en que le pedía licencia, en tono resuelto, para partirse a Castilla y averiguar el paradero de su sobrino. El abad *(sic)* le contestó manifestando gran extrañeza de su incertidumbre y negándole el permiso que demandaba, porque no parecía cordura abandonar la guarda de un puesto tan importante, por correr detrás de una quimera impalpable. El implacable conde de Lemus juntaba ya gentes por la parte de Valdeorras,[256] y no era cosa de que faltase su brazo y su experiencia en ocasión de tanto empeño como la que se preparaba.

La contradicción no hizo más que fortalecer su extraño juicio y dar nuevo estímulo a sus deseos, cosa natural en los caracteres vehementes como el de Saldaña, y cuyas fuerzas y arrojo crecen siempre en proporción de los obstáculos. En la tregua que daban al Temple el rey y los ricos hombres de Castilla empeñados en la demanda de Tordehumos, aconteció que se metieron dentro de sus muros como ya dejamos contado, don Pero Ponce y don Hernán Ruiz de Saldaña. Ligaban a este caballero y al anciano comendador vínculos muy estrechos de parentesco, y de consiguiente ninguna más propicia ocasión para apurar todos sus recelos e imaginaciones. Cabalmente por aquellos días visitó el maestre el fuerte de Cornatel para enterarse de sus aprestos y fortalezas, y tantos fueron entonces los ruegos y encarecimientos, que al cabo hubo de darle una especie de mandado para el campo del rey, y desde allí con un salvo conducto que le envió su deudo, se introdujo en la plaza.

Portador de tan aciagas nuevas era, que más de una vez se le ocurrió el deseo de hallar a don Álvaro en brazos del eterno sueño: tan cierto estaba de la profunda herida que iba a abrir en su corazón el malhadado fin de aquel amor, cuya índole a un tiempo pura y volcánica, no desconocía el comendador. Combatido de semejantes pensamientos, llegó a Tordehumos, donde fue acogido por su pariente con cordialidad cariñosa, por don Juan y los demás caballeros con la cortesía y respeto que les merecía, sino su hábito, su edad y su valor tan conocido desde la guerra de la Palestina. Los Templarios excitaban sin duda grande odio y adversión; pero su denuedo, única de sus primitivas virtudes de que no habían decaído, su poder, los misterios mismos de su asociación, los escuda-

[256] *Valdeorras*: parte de Galicia que da acceso al Bierzo por el valle del Sil. Por este camino, el primer obstáculo antes de llegar a Ponferrada es el castillo de Cornatel.

ban de todo desmán y menosprecio. El comendador pidió una plática secreta a don Juan Núñez, con su pariente por testigo, sino tenía reparo en hacerle partícipe de sus secretos. Otorgósela al punto, diciéndole que don Hernando, no sólo era su amigo, sino que la gran merced que acababa de hacerle, exigía de él una obligación sin límites. Fuéronse los tres entonces a una cámara más apartada, y allí tomando asiento al lado de una ventana, Saldaña dirigió su voz a Lara [en] estos términos:

—Siempre os tuve, don Juan de Lara, por uno de los más cumplidos caballeros de Castilla, no sólo por vuestra alcurnia, sino por vuestra hidalguía; siempre os he defendido contra vuestros enemigos, viendo que no degenerabais de tan ilustre sangre.

—Excusad las alabanzas que no tengo merecidas, le dijo don Juan, atajándole, por más precio que las dé, ver que salen de vuestra boca.

—Pocas han salido en verdad de ella, respondió Saldaña; pero sinceras todas como las que acabáis de oírme. ¡Cuál no ha debido ser por lo mismo mi sorpresa, al veros servir de instrumento a inicuos planes, deteniendo a don Álvaro en las entrañas de la tierra, cual si le cubriera la losa del sepulcro!

Todo podía esperarlo Lara menos cargo tan súbito y severo: así fue que sin poderlo remediar, se turbó. Advirtiólo el comendador y entonces ya se acabaron sus dudas y recelos, porque estaba seguro de que don Juan soltaría a su prisionero no bien hubiese escuchado la negra historia que iba a contarle. Recobróse, no obstante Lara, y respondió con rostro torcido:

—Por vida de mi padre, que sino os amparasen vuestras canas no me agraviaríais de esa suerte. Si don Álvaro murió, culpa es de su desdicha, que no mi mala voluntad. Cuando se acabe este sitio, yo os le entregaré a la puerta de su castillo, con todo el honor correspondiente, si su tío el maestre os comisiona para recibirlo.

—¡Ah don Juan Núñez!, repuso el comendador, y ¡qué mal se os acomodan esos postizos embustes, hijos de un discurso dañado y de todo punto olvidado de las leyes del honor! Os lo repito: vos habéis servido de escalón para los pies de un malvado, y por vos ha quedado atropellada una principal señora. Por vos, Lara, que calzáis espuela de oro: por vos que nacísteis obligado a proteger a todos los desvalidos: por vos, en fin, se ha perdido ya para siempre una doncella de las más nobles, discretas y hermosas del reino [de] León.

Entonces contó viva y rápidamente los desposorios de doña Beatriz, verdadero objeto de las maquinaciones del infante don Juan, que por este camino llegaba a engrandecer un privado, en el cual contaba asegurar cumplida ayuda para todos sus propósitos y esperanzas. Saldaña con aquel razonar inflexible y sólido que se funda en la enseñanza de los años, y en el conocimiento del mundo, le puso de manifiesto el deslucido papel a que la astuta y redomada perfidia del infante y del conde, le habían reducido para mejor asegurar el logro de sus ruines intentos. Durante este razonamiento, don Juan Núñez iba manifestando la cólera y el resentimiento que poco a poco se apoderaban de su corazón, hasta que por fin tan intensa y terrible se hizo su expresión, que se le trabó la lengua durante un rato, agitado por un temblor convulsivo y con los ojos vueltos en sangre. Tres veces probó a levantarse de su taburete y otras tantas sus vacilantes rodillas se negaron a sostenerle. El comendador conociendo lo que pasaba dentro de su alma, abrió una ventana para que respirase aire más puro, y procuró dar salida a su coraje con palabras acomodadas a su intento, hasta que por fin pasado el primer arrebato de rabia, rompió don Juan en quejas e imprecaciones contra el infante y el de Lemus.

—¡A mí!, decía rechinando los dientes y despidiendo relámpagos por los ojos, ¡a mí tan traidora y perversa cábala! ¡A un Núñez de Lara convertirle así en asesino de damas hermosas, mientras se empozan los caballeros! ¡Ah infante don Juan! ¡ah don Pedro de Castro y como habéis de lavar con vuestra sangre esta banda de bastardía con que habéis cruzado el escudo de mis armas! Sí, sí, noble Saldaña, don Álvaro está en mi poder, ¿pero cómo presentarme a su vista con el feo borrón de mi conducta? ¡Cómo decirle, yo soy quien os ha robado la dicha! ¡Ah! no importa: ¡yo quiero confesarle mi crimen, quiero presentarle mi cuello! ¡Pluguiera al cielo que semejante paso me humillara, pues eso sería buena prueba de que no estaba mi conciencia tan obscurecida y turbia! ¡Venid, venid!, dijo levantándose con tremenda resolución: en sus manos voy a poner mi castigo:

—No, don Juan, respondió el comendador, asiéndole del brazo, vos no conocéis la índole generosa, pero terrible y apasionada de don Álvaro, y a despecho de toda su hidalguía, tal vez os arranque la vida.

—Arránquemela en buen hora, repuso Lara desconcertado y fuera de sí, sino me ha de arrancar del corazón este arpón aguzado del remordimiento y de la vergüenza. Vamos al punto a su calabozo.

Y diciendo y haciendo, se llevó a los dos precipitadamente.

Estaba don Álvaro sentado tristemente en un sitial, fijos los ojos en aquel rayo de luz que entraba por la reja, y entregado a reflexiones amargas sobre el remoto término de su encierro, cuando en la guerra con el Temple que tan inminente le había pintado don Juan, su tío, y aun la misma Beatriz pudieran haber menester su brazo. Oyó entonces ruido de pasos muy presurosos en la escalera y el crujir de las armas contra los escalones y paredes, cosa que no poco le maravilló, acostumbrado al cauteloso andar de Lara, y al imperceptible tiento del judío. Abrióse entonces la puerta con gran ímpetu, y entraron tres caballeros, uno de los cuales exclamó al momento:

—¿Dónde estáis, don Álvaro, que con esta luz tan escasa apenas os veo?

Figúrense nuestros lectores ¡cuánta sorpresa causaría al desgraciado y noble preso semejante aparición! Sino le hubiera visto acompañado de Lara, sin duda lo hubiera tenido por cosa de hechicería, pero pasado aquel pasmo involuntario, se colgó de un brinco al cuello del comendador que por su parte le apretaba contra su pecho entre sus nervudos brazos como si fuese un hijo milagrosamente resucitado. Enternecido Lara con aquella escena en que la alegría de don Álvaro hacía tan doloroso contraste con la melancólica efusión de Saldaña, procuró descargarse del terrible peso que le abrumaba y se apresuró a decir a su cautivo:

—Don Álvaro, libre estáis desde ahora: ¡dichoso yo mil veces si mis ojos se hubiesen abierto más a tiempo! pero antes de ausentaros, fuerza será que me perdonéis o que pierda la vida a los filos de vuestro puñal, para lo cual aquí tenéis mi pecho descubierto. Sabe el cielo, gallardo joven, que mi intento al guardaros tan rigorosamente no era más que el que ya conocéis, pero mi necio candor y las tramas de los perversos, junto con vuestro sino malhadado, os han hecho perder a doña Beatriz. El comendador, que veis presente, ha descorrido el velo y yo vengo a reparar, en cuanto alcance, mi culpa, ya con mi vida, ya haciendo voto de desafiar al conde y al infante don Juan en desagravio de mi afrenta.

Acerbo era el golpe que don Juan Núñez descargaba sobre don Álvaro; así fue que perdió el color y estuvo para caer; pero recobrándose prontamente, respondió con comedimiento:

—Señor don Juan, aunque tenía determinado demandaros cuenta de tan injusto encierro, al cabo me soltáis cuando estoy en vuestras manos, y vos más poderoso que nunca; acción sin duda muy digna de vos. En cuanto a lo que de doña Beatriz os han contado, bien se echa de ver que no la conocéis, pues de otra manera no daríais crédito a vulgares habladurías.[257] Cierto es que me tendrá por muerto, porque a estas fechas ya la habrá entregado mi escudero las prendas que recibí de su amor, pero me prometió aguardarme un año, y me aguardará. Por lo demás, si queréis desengañaros, bien cerca tenéis quien ponga la verdad en su punto, pues viene de aquel país. ¿No es verdad, venerable Saldaña, que semejante nueva

[257] Rasgo muy quijotesco del carácter de don Álvaro.

es absolutamente falsa?... ¿No respondéis? Disipad, os suplico, las dudas de nuestro huésped, porque las mías no darán que hacer a nadie.

—Doña Beatriz, respondió Saldaña, ha dado su mano al conde de Lemus, y ésta es la verdad.

—¡Mentís vos!, gritó don Álvaro con una voz sofocada por la cólera: ¡no sé cómo no os arranco la lengua para escarmiento de impostores! ¿Sabéis a quién estáis ultrajando? Vos no sois digno de poner los labios en la huella que deja su pie en la arena... ¿quién sois, quién sois para vilipendiarla así?

—Don Álvaro, exclamó Lara interponiéndose, ¿es éste el pago que dais a quien ha venido a quitarme la venda de los ojos y a arrancaros a vos de las tinieblas de vuestra mazmorra?

—¡Ah! perdonad, perdonadme, noble don Gutierre!, repuso don Álvaro con voz dulce y templada, llevando a sus labios la arrugada mano del anciano; pero ¿cómo conservar la calma y el respeto cuando oigo en vuestros labios esas calumnias, hijas de algún pecho traidor y fementido? ¿Asistísteis vos a esos desposorios? Lo vísteis por vuestros propios ojos.

—No, contestó Saldaña con acento antes apesarado que iracundo, porque sin duda la cólera y apasionado afecto de aquel desgraciado joven esperaba cualquier arrebato; no fui yo testigo de ellos, pero todo el país lo sabe y...

—Y todo el país miente, replicó don Álvaro sin dejarle concluir la frase. Decidme que dude del sol, de la naturaleza entera, de mi corazón mismo, pero no empañéis con sospechas ni con el hálito de mentirosos rumores aquel espejo de valor, de inocencia y de ternura.

Entonces se puso a pasear delante de los asombrados caballeros, que no se atrevían a socavar más en su corazón para arrancar aquella planta tan profundamente arraigada, diciendo en voz baja:

—¡Ah!, ¿quién sabe si cansada de persecuciones y sacrificios le habrá parecido muy enojoso el convento y sobrado largo el plazo de un año que me concedió para aguardarme? Por otra parte, ¿cuándo me ha mecido la buena suerte para esperar ahora su benéfico influjo?

Siguió así paseando un corto espacio, y murmurando palabras confusas, hasta que volviéndose de repente a don Juan de Lara, le dijo con acento alterado:

—¿No decíais que estaba libre, hace un momento? ¡Venga, pues, un caballo!, ¡un caballo al punto!... ¡Antes morir que vivir en tan espantosa agonía! ¿No hay quien me ayude a darme las hebillas de mi coraza?

El comendador le ayudó a armarse con gran presteza, mientras don Juan le respondía:

—Vuestro caballo mismo, a quien hice curar por saber la mucha estima en que lo teníais, os está esperando en el patio, enjaezado; pero, don Álvaro, pensad en lo que hace poco os he pedido. Tal vez he podido haceros un daño gravísimo, pero si tuve noticia de la ruindad y vileza de que entrambos somos víctimas, no me asista el perdón de Dios en la hora del juicio.

—Don Juan, respondió él, veo que vuestro corazón no está corrompido ni sordo a la voz del honor; pero si vuestros temores son legítimos y me precipitáis así en un abismo de dolores que jamás alcanzaréis a sondear, algo más duro se os hará conseguir el perdón de Dios que el mío, sinceramente otorgado en presencia de estos dos nobles testigos, junto con mi gratitud por la hospitalidad que os he merecido.

Con esto subieron inmediatamente a la plaza de armas del castillo, donde el gallardo Almanzor soltó un largo y sonoro relincho en cuanto conoció a su dueño. Subió éste sobre él después de despedirse de todos los caballeros, y salió del castillo con el comendador y sus hombres de armas, dejando en el pecho de Lara un disgusto que sólo se podía igualar a la cólera que habían despertado en él la negra traición del conde y del infante. Por si algo pudiera valer, había entregado al comendador la correspondencia de entrambos personajes, en que su trama estaba de manifiesto, pero no consiguió por esto dar treguas a su pesar.

Don Álvaro y su compañero pasaron fácilmente los atrincheramientos de los sitiadores a favor del carácter de que iba revestido el Templario, y emprendieron con gran diligencia el camino del Bierzo. Dos leguas llevarían andadas, cuando don Álvaro paró de repente su caballo y dijo a Saldaña con voz profunda:

—Si fuese cierto...

Don Gutierre no pudo menos de menear tristemente la cabeza, y el joven añadió con impaciencia:

—Bien está, pero no me interrumpáis ni me desesperéis cuando tan cerca tenemos el desengaño. Oídme lo que quería deciros. Si fuese cierto, no tardaré más en pedir el hábito del Temple que lo que tarde en llegar a Ponferrada. Os doy mi palabra de caballero.

—No os la acepto, replicó Saldaña, porque...

Don Álvaro le hizo una señal de impaciencia para que no se cansase en balde, precepto que él guardó muy de grado por no irritarle más, y así, sin hablar apenas más palabra, llegaron al término de su viaje, no muy dichoso por cierto, según hemos visto ya.

CAPÍTULO XXII

Un natural menos ardiente, un alma menos impetuosa que la del señor de Bembibre no hubiera adoptado probablemente tan temeraria determinación como era la de entrar en el Temple, cuando cielo y tierra parecían conjurados en su daño; pero el vacío insondable que había dejado en su corazón el naufragio de su más dulce y lisonjera esperanza, la necesidad de emplear en alguna empresa de crédito la fogosidad y energía de su carácter y más que todo quizá el deseo de venganza, fueron móviles bastante poderosos para allanar toda clase de embarazos. La ocasión no podía brindarse más favorable, porque el triste drama de aquella milicia religiosa a un tiempo y guerrera, tocaba ya a su desenlace. Todos los ánimos, sin embargo estaban suspensos y como colgados de aquel extraño acontecimiento, porque la caballería del Temple contaba en España más elementos de resistencia que en nación alguna, y los sucesos la encontraban no sólo aprestada, sino sañuda y encendida en deseo de venganza.[258] Centro y corazón de semejantes disposiciones era el rey don Dionís de Portugal, príncipe el más sabio y prudente que entonces había en la Península, y que bien penetrado de la persecución injusta de semejante religión, no sólo había mandado sus embajadores al papa para quejarse y protestar de los atropellos y desmanes cometidos, sino que resuelto a sostenerla en España y Portugal, se había entendido para el caso con el maestre de Castilla y con el teniente de Aragón, y concertado con ellos los medios de conservar ilesa su existencia, y sobre todo su opinión.[259] Apoyados, pues, en el rey de Portugal, seguros de su inocencia, seguros todavía más de su esfuerzo y pundonor, y ansiosos los unos de venganza y los otros entregados a quiméricos planes, bien podían tener en balanzas la suerte de la España y hacer vacilar a los monarcas de Castilla y Aragón antes de comenzar la lucha. Sin embargo, las huestes por todas partes se iban juntando, y de ambas partes parecían resueltos a poner este gran duelo al trance de una batalla, justamente recelosos y desconfiados los unos para entregarse inermes y desvalidos en manos de sus enemigos declarados, y apoyados los otros en las bulas del papa y en los peligros que podían sobrevenir al estado conservando armados y encastillados unos hombres de tan graves delitos acusados.

Don Rodrigo Yáñez, menos preocupado que sus hermanos, y convencido íntimamente de que aquella venerable institución había caducado a las destructoras manos del tiempo, no parecía dispuesto a resistir las órdenes del Sumo Pontífice, ni menos recelaba sujetarse a la jurisdicción y juicio de los prelados españoles, dechado entonces de ciencia y evangélicas virtudes. De sentir enteramente opuesto

[258] En efecto, los Templarios aragoneses, sobre todo, resistieron con brío en las fortalezas de Monzón y Miravete.

[259] Estos hechos en Campomanes, dis. IV, p. 72, y dis. IX, p. 134.

era el capítulo general de los caballeros, exacerbados con tantas iniquidades y malos juicios como personas mal intencionadas derramaban en la plebe; y con los asesinatos jurídicos de Francia. Tanto, pues, por no abandonar su familia de adopción y de gloria, como por no producir con su oposición un cisma y desunión lastimosa que diese en tierra con el poco prestigio que la milicia conservaba a los ojos del vulgo, se conformó con la opinión general. Por otra parte, sus demandas nada tenían de exorbitantes, pues no declinaban la jurisdición de la Santa Sede, y protestaban de no guardar sus castillos y vasallos sino por vía de legítima defensa.[260] Así, pues, nada podía impedir al parecer un rompimiento terrible y desastroso en que a nadie se podía dar la ventaja, porque si de un lado estaban el número, la opinión y la fuerza de las cosas, militaban en el otro el valor, el pundonor caballeresco, el agravio y la fuerza de voluntad sobre todo que triunfa de los obstáculos y señala su curso a los sucesos.

Tal era el estado de las cosas, cuando don Álvaro con el corazón traspasado y partido salió para no volver de Arganza y de aquellos sitios, dulces y halagüeños cuando Dios quería,[261] tristes ya y poblados de amargos recuerdos.

260 En realidad, según Ferreras (parte VII, § 10, p. 43, y § 11, p. 44), ocurrieron las cosas de este modo: el rey pidió a Rodrigo Yáñez que le entregara todas las fortalezas de la Orden. El Maestre, entonces, se entrevistó con la reina doña María en Valladolid y le propuso entregárselas a ella y no al rey hasta el día del proceso. Luego, desconfiando de la reina, las entregó al hermano del rey, el infante don Felipe. El infante don Juan, entonces, pretendió que la fortaleza de Ponferrada era suya y amenazó tomarla por fuerza de manos de su sobrino. Don Felipe, ayudado por los Templarios, se preparó entonces a la defensa y la reina intervino para evitar una nueva guerra. Entonces don Felipe entregó al rey los bienes de los Templarios y la causa se confió a los obispos, que tuvieron que juzgarla como en adelante lo hicieron. Enrique Gil leyó probablemente a Ferreras, pero alteró notablemente los hechos inventando el sitio de Cornatel.

261 *cuando Dios quería*: reminiscencia del soneto X de Garcilaso de la Vega: "¡Oh dulces prendas por mi mal halladas, / dulces y alegres cuando Dios quería! / juntas estáis en la memoria mía, / y con ella en mi muerte conjuradas."

Fiel a su promesa, encaminóse a Ponferrada al punto, firmemente resuelto a no salir de sus murallas, sino con la cruz encarnada en el pecho. Antes de llegar concertó con el comendador que se adelantase a prevenir a su tío de su ida, medida muy prudente, sin duda, porque tales extremos de dolor había hecho el anciano con la noticia de su muerte que la súbita alegría que recibiese con su presencia pudiera muy bien comprometer su salud. Tomó, por lo tanto, el comendador el camino que mejor le pareció y cuando por fin llegó a darle la nueva en toda su verdad, ya don Álvaro cruzaba el puente levadizo. Como si la alegría le hubiese descargado del peso de los años, bajó la escalera con la rapidez de un mancebo, y al pie de ella encontró a su sobrino rodeado de muchos caballeros, que con muestras de infinita satisfacción le acogían y saludaban. Abrazáronse allí en medio de la emoción que a don Álvaro causaba el encuentro de su tío en momentos de tanta amargura para él, y de la no menor que al anciano domina[b]a, no sabiendo cómo agradecer a Dios este consuelo que en sus cansados días le enviaba. Por fin, pasados los primeros transportes y satisfecha la curiosidad de aquel respetable viejo sobre su prisión, sus penas y su libertad, naturalmente vinieron a caer en el desabrido arenal de lo presente, a la manera que un aguilucho que antes de tiempo se arroja del nido materno, después de un corto y alborozado vuelo, para finalmente en el fondo de un precipicio. Don Álvaro le contó entonces la dolorosa entrevista que acababa de tener, y el término que había resuelto poner a sus afanes en las filas de sus hermanos de armas. Don Rodrigo, atónito y turbado, apenas supo qué responder en un principio a una declaración en la cual a un tiempo se cifraban la ruina de su prosapia, el riesgo de una vida para él tan preciosa, y el sin fin de males con que estaba amagando el porvenir a la institución. Cuando al cabo de su gran agitación se recobró un poco, dijo a su sobrino con voz sentida:

—¿Con que no sólo derramas el divino licor de la esperanza, sino que quieres arrojar la copa al abismo? ¿No te basta el muro terrible que te separa de ella, que aún quieres poner entre los dos otro mayor? De la vida de un hombre, tan frágil en estos tiempos de discordias, pende ahora tu fortuna; ¿cómo quieres atajarla con un tropiezo que sólo le mueve la mano la muerte?

—Tío y señor, respondió el joven con amargura, ¿y qué es la esperanza? Ya sabéis que yo la recibí en mi corazón como un huésped noble, hermoso y bien venido a quien festejé con todo mi poder y cariño; pero el huésped me asesinó y puso fuego a mi casa. ¿Qué ha quedado en lugar suyo y de su dueño?, ¡unas gotas de sangre y un montón de cenizas!... ¡Frágil llamáis la vida de ese hombre!, ¡la frágil, deleznable y caduca, es la nuestra que no se ha desviado de la senda estrecha del honor, mas no la suya, tejido de reprobación y de iniquidad!, ¡largos días le aguardan tal vez de poder y de ambición en este miserable país!... ¡Muévale Dios contra el Temple y ahora que no soy más que un soldado suyo, nos encontraremos!

Don Rodrigo comprendió la mortal herida que el desengaño acababa de abrir en el alma de su sobrino, y varió de rumbo tratando de presentarle otra clase de obstáculos.

—Hijo mío, le dijo con aparente tranquilidad, tu dolor es justo, y natural tu determinación; pero no alcanza mi poder a coronarla. Nuestra Orden está citada a juicio; suspensos nuestros derechos y sin facultades, por consiguiente para admitirte en su seno. [262]

Don Álvaro, con su claro ingenio, comprendió al punto los intentos de su tío y respondió resueltamente:

—Tío y señor, si tal es vuestro escrúpulo y supuesto que el caso es de todo punto nuevo, convocad capítulo y él resolverá. Por lo demás, si el Temple me cierra sus puertas, me pasaré a la isla de Rodas y me alistaré entre vuestros enemigos los caballeros de San Juan. [263] Pensad que mi resolución es invariable y que todo el poder del

[262] El argumento es poderoso. Sin embargo, se conoce el caso de varios Templarios admitidos después de disuelta la Orden.

[263] No exagera don Álvaro hablando de enemistad a propósito de los Hospitalarios de San Juan.

mundo conjurado contra ella no la haría retroceder ni un solo paso.

Don Rodrigo acabó de convencerse de la inutilidad de sus esfuerzos, pero a pesar de ello juntó capítulo de los caballeros allí presentes para significarles sus dudas. La respuesta le dio a conocer que su negativa no haría sino irritar aquellos ánimos encendidos y comprometer su autoridad, y así se propuso dar el hábito a su sobrino en cuanto estuviese preparado debidamente para ello. Corrió la noticia al punto por la bailía y los caballeros la recibieron con alborozo extremado, considerando el poderoso brazo que se consagraba a sostener su poder ya vacilante. Saldaña, que por motivos de delicadeza y rigorosa justicia se había negado a aceptar la palabra de don Álvaro, viéndole ahora persistir en su propósito, no cabía en sí de gozo. Su alma sombría y ambiciosa, más y más exaltada con los riesgos que cercaban a su religión, se regocijaba no sólo por los triunfos que le predecía la entrada de un campeón tan valeroso como leal, si no porque en su pasión por aquel joven tan noble y sin ventura, se había propuesto colocarle en un trono de gloria y hacerle olvidar, si posible fuera, sus pasados sinsabores a fuerza de triunfos, honores y respetos. Aunque es verdad que el deseo de vengarse era uno de los más poderosos motivos que excitaba a don Álvaro para su determinación, el comendador sabía muy bien que los aplausos de la fama, las generosas emociones del valor y los trances de los combates eran la única ilusión que no había abandonado aquel pecho lastimado y desierto.

Algunos ritos que se observan en las modernas sociedades secretas, sobre todo en la admisión de socios, se dicen derivados de los Templarios. Cualquiera que pueda ser su verdadero carácter y procedencia, lo que no admite duda es que aquellos caballeros practicaban algunas ceremonias cuyo sentido simbólico y misterioso era hijo de una época más poética y entusiasta que la que en sus postreras décadas alcanzaban. En el castillo de Ponferrada se conservan todavía entallados encima de una puerta, dos cuadrados perfectos que se intersecan en ángulos absolutamente iguales, y al lado derecho tienen una especie de sol con una estrella a la izquierda.[264] La existencia de tan extrañas figuras, de todo punto desusadas en la heráldica, basta para probar que la opinión que en su tiempo se tenía de sus prácticas misteriosas y tremendas, no carecía absolutamente de fundamento. Una entre todas era particularmente chocante, a saber las injurias que se hacían al crucifijo y cuya significación no era otra sino la rehabilitación del pecador, a partir de la impiedad y del crimen para subir por los escalones de la purificación y del sacrificio a las santificadas regiones de la gracia; rito fatal que sin diferenciarse en la esencia de la *fiesta de los locos,* y algunos otros usos de la antigua Iglesia, fue causa principal de la ruina del Temple, cuando su sentido místico se había perdido ya entre las nieblas de una generación más sensual y grosera.[265] A explicar, por lo tanto, a su sobrino semejantes enigmas, vedados a los ojos del vulgo, se encaminaron los esfuerzos del maestre en los días que precedieron a su profesión.

Llegó por fin el momento en que aquel ilustre mancebo se despidiese de un mundo que si alguna vez esparció flores por su camino, fue para trocárselas al punto en abrojos. Las profesiones en todas las demás órdenes religiosas se hacían a la luz del sol y públicamente, pero los Templarios, sin duda para dar más solemnidad a la suya, la hacían de noche y a puertas cerradas. Cuando ya la obscu-

[264] Este signo ya no existe en el castillo. El dibujo que publicamos está copiado en un cuadro de S. Fuentes del año 1848; desde luego, hay que desechar su origen templario, ya que la cruz de Tau nunca fue suya. Luengo (*op. cit.,* p. 373) escribe que corresponde a un símbolo muy antiguo y anterior al Temple. Son signos solares destinados a proteger a los guerreros. (En la misma tradición, las ruedas pintadas en las puertas, en algunos pueblos leoneses.) Los dos cuadrados representan también un símbolo solar análogo a la svástica. Existen muchísimos signos semejantes en la torre antigua del monasterio de Carracedo.

[265] Este detalle es real. Lo encontró E. Gil en Michelet (*Histoire de France,* liv. V, ch. 3). Muchos historiadores lo niegan. Gil lo admite creyéndolo puramente simbólico. Muchas ediciones de la novela suprimen este pasaje.

ridad se derramó por la tierra,[266] el comendador Saldaña y otro caballero muy anciano vinieron a buscar a don Álvaro que les aguardaba armado con una riquísima armadura negra, con veros de oro, un casco adornado de un hermoso penacho de plumas encarnadas, en la cinta una espada y puñal con puño de pedrería y calzadas unas grandes espuelas de oro. El que aspiraba a entrar en el Temple se ataviaba con todas las galas del siglo para dejarlas al pie de los altares. Condujeron, pues, a don Álvaro ambos caballeros a la hermosa capilla del castillo, a cuya puerta se pararon un momento llamando en seguida con golpes mesurados y acompasados.

—¿Quién llama a la puerta del templo?, preguntó desde dentro una voz hueca.

—El que viene poseído de celo hacia su gloria, de humildad y de desengaño, respondió Saldaña como primer padrino.

Entonces abrieron las puertas de par en par y se presentó a su vista la iglesia tendida de negro con un número muy escaso de blandones de cera amarilla y verde, encendidos en el altar. En sus gradas estaba el maestre sentado en una especie de trono rodeado de los comendadores de la Orden, y más abajo, en una especie de semicírculo, se extendían los caballeros profesos, únicos que a esta ceremonia se admitían, y que envueltos en sus mantos blancos parecían otros tantos fantasmas lúgubres y silenciosos. Don Álvaro, en cuya imaginación ardiente y exaltada hacía gran impresión este aparato, atravesó por medio de ellos acompañado de sus dos ancianos padrinos y fue a arrodillarse ante las gradas del trono del maestre. Extendió éste su cetro hacia él y le preguntó sus deseos. Don Álvaro respondió:

—Considerando que el Salvador dijo: "El que quiera ser de mi grey tome su cruz y sígame",[267] yo, aunque in-

[266] La descripción de la ceremonia parece sugerida por los *Monuments historiques...* que preceden la tragedia de Raynouard *Les Templiers.*

[267] *Mateo,* 10, 38.

digno y pecador, he aspirado a tomar la del Templo de Salomón para seguirle.

—Grave es la carga para vuestros hombros jóvenes, respondió el maestre con voz reposada y sonora.

—El Señor me dará fuerzas para llevarla, como me ha dado resolución y valor para pedirla a pesar de mis culpas, respondió el neófito.

—¿Habéis pensado, repuso el maestre, que el mundo acaba en estos umbrales silenciosos y austeros?

—Yo me he despojado a la puerta del hombre viejo para revestirme del hombre nuevo.[268]

—¿Hay alguno entre todos los hermanos presentes que pueda notar al aspirante de alguna acción ruin por la que merezca ser degradado de la dignidad de caballero?

Todos guardaron un silencio sepulcral. El comendador pidió entonces que se comenzase el rito, y dos caballeros trajeron un crucifijo de gran altura y toscamente labrado, pero de expresión muy dolorosa en el semblante, y lo tendieron en el suelo. Don Álvaro, conforme a la ceremonia, lo escupió y holló, y luego, alzándolo en el aire los dos caballeros, le dirijió las sacrílegas palabras de los judíos:

—¿Si eres rey, cómo no bajas de esa cruz?[269]

Cubriéronlo al punto con un velo negro y lo retiraron, tras de lo cual dijo el maestre:

—Tu crimen es negro como el infierno y tu caída como la de los ángeles rebeldes; pero tu Dios te perdonará, y tu sangre correrá en desagravio de su tremenda cólera y justicia.

Arrodillóse entonces don Álvaro sobre un cojín de terciopelo negro con flecos y borlas de oro, y desarrollando un gran pergamino que tenía por cabeza la cruz del Temple en campo de oro, y a la luz de una bujía con que alumbraba Saldaña, leyó su profesión concebida en estos términos:

[268] *Efesios,* 4, 20 a 24.

[269] V. nota 265 de este capítulo. Trozo también omitido en la mayor parte de las ediciones.

—Yo, don [Álvaro] Yáñez,[270] señor de Bembibre y de las montañas del Boeza, prometo obediencia ciega al maestre de la Orden del Templo de Salomón y a todos los caballeros constituidos en dignidad: castidad perpetua y pobreza absoluta. Prometo además guardar rigoroso secreto sobre todos los usos, ritos y costumbres de esta religión; procurar su honra y crecimiento por todos los medios que no estén reñidos con la ley de Dios, y sobre todo trabajar sin tregua en la conquista de la Jerusalén terrena, escalón seguro y senda de luz para la Jerusalén celestial. Prémieme Dios en proporción de mis obras, y vosotros como delegados suyos.

Entonces los padrinos comenzaron a desarmarle y los circunstantes a cantar el salmo: *Nunc dimitis servum tuum, domine,*[271] con voces vigorosas y solemnes. Calzáronle espuelas de acero, y de acero bruñido también fueron las grebas,[272] peto,[273] espaldar[274] y manoplas[275] con que sustituyeron su armadura; por último, le ciñeron una espada de Damasco y le pusieron en la cinta un puñal buído[276] de fino temple, pero sin ningún género de adorno. Echáronle, por fin, el manto blanco de la Orden y entonces le vendaron los ojos, en seguida de lo cual se postró en el suelo, mientras la congregación cantaba los salmos penitenciales con que los cristianos se despiden de sus muertos. Acabóse por fin el cántico, cuyas últimas notas quedaron vibrando en las bóvedas de la iglesia en medio del profundo silencio que reinaba en sus ámbitos, y entonces sus padrinos acudieron a levantarle y le destaparon los

[270] *Álvaro Yáñez*: la edición reza "Salvador Yáñez". Este lapsus se debe probablemente a una confusión del autor con el protagonista de *El lago de Carucedo,* que en efecto se llama Salvador.

[271] "Señor, dejad a vuestro siervo que se marche", *Lucas,* 2, 29.

[272] *grevas*: o *grebas*: pieza de la armadura que cubría las canillas de las piernas.

[273] *peto*: cubría el pecho.

[274] *espaldar*: cubría las espaldas.

[275] *manoplas*: cubrían las manos.

[276] *puñal buído*: puñal afilado.

ojos, que al punto volvió a cerrar, porque acostumbrados a las tinieblas, no pudieron sufrir la vivísima luz que como una celeste aureola iluminaba aquel templo, momentos antes tan adusto y sombrío. Las colgaduras negras estaban recogidas y los altares todos resplandecían con infinitas antorchas; el aire estaba embalsamado con delicado incienso que en vagos e inciertos festones se perdía entre los arcos y columnas; y los caballeros todos tenían en las manos velas blanquísimas de cera encendidas. En cuanto descubrieron a don Álvaro, entonaron todos en voces regocijadas y altísimas el salmo *Magnificat anima mea Dominum*[277] durante el cual, conducido por sus padrinos, fue abrazando a todos sus hermanos y recibiendo de ellos el ósculo de paz y fraternidad. Concluido este acto, aproximaron todos en orden sus sitiales al trono del maestre, dejando en medio a don Álvaro, que de pie y con los brazos cruzados oyó la plática que el maestre o su inmediato dignatario solían dirigir al profeso. En tiempos más dichosos, versaba sobre las glorias y prosperidad de la Orden, la consideración de que gozaba en toda la cristiandad y, por último, sobre los deberes rigorosos y terribles del nuevo caballero; pero entonces que la hora de la prueba había llegado y aquel astro luminoso padecía tan terrible eclipse, las palabras de don Rodrigo tuvieron aquel carácter religioso, profundo y melancólico propio de todas aquellas catástrofes que pasman y sobrecogen al mundo. Por último, vino a recaer el razonamiento sobre los serios y terribles deberes que el soldado de Dios se imponía al entrar en aquella milicia, y entonces, levantándose de su trono, alzando el cetro y enderezando su talla majestuosa, concluyó diciendo con acento severo y grave:

—¡Pero si Dios te deja de su mano para permitir que faltes a tus juramentos, tu vida se apagará al punto como estas candelas, y unas tinieblas más densas todavía cercarán tu alma por toda una eternidad!

[277] Principio del *Magnificat* (Lucas, 1, 46), cántico de la Virgen al visitar a Santa Isabel.

Al decir esto todos los caballeros mataron sus luces por un movimiento unánime, y en el mismo instante bajaron los negros y tupidos velos de los altares dejando la iglesia en una obscuridad pavorosa. Los caballeros entonces murmuraron en voz baja algunos versículos del libro de Jol[278] sobre la brevedad de la vida y la vanidad de las alegrías del crimen; y a la luz de los blandones fúnebres que todavía ardían en el altar mayor, fueron dirigiéndose a la puerta en lenta y solemne procesión. Allí se pararon de nuevo, y el maestre se adelantó para rociar con agua bendita la cabeza de su sobrino, como para lavarle y purificarle aún de las heces y vestigios de la culpa, y desde allí todos se dispersaron encaminándose a sus cámaras respectivas.

A don Álvaro le dejaron también en la suya, y la luz del nuevo día que no tardó en teñir los celajes del oriente, le encontró mudado en otro hombre y ligado con votos que sólo el poder de la muerte le parecía dable desatar. ¡Dichoso él si con su poder, su libertad y sus dulces esperanzas hubiese podido poner de lado su antigua y devoradora pasión! Pero sólo el tiempo y la ayuda del Todopoderoso eran capaces de limpiar su corazón de sus amargas heces, y borrar de su memoria aquellas imágenes escritas con caracteres de fuego.

Por fin, a su valor y energía se le presentaba el ancho campo de la guerra y el noble empeño de defender una causa justa, pero ¿qué consuelo podía buscarse en el mundo para doña Beatriz que no tenía más compañía que la soledad, la aflicción y la presencia de un padre ya anciano, lleno de pesares y penetrado de un arrepentimiento tardío? ¡Tristes contradicciones y debilidades las del pobre corazón humano! La heredera de Arganza tenía por esposo un hombre joven todavía, lleno de vigor y robustez: su salud, por otra parte, de día en día se quebrantaba; el cielo y la tierra de consuno parecían apartarla de su primer amor, que según todas las apariencias no podía estar más perdido para ella, y sin embargo la nueva de aquellos

[278] Posiblemente caps. 14, 1-12, y 20, 4-29.

votos le causó profundísimo dolor. ¿Qué podía esperar? ¿Qué podían descubrir sus ojos en el nebuloso horizonte del porvenir, sino soledad y pesares sin término y sin cuento? ¡Extraño misterio! La esperanza es una planta que brota en el corazón y que si no florece cuando el dolor ha trocado su campo en arenal, todavía conserva su tronco enhiesto como una columna fúnebre, y aún regado por la fuente de las lágrimas, brota tal vez alguna hoja marchita y amarillenta. Doña Beatriz se había visto separada de su amante por escaso arroyo, su matrimonio desgraciado lo había convertido en río profundo y caudaloso; ahora la profesión de don Álvaro acababa de trocarle en mar inmenso, y la desventurada, sentada en la orilla, veía desaparecer a lo lejos el bajel desarbolado y roto en que para no volver se partían sus ilusiones más dulces.

CAPÍTULO XXIII

A los tres días de los sucesos que acabamos de referir, pareció el buen Millán por Arganza a dar cuenta a Martina del arreglo que iba poniendo en las haciendas que su amo le había legado. Venía entonces de las montañas muy satisfecho de sus tierras, y de algunas reses que había comprado, con las cuales pensaba beneficiar sus praderas y juntar un caudal que ofrecer a su futura en cambio de su blanca mano y de su cara de Pascua. Algo desasosegado le traían los rumores de guerra que comenzaban a correr a propósito de los Templarios, pero contaba con el favor de Dios y sobre todo se echaba la cuenta de tantos otros que acometiendo empresas descabelladas, creen responder a todo con el refrán de que: El que no se arriesga no pasa la mar. Así, pues, no es maravilla que se presentase contento y alegre en una casa de donde se había huido la poca alegría que quedaba.

—¡Ay, Millán de mi alma!, exclamó Martina saliéndole al encuentro apresurada, ¡y qué cosas han pasado desde que te fuiste! ¡Vamos!, aún no se me ha quitado el temblor del cuerpo, ni he dormido una hora de seguido, y doña Beatriz, ¡la cuitada! ¡No sé qué me da en el corazón cuando pienso en ella!

—Pero, mujer, ¿qué es lo que ha sucedido?, preguntó el mozo un poco azorado.

—¡Ahí es nada!, contestó ella, no poco satisfecha, en medio de sus recuerdos de pavor, de contar un cuento tan maravilloso; tu amo ha parecido por aquí.

—¡Jesucristo! ¡Virgen santísima de la Encina!, exclamó el escudero santiguándose; ¿ha venido a pedir algunas misas y sufragios? Pues mira, según lo bueno que era no creí yo que fuese al purgatorio, sino al cielo en derechura.

—¿A pedir sufragios y oraciones, eh?, contestó la aldeana: ¡que si quieres!, ha venido en cuerpo y alma a reclamar la mano y palabra de doña Beatriz.

—Martina, contestó el escudero, mirándola de hito en hito, ¿qué te pasa, muchacha? ¿Te [han] dado algún bebedizo y estás endiablada? ¿En cuerpo y alma dices y lo dejé yo enterrado en Tordehumos? Por cierto que me hubiera traído su cuerpo sino fuese por aquel testarudo de don Juan Núñez; vaya, vaya, que si me lo dijera Mendo, al instante le preguntara si venía de la bodega.

—Eso no va conmigo, señor galán, respondió la muchacha un poco amostazada, porque no lo cato.

—No, mujer: ¿quién había de decirlo de ti?, repuso Millán cortésmente, la lengua le cortaría yo al que lo dijese.

—Sea como quiera, contestó ella, lo que te digo es que yo y Mendo, y mi amo, y el alhaja del conde y todos en fin, hemos visto y oído a don Álvaro junto al nogal del arroyo: por más señas que venía con el comendador Saldaña, el alcaide de Cornatel.

—¡Virgen purísima!, exclamó Millán cruzando las manos y mirando al cielo, ¡con que vive mi señor, el mejor de los amos, el caballero más bizarro de España! ¿Dónde está, Martina?, ¿dónde está?, ¡que aunque sea al cabo del mundo iré en busca suya.

—¡Pues!, repuso la muchacha tristemente; ¡y siendo como eres un señor, vamos al decir, te vas a quedar como antes y nuestra boda Dios sabe para cuándo será!

—En verdad que tienes razón, contestó él en el mismo tono; ¡y yo que había arrendado tan bien el prado de Ygüeña[279] al tío Manolón y había comprado unas vacas que daba gusto verlas! Pero ¿qué le hemos de hacer?, añadió después de un rato de silencio, ¿no me he de alegrar yo por eso de la vuelta de mi amo? Váyanse muy enhoramala todos los prados del Bierzo y todas las vacas del mundo, y viva mi don Álvaro que es primero. Martina, le dijo después con seriedad, ya sabes que primero es la obligación que la devoción, y por eso, yo, aunque me corría priesa, bien lo sabe Dios, nunca quise que dejaras a doña Beatriz... Pero, ¡válgame Dios!, exclamó como sorprendido, ¡y yo que no me había acordado de ella!, ¿y qué ha dicho la infeliz?, ¿qué es de ella?

Martina entonces le contó llorosa todo lo acaecido, narración que dejó confuso y turbado al pobre Millán con la perfidia del conde y lo negro de la trama en que su amo se había visto envuelto.

—Y ahora, concluyó diciendo la muchacha, el viejo anda por los rincones llora que llora y zumba que zumba, y la señora, como es natural, más afligida que nunca; pero como ni uno ni otro quieren darse a entender su sentimiento, andan los dos por ver quién engaña a quién, sin lograrlo ninguno; porque a lo mejor cuando se encuentran sus miradas echan a llorar como dos perdidos. Si te he de decir la verdad, no sé quién me causa más lástima.

—¡Vaya por Dios!, respondió Millán con un suspiro: pero y mi amo, ¿dónde para porque yo no he oído nada por el camino?

Martina, que sabía muy bien lo poco devoto que su amante era del Temple, gracias a la superstición común, había esquivado en la narración el punto de la determi-

279 Actualmente, se escribe Igüeña. Pueblo sobre el Boeza, a 20 kilómetros al norte de Bembibre.

nación de don Álvaro, pero como ya no era posible ocultarlo, tuvo que decírselo.

—¡Dios de mi alma!, exclamó el mozo consternado, ¿no valía más que de veras hubiera muerto, que no guardarle para la hoguera con todos esos desdichados descomulgados por el papa? No, pues en eso perdóneme: si él quiere perder su alma yo estoy bien avenido con la mía, y no será el hijo de mi madre quien se quede a servirle para que después le tengan a uno por nigromante y hechicero.

—¿Sabes lo que digo, Millán?, repuso la muchacha, es que debe haber mucha mentira en eso de los Templarios, porque cuando se ha entrado en la Orden un señor tan cristiano y principal como tu amo, se me hace muy cuesta arriba creer esas cosas de magia y de herejía que dicen.

—¿Qué sabes tú?, respondió él con un poco de aspereza; don Álvaro está desconocido desde sus malhadados amores y es capaz de hacer cualquiera cosa de desesperado. En fin, yo allá voy, porque a eso estoy obligado, pero quedarme con él mucho lo dificulto. ¡Ojalá que no le hubiera comido el pan ni me hubiese sacado medio ahogado del Boeza!... ¡Mal haya tu venta!, [280] añadió mirando con ceño a su futura; que por tus cosas no estamos ya casados en paz y en gracia de Dios y libres de semejantes aprietos, en vez de que así Dios sabe lo que será de nosotros.

—Pero, hombre, repuso ella con dulzura, ¿qué querías que hiciera estando doña Beatriz así?

—Sí, sí, contestó como distraído: no me hagas caso, porque no sé lo que me digo... ¡Qué demonio de hombre!, ¡haberse metido Templario!... Pero en fin, yo allá voy, ¡y sea lo que Dios quiera! Adiós, Martina.

Y, dándola un abrazo, bajó presuroso la escalera sin aguardar a más: montó en su jaco y tan de priesa cabalgó que en poco más de una hora estaba en Ponferrada. La resolución que tan terminantemente anunció en el princi-

[280] *venta*: sin duda en el sentido de cariño, apego a doña Beatriz.

pio, y durante su enfado, de no servir a don Álvaro, según hemos visto, se iba debilitando poco a poco, y a medida que se acercaba a la bailía se iba deshaciendo como la nieve de las sierras al sol de mayo. El buen Millán era de una índole excelente y luego los hábitos de amor y de fidelidad hacia don Álvaro se confundían en su imaginación con los recuerdos de sus primeros años, porque se había criado en su castillo y sido el compañero de su infancia. Las hidalgas prendas de don Álvaro, la largueza con que en su testamento había atendido a su suerte y las desdichas que habían formado el tejido de sus jóvenes años, eran otros tantos eslabones que le unían a él. Así fue que cuando llegó al castillo, su determinación se la había llevado el viento y sólo pensó en asistir y servir a su antiguo dueño mientras durasen aquellos tiempos revueltos, a despecho de supersticiones, recelos y antipatías de toda clase. Muy de estimar era este sacrificio en un hombre preocupado con las groseras creencias de la época, y que de consiguiente, sólo a costa de un terrible esfuerzo podía determinarse a saltar por todo.

Por mucha que fuese su priesa se dirigió antes a la celda del maestre que le recibió con su bondad acostumbrada, y que deseoso de proporcionar a su sobrino una sorpresa con que pudiese dar vado en cierto modo a sus sentimientos oprimidos, le condujo inmediatamente a su aposento.

—Aquí os traigo, sobrino, un conocido antiguo, le dijo al entrar, con cuya vista presumo que os alegraréis.

—Ése será mi fiel Millán, repuso al punto don Álvaro: ¿qué otra persona se había de acordar de mí en el mundo?

Millán entonces sin poderse contener salió de detrás del maestre que ocupaba la puerta, y corrió desalado a arrojarse a los pies de su señor, abrazando sus rodillas y prorrumpiendo en lágrimas y sollozos que no le dejaban articular palabra. Don Rodrigo se ausentó entonces, y don Álvaro, enternecido, pero reprimiéndose sin embargo, porque no acostumbraba a mostrar delante de sus criados ningún género de transporte, le dijo levantándole:

—No así, pobre Millán, sino en mis brazos, vamos, abrázame, hombre..., en cuanto vine pregunté por ti, ¿qué es de tu persona?, ¿por dónde andabas?

—Pero, señor, ¿es posible, exclamó el escudero, que después de lloraros por muerto os encuentro ahora en ese hábito?

—Nunca le tuviste gran afición, contestó el caballero procurando sonreírse, pero ahora que le visto yo, fuerza será que le mires con mejores ojos, siquiera por amor del que fue tu amo.

—¡Cómo es eso del que fue mi amo!, le interrumpió el escudero como con enojo: mi amo sois ahora como antes, y lo seréis mientras yo viva.

—No, Millán, respondió don Álvaro con reposo, yo ya no tengo voluntad sino la del maestre mi tío y sus delegados. Los bienes que te dejaba en mi testamento como galardón de tu fidelidad ya no te pertenecen en rigor por haber salido falsa mi muerte, pero yo intercederé con mi tío para que te los dejen, porque en realidad yo estoy muerto para el mundo, y quiero regalarte esa memoria.

—Señor, contestó el escudero sin dejarle pasar más adelante, yo para nada necesito esos bienes estando con vos: pero si por vos mismo no podéis admitirme a vuestro servicio, yo iré a pedírselo de rodillas al maestre vuestro tío, y no me levantaré hasta que me lo conceda. [281]

—No, Millán, respondió don Álvaro, yo sé que tú tienes otras esperanzas mejores que las de venir a servir a un Templario en medio de los peligros que cercan esta noble Orden. Todavía tienes una madre anciana y a más a Martina, con lo cual sin duda vivirás tranquilo y con toda aquella ventura que puedes juiciosamente apetecer en esta vida.

—En cuanto a mi madre, replicó el escudero, bastaba el que os abandonase para granjearme su maldición, pero por lo que hace a Martina, que tenga paciencia, y me espere que yo también la he esperado a ella. Además, que

[281] En efecto, los caballeros Templarios tenían derecho para tener servidores, tierras y vasallos (artículo LI de la regla).

no creáis que por eso se enoje, porque la pobrecilla os quiere bien y...

Don Álvaro, temblando que no añadiese alguna otra cosa que no deseaba oír, se apresuró a atajarle, diciéndole que su resolución estaba tomada y que no quería envolver a nadie en las desgracias que pudieran sobrevenirle. Con esto se entabló una disputa de generosidad entre amo y mozo, firme aquél en su propósito y éste no menos aferrado en su voluntad; disputa que dirimió el maestre haciendo ver a su sobrino la poca cordura que había en desechar un corazón tan generoso en circunstancias como aquéllas. Con esto quedó Millán instalado en sus antiguas funciones, y don Rodrigo, así por recompensar su lealtad como por complacer a su sobrino, confirmó la donación hecha en el testamento para que no tuviera que arrepentirse nunca el buen Millán de su desprendimiento.

CAPÍTULO XXIV

Las diferencias del rey con don Juan Núñez de Lara se compusieron por fin más a placer de aquel orgulloso rico hombre, que a medida del decoro real, porque el poder de don Fernando, quebrantado con lo largo del sitio de Tordehumos y enflaquecido además con la defección de varios señores y la retirada de otros, no era bastante ya a postrar aquel soberbio vasallo. Asentáronse, pues, las condiciones y tratos dictados por la ocasión: volvió don Juan de Lara a su mayordomazgo; conservó a Moya y Cañete y demás pueblos que tenía, y el rey hubo de restituirle su gracia. [282] ¡Notable mengua la de la corona!, pero que, sin embargo, no dejaba de tener sus ventajas, porque además de ser prudente transigir con la necesidad, al cabo le quedaban al rey las manos sueltas y desembarazado el ánimo

[282] Esto en Salazar y Castro, tomo III, lib. XVII, cap. IX. p. 175.

para dar cima al negocio de los Templarios, que, según se veía, no podía allanarse sino por la fuerza de las armas. Sin duda los cimientos de la Orden estaban minados y vacilantes en la opinión, pero aquel cuerpo robusto se sostenía, así y todo, por la enérgica cohesión de sus partes, por sus recuerdos de gloria y por el miedo que a todos inspiraba su poder, única verdadera causa de su ruina.

No se negaban los caballeros a comparecer en juicio, delante de los prelados españoles, ni menos declinaban su jurisdicción, pero alegando las torpes calumnias que contra ellos se derramaban entre el vulgo, los asesinatos de Francia y toda aquella inaudita persecución, protestaban que no se entregarían indefensos en manos de sus enemigos, y que en sus castillos y conventos aguardarían la sentencia de los obispos, y la definitiva resolución del papa. Por lo demás, blasonaban de leales y obedientes, aseguraban con el mayor empeño que sólo su defensa les movía, y con su conducta firme y prudente, parecían poner de manifiesto a los ojos de la muchedumbre la falsedad de los cargos, junto con su firme resolución de defender su honor y su existencia hasta el último trance.

De toda la gente que con tanta flojedad y desvío sirvió a don Fernando en la demanda de Tordehumos, no encontró a nadie remiso ni desmayado: tal era la codicia que en todos los corazones despertaban los ópimos despojos del Temple. Fácil le fue, por lo tanto, juntar una hueste numerosa y lucida, aunque no sobrada ciertamente para trance tan difícil; y de nuevo comenzó el estruendo de la guerra a resonar por toda la España; porque como el empeño era igual en Aragón, [283] por ambas partes, a donde quiera, alcanzaban los aprestos y disposiciones. Sólo el rey de Portugal permanecía en lo exterior frío espectador de la contienda, si bien en su ánimo estaba inclinadísimo a la religión del Temple, y aun empleaba buenos oficios con el Sumo Pontífice para apartar de su cabeza la tormenta fatal que desde los más remotos ángulos de Europa venía a amon-

[283] No. El empeño era muchísimo mayor en Aragón. E. Gil traslada a Castilla varios acontecimientos aragoneses.

tonarse sobre ella. Este rey sabio más de lo que parecía consentir aquella época ignorante y ruda para desconocer la grosera trama en que estribaba la persecución de la Orden, y no menos caballero que discreto, sentía que tal fuese el premio de tantas glorias, honores y triunfos, cuando aquellos brazos invencibles tenían aún en la Península enemigos en quien continuar la gloriosa cruzada española de siete siglos. Así, pues, tanto en Aragón como en Castilla, estaban pendientes los ánimos de aquella lucha fatal, cuyo término y desastres no era muy fácil prever, porque si de una parte peleaba el número y la fuerza, militaban en la otra la inteligencia de la guerra, la disciplina y la clase de los combatientes, cualidades de gran precio en medio del desbarajuste de la época.

El señor de Arganza, como Merino Mayor [284] que era del Bierzo, recibió la orden de alistar inmediatamente los ballesteros y gente de armas que pudiese e ir a juntarse en los confines de Galicia con los escuadrones de su yerno el de Lemus. Honra era ésta de que con gusto infinito se hubiera excusado a no mediar su hidalguía, porque merced a los desengaños y pesares que sufría, semejante empresa iba presentándose a sus ojos con sus verdaderas formas y colores. Su enemistad con el Temple, falta de pábulo hacía algún tiempo, se había amortiguado poco a poco, y la conducta de Saldaña y de don Álvaro en los sotos de su palacio, junto con el decoro y caballerosidad que no había dejado de guardar con él el maestre don Rodrigo a pesar de sus desvíos, habían acabado de debilitarla. Sus sueños de ambición, por otra parte, iban revistiéndose de tristí-

[284] Bajo el reinado de Fernando IV era merino mayor de León y Asturias un tal Juan Álvarez Ossorio (Sandoval, *Crónica de D. Alonso VII,* p. 256b). Salazar de Mendoza (*Dignidades seglares de Castilla,* lib. I, cap. XVIII, fol. 22 v. b.) señala a un Manrique Gil merino de León y Asturias bajo el reinado de Alfonso el Sabio. Existía la dignidad de merino en el Bierzo. Flórez (t. XVI, tr. 56, cap. 4, § 39, p. 49b) indica que los merinos del Bierzo residían en Villabuena.

El rey nombraba merino a un señor que tenía que administrar la justicia en un territorio.

simos colores delante de la realidad inexorable que de bulto le mostraba la perfidia negra del conde, y la triste cuanto abundante cosecha de tribulaciones y angustias que había sembrado para su hija única. Y por colmo de desventura, ahora le llamaba la suerte a pelear con el único hombre que había conquistado y merecido aquel corazón de ángel, y cuya imagen probablemente estaba esculpida en él a despecho de todo. Aquejábanle además embarazos domésticos, pues conocida la ruindad del conde, que desde su ausencia ni por cortesanía había enviado satisfacción, mensaje ni escrito alguno, no le parecía justo llevarle su esposa, y por otra parte no era decoroso ni prudente dejar a doña Beatriz expuesta a los azares y contratiempos de una guerra que con tales visos de sangrienta y dudosa se mostraba. Perplejo y confuso en medio de tantos inconvenientes, hubo de consultar con doña Beatriz que, como prevenida por su discreción y tristeza, manifestó poca sorpresa y menos dudas ni tropiezos.

—Padre mío, le respondió, no os inquietéis por mí, pues ya sabéis que es patrimonio de la desdicha estar segura y defendida en todas partes. Guárdense los dichosos en buen hora, que a mí me guarda mi estrella. Sin embargo, como en tales ocasiones no hay sagrado sino al pie de los altares, me encerraré en Villabuena mientras dure la guerra entre nosotros.

—¿En Villabuena, Beatriz?, respondió el viejo, ¿y podrás resistir las memorias que aquellos lugares despertarán en tu corazón?

Sonrióse ella melancólicamente y contestó a su padre con dulzura:

—No fueron los peores de mi vida los días que pasé a la sombra de sus claustros y arboledas. ¡Ojalá que mudando de lugares se mudase también de pensamientos! Pero entonces el hombre sería dueño de sus penas y el cielo no le probaría en la escuela de la adversidad. Llevadme, pues, a Villabuena donde ya sabéis que me quieren bien, y caminad a la guerra sin zozobras y sin cuidados, pues allí quedo tranquila y segura. Una cosa, sin embargo, quisiera encomendaros, añadió con una inflexión de voz que revelaba con harta claridad lo que en su interior estaba pasando. Ya sabéis que entre los que vais a combatir como enemigos, hay una persona a quien hemos hecho mucho mal. También sabéis que la serpiente de la calumnia lo está envolviendo en sus anillos ponzoñosos... mirad por él y procurad, si no remediar, aliviar por lo menos los dolores que por nuestra culpa sufre.

—No por la tuya, ángel de Dios, replicó el anciano, sino por la mía. ¡Quiera el cielo perdonarme! Siempre le había agradecido la cuna ilustre en que nací y las riquezas de que me rodeó desde la niñez, pero ahora, con el pie dentro del sepulcro, reconozco lo funesto del don, y muchas veces me he dicho en mis desvelos nocturnos: "¡cuánto más dichosa hubiera sido mi hija con nacer en una cabaña de estos valles!..." En fin, hija mía, tus deseos serán cumplidos y yo procederé como quien soy: ¡ojalá que mis ojos hubieran estado siempre tan abiertos como ahora!

Después de esta breve conversación quedó determinado el viaje a Villabuena, que se verificó a los dos o tres días. No hacía muchos meses que el rigor paternal había conducido allí a doña Beatriz. Su madre quedaba sumida en el llanto; ella se veía desterrada de la casa paterna y apartada de don Álvaro, pero la esperanza la alentaba, el valor la sostenía, un germen de vida y de hermosura, al parecer inagotable, realzaban las gracias de su cuerpo, y por último una primavera llena de pompa y lozanía, parecía acompañar con su verdor y frescura de sus sentimientos y presagiarle una existencia próspera y floreciente. ¡Miserable in[e]stabilidad la de las cosas humanas! En tan corto espacio de tiempo aquella madre cariñosa había pasado a las regiones de la eternidad: su valor no había alcanzado a defenderla contra la mano de hierro del destino; su libertad había caído en holocausto de su generosidad delante de un hombre manchado de delitos; su salud se había consumido, disipádose su hermosura; don Álvaro había salido del sepulcro sólo para morir de nuevo y para siempre a los ojos de su esperanza, y por último, en vez de aquellas arboledas frondosas, de tantos trinos de pajarillos y de las auras suaves de mayo, los vientos del invierno silbaban tristemente entre los desnudos ramos de los árboles, los arroyos estaban aprisionados con cadenas de hielo y sólo algunas aves acuáticas pasaban silenciosas sobre sus cabezas o graznando ásperamente a descomunal altura. ¡Dolorosa consonancia de una naturaleza amortecida y yerta con un corazón desnudo de alegría y vacío del perfume de la esperanza!

La cabalgata se componía de las mismas personas que la otra vez, pero ya fuese que la disposición de ánimo de los señores se pegase a los criados, ya que lo pantanoso del camino y lo frío y destemplado de la estación les hiciese atender a sus cabalgaduras y les quitase todo deseo de hablar, el resultado fue que durante el viaje apenas se les oyó una palabra. El mismo Mendo, cuyos instintos torpes y groseros solían alejarle de ciertas emociones, propias tan sólo de organizaciones más delicadas, parecía mustio y apesadumbrado en aquella ocasión. Sin duda el pobre palafrenero iba cayendo en la cuenta de que por muy conde y muy señor que fuese el de Lemus, no llegaba a juntar otras cosas que no hacen menos falta, como la hombría de bien y la bondad del carácter. Acostumbrado a ver en sus amos entrambas cualidades y aun muchas más, el cuitado Mendo las creía anejas a toda nobleza y poderío, y ahora desengañado ya en fuerza de reflexiones y evidencias, se le oyó exclamar más de una vez desde la aventura del soto, provocada por su imprudencia:

—¡Qué demonio de hombre!... ¡Tan señor y tan pícaro!... ¡Quién lo hubiera creído con tanto oro y unos vestidos tan ricos!... ¡Vaya una grandeza bien empleada!... ¡Y yo, necio de mí, que lo prefería al valeroso don Álvaro! ¡Vamos, vamos! ¡No me lo pida Dios en cuenta, que no hará sin duda, porque está visto que soy un podenco y sólo sirvo para tratar con caballos!...

Con semejantes desahogos probaba el buen caballerizo si no su agudeza, por lo menos su buen corazón y sin duda todos ellos sonaban entre sus dientes cuando tan mohíno caminaba para Villabuena. En cuanto a Nuño y Martina, sobrado enterados estaban de los incidentes de aquel terrible drama para no tomarse en él un vivísimo interés.

Al cabo de dos o tres horas de caminar, llegaron por fin al monasterio, donde las religiosas ya prevenidas, estaban esperando en comunidad a una tan principal señora, que por otra parte para todas había sido una hermana en su poco distante hospedaje en aquella santa casa. Todo estaba en el mismo orden y animado por el mismo espíritu de pureza y de modestia: igual expresión en los semblantes, igual tranquilidad en las miradas, igual serenidad y compostura en los modales: sólo en doña Beatriz había mudanza. Las monjas que habían esperado encontrarla restituida a su primera robustez y lozanía, de todo punto recobrada de los pasados males y llena de contento con su ilustre esposo, se pasmaron de ver su extenuación, sus miradas a un tiempo lánguidas y penetrantes, la flacura de su cuerpo y al escuchar sobre todo el metal de su voz en que vibraba un no sé qué de profundo y melancólico que las penetraba como de angustia. Ajenas la mayor parte de aquellas cándidas mujeres a las tempestades del corazón y a las amargas experiencias del mundo, se perdían en conjeturas sobre las causas de aquel súbito y lastimoso cambio en una persona a quien la suerte había mirado desde el nacer con ojos en su entender benignos. Como doña Beatriz no había exhalado una queja durante su reclusión en el monasterio, creían que su amor a la soledad y sus frecuentes distracciones provenían de la natural tendencia de su carácter y de su sensibilidad delicada, pero no de su alma profundamente ulcerada. Sólo la abadesa, algo más versada en los dolores del corazón y en los desengaños de la vida, conoció el estado de aquella criatura que tan de cerca la tocaba. El encuentro de tía y sobrina fue triste y aflictivo, como era de suponer, pues con él se renovó la memoria de la reciente pérdida de doña Blanca; pero doña Beatriz vertió, sin embargo, pocas lágrimas. Aquel noble carácter cada día se reconcentraba un poco más, semejante a las flores que al aproximarse la noche cierran su cáliz y recogen sus hojas. Eran además sus males de los que sólo la mano de la religión puede sanar, y con aquella noble altivez y pudor que sienten siempre las almas elevadas, procuraba retirarlos de los ojos del vulgo y presentarlos solamente a la vista del dispensador del bien. Como quiera, este sosiego aparente acababa de devanar el seso de las pobres monjas, que no acertaban a componer con él las visibles huellas del pesar que en su semblante se descubrían.

Doña Beatriz se aposentó en su antigua celda desechando otra mejor y más desahogada que le tenían dispuesta, dando por razón el apego que con la costumbre había cobrado a su primer vivienda. Las hermanas lo atribuyeron a modestia y humildad cristiana, en lo cual tenían alguna razón porque siempre fueron prendas que resaltaron en ella; pero la verdadera causa de su indiferencia y fácil contentamiento era otra. ¿Qué podían importarle vanas atenciones, ni respetos, cuando sus pensamientos pertenecían a otro mundo y sólo para descansar alguna vez de su incesante vuelo se posaban por instantes en la tierra?...

Don Alonso se partió de Villabuena en la misma tarde a cumplir, como bien nacido, los mandatos de su rey y a dar calor a los preparativos de guerra que por todas partes se hacían. La presencia de aquellos lugares se le hacía cada vez más penosa y por eso se apresuró a dejarlos. Encomendó, pues, su hija al cuidado de la abadesa con particular encarecimiento, y se encaminó a las montañas del Burbia [285] a levantar gente y ordenar su mesnada. La suerte le destinaba a pelear con el que por un influjo más benigno destinaba en otro tiempo para su yerno, y no era ésta la menor de sus pesadumbres, pues sobrado conocía la ansiedad que produciría en el ánimo de doña Beatriz aquella lucha fatal entre su padre y el hombre que, aunque perdido para ella, no se borraba de su memoria. Sus sentimientos personales, además, habían sufrido grande alteración y el árbol de su ambición comenzaba a dar tan amar-

[285] *Burbia*: uno de los dos ríos de Villafranca. El otro es el Valcarce.

gos y desabridos frutos, que a costa de su vida hubiera querido arrancarlo; pero sus raíces se habían ahondado en el corazón de su hija y sólo arrancándolo con ellas pudiera lograr su objeto. La obligación de juntarse con el conde y concertar con él todo lo perteneciente a la guerra, era muy penosa para su pundonoroso carácter, una vez descorrido el velo que tanta ruindad y perversidad había encubierto: de manera que su camino por donde quiera estaba sembrado de abrojos y sinsabores.

El abad de Carracedo, que desde las bodas de doña Beatriz y la muerte de su madre se había extrañado de Arganza por entero, movido entonces del amor a la paz, y deseoso de atajar el torrente de males que de nuevo amagaban a la trabajada Castilla y sobre todo al Bierzo, medió entonces con eficacia entre el conde de Lemus, el señor de Arganza y el maestre don Rodrigo. Aunque su carácter era duro y austero en demasía y su rencor contra el Temple bastante vivo, fundábase éste en su deferencia ciega a la Sede romana, y no estaba aquél, como vimos ya en otra ocasión, sordo a los sentimientos afectuosos y puros. Ahora que las mayores catástrofes y miserias estaban pendientes sobre aquella Orden que como la suya se había cobijado al nacer bajo el manto de San Bernardo, su caridad se despertó vivamente y su antigua amistad con el maestre recobró sus derechos. Todo su celo y diligencia hubieron de naufragar, sin embargo, porque la corona estaba decidida a borrar aquella caballería de la tierra de España, y los Templarios por su parte prontos a presentarse en juicio y sumisos a la autoridad del papa, se negaban justamente a despojarse de sus medios naturales de defensa, recelosos, y con harto fundamento, de que se renovasen en ellos las desaforadas crueldades de Francia. Así, pues, viendo frustrarse una tras de otra todas sus tentativas, hubo de juntar su corta hueste[286] a la del señor de Arganza y obedecer como sacerdote católico y fiel vasallo las órdenes del rey y del papa.

[286] En efecto, las grandes abadías poseían tropas de guerra como cualquier señor feudal.

Los aprestos bélicos siguieron, por lo tanto, con la mayor actividad por parte de las tropas de Castilla, pues los Templarios de antemano prevenidos y aprovechándose de las enormes ventajas que sus riquezas, su subordinación y disciplina les daban sobre sus contrarios, no hicieron más sino estarse a la defensiva, según lo tenían determinado, y aguardar el trance del combate. Los peligros de semejante empresa se ocultaban a su orgulloso y altivo valor y, cansados de la paz con los moros a que los habían obligado las alianzas de Castilla con los reyes de Granada y sus discordias intestinas, codiciaban nuevos laureles ganados en defensa de su honor y de su existencia. Don Rodrigo mismo, a pesar de sus tristes previsiones y de sus años, parecía animado de un ardor juvenil cuando se vio cerca de dar su vida por el honor de su Orden, bien como un caballo envejecido en las batallas relincha y se estremece a pesar de su debilidad, al oír la trompeta guerrera.

Cualquiera que fuese el entusiasmo con que por ambas partes pudiera emprenderse esta lucha, había en cada bando un hombre que saludaba su sangrienta aurora con particular júbilo y esperanza. Estos dos hombres eran el conde de Lemus y el señor de Bembibre. Los pesares del corazón y los desengaños de la vida en el uno: la ambición y codicia desapoderada en el otro, y en entrambos el odio y el valor, les mostraban los trances venideros bajo los colores de sus deseos. Don Álvaro, para mayor humillación del conde, se había negado a hacer campo con él por la desigualdad que con su ruin comportamiento había introducido entre los dos; pero en aquella ocasión, desnudo ya de voluntad propia, como lo estaba de sus antiguos derechos de señor independiente, podía completar su venganza y lavar con sangre su ofensa. El conde, de cuya memoria no se apartaba aquel ultraje y a quien su proceder no podía menos de avergonzar, anhelaba ardientemente cerrar para siempre la boca de aquel testigo inexorable y terrible, y desagraviar con su muerte su orgullo ofendido. Así, pues, ambos aguardaban la ocasión de medir sus fuerzas con ansiedad indecible, bien ajenos de la suerte que su sino fatal les preparaba.

CAPÍTULO XXV

La posición militar de los Templarios en el Bierzo, según ya dejamos dicho en otro lugar, no podía ser más aventajada. Por el lado de Castilla nada tenían que temer porque las encomiendas y fortalezas que allí poseían darían demasiado que hacer a las huestes del rey, y en el país los vasallos de don Álvaro, que por su profesión habían pasado al poder del Temple, eran contrapeso sobrado a las fuerzas del abad de Carracedo y del señor de Arganza. Las suyas propias eran más que bastantes para conservar la posesión de la tierra y cerrar ambas entradas de Galicia con los fuertes de Cornatel y del Valcárcel.[287]

Sin embargo, las gentes que de toda Galicia juntaba el conde de Lemus en Monforte, iban componiendo ya una hueste poderosa formada en su mayor parte de montañeses ágiles, robustos y alentados, acostumbrados a los ejercicios de la caza y diestrísimos ballesteros en general. El conde era además capitán muy hábil, y aunque odiado en el país, su liberalidad y desprendimiento siempre que la ocasión lo requería, le granjeaban la voluntad de la gente de guerra. Su astucia, además, había sabido aprovecharse de la crédula superstición de los montañeses, pintando a los Templarios con los más negros colores, y atizando más y más aquel horror secreto con que miraban las artes diabólicas y maravillosas y los ritos impíos a que suponían entregados a los caballeros de la Orden. Con semejantes voces y estímulos no parecía sino que iban a emprender una cruzada contra infieles, según el tropel de soldados que corrían a ponerse debajo de sus banderas, deseosos algunos

[287] *Valcárcel*: o Valcarce, castillo que defiende el puerto de Piedrafita, que da acceso a Galicia (carretera de Ponferrada a Lugo y La Coruña o Santiago).

de servir al rey, codiciosos otros de botín y ganancias, y todos aguijados del deseo de poner pronto fin a un mal que tan grande les pintaban. Juntó por fin un tercio y comenzaron a moverse por la encañada del Sil, como una nube amenazadora que iba a descargar sobre Cornatel, acaudillados por el conde en persona.

Éste era el peligro de más bulto a que había que acudir: así el comendador Saldaña, que para servir de padrino a don Álvaro se había quedado durante algunos días en Ponferrada, volvió prontamente a su antigua alcaidía. Don Álvaro solicitó licencia de su tío para acompañarle y la consiguió al punto, con lo cual nada quedó que desear al anciano caballero más poseído que nunca de sus extraños pensamientos de gloria y de conquista. La idea de ser el primero en pelear por el honor de su cuerpo y tener por contrario al enemigo más encarnizado que contaba en Castilla, le envanecía y alegraba extraordinariamente, porque si en los motivos se diferenciaba algo, no era menor ni menos profundo que el de don Álvaro el rencor que abrigaba contra el conde. La afición que había cobrado a su ahijado, violenta como todos sus afectos, había avivado esta hoguera con todos los pesares que la perfidia del ricohombre gallego había derramado sobre aquel alma generosa y llena de bondad: y el deseo de llenarla con las emociones de la gloria y de asentar su fama sobra la ruina del enemigo, comunicaba energía nueva a todos sus movimientos y disposiciones, y al parecer le quitaba de delante de los ojos las hondas heridas que su causa recibía en lo restante de Europa. Pronto se sintió su presencia en el castillo; pues tanto su brazo como su ingenio infundían por todas partes el valor y la confianza, y sus antiguos compañeros y soldados le acogieron con extraordinaria alegría. Desde aquella enriscada altura extendió su mirada tranquila y satisfecha por los precipicios que la rodeaban, por el lago de Carucedo, entonces crecido con las aguas y corrientes del invierno y por las llanuras del Bierzo que desde allí se descubrían, y tendiendo la mano a don Álvaro y apretándosela fuertemente, le dijo con los ojos alzados al cielo y con acento religioso y recogido: *Dominus mihi custos et ego disperdam inimicos meos.* [288]

Don Álvaro sólo le respondió apretándole también la mano fuertemente y poniéndola en seguida sobre su corazón con un gesto vehemente y expresivo. El comendador recorrió en seguida el castillo con el mayor cuidado, examinando muy prolijamente sus murallas, y convenciéndose de su buen estado, se recogió a su cámara sosegado y confiado en sus gentes y en sus medios de defensa. Verdaderamente él es tal aun ahora, que sus obras avanzadas han desaparecido y está cegado el foso de todo punto, que no es de extrañar la confianza de su alcaide en aquella época.

Cualquiera que ella fuese, los enemigos tardaron poco en llenar aquellos contornos con el ruido de sus armas. A los dos o tres días, los puestos de soldados de la guarnición, que llegaban hasta las Médulas, [289] se fueron retirando sucesivamente y dejaron al conde dueño del campo con sus bandas, no muy veteranas ni disciplinadas, pero en cambio pintorescas y vistosas en sumo grado. Sus lanzas y hombres de armas venían equipados con cierta regulari-

[288] Este versículo está esculpido en una lápida en el castillo de Ponferrada, y parecía servir de divisa. *(N. del A.)* En realidad, sólo se trata de un fragmento de una inscripción del castillo de Ponferrada, que reza: "Nisi Dominus aedificaverit domum, in vanum laboraverunt qui aedificant eam. Dominus mihi custos et ego disperdam inimicos meos." La cita íntegra E. Gil en su *Bosquejo* (cap. V, v. Apéndice, p. 449). Es una amalgama de los *Salmos* 126-1, 120-5, 22-1, 142-12. La lápida en que figura esta inscripción ya no está en el castillo de Ponferrada, sino en casa del señor Ballinas de Ponferrada. Por mi parte, he leído un texto algo diferente: "J.H.S. Nisi Dñus edificaverit domum, vanum laborant qui edifi... eam. Dominus michi adjutor et ego dispiciam inimicos meos." Esta divisa, aunque usada ya en el siglo XIV, es posterior a los Templarios.

[289] *Médulas*: antiguas minas de oro, explotadas por los romanos, que sacaban de ellas la mayor parte del oro utilizado en el Imperio. Se lavaban las tierras auríferas con las aguas del río Cabrera traídas por medio de canales artificiales. Las aguas se recogían en varias balsas que llegaron a formar el actual lago de Carucedo. Quedan actualmente varias galerías de minas descritas por E. Gil en su *Bosquejo* (cap. II, v. Apéndice, p. 426).

dad, y aun sus caballos traían las defensas de costumbre; pero los peones variaban extraordinariamente. Los gallegos de Valdeorras y de otros valles y pueblos que componen la mayor parte de la provincia de Orense, venían armados de cueras de pellejo de buey bien adobadas, y traían además en la cabeza unas monteras que casi por entero la cubrían. Las piernas traían hasta las rodillas con unos gregüescos muy anchos de lienzo blanco y lo demás desnudo menos el pie, que cubría un enorme zueco de becerro y de madera. Las armas en unos eran picas y en los otros unas porras de gran peso y guarnecidas de puntas de hierro, cuyo golpe debía de ser fatal en aquellos brazos robustos y fornidos. Todos ellos se distinguían por su corpulencia, por su fuerza y por la pesadez de sus movimientos. [290]

Los de las montañas de la Cabrera [291] traían todos gorros de pieles de cordero, coleto muy largo de piel de rebezo destazada y de color rojizo; calzones ajustados de paño obscuro y unas pellejas rodeadas a las pantorrillas y sujetas con las ligaduras y correas de la abarca. La traza de estos serranos era viva, ágil y suelta: su cuerpo enjuto, su fisonomía atezada y seca, porque su vida dura de cazadores y pastores les sujetaba a todas las asperezas e inclemencia de su clima; y las armas que usaban eran un gran cuchillo de monte a la cinta y su ballesta, en la cual eran muy certeros y temibles. Pudiérase decir de los unos que componían la infantería de línea de aquel pequeño ejército, y de los otros que eran los flanqueadores y tropas ligeras a quienes por lo fragoso del país debería caber la mayor gloria y peligro de la demanda, que no dejaba de ofrecerlo grave.

[290] Esta descripción, así como la siguiente, es interesantísima por los detalles folklóricos, seguramente del siglo XIX, que da el autor.

[291] *la Cabrera*: es una región situada al sur del Bierzo. Linda la provincia de Zamora. Comarca pobrísima y poco conocida. La describe Ramón Carnicer en su libro *Donde las Hurdes se llaman Cabrera,* Barcelona, Ed. Seix Barral, 1964. Los condes de Lemos eran, en efecto, señores de Cabrera.

Toda esta gente acampó a la falda del antiguo monte *Meduleum,*[292] tan celebrado por su extraordinaria abundancia de criaderos de oro durante la dominación romana en la península ibérica. Esta montaña, horadada y minada por mil partes, ofrece un aspecto peregrino y fantástico por los profundos desgarrones y barrancos de barro encarnado que se han ido formando con el sucesivo hundimiento de las galerías subterráneas y la acción de las aguas invernizas, y que la cruzan en direcciones inciertas y tortuosas. Está vestida de castaños bravos y matas de roble, y coronada aquí y allá de picachos rojizos y de un tono bastante crudo, que dice muy bien con lo extravagante y caprichoso de sus figuras. Su extraordinaria elevación y los infinitos montones de cantos negruzcos y musgosos que se extienden a su pie, residuo de las inmensas excavaciones romanas, acaba de revestir aquel paisaje de un aire particular de grandeza y extrañeza que causa en el ánimo una emoción misteriosa. De las galerías se conservan enteros muchos trozos que asoman sus bocas negras en la mitad de aquellos inaccesibles derrumbaderos y dan la última pincelada a aquel cuadro en que la magnificencia de la naturaleza y el poder de los siglos campean sobre las ruinas de la codicia humana y sobre la vanidad de sus recuerdos. Al pie de la montaña está fundada la aldea de Las Médulas, poco considerable en el día, pero que en la época de que hablamos era mucho más pobre y ruin todavía. Aquí asentó el conde sus reales rodeado del trozo más florido y mejor armado de su gente, y la que no pudo ampararse de las pocas chozas que allí había, se repartió por las minas y cuevas para buscar un abrigo contra la intemperie de la estación. La caballería se ladeó hacia la izquierda y se extendió por las orillas del lago de Carucedo que le brindaban abundosos pastos y forrajes. De esta suerte repartidos, púsose el sol turbio y triste de diciembre, y estableciendo sus guardias y precaviéndose como lo pedía la vecindad de un enemigo audaz y temible, aguardaron al rededor de sus hogueras la venida del nuevo día.

292 Nombre latino de las Médulas.

Amaneció éste, y al punto los clarines, gaitas y tamboriles saludaron sus primeros resplandores. Los relinchos de los caballos a la orilla del lago, los ecos de los groseros instrumentos, las voces de mando y los romances guerreros de aquellas alegres y animadas tropas, resonaban con extraordinario ruido entre aquellas breñas y precipicios; y los corzos y jabalíes huían asustados por las laderas con terribles saltos y bufidos. Semejante estruendo y algarabía formaba raro contraste con el reposo y silencio del castillo, cuyos caballeros, inmóviles como estatuas, reflejaban en sus bruñidas armaduras los tempranos rayos del sol. El ronco murmullo que se oyó entre ellos fue el de los salmos y oraciones matutinas que entonaron a media voz, de rodillas, con la cabeza descubierta, las lanzas y espadas inclinadas al suelo, y el rostro vuelto hacia el oriente. Concluido este acto religioso tornaron a su silencio y recogimiento ordinario, aguardando en actitud briosa la llegada del enemigo, que de momento a momento se acercaba, a juzgar por la distinción y claridad con que se oían sus instrumentos músicos. Don Álvaro pidió licencia para batir y registrar el campo, pero el comendador no se la otorgó, resuelto, a pesar de su ardimiento y cólera, a no romper el primero las hostilidades, conforme a lo acordado entre los Templarios españoles, y temeroso, por otra parte, de que don Álvaro, sin escuchar más voz que la de su resentimiento, no se empeñase temerariamente. Otro caballero de más edad salió a la descubierta, y después de reconocer bien al enemigo y haber escaramuzado ligeramente con sus corredores, se volvió a dar cuenta a Saldaña de su expedición.

Mientras tanto, las cejas de los montes vecinos se fueron coronando de montañeses que no cesaban en sus rústicas tonadas. Los gallegos se extendieron por la ladera más suave que se extiende hacia Bermés; [293] y la caballería, a quien por la naturaleza del terreno y la clase del ataque no podía caberle gran parte de peligro ni gloria, se estacionó en la reducida llanura que corona la cuesta de Río Ferrei-

[293] *Bermés*: una de las aldeas cercanas de Cornatel.

ros,[294] ocupando el camino único de Cornatel y cortando toda comunicación con Ponferrada. El conde apareció poco después, seguido de los hidalgos de su casa, montado en un soberbio caballo castaño de guerra, con riendas y arreos de seda azul cuajados de plata, que el fogoso animal salpicaba de espuma a cada movimiento de cabeza. La armadura era del mismo color y adornos con una banda encarnada que la atravesaba, y el casco dorado remataba con hermoso penacho de plumas blancas y tendidas que se movían al leve soplo del viento. Venía, en suma, gallardamente ataviado en medio de su lucido cortejo, y su hueste entera le saludó con vivas y aclamaciones y con las sonatas más expresivas que melodiosas de sus gaitas y tamboriles. Saludó él también graciosamente con su espada, volviéndose hacia todas partes, y en seguida se puso a reconocer la posición con aquel ojo militar y certero que en muchas guerras le había granjeado fama de diestro y experimentado caudillo. Bajó paso a paso la cuesta de Río Ferreiros, cruzó el riachuelo entonces hinchado por las lluvias, y presto se convenció de que por aquella parte el castillo era inexpugnable, porque la naturaleza se había empeñado en fortificarle con horrorosos precipicios. Para mayor seguridad, sin embargo, situó un destacamento de caballería en el vecino pueblo de Santalla,[295] con lo cual aseguraba de todo punto el camino de Ponferrada. Subió en seguida de nuevo el recuesto, y entonces decidió hacer su embestida por el lado de poniente y mediodía, donde la fortaleza presenta dos frentes regulares, pero defendidos entonces cuidadosamente con una fortísima muralla y un foso muy hondo.

Por respeto a los usos de la guerra, envió antes de comenzar el ataque, un pliego a los sitiados comunicándoles las órdenes que tenía del rey, e intimándoles la rendición con amenazas y arrogancias empleadas adrede para exa-

[294] *Río Ferreiros*: es también una aldea al pie de Cornatel. Le da su nombre el riachuelo que pasa por la garganta al pie del castillo.

[295] *Santalla*: uno de los pueblos vecinos de Cornatel.

cerbarlos y empeorar su causa con la resistencia. Saldaña contestó, según era de esperar, que ninguna autoridad reconocía en el monarca de Castilla, como miembros que eran de una Orden religiosa sólo dependiente del papa; que de las órdenes de Su Santidad sólo obedecían la que les mandaba comparecer en juicio, pero no la que les desposeía de sus bienes y medios de defensa antes de juzgarlos, pues claro estaba que la había arrancado la violencia del rey de Francia; y finalmente, que no habiéndose purgado el conde de la ruindad de Tordehumos, cometida en la persona de don Álvaro Yáñez, le advertía que no tratarían con él de igual a igual, y que a cuantos mensajeros enviase los recibiría como a espías de un capitán de bandoleros, y los ahorcaría de la almena más alta. Aunque el conde se esperaba semejante respuesta, los términos de menosprecio y denuesto en que estaba concebida, le hicieron rechinar los dientes de ira y le robaron el color de la cara. Lo peor del caso era que su conciencia le repetía punto por punto las injurias del comendador, y que con enemigo tan implacable y fiero no valían desdenes ni altanerías.

Como quiera, pasado el primer impulso volvieron sus ordinarias y habituales disposiciones a su natural corriente, y por último se alegró ferozmente de aquel desafío a muerte, en que la superioridad numérica de sus tropas y el apoyo del rey, del pontífice y de toda la cristiandad parecían prometerle que llevaría lo mejor. Había recibido con siniestra alegría la nueva de la profesión de don Álvaro, porque de esta suerte él mismo se prendía en las redes que acabarían por perderle. Así pues, gozoso de contar como por suyos a dos tan aborrecidos enemigos, se apresuró a trazar aquel mismo día las trincheras y señalar los puestos y cuerpos de guardia con gran tino y habilidad, para apretar aquel baluarte en que tan grandes esperanzas tenía puestas la Orden. En realidad, para cercar un castillo por su misma situación aislado, pocas fuerzas eran necesarias: para apoderarse de él era para lo que ocurrían inmensas dificultades.

Los gallegos comenzaron al punto a abrir las trincheras, y los montañeses de Cabrera, bajando de las crestas de la montaña que cae al mediodía del castillo, y amparándose de los matorrales y peñascos, protegían sus trabajos con una nube de flechas dirigidas con gran puntería. Acaudillábalos un hidalgo de aquel país, llamado Cosme Andrade, arquero y ballestero muy afamado, [296] y la distribución y colocación que les dio fue muy atinada; pues apenas asomaba un sitiado le alcanzaba al punto una flecha. De ellos, algunos peor armados, cayeron pasados en claro y otros mal heridos; pero los caballeros con sus armaduras damasquinadas, de finísima forja, nada tenían que temer de aquellas armas lanzadas a cierta distancia, y sobre todo mal templadas para atravesar sus petos y espaldares. En cambio los ballesteros del castillo cuando alguno de los enemigos se descubría, al punto lo convertían en blanco, y como no siempre los matorrales y retamas los escondían del todo, y por otra parte sus enormes coletos de destazado [297] no los resguardaban bien, venía a resultar, como era natural, que recibían más daño. De todas maneras sus disparos incomodaban extraordinariamente a los del castillo, y a su sombra seguían las obras del cerco.

Todo aquel día corrió de este modo, sin que los caballeros hiciesen salidas ni ningún género de demostración hostil, y entrambos bandos pasaron la noche en sus respectivos puestos. Cornatel, envuelto en el silencio y las tinieblas, formaba vivo contraste con el campo del de Lemus, resplandeciente con un sinnúmero de hogueras en que asaban cuartos de vaca y trozos de venado como en los tiempos de Homero, y poblado de un murmullo semejante al de una inmensa colmena. El conde descansó poco en toda aquella noche y continuamente se le veía pasar de un corro a otro, como animando y prometiendo recompen-

[296] Cosme Andrade vendrá a ser un personaje importante. A pesar de parecerse mucho al Robin Hood de *Ivanhoe,* es un cabrerés bien estudiado del siglo XIX. Es notable que muchos episodios del sitio de Cornatel recuerdan al de Torquilstone en *Ivanhoe* (chaps. XXVII a XXX).

[297] *Destazado*: cuero de res, *destazado* por el jifero.

sas a sus gentes. Brillaban sus armas a la luz de las hogueras y su penacho blanco se revestía de un color rojizo, mientras agitado por un viento recio que se había levantado, flotaba semejante a un fuego fatuo en la cimera de su yelmo. Por lo demás tantas lumbres encendidas por la ladera del monte arriba y cuyas llamas, ora vivas y resplandecientes, ora turbias y obscuras según la humedad o sequedad del combustible, oscilaban a merced del viento con mil formas caprichosas, llenando el aire con los fantásticos festones del humo que despedían, formaban un espectáculo sumamente vistoso y sorprendente. La principal ardía delante de la tienda del conde, sobre la cual estaba enarbolada la bandera de los Castros, que también azotaban las ráfagas nocturnas, silbando por entre las rocas y árboles. Una porción de mujeres que habían seguido a sus padres, maridos, amantes o hermanos a aquella expedición, vestidas las unas con una saya blanca, un dengue encarnado al pecho y un pañuelo blanco a la cabeza o con rodados obscuros, dengues y jubones del mismo color y un tocado de pieles negras, según eran de Galicia o de Cabrera, y una gran parte de ellas jóvenes y agraciadas, acababan de completar aquel cuadro, bullendo y agitándose por todas partes. [298] A cierta hora, sin embargo, cesó todo movimiento, sino es el de los centinelas que se paseaban cerca del fuego, y un ruido acompasado como de martillazos con que algo se clavaba.

Saldaña, que con su vista de águila había seguido todo aquel día los pasos del enemigo, adivinando sus intenciones como si fuesen las suyas propias, estaba entonces en uno de los más altos torreones del castillo acompañado del señor de Bembibre, no menos ocupado que él en observarlo todo atentamente.

—Don Álvaro, dijo por fin con mal disimulado regocijo, mañana vienen.

—Ya lo sé, respondió el joven; oíd cómo clavan o las escalas o el puente de vigas con que piensan suplir el leva-

[298] También se trata aquí de elementos folklóricos de observación directa.

dizo para atacar la puerta cuando nos hayan ganado la barbacana.

—¡Pobres montañeses!, repuso Saldaña con una sonrisa y un acento en que se notaba tanto menosprecio como lástima; piensan que nos van a cazar como a los osos y jabalíes de sus montes, y sin duda despertarán muy tarde de su sueño.

—¿Me perdonaréis si os pregunto lo que pensáis hacer?, le preguntó el mancebo respetuosamente.

—No todo os diré ahora, contestó el comendador; sólo sí que a vos reservo la parte más honrosa y brillante de la jornada. Antes de romper el día bajaréis con todos los caballos que hay en el castillo por la escalera secreta que ya sabéis [299] y va a dar a la orilla misma de ese riachuelo, y siguiendo su orilla tomaréis la vuelta a la caballería del conde que, creyéndonos de todo punto aislados, sin duda estará desprevenida y la desbarataréis; pero para esto preciso será que aguardéis emboscado en el monte hasta que la campana del castillo os dé la señal, tañendo a rebato.

—Pero, señor, repuso don Álvaro, ¿y podrán bajar los caballos por aquella escalera de piedra tan larga y pendiente?

—Todo está previsto, respondió el anciano, la escalera está llena de tierra para que no resbalen. [300] Además, ya sabéis que los caballos del Temple son de las mejores castas de la Siria y de Andalucía, aquí y en toda la Europa, y nuestros esclavos infieles los enseñan y acostumbran a todo.

—¿Y habéis tenido en cuenta, insistió don Álvaro, el cuerpo avanzado que tienen en Santalla?

—Eso es lo que los pierde cabalmente, replicó el comendador; porque como sólo atienden al camino de Ponferrada, podéis pasar por medio de entrambos y cogerlos de improviso. ¡Ah! don Álvaro, añadió tristemente, yo he

[299] Por la cual hubiera introducido a doña Beatriz después del rapto.

[300] En realidad, esta galería existe en el castillo de Ponferrada y da acceso al Sil. No se ve señal de otra en Cornatel.

peleado con los árabes y mamelucos,[301] ¿y queréis que no se me alcance algo de estratagemas y ardides?

—Sí, sí, ya veo que todo lo tenéis previsto; pero, ¿y querrán los caballeros más antiguos que yo pelear bajo mi mando?

—Todos os estiman y respetan por vuestra alcurnia, carácter y valor, contestó Saldaña, y todos os obedecerán gustosos; pero, ¿qué tenéis que no habéis hecho sino ponerme reparos y dificultades en lugar de agradecerme la preferencia que os doy?

Don Álvaro permaneció callado y como indeciso unos breves instantes, al cabo de los cuales volvió a preguntar a Saldaña:

—¿Y pensáis que el conde esté mañana con sus lanzas?

—No por cierto, contestó él, porque ya sabéis que nuestro enemigo no abandona los sitios del riesgo. Nuestro odio mismo nos obliga a hacerle justicia.

—Pues entonces, repuso don Álvaro, más os agradeciera que me dejárais en la barbacana del castillo.

Saldaña levantó entonces la cabeza y le dirigió una terrible mirada que don Álvaro no vio por la obscuridad de la noche, pero su ademán le hizo bajar los ojos.

—Don Álvaro, le dijo el anciano con severidad, hace muchos años que a ningún mortal se ha acercado mi corazón tanto como a vos; por lo mismo no os advertiré que vuestro único deber es la obediencia,[302] pero no dejaré de deciros que el desprendimiento personal es lo que más en-

[301] *mamelucos*: formaban una milicia turco-egipcia fundada a principios del siglo XIII. Pronto, los mamelucos se enseñorearon de Egipto, donde establecieron un régimen feudal. Fueron vencidos por Napoleón en 1801. Después de la campaña de Egipto, varios mamelucos se agregaron al ejército francés y se les vio en España durante la Guerra de la Independencia. Puede ser esta alusión algún recuerdo indirecto de las guerras napoleónicas. Se disolvió definitivamente el cuerpo de los mamelucos egipcios en 1811. La mayor parte de los que optaron por Francia murió en Marsella a manos de los realistas a la caída de Napoleón.

[302] Como se verá en adelante, don Álvaro es un buen caballero, pero un pésimo Templario, ya que no ha abandonado sus preocupaciones mundanas.

salza al hombre. Para esta empresa os necesito, id y cumplidla, y prescindid por hoy de vuestro odio por más legítimo que sea, y esperad a mañana que tal vez la suerte lo ponga en vuestras manos. De todos modos si me lo entrega a mi albedrío, tal vez le irá peor.

Don Álvaro, un tanto avergonzado de haber querido anteponer el interés de su venganza a la gloria de aquella milicia que con tanto amor le había recibido en sus filas, dio sus disculpas al comendador, que las recibió con su señalada benevolencia y se dispuso a su empresa que no dejaba de ofrecer riesgos. El comendador se separó de él para dar las últimas órdenes y acabar los preparativos, ya de antemano dispuestos, con que pensaba recibir a los sitiadores en el asalto del día siguiente.

CAPÍTULO XXVI

Buen rato antes de que asomase por entre las nieblas del oriente la aurora pálida y descolorida de aquel día en que debían suceder tantos casos lastimosos, don Álvaro seguido de una gran porción de caballeros bajó por aquella escalera que sola otra vez y con tan distintas esperanzas había pisado. Los caballos llegaron también sin gran trabajo a la orilla del torrente, que entonces corría con tremendo estrépito, muy apropósito para ocultar su marcha. Emprendiéronla callados y atentos al inminente riesgo que les cercaba, porque caminaban por una ladera gredosa y escurridiza y por una senda estrecha y tortuosa al borde mismo de los enormes barrancos que excava aquel regato poco antes de entrar en el Sil. Desfilaban uno por uno con gran peligro de ir a parar al fondo al menor resbalón y con otro no menor de ser descubiertos en tan apretado trance por el relincho de un caballo; pero estos generosos animales, como si conociesen la importancia de la ocasión, no sólo anduvieron el difícil camino sin dar un paso en falso, sino que apenas soltaban tal cual corto resoplido.

Por fin salieron de aquellas angosturas, y antes de que amaneciese ya estaban emboscados en el monte de acebuches que linda con el pueblo de San Juan de Paluezas, [303] y llegaba muy cerca del campamento de la caballería del conde de Lemus. Allí, cuidadosamente escondidos, aguardaron la convenida señal.

Poco tardaron en colorearse débilmente los húmedos celajes del oriente, y los clarines, gaitas y tamboriles de los sitiadores despertaron a los que todavía dormían al amor de la lumbre. Levantáronse todos ellos alborozados, y dando terribles gritos, se formaron al punto bajo sus enseñas. El conde [de] Lemus salió de su tienda y en un caballo blanco, donde el terreno lo permitía, y a pie en los riscos más difíciles, corrió las filas y pelotones haciendo distribuirles dinero, raciones y aguardiente, y alentándoles con su natural y astuta elocuencia contra aquellos idólatras impíos que adoraban un gato, y que dejados de la mano de Dios poco tardarían en caer bajo las suyas. Semejantes razones subyugaban y exaltaban a aquellas gentes crédulas y sencillas, y doblaban su brío; así es que el clamoreo y alharaca ensordecía y atronaba el aire. Los Templarios por su parte, después de haber hecho su acostumbrada oración, conservaron su natural gravedad, y el comendador que pensaba haberles arengado, después de haber observado el denuedo de sus miradas y semblantes, conoció la inutilidad de exortar a unas gentes en cuyos pechos ardía la llama del valor como en su propio altar y se contentó con repetirles, con aquel majestuoso ademán que tan bien cuadraba, el versículo que días antes había dicho a don Álvaro al tomar por segunda vez el mando del castillo:

—*Dominus mihi custos, et ego disperdam inimicos meos.* [304]

[303] *San Juan de Paluezas*: otro pueblo de las cercanías de Cornatel.

[304] V. cap. XXV, nota 288.

Los caballeros, aspirantes y hombres de armas, lo repitieron en voz baja y cada uno quedó en su sitio sin hablar más palabra.

Los momentos que siguieron fueron de aquellos zozobrosos y llenos de ansiedad, que preceden generalmente a todos los combates, y en que el temor, la esperanza, el deseo de gloria, los recuerdos y lazos que en otras partes pueden atar el corazón, y un tropel en fin de encontradas sensaciones batallan en el interior de cada uno. Por fin las trompetas de los sitiadores dieron la última señal a la cual los añafiles y clarines de los Templarios respondieron con agudas y resonantes notas como de reto, y los cuerpos destinados al asalto se pusieron en movimiento rápidamente, precedidos de un cordón de ballesteros que despedían una nube de saetas, y sostenidos por otros muchos que desde las quiebras y malezas los ayudaban poderosamente. Encamináronse como era natural, contra la barbacana [305] del castillo, sólo dividida de éste por el foso y enlazada con él por el puente levadizo; asestando sus tiros contra los caballeros que la defendían y que por su parte recibieron a los sitiadores con descargas en que maltrataron e hirieron a muchos. Sin embargo, su defensa fue menos tenaz de lo que el conde aguardaba; así es que dieron lugar a los más atrevidos a acercarse a la puerta, sobre la cual empezaron a descargar al punto redoblados hachazos. Los caballeros viendo sin duda lo poco que podían resistir aquellas débiles tablas a semejante empuje y sacudidas, atravesaron en seguida el puente levadizo que se alzó al punto, justamente cuando forzada la puerta, cabreireses y gallegos se precipitaban de tropel en la barbacana. Pasmados todos y el de Lemus en especial, de tan floja defensa, creyeron que la hora del Temple había llegado, cuando así se amortiguaba de repente la estrella rutilante de su valor. Comenzaron, pues, a denostarlos con injuriosas palabras, a las

[305] Obra avanzada que defiende la entrada del castillo. Parece que, en realidad, no hubo nunca barbacana en Cornatel, bastando la configuración del terreno para la defensa de la entrada (v. plano del Castillo).

cuales no respondían sino disparando de cuando en cuando alguna flecha o piedra, amparándose, sin embargo, cuidadosamente de las almenas. La caballería que desde su puesto veía el triunfo de los suyos y tremolar la bandera del conde en la barbacana, prorumpieron en una estrepitosa y alegre gritería victoreando y agitando sus lanzas desde abajo. Estaban pie a tierra y con los caballos del diestro, descansando enteramente en la avanzada apostada en el camino de Ponferrada, y tenían puestos los ojos y el alma en el drama que más arriba se representaba, y del cual con gran enojo suyo, sólo venían a ser fríos espectadores.

Los de la barbacana trajeron al instante el puente de vigas que habían estado clavando y aderezando a prevención en la noche anterior, y que no habían conducido desde luego contando con que el primer ataque sería más largo y reñido. Desmentido con gran gusto suyo este pronóstico, asomaron inmediatamente con su informe, pero sólida armazón por la puerta interior de la barbacana para echarlo sobre el foso. Los [sitiados] entonces parecieron reanimarse y se presentaron en la plataforma que dominaba la puerta, arrojando piedras y venablos; pero la granizada de flechas de los montañeses los hizo retirar al punto. La afluencia de estos desgraciados era tal que la barbacana estaba atestada de gentes a cual más deseosas de abalanzarse a la puerta del castillo, y echándola al suelo, entrar a saco y a degüello aquellos cobardes guerreros. Por fin, con harto trabajo se asentó el puente y un sin número de montañeses y valdeorranos se agolparon a herir con sus hachas las herradas puertas del castillo.

No bien habían descargado los primeros golpes, cuando un grito de horror resonó entre aquellos infelices, de los cuales una gran parte cayeron en el foso y otros en el mismo puente lanzando espantosos aullidos y revolcándose desesperadamente. Los que les seguían, empujados por la inmensa muchedumbre de atrás, aunque horrorizados porque apenas sabían a qué atribuir aquel repentino accidente, corrieron también contra la puerta. Entonces se vio claro lo que tales gritos arrancaba y tan grandes estragos hacía. Aquellos desdichados mal armados, morían abrasados bajo una lluvia de plomo derretido, aceite y pez hirviendo que venía de la plataforma y de la cual salían también muchísimas flechas rodeadas de estopas alquitranadas y encendidas que no podían desprenderse, ni arrancarse sin quemarse las manos.[306] Algunos quisieron retroceder, pero el extraordinario empuje que venía de afuera no sólo se lo estorbaba sino que vomitaba sin cesar sobre el puente nuevas víctimas. Los que estaban debajo de la arcada de la puerta, conociendo su peligro y creyéndose a cubierto por algunos instantes, menudeaban los golpes deseosos de terminar aquella horrenda escena, pero cuando más descuidados estaban, por unos agujeros, sin duda practicados de intento en las piedras, comenzó a llover sobre ellos aquel rocío infernal, y al querer retirarse, las piedras que caían por los matacaspas[307] acabaron de estropearlos. Entonces comenzó a sonar a rebato la campana del castillo como si doblase por los que morían en los fosos y al pie de sus murallas; los muros y la plataforma se coronaron de caballeros que cubiertos de acero de pies a cabeza y con el manto blanco a las espaldas y la cruz encarnada al lado, se mostraron como otras tantas visiones del otro mundo a los ojos de aquella espantada muchedumbre. Unos cuantos esclavos negros que desde la plataforma derramaban y esparcían aquel fuego voraz, asomaron entonces sus aplastados semblantes de azabache animados por una diabólica sonrisa,[308] y aquellas acobardadas gentes, creyendo que el infierno todo peleaba en su daño, comenzaron a arrojar sus armas consternados y tomando la huida.

[306] Lo del plomo derretido lo pudo inspirar la novela de V. Hugo *Notre Dame de Paris* (liv. X, chap IV), aunque la mayor parte del sitio de Cornatel está inspirada por el asalto de Torquilstone de *Ivanhoe* (ch. XXVII-XXX), y por la propia topografía del Bierzo.

[307] *matacaspas*: deformación probable de *matacanes*, agujeros practicados verticalmente en la parte superior de la muralla para arrojar piedras.

[308] E. Gil pudo coger este detalle en el *Ivanhoe* de Scott, ch. XLI.

El conde que embarazado con tanto ahogo y apretura se había visto embarazado en la barbacana, pudo desprenderse en aquel momento crítico y arrojándose al puente para reanimar a los fugitivos y pasando por encima de los muertos y heridos sin hacer caso de las lluvias, piedras y aceite hirviendo que caían sobre su impenetrable armadura, llegó hasta la puerta con un cercano deudo suyo muy bien armado. Asieron allí las hachas de manos de dos muertos y comenzaron a descargar tan recios golpes que de arriba abajo se estremecía el portón a pesar de sus chapas de hierro. Entonces una enorme bola de granito bajando por uno de los matacaspas cayó a plomo sobre la cabeza de su pariente que al punto vino al suelo muerto, con el cuello y el cráneo rotos, viendo lo cual otros hidalgos de su casa que se habían quedado a la puerta de la barbacana, atravesaron el puente desalados, y a viva fuerza arrancaron de allí a su jefe.

La caballería entretanto, como hemos dicho, seguía con envidiosos ojos la pelea de sus compañeros, cuando oyó tocar a rebato la campana del castillo. Entonces creyeron que ya era el conde dueño de él, y con loca presunción comenzaban a darse el parabién de tan feliz jornada, cuando de repente les estremeció sus espaldas una trompeta que sonó en sus oídos como la del último día, y volviendo los asombrados ojos vieron el corto, pero lucido escuadrón de don Álvaro que lanza en ristre y a todo escape les acometía. Muchos caballos espantados no menos que sus jinetes, rompieron la brida y dieron a correr por las cuestas dejando a pie a sus dueños que fueron los primeros que cayeron al hierro de las lanzas enemigas. Los restantes que pudieron ocupar las sillas en medio del tumulto, arremolinados y envueltos en sí propios, sólo hicieron una cortísima resistencia, durante la cual mordieron muchos, sin embargo, la tierra, y al punto se dispersaron bajando algunos a reunirse con el destacamento que tenían en el camino de Ponferrada, corriendo otros por la ladera del monte a reunirse con las bandas de peones, y echando los demás con desbocada carrera por el camino de las Médulas. Don Álvaro, entonces, deseoso de dar alcance a los que iban a incorporarse con el grueso de la hueste del conde, picó en pos de ellos por la ladera, con el firme intento no sólo de ahuyentarlos, sino de coger a los enemigos por la espalda.

Saldaña, bien informado del éxito de esta arriesgada empresa, bajó entonces seguido de sus más escogidos caballeros, echando el puente levadizo, porque el otro estaba ya medio consumido por el fuego, embistió denodadamente la barbacana con un hacha de armas en las manos, cada golpe de la cual cortaba un hilo de vida en aquella gente todavía apiñada y comprimida. En medio de aquel tumulto y matanza acertó a ver al conde que forcejeaba con sus hidalgos y deudos para volver al puente.

—¡Conde traidor!, le gritó el comendador, ¿cómo tan lejos del peligro?

—Allá voy, hechicero infernal, ligado con Satanás, le respondió él con la boca llena de espuma y rechinando los dientes; y dando un furioso empellón se fue para el Templario determinado y ciego.

Llegó a él y con el mayor coraje le tiró una soberbia estocada que el comendador supo esquivar; y alzando el hacha con ambas manos iba a descargarla sobre él cuando uno de sus deudos se interpuso. Bajó el arma como un rayo y dividiendo el escudo cual si fuera de cera y hendiendo el capacete, se entró en el cráneo de aquel malhadado mozo, que cayó al suelo con un profundísimo gemido. Trabóse entonces una reñidísima contienda, porque cuando los del conde vieron que se las habían con hombres como ellos y no con vestiglos ni espíritus infernales, cobraron ánimo; pero peor armados y menos diestros que sus enemigos, naturalmente llevaban lo peor. En esto un jinete con el caballo blanco de espuma y sin aliento se presentó a la puerta de la barbacana y dijo en alta voz:

—¡Conde de Lemus!, vuestra caballería ha sido desbaratada por un escuadrón de estos perros Templarios, que no tardará seis minutos en llegar.

—¿Hay más desventuras, cielos despiadados?, exclamó él, levantando al cielo su espada que apretaba convulsivamente.

—¡Sí, todavía hay más, le dijo Saldaña con voz de trueno, porque ese que con un puñado de caballeros ha destrozado tus numerosas lanzas, ése es el señor de Bembibre, tu enemigo!

Lanzó el conde un rugido como un tigre, y de nuevo quiso embestir al comendador; pero los suyos se lo impidieron arrancándole de aquel sitio, porque los gritos y galope de los caballeros que iban al mando de don Álvaro, se oían ya muy cerca. Saldaña no juzgó prudente acometer fuera de su castillo con la poca gente que lo guarnecía y a un enemigo todavía respetable por su número, y que acababa de dar tan repetidas muestras de valor. Los caballeros que le acompañaban habían cerrado la puerta con sus cuerpos, y dejado acorralados un gran número de montañeses que aunque no acometían, no parecían dispuestos a rendirse sin pelear de nuevo.

—Y vosotros, infelices, les dijo el comendador, ¿qué suerte creéis que va a ser la vuestra después de acometernos tan sin razón?

—Nos sacrificaréis a vuestro ídolo, contestó uno que parecía capitán, y le pondréis nuestras pieles, que es lo que dicen que hacéis; pero aún os ha de costar caro. En cuanto a venir a haceros guerra, el rey y el conde de Lemus, nuestros naturales señores, lo han dispuesto, y como es servicio a que estamos obligados, por eso hemos venido.

—¿Y quién eres tú que con ese desenfado me hablas, cuando tan cerca tienes tu última hora? ¿Cuál es tu nombre?

—Cosme Andrade, replicó él con firmeza.

—¡Ah!, ¿con que eres tú el arquero celebrado en toda Cabrera?

—Más celebrado hubiera sido hoy, respondió él, porque a no ser por el maleficio de vuestra armadura, os hubiera atravesado lo menos cinco veces.

—¿Y qué hubieras hecho conmigo si hubiese caído en tus manos?

—Yo no era el que mandaba, y de consiguiente nada os hubiera hecho por mi, pero si el conde os hubiera quemado vivo, como dice que han hecho allá muy lejos con los vuestros, yo hubiera atizado el fuego.

—¿Quiere decir que no te agraviarás si te mando ahorcar, porque aún es tratarte mucho mejor?

—De manera, señor, respondió el montañés, que a nadie le gusta morir cuando como yo puede matar todavía muchos osos y rebezos y venados; pero cuando vine a la guerra, me eché la cuenta de que con semejante oficio no es fácil morir en la cama con el cura al lado y asistido por su mujer. Así pues, señor caballero, haced lo que gustéis de nosotros, pero no extrañéis que nos defendamos, porque eso lo hacen todos los animales cuando los acosan.

—No es necesario, contestó Saldaña, porque tu valor os libra a todos del cautiverio y del castigo. Caballero Carvajal,[309] dijo a uno de los suyos, que se den cien doblas al valeroso Andrade para que aprenda a tratar a sus enemigos, y acompañadle vos hasta encontrar con don Álvaro, no sea que le suceda algún trabajo.

El montañés se quitó su gorro de pieles que había tenido encasquetado hasta entonces, y dijo:

—Agradezco el dinero y la vida, porque me los daréis, a lo que se me alcanza, sin perjuicio de la fidelidad que debo a mi rey y al conde mi señor.

El comendador le hizo una señal afirmativa con la cabeza.

—Pues entonces, añadió el montañés, Dios os lo pague, y si algún día vos o alguno de los vuestros os véis perseguidos, idos a Cabrera, que allí está Andrade y al que intente dañaros le quitará el modo de andar.

Con esto se salió muy contento, seguido de los suyos, y acompañado del caballero Carvajal y diciendo entre dientes:

—¡No, pues ahora excusa el conde de venir con que son mágicos o no lo son, porque por estrecho pacto que

[309] *Carvajal*: es el apellido de los dos hermanos ajusticiados en 1312 por el rey Fernando IV, al cual emplazaron ante Dios en un término de treinta días, lo que se verificó. Por eso se da a este soberano el apodo de *Don Fernando el Emplazado.*

tengan con el diablo, ni el diablo ni él les quitarán de ser caballeros de toda ley! ¡Así quiera Dios darme ocasión de hacer algo por ellos!

La precaución de Saldaña no podía ser más cuerda, pues a los pocos pasos encontraron los caballeros de don Álvaro, que al ver los rojizos coletos de los montañeses, al punto enristraron las lanzas. Carvajal se adelantó entonces, y los dejaron pasar sanos y salvos, sin más pesar que el recuerdo de los compañeros que dejaban sin vida, delante de aquel terrible castillo. Don Álvaro no sólo cumplió el objeto de su salida, sino que antes de volver a Cornatel quemó las empalizadas y chozas de los sitiadores, se apoderó de sus víveres y pertrechos, y trajo arrastrando la bandera enemiga. Todo esto pasaba a la vista del conde que trepando por la agria pendiente de los montes y desesperado de vencer el terror pánico de los suyos, y llevarlos a las obras que había trazado, veía aquel rival aborrecido talarlo y destruirlo todo, mientras él huía en medio de los suyos, que en aquel momento parecían una manada de corzos acosada de los cazadores.

Así pues, reunió su gente como pudo, y aquella misma noche volvió a las Médulas, de donde dos días antes había salido con tan diferentes pensamientos. Allí escogió una posición fuerte y aventajada en la que se reparó con el mayor cuidado y adonde poco a poco se le fueron allegando los dispersos. Aquella noche se pasó entre las voces de los que se llamaban unos a otros según iban llegando, entre los lamentos de los heridos y los llantos de las mujeres que habían perdido alguna persona querida; los más valientes habían perecido en la refriega, y cuando los respectivos jefes pronunciaban sus nombres, sólo les respondía el silencio o algún amargo gemido. El conde mismo había perdido dos deudos muy cercanos y veía retrasada por lo menos, durante mucho tiempo, una empresa de que tanta honra y mercedes pensaba sacar. Todas estas desdichas exacerbaron su orgullo ofendido, y avivaron su odio a los Templarios y en especial a don Álvaro, de manera que todo se propuso intentarlo a fin de vengarse.

Por lo que hace al señor de Bembibre que tantos laureles había cogido en aquella jornada, fue recibido con tales muestras de estimación y con tanto aplauso, que su entrada en Cornatel fue un verdadero triunfo.

CAPÍTULO XXVII

Después de la malograda empresa que acabamos de describir, el conde mandó a pedir refuerzos a sus estados de Galicia, firme en su propósito de lavar con la toma de Cornatel la afrenta recibida. Antes de que llegasen, sin embargo, las mesnadas de Arganza y Carracedo cruzaron el Sil al mando de don Alonso Ossorio, y fueron a engrosar sus diezmadas filas: socorro oportunísimo en aquellas circunstancias poco favorables, no sólo por el número y calidad de sus guerreros, sino por el prestigio que el señor de Arganza disfrutaba en el país, y sobre todo, por el sello de religión que parecía poner en la demanda la intervención del abad de Carracedo, justamente respetado por sus austeras virtudes. La confianza volvió a renacer con esto en su pequeño ejército, y como a pocos días de Cabrera comenzaron a venir nuevas bandas otra vez, florecieron en el conde sus antiguas y risueñas esperanzas.

La entrevista de suegro y yerno fue, como pueden figurarse nuestros lectores, muy ceremoniosa, porque delante de sus respectivos vasallos debían dar el ejemplo de unión y concierto de voluntades, que tanto provecho podría traer a la causa que defendían.

No era la menor de las contrariedades que sufría impaciente don Alonso, la de servir debajo del mando de un hombre que unido a él por los lazos del parentesco más inmediato, distaba infinito de su corazón por las fealdades que le manchaban. El conde conociendo harto bien la dificultad de purgarse de sus culpas a los ojos de su suegro, y por otra parte viendo bajo sus banderas los vasallos de Arganza, que era uno de los blancos a que se encaminaba desde muy atrás su calculada perfidia, se encastilló en su altanería, y no quiso entrar con su suegro en ningún género de explicaciones. Éste por su lado guardó una conducta en todo parecida, y aunque delante de los suyos y en todos los actos públicos le trataba con deferencia y aun con cordialidad, cuando la casualidad les juntaba a solas, acostumbraban a hablar únicamente de los asuntos militares propios de la empresa que habían acometido: situación para entrambos penosa, pero sobre todo para don Alonso, cuyo carácter franco y noble, se avenía mal con semejantes falsías y dobleces. Como quiera el deseo de ocultar a los ojos del vulgo los pesares y desabrimientos de su familia, le obligaba a devorar en silencio su amargura por desgracia demasiado tardía y que hacía más insufrible todavía la comparación que a cada punto se le presentaba de la suerte de su hija, con la que otra elección más acertada pudiera haberle proporcionado.

Algo más tardaron en llegar los refuerzos de Galicia, tanto por la mayor distancia, cuanto porque el conde escarmentado con el pasado suceso y convencido de que Cornatel no era para ganado de una embestida, había hecho traer trabucos y otras máquinas de guerra que embarazaron no poco la marcha de las tropas. Durante este tiempo sobrevinieron graves sucesos que aceleraron el desenlace de aquel drama enmarañado y terrible. Los Templarios de Aragón abandonados de todos sus aliados y en lucha con un trono más afianzado y poderoso que el de Castilla, a duras penas podían resistir encerrados en Monzón y en algún otro de sus castillos, [310] las armas de toda aquella tierra concitadas en contra suya, y andaban ya en tratos para rendirse. El rey de Portugal por su parte a pesar del apego con que miraba aquella noble Orden, conociendo la dificultad de calmar la opinión general y temeroso por otra parte de los rayos del Vaticano, [311] había

[310] Se trata de Miravete.

[311] Anacronismo. El papa residía entonces en Francia. E. Gil pudo encontrar sus datos en Bastús (p. 91), y más especialmente en Zurita (t. I, 429 v. a., 430 v. b.) y Villanueva (t. V, § 14-27, pp. 182-186).

cedido en su propósito más generoso que político, y aconsejado a don Rodrigo Yáñez y al lugar-teniente de Aragón que aceptando su mediación y confiándose a la justificación de los concilios provinciales, entregasen desde luego sus castillos y bienes, en obediencia de las bulas pontificias. Tal había sido la opinión del maestre de Castilla en un principio, pero los ultrajes hechos a la Orden por una parte, la conmoción difícil de calmar introducida entre sus caballeros por otra, y por último la imprudencia del rey Fernando el Cuarto, en elegir para capitán de aquella facción al enemigo más encarnizado del Temple en el reino de León, [312] le habían retraído de ponerla en planta. De todos modos, ahora la inexorable mano del destino parecía indicarle esta senda, y por lo mismo envió cartas a Saldaña, noticiándole lo que pasaba, y exhortándole a que atajando la efusión de sangre, entrase en capitulaciones honrosas con el conde. El anciano comendador dio por respuesta que el encono y rencor implacable del de Lemus, imposibilitaban todo término justo y decoroso de avenencia, pues sólo soñaba y respiraba venganza del revés que había experimentado delante de sus murallas; que con semejante hombre, ajeno de toda hidalguía, no podía responder de las vidas de sus caballeros, y finalmente que si el rey traspasaba a otro cualquiera de sus ricos hombres el cargo y autoridad por él ejercida, desde luego entablaría las pláticas necesarias.

De estas noticias, las más esenciales se derramaron brevemente por el campo sitiador, y el conde no dejó de aprovecharlas para sus intentos de odio y de venganza. Don Alonso no pudo menos de recordarle cuán ajeno era de la ley de la caballería negar todo acomodo honroso a unas gentes que tan ilustre nombre dejaban, sobre todo cuando tantos daños podían venir a la desventurada Castilla de la prolongación de una lucha fratricida; pero el conde le respondió que sus órdenes eran terminantes y su único papel la obediencia. Separáronse, pues, más desabridos que nunca y el señor de Arganza le amenazó con que pondría

[312] Este último punto, desde luego, no es histórico.

de manifiesto ante los ojos del rey la preferencia que daba a sus rencillas e intereses particulares sobre el procomún de la tierra y de la corona. El conde que en el fondo no desconocía la justicia y prudencia de semejantes reclamaciones temió con razón que la Corte accediese a ellas, y como por otra parte sus tropas estaban ya provistas y reforzadas se decidió a dar la última embestida a Cornatel.

Poco tardó en averiguar que los jinetes que habían destrozado su caballería habían salido del castillo y no venido de Ponferrada como en un principio se figuró. Así pues, procuró conocer la misteriosa puerta que sin duda daba al precipicio, deseoso de herir a un contrario por los mismos filos. Mandó llamar para esto al intrépido Andrade que gracias a su serenidad y a los hábitos de cazador, podía andar por sitios inaccesibles a la mayor parte de las gentes, y al mismo tiempo poseía una gran astucia y sagacidad.

—Cosme, le dijo en cuanto le vio en su presencia, ¿te parece que podremos entrar en ese infernal castillo por el lado del derrumbadero?

—Por muy difícil lo tengo, señor, respondió el montañés dando vueltas entre las manos a su gorro de pieles, a menos que no nos den las alas de las perdices y milanos; ¿pero hay más que verlo, señor?

—Sí, pero en eso está el peligro, porque con una peña que echen a rodar de arriba pueden aplastaros en semejantes angosturas.

—De manera es que no hay atajo sin trabajo, respondió el animoso Andrade, y no estaré mucho peor que en aquel maldito puente que parecía el del infierno.

Frunció el conde el ceño con este importuno recuerdo de su derrota, pero conteniéndose como pudo, explicó sus deseos al montañés que con la agudeza propia de aquellas gentes, los comprendió al momento.

—Así y con la ayuda de Dios, concluyó el caudillo, presto daremos cuenta de esos ruines hechiceros que sólo con sus malas artes se defienden.

—En eso habéis de perdonar, señor, replicó el sincero montañés, porque si el diablo los asiste, no se ayudan ellos

Duelo a muerte. Lámina de la edición de 1844.

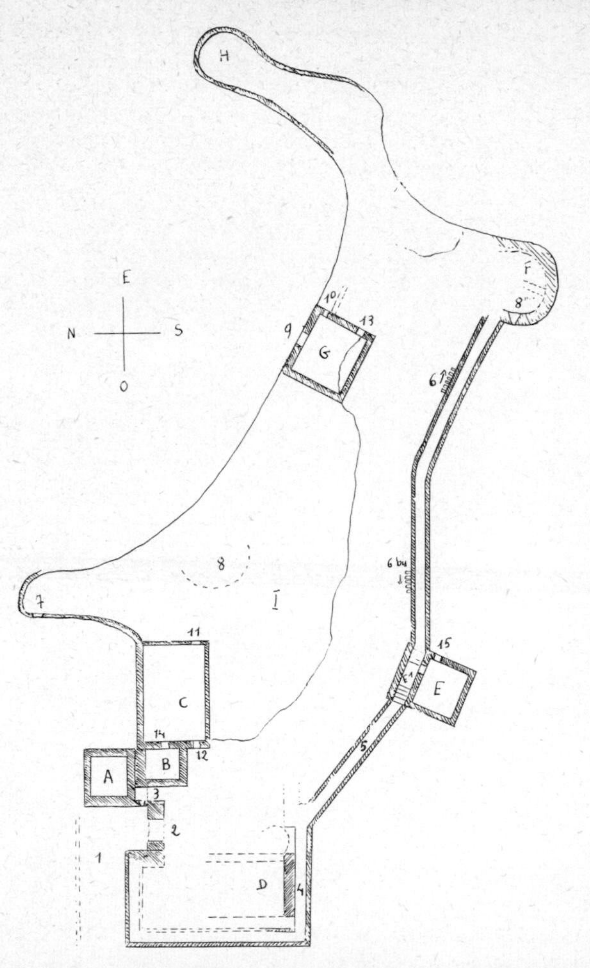

Plano de Cornatel. (Dibujo de Anne Broëz.) A, B, torres de entrada; C, D, alojamientos; 1, camino de acceso; 2, entrada; 3, saetera; 4 y 5, camino de ronda; E, torre de defensa; E 1, acceso a la torre; 6 y 6 bis, escaleras al camino de ronda; 7, saetera; 8, ruinas de una construcción antigua; F, torre redonda; 8 bis, saetera; G, construcción cuyo destino se ignora; 9, ventana; 10 y 13, puerta; 11 y 12, puertas de acceso a C; 14 puerta de acceso a B; H, torreón o atalaya; I, patio de armas.

menos con sus brazos, que a fe que no son de pluma. Y sobre todo mágicos o no, en sus manos me tuvieron con una porción de los míos, y pudiendo colgarnos al sol para que nos comieran los cuervos, nos dejaron ir en paz y nos regalaron sobre esto.

Y en seguida contó al conde la escena de la poterna y la largueza del comendador. Mordióse el conde los labios de despecho al ver que en todo vencían y sobrepujaban aquellos soberbios enemigos, y deseoso de borrar su liberalidad, dijo al cazador:

—Doscientas doblas te daré yo, si encuentras modo de que entremos en el castillo.

—Eso haré yo sin las doscientas doblas, respondió Andrade, porque las ciento que me dio Saldaña todas las he repartido entre los heridos y viudas de los pobres que murieron aquel día. A mí, Dios sea bendito, nada me hace falta, mientras tenga mi ballesta y haya osos y jabalíes por Cabrera.

Con esto, y después de recibir las instrucciones del conde, se salió de su tienda, y juntando una docena de los más esforzados de los suyos, bajó por detrás de Villavieja [313] hasta el riachuelo y se acercó a la raíz misma de las asperezas que por allí defienden el castillo. Con sus ojos acostumbrados a los acechos nocturnos comenzaron a registrar las matas y peñascos, y entre una quiebra formada por dos de ellos y medio cubierta por los arbustos, tardaron poco en divisar los barrotes de hierro de la reja; pero no bien se habían acercado cuando una flecha salió silbando de la obscuridad e hirió de soslayo a uno de ellos en un brazo. Apartáronse al punto conociendo que era imposible toda sorpresa con hombres tan vigilantes, y que una embestida a viva fuerza por la misma sería tan temeraria como inútil. Comenzaron por lo tanto a retirarse, pero al pasar por debajo del ángulo oriental del castillo paróse Andrade y comenzó a mirar atentamente las grietas

[313] *Villavieja*: es el pueblo más próximo a Cornatel, al pie del castillo.

y matorrales de aquel escarpado declive. Por lo visto hubo de satisfacerle su reconocimiento, pues comenzó a trepar por aquella escabrosidad asiéndose a cualquier arbusto y asentando el pie en la menor prominencia del peñasco, hasta que llegó con asombro de los mismos suyos, a una especie de plataforma poco distante ya del torreón. Allí se puso a escuchar con gran ahínco por ver si sentía los pasos del centinela, y después de observar cuidadosamente durante otro rato todos los accidentes, formas y proyecciones del terreno, se volvió a bajar del mismo modo que había subido, aunque con mayor trabajo.[314] En cuanto llegó a la margen del arroyo encomendó el silencio a sus compañeros, y apretando el paso, poco tardaron en llegar a los barrancos de las Médulas. Dormía el conde a la sazón, pero en cuanto se presentó Andrade a la entrada de la tienda al punto le despertó un paje y no tardó en introducir al montañés. Hízole sentar el conde y después de ofrecerle una copa de vino que sin ceremonia trasegó a su estómago, le pidió cuenta de su expedición.

—Hemos dado con la puerta, contestó Andrade, pero está defendida y por allí no hay que pensar en meterles el diente.

—Bien debí presumirlo, respondió el conde, pero la impaciencia me ciega y me consume.

—No os dé pena por eso, señor, respondió el montañés, porque he descubierto otro boquete algo mejor y más seguro.

—¿Y cuál?, preguntó el conde con ansiedad.

—El torreón del lado del naciente, respondió el cazador muy ufano.

El conde le miró con ceño y le dijo ásperamente.

—¿Estás loco, Andrade?, ¡ni los corzos y rebezos[315] de tus montañas son capaces de trepar por allí!

—Pero lo somos nosotros, replicó él con un poco de vanidad mal reprimida, ¿loco, eh? en verdad que para vos

[314] Andrade escala la peña del castillo por el lado oriental, que está casi a pico.

[315] *rebezo*: se dice mejor rebeco. Especie de gamuza.

y los vuestros debe de ser locura llegar por aquel lado a pocas varas de la muralla.

—¿Pues no decías que eran menester las alas de las perdices para eso?

—Es que si entonces dije eso, ahora digo otra cosa, que como decía mi abuela, de sabios es mudar de consejo y además no soy yo el río Sil para no poder volverme atrás de mis juicios, cuando van descaminados. Os digo que de allí al castillo no hay más que una mediana escala o unas brazas de cuerda con un garfio a la punta.

—Pero ¿crees tú que no tendrán allí escuchas ni centinelas? Cuenta con que dos hombres solos podrían desbaratarnos desde aquel sitio.

—Más de una hora estuve escuchando, repuso el montañés que ya comenzaba a impacientarse con tantas objeciones, y no oí ni cantar, ni rezar, ni silbar, ni ruido de armas o de pasos.

—¡Ah!, respondió el conde poniéndose en pie con júbilo feroz: míos son, y de esta vez no se me escaparán. Pídeme lo que más estimes de mi casa y de mis tierras, buen Andrade, que por quien soy, te lo daré al instante.

—No es eso lo que tengo que demandaros, señor, replicó el cabreirés, sino la vida del comendador en especial y de todos los demás caballeros que prendamos. A mí y a los míos nos conservaron la que nos sustenta, y como sabéis sin duda mejor que yo, el que no es agradecido, no es bien nacido.

Quedóse como turbado el conde con tan extraña petición, pero recobrando sus naturales e iracundas disposiciones, le dijo rechinando los dientes y apretando los puños:

—¡La vida de ese perro de Saldaña! ¡Ni el cielo ni el infierno me lo arrancarían de entre las manos!

—Pues entonces, replicó resueltamente el montañés, ya veremos cómo vuestros gallegos que tienen la misma agilidad que los sapos, se encaraman por aquellos caminos carreteros, porque yo y los míos mañana mismo nos volvemos a nuestros valles.

—Quizá no volváis, respondió el conde con una voz ahogada por la rabia, porque quizá yo os mande amarrar a un árbol y despedazaros las carnes a azotes hasta que muráis. Vuestra obligación es servirme, como vasallos míos que sois.

El montañés le respondió con templanza pero valientemente:

—Durante la temporada del invierno que es la de nuestras batidas y cacerías, ya sabéis que según costumbre inmemorial y fuero de vuestros mayores, no estamos obligados a serviros.[316] Lo que ahora hacemos es porque no se diga que el peligro nos arredra. En cuanto a eso que decís de atarme a un árbol y mandarme azotar, añadió mirándole de hito en hito, os libraréis muy bien de hacerlo, porque es castigo de pecheros y yo soy hidalgo[317] como vos, y tengo una ejecutoria más antigua que la vuestra y un arco y un cuchillo de monte con que sostenerla.

El conde aunque trémulo de despecho, por uno de aquellos esfuerzos propios de la doblez y simulación de su alma, conociendo la necesidad que tenía de Andrade y de los suyos, cambió de tono al cabo de un rato y le dijo amigablemente:

—Andrade, os otorgo la vida de esos hombres que caigan vivos en vuestro poder, pero no extrañéis mi cólera porque me han agraviado mucho.

—Los rendidos nunca agravian, respondió Cosme; ahora nos tenéis a vuestra devoción hasta morir.

—Anda con Dios, le dijo el conde, y dispón todo lo necesario para pasado mañana al amanecer.

Salió el montañés en seguida y el conde exclamó entonces con irónica sonrisa:

—¡Pobre necio!, y cuando yo los tenga entre mis garras, ¿serás tú quien me los arranque de ellas?

[316] En efecto, los vasallos debían servir a su señor, sólo durante unas temporadas bastante cortas, muchas veces cuarenta días al año.

[317] Este punto es importante. El hidalgo Andrade representa el modelo de la nobleza consciente de sus deberes, frente a la alta nobleza corrompida.

CAPÍTULO XXVIII

De tan inminente peligro estaban amenazados los Templarios de Cornatel, porque como no había memoria de que persona humana hubiese puesto la planta sobre el abismo que dominaba el ángulo oriental del castillo, ni parecía empresa asequible a la destreza humana, aquel lado no se guardaba. Lo más que solía hacerse en tiempos de peligro era visitar de cuando en cuando el torreón, más para registrar el campo desde allí que para precaver ningún ataque. Una vez dueños de él los enemigos, como ningún género de obstáculo interior habían de encontrar, claro estaba que la ventaja del número había de ser decisiva. Atacados a un tiempo por el frente y flanco, y desconcertados de aquella manera impensada y súbita, era segura la muerte o la prisión de todos los caballeros. Sólo una rara casualidad hizo abortar aquel plan tan ingenioso como naturalmente concebido.

Saldaña, como experimentado capitán, no se descuidaba en averiguar por todos los medios imaginables cuanto pasaba en el real enemigo, y sus espías bajo mil estudiados disfraces, sin cesar le estaban trayendo noticias muy preciosas. Aconteció, pues, que una noche se brindó a salir de descubridor nuestro antiguo conocido Millán, y disfrazándose con los atavíos de un montañés, muerto en el castillo de resultas de la pasada refriega, se dirigió por la noche a las Médulas, acompañado de otro criado del Temple, natural del país, que conocía todas las trochas y veredas como los rincones de su casa. La vista que ofrecía el campamento del conde en medio de aquellas profundísimas cárcavas, cuyo color rojizo resaltaba más y más con el trémulo resplandor de las hogueras, era sumamente pintoresca.[318] La mayor parte de los soldados esta-

[318] V. el origen de esta descripción en el *Bosquejo de un viaje* (cap. II; v. Apéndice, p. 431).

ban resguardados del frío en las cuevas y restos que quedaban de las antiguas galerías subterráneas; pero los que velaban para impedir todo rebato, encaramados en aquellos últimos mogotes, visibles unas veces e invisibles otras, según las llamas de los fuegos lanzaban reflejos más vivos o apagados, pero siempre inciertos y confusos, parecían danzar como otras tantas sombras fantásticas en aquellas escarpadas eminencias. La forma misma de aquellos picachos, caprichosa y extraña y la obscuridad de los matorrales, imprimían en toda la escena un sello indefinible de vaguedad enigmática y misteriosa.

Para el que conoce todos los ramales de las antiguas minas, fácil cosa es, aun ahora, sustraerse a las más exquisitas indagaciones por entre su revuelto laberinto. Así es que el compañero de Millán le guió por medio de la más tremenda obscuridad hasta un puesto de cabreireses en que se hablaba con mucho calor. Estaban juntos alrededor de una gran hoguera, y uno de ellos sentado en un tronco estaba diciendo en voz alta a sus compañeros:

—Pues, amigos, él se ha empeñado en venir por más que le he dicho que se va a desnucar por aquellos andurriales. Dios nos la depare buena, porque si tras de esto no llegamos a entrar en el castillo, medrados quedamos.

Como el montañés estaba de lado, no podía Millán distinguir sus facciones, pero en el metal de la voz conoció al punto al intrépido Andrade, y puso la mayor atención en escuchar aquel coloquio que tanto debía interesarle.

—Lo que es por falta de cuerdas y ganchos no quedará, contestó otro, porque tenemos un buen manojo; ¿pero el conde quiere ser de los primeros?

—El primero quiere ser, contestó Andrade, pero Dios mediante entraremos juntos.

—Al cabo, dijo otro, yo no sé bien por dónde hemos de subir todavía.

Andrade se lo explicó claramente mientras que Millán sin atreverse a respirar, estaba hecho todo oídos

—¿Y es mañana?, preguntó uno.

—No; mañana nos acercamos todos al castillo por donde la otra vez, con todos los pertrechos y avíos como si fuéramos a poner cerco de veras, y pasado mañana, mientras del lado de acá levantan gran grita y alharaca, en guisa de asaltar las murallas, nosotros nos colamos por el lado de allá como zorros en un gallinero. Como vosotros sois los destinados a la empresa, lo mismo será que lo sepáis un poco antes o después, pero cuenta con el pico.

Todos se pusieron el dedo en los labios haciendo gestos muy expresivos, y en seguida comenzaron a cenar sendos tasajos de cecina, acompañados de numerosos tragos. Millán entonces dando gracias al cielo por el descubrimiento que acababa de hacer, salió apresuradamente de su escondite, y se volvió a Cornatel con su compañero. Al salir de la mina echó una ojeada hacia las hondonadas de aquellos extraños valles y advirtió muchas gentes que iban y venían, unos con hachones de paja encendidos y otros cargados con diferentes bultos. Veíanse también cruzar en una misma dirección muchas acémilas, y en todo el real se notaba gran movimiento, con lo cual acabó de persuadirse el buen Millán de la exactitud de las noticias que por tan raro modo había recibido. Volvióse, pues, al castillo con gran priesa y en cuanto entró, se fue a ver a su amo y a contarle muy menudamente cuanto sabía. Hizo don Álvaro un movimiento tal de alegría al escucharle y de tal manera se barrió repentinamente de su semblante la nube de disgusto que casi siempre lo empañaba, que el escudero no pudo menos de maravillarse. Cogióle entonces del brazo y mirándole de hito en hito, le dijo:

—Millán, ¿quieres hacer lo que yo te mande?

—¿Eso dudáis, señor?, respondió el escudero: ¿pues a mí qué me toca sino obedecer?

—Pues entonces no digas nada al comendador sino del ataque manifiesto.[319]

—Pero ¿y si nos entran como intentan?

[319] Como se nota y se ha notado ya, don Álvaro, a pesar de ser Templario, ha quedado un caballero mundano, preocupado exclusivamente de su venganza. Comete aquí una falta de disciplina enorme.

—Tú y yo solos bastamos para escarmentarlos: ¿no quieres acompañarme?

—Con el alma y la vida, contestó el ufano escudero, y ojalá que mi brazo fuese el de Bernardo del Carpio en Roncesvalles.

—Tal como es, le contestó don Álvaro sonriéndose, nos será de mucho provecho. Anda y despierta al comendador, y dile todo, menos el ataque del torreón.

—¡Ah!, ¡con que él mismo viene a caer bajo mi espada!, dijo hablando entre sí, no bien salió Millán: ¡cielos divinos! ¡dejadle llegar sano y salvo hasta mí! Dadle si es menester las alas del águila y la ligereza del gamo.

A la mañana siguiente volvieron los enemigos a ocupar sus antiguas posiciones, y comenzaron los trabajos de sitio que con tanta sangre habían regado, no hacía mucho tiempo. En esto pasaron todo el día con grande indiferencia de los Templarios que veían todavía lejano el momento decisivo. Al otro día, sin embargo, muy temprano comenzó a sentirse grande agitación en el campo sitiador, y a oirse el tañido de gaitas, trompetas y tamboriles. En todo el Bierzo son las nieblas bastante frecuentes por la proximidad de las montañas y la abundancia de los ríos; y la que aquel día envolvía los precipicios y laderas de Cornatel era densísima. Así pues, hasta que los sitiadores se acercaron a los adarves no pudo distinguir Saldaña el buen orden con que venían adelantándose contra el castillo y que no dejó de inspirarle algunos temores. La misma nube de tiradores que en el anterior asalto poblaba el aire de flechas, pero al mismo tiempo buen número de soldados mejor armados, con una especie de muralla portátil de tablones, revestida de cueros mojados para evitar el fuego de la vez pasada, avanzaba lentamente hacia el foso. Detrás de aquel ingenioso resguardo venían, amén de los que lo conducían, otra porción de soldados con azadones y palas; y por encima de él se veían asomar las extremidades de una porción de escalas cargadas en hombros de otros. Saldaña comprendió al punto cuál podía ser el intento de los enemigos, que sin duda al abrigo de aquella máquina imaginaban cegar el foso, y aplicando las escalas en seguida por varias partes a un tiempo, y prevaliéndose de su número, dar tantas embestidas a la vez que dividiendo las fuerzas de los sitiados, hiciesen imposible una defensa simultánea y vigorosa. Contra una acometida imaginada con tanta habilidad, sólo un recurso ocurrió al anciano comendador: una salida repentina y terrible, que pudiese desconcertar a los sitiadores.

—¿Dónde está don Álvaro?, preguntó mirando en derredor suyo.

—En la barbacana me parece haberle visto entrar, respondió el caballero Carvajal.

—Pues entonces id y decidle que tenga toda la gente a punto para salir contra el enemigo, y que la señal se le dará como la otra vez, con la campana del castillo.

Carvajal salió a dar las órdenes del comendador, pero como pueden suponer nuestros lectores don Álvaro no estaba allí, sino como un águila encaramada en un risco, acechando la llegada de los enemigos, y muy especialmente la del conde.

La extraña configuración del terreno a que desde luego tuvo que sujetarse la fortificación imposibilitada de dominarla, prolonga extraordinariamente el castillo de ocaso a naciente. La niebla que tanto favorecía los pensamientos y propósitos del de Lemus, encubriendo su peligroso asalto, no favorecía menos a don Álvaro, que en aquel ángulo tan apartado desaparecía bajo su velo de las miradas de los suyos. El torreón edificado en un peñasco saliente, forma una especie de rombo de pocos pies cuadrados, y comunica con el resto de la fortaleza por una estrecha garganta flanqueada por dos terribles despeñaderos. [320] En este tan reducido espacio, sin embargo, iba a decidirse la suerte de dos personas igualmente ilustres por su prosapia, sus riquezas y su valor, pero de todo punto diferentes a más no poder por prendas morales y sentimientos caballerescos.

Aunque lo opaco de la niebla robaba a don Álvaro y a su fiel escudero, de la vista de sus enemigos, con todo

[320] V. el plano del castillo de Cornatel.

para mejor asegurar el golpe, ambos se tendieron en el suelo a raíz de las almenas. Reinaba gran calma en la atmósfera y los pesados vapores que la llenaban trasmitían fielmente todos los sonidos: de modo que Millán y su amo iban oyendo el ruido de los ganchos de hierro que los enemigos más delanteros iban fijando en las peñas para facilitar la subida de los demás con cuerdas, y las instrucciones que a media voz y con recato les iban dando, a medida que trepaban. La voz sonora de Andrade, por mucho cuidado que en apagarla ponía, sobresalía entre todas y como era el que abría aquella marcha singular y atrevida, por ella calculaba don Álvaro la distancia que todavía los separaba de los enemigos. Por fin la voz se oyó muy cerca y como en seguida calló y no se percibió más ruido que uno, como de gente que después de subir trabajosamente, llega a un terreno en que puede ponerse en pie, el señor de Bembibre conjeturó fundadamente, que el conde y Cosme Andrade con sus montañeses estaban ya en la pequeña explanada que forma la peña misma de la muralla, poco elevada en aquel sitio. El momento decisivo había llegado ya.

Al cabo de breves minutos dos ganchos de hierro atados en el extremo de una escala de cuerda cada uno, cayeron dentro de la plataforma en que estaba don Álvaro y se agarraron fuertemente a las almenas.

—¿Está seguro?, preguntó desde abajo una voz que hizo estremecer a don Álvaro.

—Seguro como si fuera la escalera principal de vuestro castillo de Monforte, replicó Andrade: bien podéis subir sin cuidado.

No bien habían dejado de oírse estas palabras, cuando aparecieron sobre las almenas de un lado el determinado Andrade, y por otro el conde. Millán entonces se levantó del suelo con un rápido salto y dando un empellón al descuidado montañés le derribó de las murallas.

—¡Virgen santísima, valme!, dijo el infeliz cayendo por aquel tremendo derrumbadero, mientras los suyos acompañaban su caída con un grito de horror. Millán, bien prevenido de antemano, desenganchó las cuerdas y las recogió en un abrir y cerrar de ojos. El conde temeroso de sufrir la misma suerte que Andrade, se apresuró a saltar dentro del torreón, y Millán entonces recogió su escala del mismo modo y con igual presteza. En seguida comenzó a tirar a plomo sobre los montañeses, poseídos de terror con la caída de su jefe, enormes piedras de que no podían defenderse apiñados en aquel reducido espacio y a raíz misma del muro, visto lo cual, todos tomaron la fuga dando espantosos alaridos y despeñándose algunos con la precipitación.

Quedáronse por lo tanto solos aquellos dos hombres poseídos de un resentimiento mortal y recíproco. Por uno de aquellos accidentes atmosféricos frecuentes en los terrenos montañosos, una ráfaga terrible de viento que se desgajó de las rocas negruzcas de Ferradillo,[321] comenzó a barrer aceleradamente la niebla, y algunos rayos pálidos del sol empezaron a iluminar la explanada del torreón. Como don Álvaro y su escudero tenían cubiertos los rostros con las viseras, el conde les miraba atentamente, como queriendo descubrir sus facciones.

—Soy yo, conde de Lemus, le dijo don Álvaro sosegadamente descubriéndose.

La ira y el despecho de verse así cogido en su propio lazo, colorearon vivamente el semblante del conde, que mirando al señor de Bembibre con ojos encendidos le respondió:

—El corazón me lo decía y me alegro de que no se desmienta su voz. Sois dos contra mí solo y probablemente otros acudirán a vuestra señal: la hazaña es digna de vos.

—¿Nunca acabaréis de medir la distancia que separa la ruindad de la hidalguía?, le contestó don Álvaro con una sonrisa en que el desdén y [el] desprecio eran tales que rayaban en compasión. Millán, vuélvete allá dentro.

El escudero comenzó a mirar al conde fieramente, y no mostraba gran priesa por obedecer.

[321] *Ferradillo*: peña de la sierra de la Aquiana.

—¡Cómo así, villano!, le dijo don Álvaro encendido en cólera; parte de aquí al punto y cuenta con que te arrancaré la lengua si una sola palabra se te escapa.

El pobre Millán, aunque muy mohíno y volviendo la cabeza hacia atrás, no tuvo más remedio que apartarse de allí. Este nuevo alarde de generosidad que tanto humillaba al conde, sólo sirvió para escandecer [322] más y más su altanería y soberbia. Sobrado claro veía que su vida había estado a merced de su caballeroso enemigo al poner el pie en aquel recinto fatal, y por de pronto en bizarría y nobleza ya estaba vencido. Corrido pues, tanto como sañudo, dijo a don Álvaro desenvainando la espada:

—Tiempo es ya de que ventilemos nuestra querella, que sólo con la muerte de uno de los dos podrá acallarse.

—No diréis que os he estorbado el paso, contestó él, ahora que no soy sino soldado del Temple y he renunciado a mis derechos de señor independiente, no me abochorna el igualarme con vos en esta singular batalla.

El de Lemus sin aguardar a más y rugiendo como un león, arremetió a don Álvaro que le recibió con aquella serenidad y reposado valor que viene de un corazón hidalgo y de una conciencia satisfecha. Estaba el conde armado a la ligera como convenía a la expedición que acababa de emprender, pero esto mismo le daba sobre su contrario la ventaja de la prontitud y rapidez en los movimientos; don Álvaro armado de punta en blanco no podía acosarle con el ahínco necesario, pero como el campo era tan estrecho, poco tardó en alcanzarle al conde un tajo en la cabeza, del cual no pudo defenderle el delgado aunque fino capacete de acero que la cubría, y que de consiguiente dio con él en tierra. Don Álvaro se arrojó sobre él al punto y le dirigió la espada a la garganta.

—¡Ah traidor!, dijo el conde con la voz ahogada por la rabia, peleas mejorado en las armas y por eso me vences.

Don Álvaro apartó al punto su espada y desenlazando el yelmo, y arrojando el escudo, le dijo:

[322] *escandecer*: se usa más *encandecer*.

—Razón tenéis: ahora estamos iguales.

El conde más aturdido que herido se levantó al punto y de nuevo comenzó la batalla encarnizadamente.

Todo esto sucedía mientras el grueso de las fuerzas sitiadoras se acercaban al castillo en los términos que dijimos, y el comendador enviaba sus órdenes a don Álvaro con el caballero Carvajal. Poco tardó el caballero en volver diciendo que don Álvaro no había parecido por la barbacana. El comendador estaba notando con extrañeza la flojedad con que los enemigos continuaban en su bien comenzado ataque, cuando recibió esta inesperada respuesta.

—¿Dónde está, pues?, exclamó con ansiedad.

Entonces se presentó como un relámpago a su imaginación la idea de que la arremetida conocidamente falsa de los enemigos, podría tener relación con la impensada ausencia de su ahijado. La última ráfaga de viento arrebató en aquel instante los vapores que todavía quedaban hacia la parte oriental del castillo, y la plataforma quedó iluminada con los rayos resplandecientes y purísimos del sol. Apenas la divisó el cuerpo sitiador, cuando un grito de consternación se levantó de sus filas, porque en lugar de verla coronada con sus montañeses, sólo alcanzaron a ver a su caudillo en poder de los enemigos y peleando con uno de ellos. Al grito volvió el comendador la cabeza y lo primero que hirió sus ojos fue el resplandor movible y continuo que despedían las armas heridas por el sol. Comprendió al punto lo que podía ser, y dijo en voz alta:

—Síganme doce caballeros y los demás quédense en la muralla.

Y con una celeridad increíble en sus años, corrió al sitio del combate acompañado de los doce.

—Don Álvaro, le gritó desde la estrecha garganta que separaba el torreón del castillo; deteneos en nombre de la obediencia que me debéis.

El joven volvió la cabeza como un tigre a quien arrebatan su presa, pero sin embargo se detuvo.

—Don Álvaro, le dijo de nuevo Saldaña en cuanto llegó: este asunto no es vuestro, sino de la Orden, y yo que la represento aquí, lo tomo a mi cargo. Conde de Lemus, defendéos.

—Yo también soy Templario, repuso don Álvaro que apenas acertaba a reprimir la cólera. Yo he comenzado esta batalla y yo la acabaré a despecho del mundo entero.

El comendador conociendo que la cólera le sacaba de quicio, hizo una seña; echándose sobre él seis caballeros, le sujetaron, y lo apartaron de allí en medio de sus esfuerzos, amenazas y denuestos.

—Por fin sois nuestro, mal caballero, dijo al conde, veremos si ahora os valen vuestras cábalas y calumnias.

—Todavía no lo soy, respondió él desdeñosamente. Cara os ha de costar mi vida, porque no quiero rendirme.

—De nada os serviría, replicó el comendador con torcido rostro. Sin embargo, conmigo sólo habéis de pelear y si la victoria os corona, estos caballeros respetarán vuestra persona.

Algunos de ellos quisieron interrumpirle, pero el anciano los acalló al punto.

—Nada quiero de vosotros, replicó el conde con arrogancia: mientras me dure el aliento no cesará mi brazo de moverse en vuestro daño. Sólo me duele pelear con [un viejo] cuitado.

—No hace mucho que huisteis de él, le dijo el comendador.

—Mentís, contestó el conde con una voz ronca y con ojos como ascuas, y sin más palabra comenzó de nuevo el combate.

Los sitiadores llenos de ansiedad por la suerte del conde, se habían corrido por su derecha, y divididos del lugar de la pelea por el despeñadero, asistían como espectadores ociosos al desenlace de aquel terrible drama. Don Alonso, que en la ausencia de su yerno mandaba aquellas fuerzas, encaramado sobre una roca, parecía tener el alma pendiente de un hilo.

Por grande que fuese el poder del brazo de Saldaña, como el conde le sobrepujaba en agilidad y soltura, apenas le alcanzaban sus golpes. Encontrando, sin embargo, una vez al anciano mal reparado le tiró un furioso revés que a no haberlo evitado rápidamente, hubiera dado fin al encuentro; pero así, la espada del conde fue a dar en la muralla y allí saltó hecha pedazos, dejándole completamente desarmado. En tan apurado trance no le quedó más recurso que arrojarse al comendador antes de que se recobrase, y trabar con él una lucha brazo a brazo, para ver de arrojarle al suelo y allí rematarle con su puñal. Este expediente sin embargo tenía más de desesperado que de otra cosa, porque el viejo era mucho más robusto y fornido. Así fue, que sin desconcertarse por la súbita acometida, aferró al conde de tal modo que casi le quitó el aliento, y alzándole en seguida entre sus brazos, dio con él en tierra tan tremendo golpe, que tropezando la cabeza en una piedra perdió totalmente el sentido. Asióle entonces por el cinto el inexorable viejo, y subiéndose sobre una almena y levantando su voz que parecía el eco de un torrente en medio del terrífico silencio que reinaba, dijo a los sitiadores:

—¡Ahí tenéis a vuestro noble y honrado señor! [323]

Y diciendo esto lo lanzó como pudiera un pequeño canto en el abismo que debajo de sus pies se extendía. El desgraciado se detuvo un poco en su caída, porque su ropilla se prendió momentáneamente en un matorral de encina, pero doblado éste, continuó rodando cada vez con más celeridad, hasta que por fin, ensangrentado, horriblemente mutilado y casi sin figura humana, fue a parar en el riachuelo del fondo.

Un alarido espantoso se levantó entre sus vasallos helados de terror a vista de tan trágico suceso. Todos si-

[323] La idea de la caída del conde de Lemus puede tener su origen en la misma configuración del terreno, pero tiene también modelos literarios: *La vida es sueño* (jornada II) de Calderón, *Blanca de Borbón* (acto IV, esc. 5) de Espronceda, cuando el rey arroja a Castro diciendo: "Ve a acompañar tus viles partidarios, / Ahí tenéis vuestro jefe: yo os lo vuelvo", y, sobre todo, *Notre-Dame de Paris* de Hugo (liv. X, ch. 4, y liv. XI, ch. 2).

guieron con los cabellos erizados y desencajados los ojos el cuerpo de su señor en sus horribles tumbos, hasta que lo vieron parar en lo más profundo del derrumbadero. Entonces los que más obligados tenía con sus beneficios y larguezas, rompieron unos en lamentos, y otros, profiriendo imprecaciones y amenazas, quisieron ir contra el castillo y embestirlo a viva fuerza. Don Alonso que a despecho de todas sus quejas y sinsabores, había visto con grandísimo dolor el fin de aquel poderoso de la tierra, no por eso olvidó sus deberes de capitán. Recogiendo, pues, su gente con buen orden y levantando el sitio con todos sus aprestos bélicos, volvió al campo atrincherado de las Médulas resuelto a entablar medios puramente pacíficos y templados con aquellos guerreros altivos y valerosos que no se hubieran avenido en tiempo alguno a las injustas pretensiones del conde. Por violenta que le pareciese la conducta del comendador, no dejaba de conocer los atroces agravios que la Orden había sufrido del difunto y los ruines medios de que había echado mano para dañarla y socavar su crédito. Así, pues, envió un mensaje al comendador, comedido y caballeroso, manifestándole su deseo de que amigablemente se arreglasen aquellas lastimosas diferencias, y al punto recibió una respuesta cortés y cordial, en que Saldaña le encarecía el gran consuelo que era para ellos tenerle por mediador en la desgracia que les amenazaba. Concluía rogándole que pasase a habitar el castillo, donde sería recibido con todo el respeto debido a sus años, carácter y nobleza.

Comenzados los tratos que podían dar una solución honrosa a tan inútil contienda, don Alonso envió los restos mortales de su yerno al panteón de sus mayores en Galicia. [324] Los cabreireses que habían bajado de su peligrosa expedición, recogieron su cadáver a la orilla del riachuelo, y en unas andas hechas de ramas le subieron con gran llanto al real. Desde allí se volvieron a Cabre-

[324] Se conserva ahora el sepulcro de un don Pedro Fernández de Castro en el monasterio de Sobrado, cerca de Lugo.

ra con el valiente Cosme Andrade que no había muerto como presumirán nuestros lectores de su caída, porque unas matas protectoras le tuvieron colgado sobre el abismo de donde a sus gritos le echaron unas cuerdas los del castillo, con las que se ató y pudieron subirle. Así y todo no salió sin señales porque se rompió un brazo y sacó bastantes contusiones y araños. Hecha pues la primer cura, se partió con los suyos, más agradecido que nunca de los Templarios, y deseoso de probárselo en la primera ocasión.

El pecho de el *(sic)* buen cabreirés era terreno excelente para quien quisiera sembrar en él beneficios y finezas.

Por lo que hace al conde, poco tardó también en partir su cadáver depositado en un ataúd cubierto con paños de tartarí negro con franjas de oro. Sus deudos y vasallos le acompañaban con las picas vueltas y los pendoncillos arrastrando, Así atravesaron parte de sus estados, donde lejos de ser sentida su muerte, sólo el temor detenía la alegría que generalmente se asomaba a los semblantes.

Tal fue el fin de aquel hombre notable por su ingenio, su valor y su grandeza, pero que por desgracia convirtió todos estos dones en daño de su fama, y sólo usó de su poder para hacerle aborrecible, contrariando así su más noble y natural destino.

CAPÍTULO XXIX

El estruendo y trances diversos de esta guerra han apartado de nuestros ojos una persona, en cuya suerte tomarán nuestros lectores tal vez el mismo interés que entonces inspiraba a cuantos la conocían. Claro está que hablamos de doña Beatriz a quien dejamos a la sombra del claustro de Villabuena, sola con sus pesares y dolores, porque la compañía de su fiel Martina, poco podía contribuir a sanar un corazón tan profundamente ulcerado. Los gérmenes de una enfermedad larga y temible, habían comenzado, según dejamos dicho, a desenvolverse fuerte y rápidamente en aquel cuerpo, que si bien hermoso y robusto, mal podía sufrir los continuos embates de las pasiones que como otras tantas ráfagas tempestuosas en el mar sin cesar azotaban aquel espíritu a quien servía de morada. Las últimas amarguísimas escenas que habían precedido su segunda entrada en aquel puerto sosegado, habían rasgado el velo con que la religión por un lado y por el otro el contento de su padre y la noble satisfacción que siempre resulta de un sacrificio, habían encubierto a sus ojos el desolado y yermo campo de la realidad. Llorar a don Álvaro y prepararse por medio del dolor y de la virtud a las místicas bodas que sin duda le disponía en la celestial morada, llevaba consigo aquella especie de melancólico placer que siempre dejan en el alma las creencias de otro mundo mejor, más cercano a la fuente de la justicia y bondad divina; pero recobrarle sólo para perderle tan horriblemente, y verle caminar a orillas del abismo que amenazaba tragar a la Orden del Temple, sin más báculo y apoyo que su lanza ya cascada, era un manantial continuo de zozobras, dudas y vaivenes. Por otra parte, ¡cuánta humillación no encontraba su alma generosa y elevada en pertenecer a un hombre en quien las cualidades y prendas del carácter, sólo servían para poner más de manifiesto su degradación lastimosa! Hasta entonces la máscara de la cortesanía, había bastado a cubrir aquella sima de corrupción y bajeza, y como doña Beatriz no podía dar amor, tampoco lo pedía; de manera que la natural delicadeza de su alma ninguna herida recibía; pero deshecho el encanto y apartados los disfraces, la ignominia que sobre ella derramaba la ruindad de su esposo, se convirtió en un torcedor fiero y penoso que alteraba sus naturales sentimientos de honor y rectitud, y echaba una fea mancha en el escudo hasta allí limpio y resplandeciente de su casa. Desdicha tremenda que no aciertan a sobrellevar las almas bien nacidas, y que uno de nuestros antiguos poetas expresó con imponderable felicidad cuando dijo:

¡Oh honor! fiero basilisco,
Que si a ti mismo te miras,
Te das la muerte a ti mismo! [325]

Por tan raros modos el soplo del infortunio había disipado en el cielo de sus pensamientos los postreros y tornasolados celajes que en él quedaban después de puesto el sol de su ventura, y para colmo de tristeza todos los sitios que recorrían sus ojos, estaban llenos de recuerdos mejores y poblados de voces que continuamente traían a sus oídos palabras desnudas ya de sentido, como está desnudo de lozanía el árbol que ha tendido en el suelo el hacha del leñador. De esta suerte perdida su alma y errante por el vacío inconmensurable del mundo, levantaba su vuelo con más ansia hacia las celestes regiones, pero tantos combates y tan incesante anhelo acababan con las pocas fuerzas que quedaban en aquella lastimada señora. El aire puro y oloroso de la primavera, tal vez hubiera reanimado aquel pecho que comenzaba a oprimirse, y devuelto a su cuerpo algo de su perdida lozanía, pero el invierno reinaba desapiadadamente en aquellos campos yertos y desnudos, y el sol mismo escaseaba sus vivificantes resplandores. Desde las ventanas y celosías del monasterio, veía correr el Cúa turbio y atropellado, arrastrando en su creciente troncos de árboles y sin número de plantas silvestres: los viñedos plantados al pie de la colina donde todavía se divisaban las ruinas de la romana *Belgidum,* [326] despojados de sus verdes pámpanos, dejaban descubierta del todo la tierra rojiza y ensangrentada que los alimenta, y en las montañas lejanas una triste corona de vapores y nublados oscilaba en giros vagos y caprichosos al son del viento, cruzando unas veces rápidamente la atmósfera en masas apiñadas y des-

[325] La cita es probablemente de Calderón, pero es de segunda mano, ya que figura en el prólogo de los *Romances históricos* del Duque de Rivas.

[326] V. nota 101 del cap. IV y Apéndice, p. 424. Se escribe indiferentemente *Belgidum* o *Bergidum*.

cargando recios aguaceros, y entreabriéndose otras a los rayos del sol para envolverle prontamente en su pálida y húmeda mortaja. No faltaban accidentes pintorescos en aquel cuadro, pero todos participaban abundantemente de la tristeza de la estación, del mismo modo que los pensamientos de doña Beatriz, bien que varios en sus formas, todos tenían el mismo fondo de pesar.

Como frecuentemente acontece, en el estado a que la habían conducido la profunda agitación de espíritu unida a la debilidad de su cuerpo, al paso que ésta iba poco a poco aumentándose, cada día iba también en aumento la exaltación de su espíritu.

El arpa en sus manos tenía vibraciones y armonías inefables, y las religiosas que muchas veces la oían, se deshacían en lágrimas de que no acertaban a darse cuenta. Su voz había adquirido un metal profundo y lleno de sentimiento, y en sus canciones parecía que las palabras adquirían nueva significación, como si viniesen de una región misteriosa y desconocida, y saliesen de los labios de seres de distinta naturaleza. A veces tomaba la pluma y de ella fluía un raudal de poesía apasionada y dolorida, pero benéfica y suave como su carácter, ora en versos llenos de candor y de gracia, ora en trozos de prosa armoniosa también y delicada.[327] Todos estos destellos de su fantasía, todos estos ayes de su corazón, los recogía en una especie de libro de memoria, forrado de seda verde que cuidadosamente guardaba, sin duda porque algún rasgo de amargura vecino a la desesperación, se había deslizado alguna vez entre aquellas páginas llenas de angélica resignación. A vueltas de sus propios pensamientos había pasajes y versículos de la Sagrada Escritura que desde que volvió al monasterio, era su libro más apreciado y que de continuo leía; y aquellas memorias suyas, comenzaban con un versículo en que hasta allí parecía encerrarse su vida, y que tal vez era una profecía para

[327] Es notable la concordancia entre el carácter de doña Beatriz y el del autor, al mismo tiempo que padecen la misma enfermedad.

lo venidero: *Vigilavi et factus sum sicut passer solitarius in tecto.*[328]

Tal era el estado de doña Beatriz cuando una mañana le pasaron recado de que el abad de Carracedo deseaba verla. Desde su aciago desposorio no había aparecido en Arganza, y luego sus mediaciones pacíficas, y más tarde los preparativos que como señor de vasallos había tenido que hacer, bien a pesar suyo, le habían traído algún tiempo fuera de la tierra y constantemente apartado de los ojos de doña Beatriz. Duraba el sitio de Cornatel y ya la derrota primera del conde de Lemus, la gloriosa defensa de los Templarios y las proezas de don Álvaro, habían llegado a aquel pacífico asilo. Unos y otros, sin embargo, llevaban adelante su empeño con vigor y no era la menor de las zozobras de doña Beatriz ver comprometidas en semejante demanda, personas que tan de cerca la tocaban.

—¡Válgame Dios! ¿qué será?, dijo para sí, después que salieron a avisar al religioso. ¡Cuánto hace que no veo a este santo hombre, que tal vez sólo a mí ha dañado en el mundo con su virtud! ¡Cómo se han mudado los tiempos desde entonces! ¡Dios me dé fuerzas para resistir su vista sin turbarme!

Razón tenía doña Beatriz para recelar que con esta entrevista se renovasen todas sus memorias, pero, sin embargo, al ver abrirse la puerta y aparecer el anciano, se disipó su turbación y con su señorío acostumbrado, le salió al encuentro para besarle la mano. No fue tan dueño de sí el abad, pero la sorpresa de ver tanta hermosura y lozanía reducida a tal estado, pudo tanto en él que sin poderlo remediar dio dos pasos atrás asombrado como si la sombra de la heredera de Arganza fuese la que delante tenía.

—¿Sois vos, doña Beatriz?, exclamó con el acento de la sorpresa.

—¡Tan mudada estoy!, respondió ella, con melancóli-

[328] *Salmo* 101-8. "He perdido el sueño y estoy como un gorrión solitario en el tejado."

ca sonrisa y besándole la mano. No os maraville, pues ya sabéis que el hombre es un compendio de miserias, que nace y muere como la flor, y nunca persevera en el mismo estado. Pero decidme, añadió clavando en él su mirada intensa y brillante, ¿qué noticias traéis de Cornatel? ¿Qué es de mi noble padre y de... del conde quise decir?

—Vuestro padre disfruta salud, respondió el abad, pero vuestro noble esposo ha muerto ayer.

—¿Ha muerto?, contestó doña Beatriz asombrada; pero, decidme, ¿ha muerto en los brazos de la religión y reconciliado con el cielo?

—Ha muerto como había vivido, exclamó el abad sin poder enfrenar su natural adustez, lleno de cólera y rencor, y apartado de toda idea de caridad y de templanza.

—¡Oh desgraciado, infeliz de él!, exclamó doña Beatriz, juntando las manos y con doloroso acento, ¿y cuál habrá sido su acogida en el tribunal de la justicia eterna?

Al escuchar el tono de verdadera aflicción con que fueron pronunciadas estas palabras, el abad no fue dueño de su sorpresa. El conde había traído males sin cuento sobre aquella bondadosa criatura; su porvenir se había disipado como un humo en manos de aquel hombre; sus negras tramas habían robado la libertad y hasta la esperanza de la dicha al desventurado don Álvaro, y sin embargo, a la idea de su infortunio perdurable su corazón se estremecía. Doña Beatriz no le amaba, porque no cabía en su altivez poner su afecto en quien así se olvidaba de sí propio y de su nacimiento; ni menos renunciar a la única ilusión que de tiempos mejores le quedaba, bien que enlutada y marchita; pero los ímpetus del resentimiento y del odio, no podían avenirse largo tiempo con la irresistible propensión a perdonar que dormía en el fondo de su pecho; y delante de las tinieblas de la eternidad que más de una vez se habían ofrecido a sus ojos, bien conocía la pequeñez de las pasiones humanas.

—Hija mía, respondió el abad conmovido a vista de tan noble desprendimiento y tomándole la mano; ¿cómo desconfiáis de la misericordia de Dios? Sus crímenes eran grandes, y la paz y la justicia han huido siempre al ruido de sus pasos, pero su juez está en el cielo, y a su clemencia sin límites nada hay vedado. Pensad que el buen ladrón se convirtió en la hora postrimera y que la fe es la más santa de las virtudes.

—Válgale, pues, esa adorable clemencia, contestó doña Beatriz sosegándose, y el Señor le perdone.

—¿Como vos le perdonáis?

—Sí, como yo le perdono, respondió ella con acento firme, levantando los ojos al cielo y poniendo la mano sobre el corazón. ¡Ojalá que todas las palabras que arranque la noticia de su desastroso fin no sean más duras que las mías!

Quedáronse entrambos por un rato en un profundo silencio, durante el cual el abad mirándola de hito en hito, parecía observar con asombro y alarma las huellas que la enfermedad y las pasiones habían dejado en aquel cuerpo y semblante, cifra no mucho había de perfecciones y lozanía. El pensamiento que semejante espectáculo suscitó en su alma llegó a ser tan doloroso que sin alcanzar a contenerse, le dijo:

—Doña Beatriz, sabe el cielo que en mi vida entera, vuestro bien y contento han sido blanco constante de mis deseos. Yo he visto vuestra alma desnuda y sin disfraces en el tribunal de la penitencia... ¿cómo no amaros cuánto se puede amar a la virtud y a la pureza? Y sin embargo la austeridad de mis deberes se ha convertido contra vos, y nadie en el mundo os ha hecho tanto daño como este anciano, que siempre hubiera dado gustoso por vos la última gota de su sangre. ¿No es verdad?

Doña Beatriz sólo dio por respuesta un largo suspiro arrancado de lo más íntimo de su corazón.

—Harto me decís con eso, continuó el religioso con un tono de voz apesarado, pero escuchadme y veréis que aún puedo tal vez enmendar mi obra. Vuestra dicha sería la gloria de mis postreros años y aunque nada me echa en cara mi conciencia, con ella se descargaría mi corazón del peso con que vuestra desdicha le abruma. Yo no sé si los usos del mundo me permiten hablaros de una esperanza que tal vez me sea más halagüeña que a vos misma, pero vuestro infortunio y mi carácter poco tienen que ver con las hipócritas formas y exterioridades de los hombres. Doña Beatriz, en la actualidad, sois libre.

—¿Y qué me importa la libertad?, contestó ella con más presteza de la que podía esperarse de su abatido acento. Alguna vez he oído decir a caballeros que han padecido cautividad en tierra de moros, que los príncipes y señores de aquella tierra conceden la libertad a las mancebas de sus serrallos cuando la vejez les ha robado fuerza, vigor y hermosura. Ahí tenéis una libertad muy semejante a la mía.

—No, hija mía, respondió el religioso: no es tan menguado el don que el cielo te concede: escúchame. Cuando don Álvaro entró en el Temple aconsejado más de su dolor que de su prudencia, la Orden estaba ya suspensa de todas sus prerrogativas y derechos, emplazada ante el concilio de los obispos, secuestrados sus bienes y sin poder admitir en su milicia un solo soldado, ligado con sus solemnes y terribles votos. Si don Álvaro hizo su profesión, si su tío el maestre le vistió el hábito de Hugo de Paganis y de Guillén de Monredón [329] fue porque los caballeros todos querían tener por suya una lanza tan afamada, y porque su sobrino le amenazó con pasarse a Rodas y tomar el hábito de San Juan de Jerusalén. El recelo de perderle por un lado, y el miedo de introducir la desunión entre los suyos, cuando la presencia del riesgo hacía más necesaria la concordia y concierto de voluntades, le obligaron a atropellar por sus propios escrúpulos. Mal pudo don Álvaro, de consiguiente, renunciar a su libertad, y su profesión no dudo que será dada por nula en el concilio que dentro de poco se juntará en Salamanca, [330] y al cual se espera que se presentarán los Templarios de

[329] Hugo de Paganis, o mejor Hugues de Payns, fue el fundador de la Orden. Guillén de Monredón o Montedón era Maestre del Temple en Aragón y Cataluña en 1216, durante la minoría del rey Jaime I.

[330] El concilio de Salamanca se celebró en 1310. Como se ve, la acción histórica avanza más rápidamente que la puramente novelesca, ya que estamos con ésta en el invierno de 1308 a 1309.

Castilla, sin alargar una lucha en que la cristiandad los abandona. Yo me presentaré también ante los padres y espero que mi voz sea escuchada y que el Señor os traiga a entrambos, horas más felices.

Doña Beatriz que desde que escuchó el nombre de su amante había estado colgada de las palabras del abad, fijos en él sus ojos que de suyo hermosos y animados, recibían nuevo brillo de la enfermedad, le dijo con ansiedad:

—¿Con que según eso, aún puede amanecer para nosotros un día de claridad y de consuelo?

—Sí, hija mía, contestó el monje, y por la misericordia de Dios así confío que sucederá.

—¡Ah! ¡ya es tarde, ya es tarde!, exclamó ella con un acento que partía el corazón.

—Nunca es tarde para la misericordia divina, contestó el anciano que ya sobresaltado por su aspecto, se sentía espantado con esta súbita exclamación.

—Sí, ya es tarde, os digo, replicó ella con la mayor amargura, yo veré amanecer ese día, pero mis ojos se cerrarán, en cuanto su sol me alumbre con sus rayos. Sí, sí, no os asombréis; el sueño ha huido de mis párpados, mi corazón se ahoga dentro del pecho, mi pulso y mis sienes no dejan de latir un instante. Cuando llego a descansar un momento en brazos del sueño, oigo una voz que me llama y veo mi sombra que cruza los aires con un ramo de azucenas en la mano y una corona de rosas blancas en la cabeza; y luego otra sombra vestida una túnica rutilante como el hábito del Temple y un casco guerrero en la cabeza, me sale al encuentro y alzándose la visera como en la tarde del soto me dice de nuevo pero con un acento dulcísimo: "¡Soy yo doña Beatriz!" ¡y esta sombra es la suya! Entonces despierto, bañada en sudor, palpitando mi corazón como si quisiera salirse del pecho, y un diluvio de lágrimas corre por mis mejillas. Mi antiguo valor me ha abandonado; mis días de gloria se han desvanecido: las flores de mi juventud se han marchitado; y la única almohada en que pretendo reclinar ya mi cabeza, es la tierra de mi sepultura. ¡Ah!, exclamó retorciéndose las manos desesperadamente, ¡ya es tarde, ya es tarde!!

Quedóse el abad como de hielo al escuchar aquella temible declaración que ahogada hasta entonces y comprimida, reventaba al fin con inaudita violencia. El semblante de doña Beatriz, la flacura de su cuerpo, la brillantez de su mirada, el metal de su voz habían llenado su imaginación de zozobra y de recelo; pero ahora se había trocado en una fatal certidumbre de que apenas sería dado a la ciencia y al poder humano lavar aquel alma de las heces que el dolor había dejado en su fondo, y curar aquel cuerpo de su terrible dolencia. Sin embargo, cobrando fuerzas y saliendo de su estupor, la dijo con acento suave y persuasivo:

—Doña Beatriz, para Dios nunca es tarde, ni en su poder puede poner tasa el orgullo o la desesperación humana. Acordaos de que sacó vivo del sepulcro a Lázaro; [331] y no arrojéis de vuestro seno la esperanza, que como vos misma decíais en una solemne ocasión, es una virtud divina.

—Tenéis razón, padre mío, repuso ella como avergonzada de aquel ímpetu que no había podido sojuzgar, y secándose las lágrimas; hágase su voluntad y mírenos con ojos de misericordia, porque en él solo espero.

—¿Por qué así, hija mía?, replicó el monje, todavía sois joven y quizá contaréis muchos días de felicidad.

—¡Ay, no!, contestó ella, mi prueba ha sido muy dura y yo me he quebrado en ella como frágil vasija de barro, pero nunca me levantaré contra el alfarero que me formó.

—Doña Beatriz, dadme vuestro permiso para retirarme, dijo el religioso poniéndose en pie: advierto que con este coloquio os habéis agitado en demasía, pero os dejo muy encomendada la memoria de mis consejos. Probablemente no tardaré en ausentarme, porque los caballeros del Temple al cabo se sujetarán de grado al concilio de Salamanca, y a mí que he sido el causador de vuestros males, aunque inocente, me toca repararlos.

[331] *Ev.* Juan, cap. 11.

La señora le besó la mano y le despidió, pero no pudo honrarle hasta la puerta por la debilidad que sentía después de tan agitada escena, Desde allí le acompañó la abadesa, y las más ancianas de la comunidad hasta la portería del monasterio, en tanto que doña Beatriz quedaba entregada al nuevo tumulto que con aquella imprevista esperanza se había despertado en su corazón. Lástima grande que sus ojos anublados por las lágrimas y acostumbrados a las tinieblas del dolor, se sintiesen más ofendidos que halagados, con aquella luz tan viva y resplandeciente.

CAPÍTULO XXX

En tanto que esto pasaba en Villabuena seguían los tratos en Cornatel entre Saldaña y el señor de Arganza, con esperanzas cada día mayores de un amigable y caballeroso arreglo. Las noticias que desde antes de la muerte del conde de Lemus sin interrupción se sucedían, iban dando en tierra poco a poco con el aéreo castillo de las esperanzas de aquel viejo entusiasta y valeroso. Al cabo de tantos sueños de gloria y de grandeza, la mano de la realidad le mostraba en perspectiva no muy lejana, la ruina inevitable de su Orden que el cielo abandonaba en sus altos juicios, después de haberla adornado como a un rápido meteoro de rayos y resplandores semejantes a los del sol.

No bien se habían retirado los enemigos después de la muerte de su capitán, pasó Saldaña al aposento donde por orden suya habían cerrado a don Álvaro. Conociendo su carácter impetuoso y violento, entró decidido a sufrir todas las injusticias de su cólera, exacerbada entonces hasta el último grado por la injuria que creía recibida. Estaba sentado en un rincón con los codos en las rodillas y la cara entre las manos, y aunque oyó descorrer los cerrojos y abrir la puerta, no salió de sus sombrías cavilaciones, pero no bien escuchó la voz del comendador, saltó como un tigre de su asiento y plantándose delante de él comenzó a mirarle de hito en hito. El comendador le miraba también, pero con gran sosiego y con toda la dulzura que cabía en su carácter violento; con lo cual se doblaba la cólera del agraviado caballero. Por fin enfrenando su ira como pudo le dijo con voz cortada y ronca:

—En verdad que si los enemigos de nuestra Orden logran sus ruines deseos, y quedamos ambos sueltos de los lazos que nos atan, os tengo de arrancar la vida o dejar la mía en vuestras manos.

—Aquí la tenéis, contestó el comendador con tono templado, poco me arrancan con ella, cuando ya no puedo emplearla en servicio de nuestra santa Orden. Harto mejor fuera morir a vuestras manos que en la soledad y el destierro, pero como quiera que sea el haber arrancado al conde de vuestras manos, es la única merced y prueba de cariño que habéis recibido de mí, en vuestra vida.

Don Álvaro se quedó extático con esta respuesta, pues conociendo el respetable carácter de Saldaña, no podía figurarse que en su mayor baldón se cifrara un servicio tan eminente. Embrollada su mente en tan opuestas ideas permaneció callado por un buen rato.

—Don Álvaro, le dijo de nuevo el anciano, ¿creéis que doña Beatriz pudiera dar su mano a quien estuviese manchado con la sangre de quien al cabo era su esposo?

—Tal vez no, contestó don Álvaro, en quien aquel nombre había producido un estremecimiento involuntario.

—Pues ahí tenéis el servicio que me debéis. A un mismo tiempo he vengado a mi Orden y os he acercado a doña Beatriz.

—¿Qué estáis ahí diciendo?, repuso don Álvaro cada vez más confuso y aturdido: ¿qué puede haber de común entre doña Beatriz y yo, sino es la igualdad de la desventura?

—Dentro de poco probablemente recobraréis vuestra libertad, y entonces...

—¿Cómo echáis en el olvido que mis votos sólo se rompen con la muerte?, le replicó el joven amargamente.

—Ni vos pudísteis pronunciarlos, ni nosotros recibirlos. Nuestra Orden estaba ya emplazada delante del concilio, y cuando en él comparezcamos yo me acusaré de que el maestre vuestro tío sólo os recibió por nuestra violencia.

—Pero yo diré lo que mi corazón sentía, y que por mi parte fueron y son de todas veras sinceros. Mi suerte además será la vuestra, porque nuestro crimen es el mismo. Pero, decidme, añadió olvidando su resentimiento y acercándose al comendador con interés ¿cómo vamos a presentarnos al concilio?

—Como reos y a la merced de nuestros enemigos, respondió Saldaña procurando reprimir algunas lágrimas de coraje que se asomaban a sus ojos. La Europa entera se levanta contra nosotros y Dios nos ha dejado en medio del mar que atravesábamos a pie enjuto, como al ejército de Faraón.[332] De hoy más, Jerusalén, continuó volviéndose al oriente con las manos extendidas y soltando la rienda al llanto y a los sollozos, de hoy más, compra tu pan y granjéate tu agua con dinero, como en los tiempos del profeta, porque el Señor ha tendido sus redes y no aparta su mano de tu perdición. Todos tus amados te han desamparado, y la esterilidad y la viudez vendrán juntas sobre ti.[333]

Entonces y después de dar vado a su intenso dolor, contó a don Álvaro el desaliento que cundía entre los Templarios de Aragón y de Castilla, que ya habían entregado algunas de sus fortalezas y finalmente el desamparo y aislamiento total a que la calumnia y codicia por un lado, y la superstición por otro, les habían reducido. Últimamente le mostró una carta que había recibido de

[332] Alusión al *Éxodo,* 14, 27-28.

[333] Interpretación libre del *Deuteronomio,* 2,6: "cibos emetis ab eis pecunia et comeditis; aquam emptam haurietis et bibetis". Añade una invocación a Jerusalén, lo que da a la frase un tono profético. En el texto son únicamente consignas al pueblo hebreo.

don Rodrigo poco antes de la embestida en que acabó tan miserablemente el conde de Lemus, en que le mandaba tan funestas nuevas, insistiendo en la necesidad de dar pronto término a tan aciaga lucha, sin menoscabo del honor en todo caso. Advertíale así mismo de lo conveniente que sería a su fama acudir prontamente al concilio de Salamanca, sobre todo después que algunos de los obispos que debían componerle, le habían asegurado por escrito, contestando a sus cartas, que en aquel importante juicio entraban limpios de toda prevención y ojeriza, y que jamás consentirían en que se atropellasen sus fueros de caballeros y miembros de la Iglesia. El comendador no había querido dar a conocer estas cartas a ninguno de los suyos porque la enemiga del de Lemus cerraba la puerta a todo trato honroso, y por otra parte semejantes nuevas podían enfriar una resolución que de ningún modo sobraba delante de contrario tan sañudo. Apartado por fin este obstáculo, y entabladas las negociaciones bajo distinto pie por el señor de Arganza, manifestó a don Álvaro que pronto asentarían sus capitulaciones y pondrían la fortaleza de Cornatel y aun la de Ponferrada quizá, en poder de don Alonso.[334]

—Hijo mío, le dijo por último, la venda ha caído de mis ojos, y mis sueños de gloria y de conquista se han desvanecido, porque el Balzá[335] no volverá a desafiar al viento en nuestras torres. Como quiera, tú eres joven y la felicidad aún puede mostrarte su rostro en los albores de tu primavera. El único obstáculo invencible que había, lo he quebrantado yo en pedazos contra las rocas y precipicios de este castillo. Por lo que hace a mí, si Dios conserva a pesar de tan fieros golpes esta vida ya cascada, no residiré ya más en esta Europa ruin y cobarde que

[334] En realidad, se entregó al infante don Felipe, y luego al rey (v. nota 260, cap. XXII). La entrega de Cornatel y la capitulación de los Templarios recuerda la caída de las fortalezas de Monzón y Miravete (Campomanes, VII-1, pp. 100-101; Zurita, t. I, fol. 430 v. ab; Villanueva, t. V, § 32-55, pp. 187-194).

[335] El Beauséant, estandarte de la Orden.

así abandona el sepulcro del Salvador, y sólo guerrea contra los que han dado su vida y su sangre por él. ¿Todavía me guardas ahora rencor por lo pasado?, preguntó a don Álvaro asiéndole de la mano y trayéndole hacia sí.

—¡Oh noble Saldaña!, exclamó el joven, precipitándose en sus brazos y estrechándole fuertemente. ¿Qué habéis encontrado en mí para tanta bondad y cariño como me prodigáis a manos llenas? ¿Quién puede tachar de seco vuestro noble corazón?

—Así es la verdad, don Álvaro, contestó el anciano, y con eso no me ultrajan. Mis pensamientos me han servido como las alas al águila para levantarme de la morada de los hombres; pero como ella he tenido que vivir en las quiebras de los peñascos donde silban los vientos. ¿Que por qué te he querido? porque sólo tú eras digno de morar conmigo en el altura, como mi polluelo, para mirar al sol y acechar el llano.[336] Ahora la montaña se ha hundido, y cuando mis alas ya no me sostengan, iré a caer en un arenal apartado para morir en él. ¡Ojalá que entonces pueda verte posado con tu compañera a la orilla de una fuente en el valle florido, de donde sólo te ha apartado la iniquidad y la desdicha!

Con tan melancólicas palabras se acabó aquella conversación que interrumpió la llegada del señor de Arganza. La entrevista con entrambos caballeros, testigos de la terrible escena del cercado de Arganza, no pudo menos de traer un sin fin de memorias tristes a don Alonso, que en la cortés acogida que hizo a don Álvaro, y en los grandes y delicados elogios que tributó a sus recientes hazañas, le dio claramente a entender cuán mudado estaba su espíritu y cuántos pesares le había acarreado su anterior conducta.

Las bases y condiciones de aquel tratado se ajustaron prontamente a gusto de los Templarios, y a los pocos días desocuparon aquel castillo que con tanto valor ha-

[336] Saldaña representa aquí el tipo del personaje inspirado, el guía, el profeta que, según el credo romántico, ha de llevar la humanidad hacia su porvenir.

bían guardado. Saldaña, antes de salir, indicó al señor de Arganza el mismo pensamiento que a don Álvaro, y por la alegre sorpresa con que fue recibido pudo conocer que sus deseos se cumplirían. Don [Alonso] acompañó a los Templarios a Ponferrada, y para colmo de cortesía, el pendón de la Orden no dejó de ondear por mandado suyo en la torre de Cornatel, en tanto que sus moradores pudieran divisar, al volverse, aquellas enriscadas almenas que ya no volverían a defender.

En la hermosa bailía de Ponferrada se fueron juntando todos los Templarios del país dejando las fortalezas de Corullón, Valcárcel y Bembibre, en poder de las tropas del señor de Arganza y de algún tercio que había mandado el marqués de Astorga. Todos iban llegando silenciosos y sombríos, montados en sus soberbios caballos de guerra, y seguidos de sus pajes y esclavos africanos que traían otros palafrenes del diestro. El espectáculo de aquellos guerreros indomables y jurados enemigos de los infieles que entonces se rendían sin pelear y por sola la fuerza de las circunstancias, era tan doloroso que el abad de Carracedo y don Alonso, que lo presenciaban, apenas podían disimular sus lágrimas. El mismo tesón con que aquellos altivos soldados encubrían sus propios sentimientos, y la igualdad de ánimo que aparentaban, no hacían sino encapotar más y más aquel cuadro de suyo lóbrego y negro.

Cualidad de las almas bien nacidas es trocar el odio en afición y respeto cuando llega la hora de la desgracia para sus enemigos, y esto cabalmente fue lo que sucedió con el abad y el señor de Arganza, que entonces renovaron los vínculos de antigua amistad con el maestre don Rodrigo. El monje determinó desde luego acompañarlos al solemne juicio que iba a abrirse en Salamanca, para dar personal testimonio de la virtud del maestre y de algunos caballeros, y especialmente para cumplir a doña Beatriz la palabra que le había empeñado de volverle la felicidad que en su juventud se había imaginado. Don Alonso que no podía salir del país, cuya custodia le estaba encomendada por su rey, apuró todos los recursos de su hidalguía por hacer menos dura su suerte a aquellos desgraciados.

Por grande que fuese el deseo de los Templarios de salir de aquel trance incierto y penoso a que se veían expuestos, los preparativos de su marcha y las formalidades necesarias para la entrega de sus bienes, se llevaron algún tiempo. Una mañana pues, que Saldaña se paseaba por los adarves que miran al Poniente y veía correr el Sil a sus pies con sordo murmullo, vino un aspirante a decirle que un montañés solicitaba hablarle. Mandóle al punto que lo condujese a su presencia, y a los pocos minutos se encontró delante a un conocido nuestro, que quitándose la gorra de pieles con tanto respeto como llaneza le dijo:

—Dios os guarde, señor comendador. Acá estamos todos.

—¿Eres tú, Andrade?, respondió el comendador sorprendido. ¿Pues qué te trae por esta tierra?

—Yo os lo diré, señor, en dos palabras. El otro día vino mi primo Damián a Ponferrada, a vender unas pellejas de corzo y de rebezo, y llevó allá una porción de noticias, diciendo que ya no teníais más castillo que éste, que os iban a llevar a Salamanca, y allí qué sé yo qué cosas dijo que iban a hacer con vosotros. En fin, ellas no son para contadas, ni importa un caracol que las sepáis. Pues señor, como iba diciendo, yo siempre me he echado la cuenta de mi padre, de que el que no es agradecido no es bien nacido, y como allá en Cornatel me dísteis la vida dos veces y además aquel puñado de doblas, que en mi vida vi más juntas, vengo a deciros que si el diablo lo enreda, os venís allá a mi casa y Cristo con todos. Ello, no estaréis muy bien, porque allá aun los ricos somos pobres,[337] pero lo que es a buena voluntad no nos gana ningún rey; y mi mujer en cuanto se lo dije, se puso más contenta que unas castañuelas, y al punto comenzó a pensar en las gallinas, pichones y cabritos que estaban más gordos para regalaros con ellos.

[337] La Cabrera es una de las regiones más pobres de España.

Conque ya lo sabéis, si os venís conmigo, lo que es allí no han de ir a buscaros. ¡Ah! se me olvidaba deciros que os llevaseis también al señor de Bembibre, porque sé que le queréis tanto como su tío, y bien me acuerdo de lo cortés que estuvo con nosotros en Cornatel.

El comendador que no esperaba semejante visita, ni mucho menos que tuviese semejante objeto, cuando el universo entero abandonaba a los Templarios, se vio tan dulcemente sorprendido que la emoción le atajó la palabra por un rato. Por fin dominándola con su acostumbrada energía, se llegó al montañés y apretándole la mano vivamente le contestó:

—Andrade, lo que contigo hice, lo mismo hubiera hecho con cualquiera; pero tú eres el primero que tales muestras de afición me da. Anda con Dios, buen Cosme, y que su bondad te prospere a ti y a los tuyos, como yo se lo pediré siempre. Ningún riesgo nos amenaza, porque ya sabes que son obispos los que nos van a juzgar, y en cuanto al rey y sus ricos hombres, añadió con amargura, cuando se hayan hartado con nuestra abundancia, se cansarán de ladrar y de morder.

—No, pues lo que es con eso no me sosiego yo, repuso Andrade, porque, según me dijo el cura el otro día, los jueces de Francia también eran sacerdotes, y así y todo...

—Nada hay que temer, buen Andrade, vuélvete a tu montaña y cree que me dejas muy obligado.

—¿Con que, a lo que veo, insistió el montañés, estáis en ir a Salamanca y sufrir el juicio?

El comendador le hizo señal de que así era.

—Pues entonces, yo quiero ir allá para servir de testigo. Señor comendador, a la paz de Dios, que dentro de tres días o cuatro aquí estoy.

Y sin atender a las razones del anciano, tomó el camino de Cabrera de donde volvió al tiempo señalado.

Llegó por fin la hora de que los Templarios reunidos en Ponferrada abandonasen aquel último baluarte de su poder y grandeza. Por inevitable que sea la desgracia, la hora en que llega siempre es dolorosa, sin duda porque con ella se rompe el último hilo de la esperanza invisible a los ojos, mas no por eso desprendido del corazón. Aquellos guerreros que sucesivamente habían dejado los demás castillos del país, mientras se vieron al abrigo de aquellas murallas todavía respiraban el aire de su grandeza, pero al desampararlas con la imaginación llena de funestos presentimientos, los ánimos más fuertes flaqueaban.

El día señalado, muy de madrugada, juntáronse en la anchurosa plaza de armas del castillo, caballeros, aspirantes, pajes y esclavos.

Reinaba un silencio funeral y todos tendían los ojos por aquel hermoso paisaje, que aunque desnudo de hojas y azotado por el soplo del invierno, todavía parecía agraciado y pintoresco a causa de los variados términos de su perspectiva, y la suave degradación de sus montañas. Por fin se presentó el maestre y después de dichas las oraciones de la mañana, montaron a caballo y al son de una marcha guerrera comenzaron a moverse hacia el puente levadizo.

Antes de llegar a éste y encima del arco del rastrillo, existe todavía un gran escudo de armas cuyos cuarteles están de todo punto carcomidos menos la cruz que se conserva entera y distinta, y las tres primeras palabras de un versículo de los Salmos que todavía se leen. Éstas eran las armas del Temple, [338] que desde entonces iban a quedar sin dueño y abandonadas por lo tanto y sin honra, después de haber sido símbolo de tanta gloria y cifra de tanto poder.

Este pensamiento ocupaba sin duda la mente de don Rodrigo que por su clase caminaba el delantero, pues al

[338] Existe esta inscripción, ilegible ahora, muy estropeada ya en tiempos de E. Gil. De cualquier modo, no pertenecía a los Templarios, ya que esta parte del castillo no existía todavía en el siglo XIV. La divisa "Nisi Dominus custodierit civitatem, frustra vigilat qui custodit eam" (*Salmo* 126-1), "Si el Señor no custodia la ciudad, en vano se desvela el que la custodia", es muy probablemente la que figuraba en la lápida. Luengo descifró, en efecto, fragmentos de la misma frase.

llegar al puente levadizo volvió de repente su caballo, y mirando el escudo al través de las lágrimas que empañaban sus cansados ojos, exclamó con una voz que parecía salir de un sepulcro y leyendo la sagrada inscripción: *Nisi dominus custodierit civitatem, frustra vigilat qui custodit eam.* Los caballeros volvieron igualmente sus ojos, y en medio del desamparo a que se veían reducidos, repitieron en voz baja las palabras de su maestre, después de lo cual espoleando sus corceles salieron con gran priesa de aquella fortaleza a donde no debían volver.

Don Alonso los acompañó hasta que cruzaron el Boeza y allí los dejó con el abad de Carracedo que los seguía a Salamanca, llevado de su noble y santo propósito. El buen Andrade caminaba entre don Álvaro y el comendador, y de todos recibía infinitas muestras de cortesía y bondad que no acertaba a explicarse, porque su rectitud natural y sencilla, desnudaba de todo mérito aquella acción generosa y desinteresada. De esta suerte hicieron su viaje a Salamanca donde ya estaban juntos los obispos, que bajo la presidencia del arzobispo de Santiago, componían aquel concilio provincial.

CAPÍTULO XXXI

Las muchas seguridades que doña Beatriz recibió del abad y de su buen padre, acerca de la suerte que aguardaba a los Templarios españoles, no fueron poderosas a calmar los recelos y zozobras que se agolpaban en su ánimo: ¡tan hondas raíces había echado en su corazón el pesar y tan negra tinta derramaba su imaginación aun sobre los objetos más risueños! Si había de juzgar de las disposiciones de los obispos por las que durante mucho tiempo había abrigado el prelado de Carracedo, no tenía a la verdad gran motivo para tranquilizarse, y por otra parte el embravecimiento de la opinión contra los Templarios, había llegado a tal punto que todo podía temerse con razón. Añádase a esto que su enfermedad teñía habitualmente de un color opaco aun los más brillantes objetos, y fácil será de presumir los muchos y turbios celajes que empañaban aquel rápido vislumbre [338 bis] de felicidad que el abad le había mostrado. No desconocía, por otra parte, que don Álvaro era un objeto de enemistad especial para el infante don Juan, desde los sucesos de Tordehumos, y su discreción natural le daba a entender que en medio de la inquietud que inspiraban los Templarios aun después de su caída, no dejaría de haber dificultades para restituir su libertad, su poder y sus bienes a quien tan decidido apoyo les había prestado hasta el punto de aceptar sus votos y compromisos.

Contra tan sólidas razones poco valían todos los argumentos de su padre y de su tía, de manera que la misma esperanza venía a ser para ella una luz sin cesar combatida por el viento, y que esparcía al rededor sombras y dudas antes que seguridad y resplandores. El incesante anhelar y zozobra que tan poderosamente habían contribuido a la ruina de su salud, continuaron, por lo tanto, minándola a gran priesa, y como en la postración de su cuerpo toda clase de emociones venían a ser por igual dañosas, cada día sus fuerzas se disminuían y se aumentaba el cuidado de los que andaban a su alrededor (*sic*). Don Alonso, que achacaba a sus pesares y desvelos los estragos que se veían en su rostro, comenzó a inquietarse seriamente cuando llegó a advertir que aquella dolencia, derivada sin duda del alma en un principio, existía ya de por sí y como cosa aparte. [339] Al cariño de padre, al aguijón del remordimiento vinieron a mezclarse entonces los temores del caballero que temblaba por la suerte y el porvenir de su linaje depositados en tan frágil vaso, cabalmente cuando el destino parecía que iba a convertir en bronce su vidrio delicado.

Posesionado ya de los castillos del Bierzo y sosegados

[338 bis] V. nota 129 bis, cap. VIII.

[339] El autor habla aquí por primera vez de una enfermedad distinta de afecciones nerviosas. En realidad, existía dicha enfermedad mucho antes.

todos los rumores de guerra, pensó en sacar a doña Beatriz del monasterio y en restituirse con ella a su casa de Arganza. Poco se alegró la joven con la resolución de su padre, porque mientras su suerte se fallaba, ningún lugar había más acomodado a la solemnidad religiosa de sus pensamientos y a la tranquilidad que tanto había menester su espíritu, que el retiro de Villabuena. Los recuerdos de la infancia y adolescencia, tan dulces de suyo al corazón, más de una vez se acibaran con las imágenes que los acompañan, y entonces su consuelo y blandura son más que dudosos. Así, doña Beatriz, que en los muros de la casa paterna había visto en brevísimo espacio de tiempo nacer y agostarse la flor de su ventura, desaparecer su madre, perderse su libertad y aparecer impensadamente un sol que juzgaba para siempre puesto, sólo para cegar sus ojos y dejar un rastro de desolada luz en su memoria, temblaba volver a aquel recinto, cuando tan enigmático se presentaba todavía lo futuro. Sin embargo, el atractivo que para su alma pura y piadosa tenían las cenizas de su madre, el deseo de acompañar a su padre anciano y la seguridad de que los objetos exteriores sólo podían atenuar muy levemente las ideas que como un buril de fuego estaban impresas en su alma, le decidieron a abandonar por segunda vez aquella casa, de donde había salido antes para tantos pesares y sinsabores, y de la cual entonces se apartaba sin más patrimonio que una lejana y débil esperanza, igualmente privada de salud y de alegría. Despidióse, pues, de su tía y de las buenas religiosas sus amigas y compañeras, sin extremos ni sollozos, pero profundamente conmovida y echando miradas tan vagarosas a aquellos sitios como si hubiesen de ser las postreras. Aunque sus males y tristezas eran como una sombra para aquellas santas mujeres, su dulzura, su discreción, su bondad y hasta el particular atractivo de su figura, las aficionaban extraordinariamente a su trato y compañía: así fue que por su parte hicieron gran llanto en su partida.

Por fin salió acompañada de su Martina y de sus antiguos criados. ¿Dónde estaban los días en que sobre un ágil y revuelto palafrén corría los bosques de Arganza y

Hervededo [340] con un azor en el puño, acechando las garzas del aire, como una ninfa cazadora? [341] Ahora ni aun el sosegado y cómodo paso de su hacanea podía sufrir, y más de una vez hubo de pararse la cabalgada en el camino para reclinarla al pie de un árbol solitario, donde cobrase aliento. La agitación de la despedida la había debilitado en gran manera, así es que llegó a Arganza más desencajada que de ordinario y llena de fatiga. Las imágenes que aquellos sitios le presentaron, animadas con todo el ardor de la calentura, produjeron gran trastorno en su ánimo y aguaron el contento de aquellos pacíficos aldeanos, para quienes su venida era como la visita de los ángeles para los patriarcas.

A la mañana siguiente quiso bajar a la capilla donde estaba enterrada doña Blanca, y por la tarde, apoyada en Martina y en su padre, que apenas se atrevía a contrariarla, se encaminó lentamente al nogal de la orilla del arroyo debajo de cuyas ramas se despidió don Álvaro para siempre. Si sus lágrimas hubieran corrido en abundancia, sin duda se hubiera descargado de un gran peso; pero el deseo de esconderlas de su padre las cuajó en sus ojos y el esfuerzo que hubo de hacer se convirtió, como era natural, en daño suyo. Aquella noche, la lenta calentura que la consumía se avivó en tales términos que entró en un delirio terrible en que sin cesar hablaba del conde, de su madre y de don Álvaro, quejándose dolorosamente de cuando en cuando. El señor de Arganza, desolado y fuera de sí, mandó inmediatamente por el anciano monje de Carracedo que ya la había asistido en Villabuena, cuando su anterior enfermedad. El buen religioso vino al amanecer con toda diligencia y encontró ya a doña Beatriz casi de todo punto sosegada, porque en aquella complexión ya destruida, no tenían gran duración los accesos del mal. Informóse, sin embargo, de todo lo sucedido, y como

[340] *Hervededo*: pueblo a 6 kilómetros al este de Cacabelos.
[341] El hecho de ser cazadora corresponde poco al carácter de doña Beatriz. Puede provenir de un intento de historicidad o bien de una asimilación al carácter del propio autor.

don Alonso descorriese a sus ojos hasta el último velo, le dijo:

—Noble don Alonso, fuerza será que vuestra hija no vea durante algún tiempo estos sitios que tan dolorosas memorias renuevan en ella. Trasladadla sin perder tiempo a la quinta que poseían los Templarios sobre el lago de Carucedo,[342] porque allí es el aire más templado y el país más plácido y halagüeño. Pronto vendrá la primavera con sus flores y entonces se decidirá la suerte de doña Beatriz, que, de continuar aquí, no puede menos de ser desastrada.

—Pero, decidme, le preguntó con ansiedad el señor de Arganza, ¿y vos me respondéis de su vida?

—Su vida, le contestó el religioso, está en las manos de Dios, que nos manda confiar y esperar en él. Sin embargo, vuestra hija es joven todavía y por profunda raíz que haya echado el mal en ella, bien puede suceder que un suceso feliz y precursor de una época nueva, la curase harto mejor que todos los humanos remedios. No nos descuidemos: de nuevo os lo encargo, aprovechad el respiro que va a darnos un calmante que tomará hoy y llevaosla al punto.

Con efecto, el calmante proporcionó tan grande alivio a la enferma que don Alonso, devorado de recelos y de inquietudes, después de acelerar todos los preparativos de viaje, partió a los dos días con su hija. Algo mejor preparada ésta y atenta más que a su quietud y bienestar propio al sosiego de su padre, emprendió sin repugnancia su nueva peregrinación, despidiéndose de aquellos sitios, teatro de sus juegos infantiles, con un mal disimulado acento, en que no podía traslucirse la esperanza de volverlos a ver. Tal vez nadie mejor que ella podía juzgar de su estado, pues sólo a sus ojos era dado ver los estragos de su alma; pero ¿quién podía adivinar lo que el porvenir guardaba en los pliegues obscuros de su manto? y por otra

[342] En realidad, si bien existió un edificio a orillas del lago (cfr. Macías, *El obispado de Astorga a principios del siglo XIX*), perteneció al monasterio de Carracedo. Nunca fue de los Templarios.

parte, la imagen de don Álvaro, libre de sus votos, más rendido, más noble y más hermoso que nunca, era como un ave de buen agüero, cuyos cantos se quedan alhagando el oído por rápido que sea su vuelo.

La comitiva cruzó el Sil por la misma barca de Villadepalos [343] que en otros tiempos más felices debió conducirla en brazos de su amante a un puerto de seguridad y de ventura. Fatalidad y no pequeña era encontrar por todas partes memorias tan aciagas, pero aquel reducido país había servido de campo a tantos sucesos que más o menos de cerca le tocaban, que bien podía decirse que sus pensamientos y recuerdos lo poblaban y de donde quiera salían al encuentro de sus miradas.

Pasado el río, hay una cuesta muy empinada, desde la cual a un tiempo se divisan entrambas orillas del Sil, todo el llano que forma su cuenca, el convento de Carracedo, con su gran mole blanca en medio de una fresquísima alfombra de prados, y los diversos términos y accidentes de las cordilleras que por donde quiera cierran y amojonan aquel país.

Comenzaba a desprenderse la vegetación de los grillos del invierno, el Sil un poco crecido, pero cristalino y claro, corría majestuosamente entre los sotos todavía desnudos que adornaban sus márgenes; el cielo estaba surcado de nubes blanquecinas en forma de bandas, por entre las cuales se descubría un azul purísimo, y una porción de mirlos y jilgueros revoloteando por entre los arbustos y matas, anunciaban con sus trinos y piadas la venida del buen tiempo.

Del otro lado descollaban las tierras de la Aguiana, con sus crestas coronadas de nubes a la sazón y los agudos y encendidos picachos de las Médulas remataban su cadena con una gradación muy vistosa. Casi al pie se extendía el lago de Carucedo rodeado de pueblos, cuyos tejados de pizarras azules vislumbraban al sol siempre que se des-

[343] V. nota 168, cap. X. El lago de Carucedo está en la orilla izquierda del Sil, Arganza en la derecha.

cubría; y terminado por dos montes, de los cuales el que mira a mediodía estaba cubierto de árboles, mientras el que da al norte formaba extraño contraste por su desnudez y peladas rocas. Doña Beatriz se sentó a descansar un rato en el alto de la cuesta, y desde allí tendía la vista por entrambas perspectivas, levantando de vez en cuando sus ojos al cielo, como si le rogase que los recuerdos de amargura y las pruebas de su juventud quedasen a su espalda como la tierra de Egipto detrás de su pueblo escogido,[344] y a orillas de aquel lago apacible y sereno comenzase una nueva era de salud, de esperanza y de alegría que apenas se atrevía a fingir en su imaginación. Después de descansar un rato, subió la comitiva en sus caballos y se encaminó silenciosamente a la hermosa quinta en que doña Beatriz debía aguardar el fallo de su vida y de su suerte.

Era ésta un edificio con algunas fortificaciones a la usanza de la época, pero sobrado primoroso para fortaleza, porque todos los frágiles adornos y labores del gusto árabe se juntaban en sus afiligranadas puertas y ventanas y en los capiteles que coronaban sus almenas.[345] Habíanla labrado los Templarios en tiempos de su mayor esplendor; y para su asiento escogieron una colina poco elevada y de suavísimo declive que está debajo del pueblo de Lago[346] y domina la líquida llanura en cuyos cristales moja sus pies. Forma el lago junto a ella un lindo seno y allí se abrigaban algunos esquifes ligeros en que los caballeros acostumbraban a solazarse con la pesca de las anguilas de que hay gran abundancia, y cazando con ballesta algunas de las infinitas aves acuáticas que surcan la resplandeciente superficie. Como las áridas cuestas del monte del norte que los naturales apellidan de los Caballos hacían espaldas a la quinta, resultaba que de aquel paisaje agraciado y lleno de

[344] Alusión al *Éxodo.*

[345] Estos detalles, sin corresponder a la realidad, no son pura invención. Pertenecen a las obras más recientes del castillo de Ponferrada.

[346] *Lago*: aldea en la orilla norte del lago de Carucedo.

suavidad, únicamente se ocultaban los términos áridos y yermos. Lo restante era y es todavía un panorama de variedad y amenidad grandísima, que repelido por el espejo del lago, figura a veces, cuando lo agita blandamente la brisa, un mar confuso de rocas, árboles, viñedos y colinas sin cesar divididos y juntados por una mano invisible. Tiene el lago más de una ensenada, y la que se prolonga entre oriente y norte perdida entre las sinuosidades de un valle, parece dilatar su extensión, y los juncos y espadañas que la pueblan sirven de abrigo a infinitas gallinetas de agua y lavancos de cuello tornasolado. No lejos de esta ensenada está el pueblo de Carucedo sentado en una fresca encañada y a su extremo una porción de encinas viejísimas y corpulentas, cuyas pendientes ramas se asemejan a las de los árboles del desmayo, [347] sirven de límite a las aguas, mientras en la opuesta orilla occidental un soto de castaños enormes señala también su término a los caudales del lago.

Doña Beatriz, que tenía un alma abierta, por desgracia suya en demasía, a todas las emociones puras y nobles, no pudo menos de admirar la belleza del paisaje, cuando las laderas de los montes que descienden al lago, y su hermosa tabla comenzaron a desplegarse a sus ojos desde las alturas de San Juan de Paluezas. [348] A medida que se acercaba, íbase descogiendo un nuevo pliegue del terreno, y ora un grupo de árboles, ora un arroyo que serpenteaba en alguna quiebra, ora una manada de cabras que parecían colgadas de una roca, a cada paso derramaban nuevas gracias sobre aquel cuadro. Cuando por fin llegó a la quinta y se asomó al mirador, desde el cual todos los contornos se registraban, subieron de punto a sus ojos todas aquellas bellezas.

El sol se ponía detrás de los montes dejando un vivo rastro de luz que se extendía por el lago y a un mismo tiempo iluminaba los diversos terrenos esparciendo aquí sombras y allí claridades. Numerosos rebaños de ganado

347 Probablemente el sauce llorón.

348 *San Juan de Paluezas.* A 14 kilómetros al sudoeste de Ponferrada.

vacuno bajaban mugiendo a beber, moviendo sus esquilas, y otros hatos de ovejas y cabras y tal cual piara de yeguas con sus potros juguetones, venían también a templar su sed, triscando y botando, mezclando relinchos y balidos. Los lavancos y gallinetas, tan pronto en escuadrones ordenados, como desparramados y solitarios, nadaban por aquella reluciente llanura. Una pastora, que en su saya clara y dengue encarnado mostraba ser joven y soltera y en sus movimientos gran soltura y garbo, conducía sus ovejas cantando una tonada sentida y armoniosa, y como si fuera un eco, de una barca que cruzaba silenciosa, costeando la orilla opuesta, salía una canción guerrera entonada por la voz robusta de un hombre, pero que apagada por la distancia perdía toda su dureza, no de otra suerte que si se uniese al coro armonioso, templado y suave que al declinar el sol, se levantaba de aquellas riberas.

Por risueños puntos de vista que ofrezcan las orillas del Cúa y del Sil, fuerza es confesar que la calma, bonanza y plácido sosiego del lago de Carucedo no tiene igual tal vez en el antiguo reino de León. Doña Beatriz, casi arrobada en la contemplación de aquel hermoso y rutilante espejo guarnecido de su silvestre marco de peñascos, montañas, praderas y arbolados, parecía engolfada en sus pensamientos. Para un corazón poseído de amor como el suyo, la creación entera no parece sino el teatro de sus penas o su felicidad, de sus esperanzas o sus dudas, y esto cabalmente sucedía a aquella interesante y desgraciada señora. La imagen de don Álvaro era el centro adonde iban a parar todos los hilos misteriosos del sentimiento que en su alma despertaban aquellos lugares, y entretejiéndolos con los que de tiempos más dichosos quedaban todavía enmarañados en su memoria, formaba en su imaginación la tela inacabable de una vida dichosa, llena de correspondencia dulcísima y de aquel noble orgullo que en todos los pechos bien nacidos, excita la posesión de un bien legítimamente adquirido. ¡Engañosas visiones que al menor soplo de la razón se despojaban de sus fantásticos atavíos y caían en polvo menudo en medio de las puntas y abrojos que erizaban el camino de doña Beatriz! Al cabo de una larga meditación en la cual como otras tantas ráfagas luminosas había visto pasar todas aquellas representaciones doradas y suaves de un bien ya disipado, y de otro bien incierto, y apenas bosquejado, la desdichada exhaló un largo suspiro y dijo:

—¡Dios no lo ha querido!

—Dios ha querido probarte y castigarme, ángel del cielo, contestó su padre abrazándola; nuestras penas acabaron ya y los nuevos tiempos se acercan a más andar. Dios se apiadará de tu juventud y de estas canas vecinas ya al sepulcro, y no querrá borrar mi nombre de la haz de la tierra.

Doña Beatriz le besó la mano sin contestar porque no se atrevía a entregarse a tan risueñas ideas, ni alcanzaba a acallar los presentimientos que de tiempos atrás habían llegado a posesionarse de su espíritu, pues para colmo de amargura la muerte que por tanto tiempo había invocado como término y descanso de sus penas, sin verla aparecer jamás, ahora cruzaba a lo lejos como un lúgubre relámpago, cuando la vida cobraba a sus ojos todas las galas de la esperanza, y sembraba de flores funerarias el camino que guiaba a su templo. Sin embargo, doña Beatriz, como todas las almas fuertes, pasado el primer estremecimiento hijo del barro, aceptaba sin miedo ni repugnancia esta idea, y sólo le dolía de la contingencia de su fin prematuro por el luto de su padre, y de aquel amante arrebatado de sus brazos por una deshecha borrasca y que otra no menos deshecha podía volver a ellos. Así, pues, sin decir palabra, se apoyó en el brazo del anciano, y lentamente bajó la escalera con barandilla prolijamente calada, [349] y hasta que en la cámara para ella aderezada, la dejó en compañía de Martina. Dejémosla también nosotros entregada a las dulzuras del sueño que aquella noche bajaba sobre sus párpados más suave y bienhechor que en muchos días, y transportémonos a Salamanca, donde se iba a fallar el ruidoso proceso que traía alborotada a la cristiandad entera.

[349] Este detalle pertenece al monasterio de Carracedo.

CAPÍTULO XXXII

En medio de la tremenda tormenta que la envidia, por un lado, la codicia, por otro, y la superstición e ignorancia por casi todos, habían levantado contra el Temple, la península puede gloriarse de que su santuario se conservó exento del contagio de aquellos torpes y groseros errores, y de aquellas pasiones ruines y bastardas. Sobrado se les alcanzaba a sus obispos la fuente de males que tal vez hubiera podido abrirse en Europa de la conservación y crecimiento de aquella Orden decaída de su antigua pureza y virtud, y convertida a los ojos del vulgo en piedra de reprobación y de escándalo; [350] pero como cristianos y caballeros, respetaban mucho a sus individuos, y no desmintieron la noble confianza que en ellos había puesto don Rodrigo Yáñez. Vanas fueron las prevenciones con que Aymerico, inquisidor apostólico y comisionado del papa para acompañar a los arzobispos de Toledo y Santiago, entró en aquel juicio que intentaba llevar por el mismo sendero de los de Francia; vanos todos los esfuerzos de la Corte de Castilla, y en especial del infante don Juan, y vano por fin el extravío de la opinión, para torcer la rectitud de sus intenciones. Las iniquidades de Felipe el Hermoso eran justamente el escudo más fuerte de los caballeros en el ánimo de aquellos piadosos varones, que en el fondo de su corazón, deploraban amargamente las debilidades de Clemente V, origen de tanta sangre y tan feos borrones para la cristiandad.

Juntos, pues, en Salamanca bajo la presidencia del inquisidor apostólico y del arzobispo de Santiago, Rodrigo; Juan, obispo de Lisboa; Vasco, obispo de la Guardia; Gonzalo, de Zamora; Pedro, de Ávila; Alonso, de Ciudad-Rodrigo; Domingo, de Plasencia; Rodrigo, de Mondoñedo;

[350] Ya se nota la severidad de E. Gil con respecto a la Orden.

Alonso, de Astorga; Juan, de Tuy; y Juan, de Lugo,[351] se abrió el concilio con las ceremonias y solemnidades de costumbre. Cada uno de los padres, con arreglo a las bulas pontificias y a las órdenes de sus respectivos monarcas, había formado en su diócesis respectiva un proceso de información, en el cual constaban las declaraciones de infinitos testigos, sacerdotes y seglares, de cuya confrontación debía deducirse la culpabilidad de los caballeros o su inocencia. Sin embargo, en vísperas de un fallo tan solemne fuerza era ampliar aquel sumario, oír a los encausados, recibir nuevas deposiciones y justificar finalmente una sentencia que iba a dar remate a un suceso, con razón calificado por un historiador moderno de gran mérito de "el más importante de los siglos medios después de las cruzadas".[352]

Poco tardó en averiguar el infante don Juan las intenciones con que acudía al concilio el abad de Carracedo, y con ellas recibió sobresalto no pequeño, pues estando todavía en balanzas la suerte de la Orden por los reinos de España, muy de temer era que en el de León, al abrigo de una familia tan poderosa, moviese nuevos disturbios y mudanzas, y pusiese en duda la posesión de aquellos bienes que con tanta ansia codiciaba para consolarse de la pérdida de su soñada corona. Así, pues, echó mano como de costumbre de sus cábalas y maquinaciones, y comenzó a sembrar la cizaña de su encono en el ánimo de los obispos, infundiendo recelos de discordias con el Sumo Pontífice en algunos, y amenazando a otros con los alborotos

[351] Todos los historiadores hablan del concilio de Salamanca y en términos muy parecidos. Varios, incluso el propio Mariana, dan la lista de los prelados, que E. Gil se contentó con reproducir íntegra. Parece, sin embargo, que J. Bastús (p. 94) fue la fuente esencial. Antes del de Salamanca, hubo otro concilio en Medina del Campo en 1309 (Juan de Tejada y Ramiro, *Colección de Cánones y de todos los concilios de la Iglesia española,* Madrid, 1851, t. III, p. 447). Lo ignoraba, desde luego, E. Gil. Se abrió el concilio de Salamanca el 21 de octubre de 1310.

[352] Se trata probablemente de Michelet.

que pudiera ocasionar en la mal sosegada Castilla, la resolución de dar por libre de sus votos a don Álvaro.

El anciano monje a quien no se le ocultaba el estado de doña Beatriz, y que por otra parte sabía cuán agudo cuchillo era para su vida el continuo vaivén de la incertidumbre, presentó el caso como separado del juicio general, alegando la nulidad de la profesión del señor de Bembibre y manifestando la injusticia que podría haber en complicarle en el proceso y responsabilidad de una corporación, que mal podía contarle entre sus miembros. Por valederas que fuesen semejantes razones, no hallaron en el ánimo de los jueces todo el eco que reclamaban, así la solicitud del abogado, como la ventura de doña Beatriz. Por una parte era urgentísimo sustanciar y decidir aquel gran pleito harto más importante que la suerte de un individuo, y por otra penetrados los prelados en su interior del poco peso de las acusaciones contra los Templarios, no tenían reparo en envolver a don Álvaro en los procedimientos generales, que en todo caso siempre había lugar de enmendar con la debida excepción.

Infructuosos fueron, por lo tanto, los esfuerzos que de concierto hicieron, el buen religioso, el maestre don Rodrigo, el comendador Saldaña, su deudo Hernán Ruiz Saldaña, y sobre todo don Juan Núñez de Lara, que tanto por mostrar la nobleza de su sangre, cuanto por el deseo de remediar en lo posible el gran mal que había hecho a don Álvaro en Tordehumos, había venido a Salamanca con diligencia grandísima. Las almas elevadas suelen pagar muy caros los sueños de la ambición, y buena prueba de ello era don Juan de Lara, para quien la noticia de los pesares de don Álvaro y su violenta resolución de entrar en el Temple, habían sido y eran todavía un doloroso torcedor. Sin la culpable trama de que también él había sido víctima, libre estaba don Álvaro de los pasados sinsabores y de las presentes angustias, y cualquiera que hubieran sido las pruebas y amarguras de su amor, en último resultado pendiendo su suerte de la constancia y elevado carácter de doña Beatriz, sin duda sus hermosas esperanzas se hubieran visto logradas como merecían. Todo esto que en voces altas y muy claras decía a don Juan su conciencia, le afligía por extremo y de buena gana hubiera redimido con la mitad de los años de vida que le quedaban, y con lo mejor de su hacienda tales quebrantos. Otra cosa había además de por medio que aquejaba vivamente su voluntad, y eran los amaños y arterías que en sentido opuesto, empleaba el infante don Juan, su jurado enemigo desde lo de Tordehumos. Razones de gran peso, y entre ellas el bien y el sosiego de Castilla, le habían impedido hacer campo cerrado con él, según en un principio imaginó, pero la idea de contrariar en aquella ocasión sus esfuerzos y dar en tierra con sus artificios, ponía espuelas a su voluntad, ya muy decidida de suyo.

Como quiera, todos estos buenos oficios carecían de base, pues estando presente don Álvaro, natural parecía que de por sí reclamase contra el agravio que al parecer se le hacía; pero la autoridad de sus ancianos amigos y de su tío, las instancias de todos los caballeros de la Orden que se hallaban en Salamanca, la importuna solicitud de don Juan de Lara, y hasta la voz misma de aquella pasión que mal acallada en su pecho se despertaba violentamente a la voz de la esperanza, no fueron poderosas a determinarle a semejante paso. La idea de separar su causa de la de sus hermanos de elección, de tal manera alborotaba su altivo pundonor, que al poco tiempo todos sus allegados cesaron por entero en sus persecuciones. Así, pues, víctima de aquella ilusión generosa de desprendimiento y de hidalguía, tras de la cual había corrido toda su vida, dilataba sin término el suceso feliz del que pendía ya la dicha que en el mundo pudiera tocarle.

Abrióse por fin el juicio, y el maestre don Rodrigo, Saldaña y los más ancianos caballeros comparecieron delante de los obispos a oír los cargos que se les hacían, cargos que en nuestros días moverían a risa, pero que en aquella época de tinieblas encontraban en la muchedumbre un eco tremendo, tanto mayor cuanto más se acercaban a lo maravilloso.

Compulsáronse las informaciones que cada prelado había hecho antes de congregado el concilio y comenzaron a oírse nuevos testigos. No faltaron muchos que se presentasen en contra del Temple, achacándole los mismos crímenes que perdieron a la Orden en Francia, y sobre todo y como cosa más visible, avaricia en las limosnas, y escaseces y falta de decoro en el culto. Cohechados la mayor parte de ellos por los enemigos de aquella gloriosa institución, arrebatados otros de un celo ignorante y fanático, parecía que unos a otros se alentaban en aquella obra de iniquidad: natural consecuencia de las pérfidas calumnias que deslumbraban los ojos del vulgo, sediento siempre de novedades, y tan sobrado de imaginaciones extrañas y maliciosas, como falto de juicio y compostura.

Los caballeros, solos en medio de aquel vendaval que sin cesar arreciaba, se defendían sin embargo con templanza y valeroso sosiego, atentos a conservar su altiva dignidad aun en medio de tamañas falsías y bajezas.

Don Rodrigo, como cabeza de la Orden, era el blanco de todos los tiros, no por odio a su persona, pues su prudencia, su urbanidad y sus austeras virtudes andaban en boca de todos, sino porque humillando la Orden en lo que tenía de más sabio y elevado, se minaban sus cimientos y se imposibilitaba su restauración. Como quiera, el maestre infundía tal respeto por sus años y por aquel resto de imperio y de poder que todavía quedaba en su frente, que más de una vez sucedió que los testigos se retiraron corridos y amedrentados delante de la severidad de sus miradas.

El comendador Saldaña hizo harto más en defenderse de otros ataques, que si bien menos concertados, al cabo eran más enconados y violentos.

Recordarán sin duda nuestros lectores que en el asalto de Cornatel, un deudo muy cercano del conde murió al golpe de una piedra que le deshizo el cráneo, y otro, poco después, en la barbacana, bajo el hacha del anciano guerrero. Así mismo recordarán que la bandera de los Castros entró arrastrando en el castillo, arrancada por manos de don Álvaro de la tienda en que ondeaba al soplo del viento.

Heridas y ultrajes eran ya éstos que difícilmente pudiera olvidar aquel orgulloso linaje, pero el desastrado fin de su caudillo había encendido en sus pechos un odio implacable contra los Templarios, y sobre todo contra Saldaña como autor de su deshonra y duelo.

Apenas, pues, los vieron emplazados y llamados a juicio, acudieron prontamente a Salamanca, donde añadieron al peso de la acusación general el de su encono y recriminaciones.

Cuando llegó su día, presentaron su queja ante los padres, acusando al anciano de haber usado malas artes en la defensa de su castillo, con notorio menosprecio de las órdenes de su rey y señor natural. Echáronle en cara la altanería con que desechó las intimaciones del difunto conde, y sobre todo su muerte atroz, contraria a las leyes de la guerra. Beltrán de Castro, uno de los más cercanos deudos y que aún no había podido acomodarse al baldón del vencimiento, presentó todos estos cargos con gran discreción y energía, disfrazando a su modo los incidentes de aquella desastrosa jornada.

—Comendador Saldaña, le dijo el arzobispo de Santiago, ¿confesáis todos los cargos que os hace Beltrán de Castro?

—Padres venerables, contestó el anciano, no por rebeldía ni deslealtad nos negamos a obedecer las cédulas de nuestro monarca, sino por justa y legítima defensa. Caballeros de nuestra prez, no eran para tratados como quería el conde de Lemus a quien respeto, pues que ya el supremo juez le habrá juzgado. Él quería la guerra porque anhelaba vengar agravios recibidos con causa, por desgracia sobrado justa, de mí y de uno de nuestros más nobles caballeros. Amaba el peligro y pereció en él... la paz sea con su alma. Por lo que hace a la nigromancia que nos reprocháis, señor hidalgo, continuó volviéndose a Beltrán y sonriéndose irónicamente, el miedo sin duda os turbaba la vista y el entendimiento a la par, pues que así confundíais con los demonios nuestros esclavos africanos, y tomabais por llamas del infierno la pez, alquitrán y aceite hirviendo con que os rociábamos la mollera.

El gallego perdió el color al oír semejante ultraje, y rechinando los dientes clavó sus ojos encendidos como brasas en el anciano caballero. Su mano se encaminó maquinalmente a la guarnición de la espada, pero acordándose del sitio en que estaba, mantuvo a raya los ímpetus de su ira.

—No os enojéis, señor hidalgo, que así venís a hacer leña del árbol caído, replicó el comendador en el mismo tono acre y mordaz, no os enojéis ahora, ya que entonces de tan poco sirvió vuestro coraje a aquellos infelices montañeses, que tan sin piedad llevabais al matadero, ya que entonces el señor de Bembibre con sólo un puñado de caballeros desbarató toda vuestra caballería, saqueó vuestros reales y trajo arrastrando vuestro pendón, sin que a pesar de vuestras fuerzas superiores tuvieseis ánimo para estorbarlo. ¿En qué opinión teníais a los soldados del Temple y a un viejo caballero que peleó por la cruz en Acre, hasta que los villanos la echaron por el suelo para alfombra de los caballos del soldán? Andad, que vuestro valor es como el de los buitres y cuervos, sólo bueno para emplearse en los cadáveres.

—Señor caballero, le dijo gravemente el arzobispo de Santiago, no habéis respondido todavía a la principal cabeza de la acusación: la muerte del noble conde de Lemus... ¿Es cierto este capítulo?

—Y tan cierto, respondió Saldaña con una voz que retumbó en el salón como un trueno, que si mil veces lo cogiera entre mis manos, otras tantas vidas le arrancaría. Sí, yo le así por el cinto cuando cayó a mis pies sin conocimiento: con él me subí a una almena, y desde allí se lo arrojé a sus gentes diciéndoles: "¡Ahí tenéis vuestro valiente y generoso caudillo!"

—¡Lo ha confesado! ¡Lo ha confesado! exclamaron llenos de júbilo los parientes del difunto.

—Comendador Saldaña, continuó Beltrán, yo os acuso de traición, pues sólo cohechando al cabreirés Cosme Andrade pudisteis tener noticia de la expedición del desgraciado conde.

—¡Mentís, Beltrán de Castro! contestó una voz de entre la apiñada multitud, que entonces comenzó a arremolinarse como para abrir paso a alguno. Efectivamente, después de un corto alboroto y de algún oleaje y vaivenes entre la gente, un montañés con su coleto largo de destazado, sus abarcas y su cuchillo de monte al lado, saltó como un gamo en el recinto destinado a los acusados, acusadores y testigos.

—¿Sois vos, Andrade? exclamó Castro sorprendido con esta aparición para él inesperada.

—¡Yo soy, yo, el cohechado, como vos decís, ruin y villano! contestó el encolerizado montañés. ¡Parece que os pasma el verme! bien se conoce que me creíais muy lejos cuando así me ultrajabais. ¡Algún ángel me tocó sin duda en el corazón, cuando viéndoos llegar a Salamanca me oculté de vuestra vista para confundiros ahora, ahora que conozco la ruindad de los Castros! ¡Oh pobres paisanos y compañeros míos, que dejasteis vuestros huesos en el foso de Cornatel! ¡venid ahora a recibir el premio que os dan estos malsines! ¡Yo cohechado!, y ¿con qué me cohecharíais vos, mal nacido? ¿O tenéis por cohecho el rodar por los precipicios y arriesgar la vida hartas más veces que vos?

—Vos recibisteis cien doblas del comendador, replicó Beltrán un poco recobrado, aunque confuso con las embestidas del montañés, que le acosaba como un jabalí herido.

—Cierto que las recibí, contestó Andrade candorosamente, porque se me ofrecieron con buena voluntad; pero ¿guardé una siquiera, embustero sin alma? ¿No las distribuí todas y aun bastantes de mis dineros a las viudas de los que murieron allí por los antojos de vuestro conde? ¿O piensas tú que es Andrade como tu amo maldecido, que vendía por un lugar más su fe de caballero y la sangre de los suyos? Agradece a que estamos delante de estos varones de Dios, que sino ya mi cuchillo de monte te hubiera registrado los escondites del corazón.

—Sosegaos, Andrade, le dijo el obispo de Astorga, y contadnos lo que sepáis, porque vuestra presencia no puede ser más oportuna.

—Yo, reverendos padres, contestó él con su sencillez habitual, no soy más que un pobre hidalgo montañés a quien se le alcanza algo más de cazar corzos y pelear con los osos, que no de estas cosas de justicia; pero con la verdad por delante, nunca he tenido miedo de hablar, aunque fuese en presencia del Soberano Pontífice. Allá va, pues, lo que vi y pasé, bien seguro de que nadie le quite ni ponga.

Dijimos que cuando el honrado Andrade cayó despeñado del torreón por mano de Millán, le detuvieron unas ramas protectoras. Afortunadamente no estaban muy lejos de la muralla, y de consiguiente pudo oír casi todas las palabras que mediaron entre don Álvaro y el conde al principio, y luego lo que pasó con el comendador hasta que el magnate gallego bajó descoyuntado y hecho pedazos hasta la orilla del arroyo. Así, pues, su declaración en que tanto resaltaba la generosidad de don Álvaro, y la efusión con que contó los prontos socorros que había recibido de Saldaña y de todos los caballeros, hicieron una impresión tan favorable en el ánimo de los padres, que los acusadores de Saldaña no sólo enmudecieron, sino que corridos y avergonzados no sabían cómo dejar el tribunal.

—En suma, santos padres, concluyó el montañés; si las buenas obras cohechan, yo me doy por cohechado aquí y para delante de Dios, porque, a decir verdad, tan presa dejaron mi voluntad con ellas estos buenos caballeros, que cuando oí decir que al cabo los llevaban presos, acordándome de las mentiras del conde de Lemus y temiendo no les sucediese lo que en Francia, me fui corriendo a Ponferrada, y allí dije al comendador que yo le ocultaría en Cabrera y aun le defendería de todo el mundo. Yo no sé si hice bien o mal, pero es seguro que volvería a hacerlo siempre, porque él me salvó la vida dos veces, y como decía mi padre, que de Dios goce, "el que no es agradecido no es bien nacido".

—Señor de Bembibre, dijo entonces el inquisidor general volviéndose a don Álvaro, aunque nuevo en esta tierra no me es desconocida la fama de hidalguía y valor que en ella gozáis. Decid, pues, bajo vuestra fe y palabra si es verdadera la declaración de Andrade.

—Por mi honor juro que la verdad ha hablado por su boca, contestó el joven poniendo la mano sobre el corazón. Sólo una cosa se le ha olvidado al buen Cosme, y es que también se entendía conmigo sin haberme conocido, la noble hospitalidad que ofreció al comendador Saldaña.

—Ya, ya, repuso el montañés casi avergonzado: bueno sería que lo poco bueno que uno hace lo fuese a pregonar a son de trompeta. Y luego que cuando disteis aquel repelón a nuestro campo de Cornatel, ni siquiera hicisteis un rasguño a ninguno de los míos, y después a los que curaron de sus heridas, los regalasteis con tanta largueza como si fuerais un emperador. Para acabar de una vez, padres santos, continuó dirigiéndose al concilio con tanto respeto como desembarazo, si dudáis de cuanto llevo dicho, venga aquí la Cabrera entera, y ella lo confirmará.

—No es necesario, dijo entonces el obispo de Astorga, porque las secretas informaciones que por mi mandato han hecho los curas párrocos de aquel país, corroboran los mismos extremos. Este proceso, último que queda por ver de cuantos se han traído a esta junta sagrada, deberá decidir el fallo, salvo el mejor parecer de mis hermanos.

—Deudos del conde de Lemus, dijo en alta voz el arzobispo de Santiago, ¿queréis proseguir en la acusación, presentar nuevas pruebas y estar a las resultas del juicio?

—En mi nombre y en el de los míos, me aparto de la acusación, contestó Beltrán de Castro con despecho, sin perjuicio de volver a ella delante de todos los tribunales cuando pueda presentar pruebas más valederas.

—Debíais pedir la del combate, le dijo Saldaña siempre con la misma amargura, siquiera no fuese más que por renovar las hazañas de que fuimos testigos encima de Río Ferreiros.

Capitaneaba Beltrán la caballería del conde en aquella ocasión, y envuelto en el torrente de los fugitivos nada pudo hacer a pesar de sus esfuerzos, de manera que, sin estar desnudo de valor, su opinión había quedado en dudas. Ninguna herida, por lo tanto, más profunda y dolorosa pudiera haber recibido que la venenosa alusión del comendador. Tartamudeando, pues, de furor y con una cara como de azufre, le dijo:

—¡En cuanto os dieren por libres la pediré, y entonces veremos lo que va del valor a la fortuna!

—Mío es el duelo, contestó don Álvaro, pues que tomáis sobre vos las ofensas del conde de Lemus. A mí me encontraréis en la demanda.

—No sino a mí, replicó Andrade; [353] que he sido agraviado delante de tanta gente.

—Con los tres haré campo, exclamó Beltrán en el mismo tono.

—Caballeros todos, dijo el inquisidor apostólico, no debe escondérseos, sin duda, que delante de la justicia no hay agravio ni ofensa. Así, pues, dad lo hecho por de ningún valor y efecto, y vos, Beltrán, ya que tan cuerdamente desamparáis la acusación, pensad en volveros a vuestro país, que los altos juicios de Dios no se enmiendan con venganzas ni rencores, siempre ruines cuando se ejecutan en vencidos.

Estas graves palabras, dichas con un acento que llegaba al alma, si no mudaron las malévolas intenciones de los Castros, les probaron por lo menos su impotencia; así fue que despechados tanto como corridos, se salieron del tribunal y en seguida de Salamanca, donde habían encontrado el premio que suelen encontrar los sentimientos bastardos: la aversión y el desprecio.

Otro fruto produjeron también sus ciegas persecuciones y fue el poner tan de bulto la inocencia de los Templarios, que aun sus más encarnizados enemigos hubieron de contentarse con sordos manejos y asechanzas.

Vistos, pues, todos los procesos y pensado el asunto maduramente, el concilio declaró por unanimidad inocentes a los Templarios de todos los cargos que se les impu-

[353] Andrade, por ser hidalgo, puede luchar contra don Beltrán.

taban, reservando, sin embargo, la final determinación al Sumo Pontífice.[354]

Con esta sentencia salvaron los Templarios el honor de su nombre, única cosa a que podían aspirar en la deshecha borrasca que corrían; pero harto más importante para ellos que sus bienes y su poder. Privados de uno y otro, su posición quedaba incierta y precaria hasta el concilio general, convocado para Viena del Delfinado,[355] donde debía fallarse definitivamente el proceso de toda la Orden, dado que bien pocas esperanzas pudieran guardar, cuando la estrella de su poder, como el Lucifer del profeta,[356] se había caído del cielo.

CAPÍTULO XXXIII

Mientras esto pasaba en Salamanca, doña Beatriz, pendiente entre la esperanza y el temor, veía correr uno y otro día fijos los ojos en el camino de Ponferrada, creyendo descubrir en cada aldeano un mensajero, portador de la suerte de su amante y de la Orden. La elevación natural de su espíritu le hacía mirar siempre el honor como el primero de los bienes, y bien puede decirse que entonces en el de don Álvaro pensaba, y no en su felicidad.

[354] Esta frase copiada casi íntegra en Bastús, p. 94: "á unanimidad de votos declararon absolutamente libres a los *templarios* de Castilla, León y Portugal, de todos cuantos cargos se les hacían; reservando no obstante al Papa la final determinación de lo acordado y resuelto por el concilio".

Campomanes había escrito antes (disertación VII, § 2, p. 106) una frase muy semejante. E. Gil pudo inspirarse en uno u otro autor.

[355] Hubo dos sesiones del concilio de Viena. La primera, muy corta, en abril de 1311. La segunda se abrió en abril de 1312. Mientras tanto, a principios de 1312, se celebró el concilio de Tarragona para juzgar a los templarios aragoneses.

[356] El profeta es Isaías (14-12), que prevé la caída del imperio de Babilonia, ciudad que llama Lucifer, o sea, astro brillante. De aquí procede el hecho de llamar Lucifer al demonio.

Poco podía influir en su ánimo la sentencia más infamatoria que contra él llegase a fulminarse, porque el amor puro y lleno de fe que se había abrigado en aquel corazón, y que todavía le encendía, era incompatible con toda duda ni sospecha; pero la idea de ver a un joven tan noble y pundonoroso sujeto a infamantes penas, a la misma muerte quizá, la estremecía en sueños y despierta.

A pesar de todo, los consuelos y seguridades de su padre, la entrada de la benéfica estación y la influencia que aquellos lugares apacibles y pintorescos ejercían en su espíritu, producían poco a poco alguna mejoría en su salud y parecían disminuir su ansiedad y sus temores. El lago había recobrado la verdura de sus contornos y la serenidad de sus aguas; [357] los arbolados de la orilla, de nuevo cubiertos de hoja, servían de amparo a infinidad de ruiseñores, palomas torcaces y tórtolas que poblaban el aire de cantares y arrullos; los turbios torrentes del invierno se habían convertido en limpios y parleros arroyos; los vientos templados ya y benignos traían de los montes los aromas de las jaras y retamas en flor; los lavancos y gallinetas revoloteaban sobre los juncales y espadañales en donde hacían sus nidos, y el cielo mismo hasta entonces encapotado y ceñudo, comenzaba a sembrar su azul con aquellos celajes levemente coloreados que por la primavera adornan el horizonte al salir y ponerse el sol. La Aguiana había perdido su resplandeciente tocado de nieve y sólo algunas manchas quedaban en los resquicios más obscuros de las rocas, formando una especie de mosaico vistoso. La naturaleza entera, finalmente, se mostraba tan hermosa y galana, como si del sueño de la muerte despertase a una vida perdurable de verdor y lozanía.

A la manera que el agua de los ríos se tiñe de los diversos colores del cielo, así el espectáculo del mundo exte-

[357] La novela empieza en la primavera de 1308 y acaba en la primavera de 1309. Ya se ha notado que la historia abarca más tiempo, ya que acabará en tiempos del concilio de Viena, es decir, en 1311 ó 1312.

rior recibe las tintas que el alma le comunica en su alegría o dolor. Los acerbos golpes que doña Beatriz había recibido y su retraimiento en el monasterio, habían trocado la natural serenidad de su alma en una melancolía profunda, que estimulada por el mal, tendía sobre la creación un velo opaco. Antes eran sus pensamientos un cristal rutilante que esmaltaba y daba vida y matices a todos los objetos al parecer más despreciables, porque el amor derramaba en su imaginación el tesoro de sus esperanzas más risueñas, y ella a su vez las vertía a torrentes sobre las escenas que a sus ojos se ofrecían; pero deshecho el encanto y deshojadas las flores del alma, todo se había obscurecido. El mundo mirado desde las playas de la soledad y al través del prisma de las lágrimas, sólo tiene resplandores empañados y frondosidad marchita.

Una tarde que estaba entregada a semejantes pensamientos en el mirador de la quinta, paseando por el cristal de las aguas distraídas miradas, llegóse su padre a ella a tiempo que sus ojos se fijaban en el castillo de Cornatel, plantado a manera de atalaya en la cresta de sus derrumbaderos. No advirtió ella la aproximación de don Alonso y siguió engolfada en sus meditaciones.

—¿Qué piensas, Beatriz, le preguntó con su acostumbrado cariño, que no has reparado en mí?

—Pensaba, señor, le respondió ella, llevando su mano a los labios, que mi vida no es de diez y ocho años, sino tan larga como la vuestra. Yo tenía un amante y lo he perdido, tenía una madre y la he perdido; tuve un esposo y allí lo he perdido también, añadió señalando el castillo con el dedo. Dos veces me he visto desterrada del techo paterno: don Álvaro desposeído de sus esperanzas, se acogió al claustro guerrero de una Orden poderosa y helo ahí por el suelo. ¿Cómo en el breve espacio de un año se han amontonado tantos sucesos sobre la endeble tela de mi vida? ¿Qué es la gloria del hombre que así se la lleva el viento de una noche? Mi ventura se fue con las hojas de los árboles el año pasado ¡ahí están los árboles otra vez llenos de hojas! yo les pregunto: ¿que hicisteis de mi salud y de mi alegría? pero ellas se mecen alegremente al son del viento y si alguna respuesta percibo en su confuso murmullo es un acento que me dice: "El árbol del corazón no tiene más que unas hojas y cuando llegan a caerse se queda desnudo y yerto, como la columna de un sepulcro."

—Hija mía, respondió el anciano ¿te acuerdas de que el Señor hizo brotar una fuente de las entrañas de una peña para que bebiese su pueblo? [358] ¿Cómo dudas, pues, de su poder y su bondad? ¿Te sientes peor?... Esta mañana no te he visto pasear por los jardines como otras veces...

—Sin embargo, contestó ella, ya puedo andar un buen trecho sin el apoyo de Martina, y suelo dormir alguna que otra hora de la noche. Espero en Dios que mi mejoría será mayor cada día y que pronto sanaré de los males del alma y del cuerpo.

La cuitada se acordó de que su padre la escuchaba y volvió a su sistema de generoso fingimiento; pero tan lejos estaba de decir lo que sentía, que sin poderlo remediar, terminó con un suspiro aquellas consoladoras palabras. El anciano le dirigió una mirada tan triste como penetrante, y al cabo de un corto rato en que guardó silencio, le dijo con acento sentido:

—Beatriz, hace tiempo que estoy viendo tus esfuerzos; pero tú no sabes que cada uno es un dardo agudísimo que me traspasa el corazón. ¿De qué me sirven esas apariencias vanas?... ¡Tú sí que te empeñas en deshojar la planta de mi arrepentimiento y en quitarme hasta la esperanza de sus frutos! Vuelve en ti, hija mía, y piensa que tú eres la única corona de mi vejez para deshechar esos pensamientos que son una reconvención continua para mí.

—¡Oh padre mío! respondió la joven echándole los brazos al cuello: no se hable más de mis locos desvaríos, que no siempre están en mi mano. ¿No queréis que demos un paseo por el lago?

—Óyeme todavía un poco más, respondió el anciano, y dime todas tus dudas y recelos. ¿Qué te suspende y em-

[358] *Éxodo,* cap. 17.

bebece tan dolorosamente, cuando las cartas que recibimos del abad de Carracedo nos aseguran de la justificación del tribunal de Salamanca? ¿Cómo dudas de que suelten a don Álvaro de sus votos, cuando los más sabios los dan por de ningún valor ni obligación?

—Dudo de mi dicha por ser mía, contestó doña Beatriz, y porque es don Álvaro demasiado poderoso y de altas prendas para no infundir recelo a sus enemigos. ¿No sabéis también cuánto se afana el infante don Juan porque los Templarios sufran aquí la misma suerte que en Francia? Harto justos son mis temores. Este pleito ruidoso me trae sin mí, y aun las escasas horas de sueño que disfruto, me las puebla de imágenes funestas. El otro día soñé que don Álvaro estaba en medio de una plaza, atado a un palo y cercado de leña, y el pueblo que le miraba en vez de darse a su ordinaria grita, lo contemplaba mudo de asombro. Tenía vestido el hábito blanco de su Orden, y en su semblante había una expresión que no era de este mundo. De repente la leña se encendió y el inmenso concurso soltó un grito, pero yo le veía por entre las llamas, y estaba con su ropa cada vez más blanca y su semblante cada vez más hermoso. Por fin empezaron a tiznarse sus vestidos y a alterarse sus facciones con el dolor, y clavando en mí los ojos me dijo, con una voz muy alta y dolorosa: "¡Ay, Beatriz, éstas habían de ser las luminarias de nuestras bodas!" Yo entonces, que había estado como de piedra, me encontré ágil de repente y corrí a él para desatarle, pasando por en medio de las llamas, pero apenas lo hube logrado cuando, los dos, caímos en la hoguera. Entonces me desperté temblando como una hoja, bañada en sudor frío y con un aliento tan ahogado que pensé que iba a morir. Por eso me notáis algo más de tristeza y abatimiento hoy que otras veces, pero la suerte me hallará para todo prevenida.

Don Alonso conoció que todas sus razones servirían de poco en aquella ocasión; así, pues, al cabo de un rato de silencio dijo, presentando la mano a su hija:

—La tarde está muy hermosa y bien decías antes que era preciso aprovecharla.

La joven se levantó prontamente, y apoyándose en el brazo de su padre, bajó con él hasta el embarcadero donde les aguardaba una ligera falúa con jarcias y banderolas de seda con las armas del Temple. Entraron en ella y tres mozos del país empuñando los remos comenzaron a bogar reciamente, mientras la airosa embarcación se deslizaba rápida y majestuosamente dejando tras sí un largo rastro, en el cual los rayos del sol parecían quebrarse en mil menudas chispas y centelleos. [359]

Martina se había quedado en la quinta, y meneando la cabeza, y con ojos no muy alegres, seguía la falúa en que su señora, cubierta con una especie de almalafa blanca muy sutil que se mecía al son del viento, y con los cabellos sueltos parecía una nereida del lago. La pobre muchacha, que con tanto amor y discreción la había servido y acompañado, no acertaba a verse libre de zozobra y ansiedad, pues como la más cercana a doña Beatriz, mejor que nadie conocía su estado. En realidad antes se había mejorado que decaído su salud, pero bien sabía las mortales congojas que le costaba la incertidumbre en que vivía por la suerte de don Álvaro, y que los vislumbres todos de su esperanza de ella pendían principalmente. Por otra parte, como la tristeza es harto más contagiosa que la alegría, la buena de Martina había perdido no poco de su belleza y donaire, y hasta el brillo de sus ojos azules se había amortiguado algo.

Sucedió, pues, que cuando más embelesada estaba en sus ideas, unos pasos muy pesados que sintió detrás le hicieron volver la cabeza, y se encontró nada menos que con nuestro antiguo conocido Mendo, el caballerizo, que venía muy apurado y con la misma cara que en otro tiempo le vieron poner nuestros lectores cuando fue a noticiar a su ama en el soto de Arganza la llegada del Templario y de su compañero. Martina, que desde aquella ocasión le

[359] Esta escena proviene de un recuerdo personal. Al principio de su novela *El lago de Carucedo*, cuenta E. Gil un paseo suyo en barco, guiado por un mozo del país (v. p. 453).

había mirado con algo de ojeriza y mala voluntad, le recibió con impaciencia y ceño.

—Martina, Martina, le dijo con gran priesa. algo debe de haber de nuevo, porque desde la torre he visto asomar gente por lo alto de la cuesta de Río Ferreiros.[360]

—Vamos allá, respondió ella con despego; siempre será una embajada como la de antaño. ¿Qué tenemos con la gente que venga? ¿No vienen todos los días de mercado aldeanos de Ponferrada?

—¿Qué aldeanos ni qué ocho cuartos, ¡mujer!, respondió él con su acostumbrada pachorra, si he visto yo los pendoncillos de las lanzas y el sol que les daba en los cascos y no se podía sufrir? Dígote que son hombres de armas, y que algo de nuevo traen.

—Pues harto mejor harías en haber ido a esperarlos, y volver corriendo con la noticia, replicó Martina, que no gustando de la compañía, se hubiera deshecho de ella con gran satisfacción.

—De buena gana me hubiera ido, dijo él, pero el vejete de Nuño se empeñó hoy en salir en el Gitano,[361] que es el caballo que a mí me gusta, y me quedé. Vedlo, allí va, añadió señalando el lugar de la orilla por donde el cazador iba con su caballo, ¡y qué aires tan altos y sostenidos! y qué maestría en el portante. ¡Calla! ¿pues qué le ha dado al viejo que así lo pone al galope sin necesidad, como si fuera su haca gallega?...

Quedóse entonces el palafrenero con la boca abierta y siguiendo con los ojos la carrera de su palafrén predilecto, hasta que, soltando un grito, exclamó con una impetuosidad que le era totalmente extraña:

—¡Ahora sí! ahora sí que son ellos; míralos allá, Martina... Allá abajo las encinas a la entrada del pueblo... ¿no los ves?

—Sí, sí, ya los veo, respondió la muchacha, que era toda ojos en aquel momento. Pero ¿qué traerán?

[360] Es decir, en el camino de Ponferrada.

[361] *Gitano*: nombre de caballo. Es un anacronismo, ya que los gitanos todavía no se habían establecido en España.

—¿Qué sé yo? respondió Mendo. ¡Toma! ¡toma! ¡pues si casi todo el pueblo de Carucedo está allí! ¡Oye! ¡oye cómo gritan y cómo brincan los rapaces y aun los mozos!... Pues, señor, algo alegre tiene que ser por fuerza.

—Pero, válgame Dios, y ¿qué podrá ser? volvió a preguntar la muchacha, poseída de curiosidad.

—Ahora llega Nuño y habla con ellos... ¡Por Santiago que el viejo se ha vuelto loco! ¿no has visto cómo ha tirado el gorro al alto?... ahora todos hacen señas a la falúa de los amos... allá va... cuerpo de Cristo; y ¡qué gallardamente reman!... pues no tienen poca priesa los que aguardan... ¿has visto tal grita y tal manotear?

La embarcación iba acercándose, en efecto, rápidamente a las señas y voces de aquel animadísimo grupo de gentes de todas edades y sexos, sobre los cuales se veían descollar algunos hombres de armas a caballo; sin embargo, la velocidad de la falúa no correspondía a la impaciencia de Nuño que picando de ambos lados su generoso corcel se metió a galope por el lago adelante levantando una gran columna de agua con la que debía de mojarse hasta los huesos, y excitando la furia de Mendo que, echando un voto y amenazando con el puño cerrado, dijo con una gran voz:

—¡Ah, bárbaro silvestre y bellacón! ¿así tratas tú la alhaja mejor de la caballeriza? ¡Por quien soy que no tienes tú la culpa, sino quien pone burros a guardar portillos! [362] ¡Para mi alma que si otra vez te vuelves a ver encima de él que me vuelva yo moro!

—Mal año para ti y para todos tus rocines, exclamó enojada Martina; calla a ver si podemos oír algo, y déjame ver de todas maneras lo que pasa.

El generoso corcel, obediente y voluntario como suelen ser todos los de buena raza, llegó nadando gallardamente con su jinete hasta el borde de la falúa y allí Nuño, gesticulando con vehemencia, dio su mensaje, que tanta priesa le corría. Doña Beatriz, que se había puesto en pie para escucharle, y cuya forma esbelta y agraciada con su ves-

[362] ¿Refrán?

tido blanco se dibujaba como la de un cisne sobre la superficie azulada del lago, levantó los brazos al cielo y en seguida se hincó de rodillas con las manos juntas como si diese gracias al Todopoderoso. Su padre, fuera de sí de alborozo, corrió a abrazarla estrechamente; en seguida metiendo la mano en una especie de bolsa que traía pendiente de la cinta, sacó una cosa que entregó a Nuño, y éste, volviendo a la orilla con gran priesa, comenzó a distribuir entre los aldeanos el bolsillo de su señor, que como presumirán nuestros lectores, era lo que acababa de recibir. Con esto crecieron las aclamaciones y vítores mientras la falúa ligeramente se dirigía a las encinas, donde el señor de Arganza saltando en tierra y abrazando a uno de los recién venidos, le hizo embarcar con él y su hija, que también se adelantó a darle la mano. Los demás, precedidos de Nuño, se dirigieron a galope a la quinta, seguidos durante un rato de toda la chiquillería de Carucedo que gritaban a más y mejor.

Martina, que con los ojos arrasados en lágrimas había visto aquella escena, cuyo sentido no tardó mucho en comprender, exclamó entonces:

—Gracias mil sean dadas a Dios, porque los Templarios han sido absueltos, y ya nada tenemos que temer por el generoso don Álvaro. Pero ¿qué haces aquí, posma? le gritó a Mendo que se había quedado como lelo; ¿no ves que ya están llegando? Anda a habilitar las caballerizas.

No le pesaba al rollizo palafrenero de la absolución de don Álvaro, porque, desvanecidos como el humo sus proyectos de servir a un conde con la muerte del de Lemus, creía que ninguno podía haber más honrado para reemplazarle que el señor de Bembibre, pero no estaba en esto la dificultad, sino en que como amo y criado venían a ser a sus ojos una misma persona, y él no había cedido en sus amorosos propósitos respecto a Martina, veía dar en el suelo toda la fábrica de sus pensamientos con semejante desenlace. Así fue que, aguijoneado tan vivamente por la muchacha, bajó la escalera diciendo entre dientes:

—Pues, señor, con que el zascandil de Millán vuelva y con que el Gitano coja un muermo con la mojadura que no se lo quite en medio año de encima, medrados habemos quedado.

Martina, por su parte, bajó también aceleradamente al embarcadero, donde a poco saltó en tierra su señora en compañía de su padre y de aquel portador de buenas nuevas, que no era otro sino nuestro buen amigo Cosme Andrade.

CAPÍTULO XXXIV

El honrado montañés, que vio tan bien terminada la causa de los Templarios a despecho del encono que los Castros abiertamente, y el infante don Juan y otros señores con sordos manejos, habían manifestado contra aquella esclarecida Orden, determinó de volverse a su Cabrera, de donde faltaba hacía ya más tiempo del que hubiera deseado. Como la situación de los caballeros después de la ocupación de sus bienes era tan precaria, volvió a las instancias y ofertas que ya en Ponferrada había hecho al comendador, pero con más ardor que nunca, ponderándole con su sencilla efusión el gran contento que recibiría su mujer con su vista, el favor que le haría en enseñar a sus hijos los ejercicios de los guerreros, lo mucho que se divertiría con sus cazas y, sobre todo, la paz y veneración que le rodearían por todas partes. El anciano se mantuvo inflexible como quien ha formado una resolución que todo el poder del mundo no bastaría a destruir, y así el buen hidalgo hubo de hacer sus preparativos de viaje, sin que se le lograra aquel vivo deseo.

Cuando llegó el día de la separación, los caballeros todos salieron a despedir a Cosme a las afueras de Salamanca para darle un público testimonio de lo agradecidos que quedaban a su noble comportamiento. Paga escasa en verdad, sino la realzara y diera tan subido precio la sincera voluntad que la dictaba, porque nadie se había arrojado a la defensa del Temple con tanto valor como aquel sencillo montañés, ni hubo testimonio que tanto peso tuviese como el suyo en el ánimo de aquellos santos varones.

La nobleza de su alma se descubrió bien a las claras cuando casi solo se arrestó a sostener el choque de la opinión embravecida en aquel siglo supersticioso, y sin vacilar se puso a luchar cuerpo a cuerpo con el poderoso linaje de los Castros.

Cualquiera que fuese la prevención y odio con que miraban a aquella caballería, como los rasgos generosos tienen un no sé qué de eléctrico, [363] poco tardó en ganar la mayor parte de los corazones: así fue que salió de Salamanca colmado de elogios y favores de todas clases.

Llegó por fin el instante de la partida, y entonces el maestre, después de haberle dado las gracias en unos términos que el buen montañés no parecía sino que estaba a la vergüenza, según el vivo color que a cada momento le encendía las mejillas, le regaló un caballo de casta árabe y de hermosísima estampa, ricamente enjaezado. Bien hubiera querido él excusar el regalo, pero no fue posible atendida la fina y delicada muestra de gratitud de aquellos guerreros. Antes de montar a caballo, sin embargo, todavía llamó aparte a Saldaña, y con las lágrimas en los ojos le volvió a rogar que se fuese con él a Cabrera, cosa que él rehusó, pero no sin cierto enternecimiento que no estaba en su mano sofocar. Por fin, después de muchos abrazos y aun lágrimas, subió el montañés en su nueva cabalgadura y se alejó de la noble Salamanca, acompañado de unas cuantas lanzas del abad de Carracedo que volvían al Bierzo.

Como quiera, las alegres nuevas de que era portador, casi disiparon del todo el disgusto de la separación, porque las cartas que llevaba para el señor de Arganza del venerable religioso, y los sucesos que como testigo presencial podía contar, era cosa averiguada que derramarían la alegría en las pintorescas orillas del lago de Carucedo.

[363] *eléctrico*: así en el texto. No tenemos que sustituirle la palabra "ecléctico" como hacen otros. Se trata de la comunicabilidad de la electricidad.

Y no se engañaba, según acabamos de ver, porque como aquellos pacíficos aldeanos sólo bienes y limosnas debían a los Templarios, recibieron como la mejor fiesta del mundo la noticia de su absolución. Así fue que cuando puso el pie en tierra después de haberle acogido con los brazos abiertos el señor de Arganza y de haber visto entre las suyas la mano delicada de aquella dama a quien sus pesares y dolencias no habían podido despojar de su singular atractivo y hermosura, no sabía el buen cazador lo que le pasaba, ni cabía en sí de puro ancho.

Como ya declinaba el sol cuando el encuentro y sucesos que de referir acabamos, don Alonso no rompió la nema de los pliegos hasta llegar a la quinta.

El virtuoso abad le daba cuenta en ellos de varios pormenores del juicio y de la sentencia, le recomendaba eficazmente a Andrade y concluía diciéndole que, atendido el espíritu de los padres del concilio, estaba casi cierto de que darían por libre a don Álvaro de todos sus votos. La carta concluía con algunas reflexiones llenas de unción y de consuelo, vivo traslado de la caridad que se abrigaba en aquella alma, a pesar de la notable adustez de su carácter.

Encargar festejos y toda clase de finezas para el portador de semejantes nuevas era trabajo de todo punto excusado; además que don Alonso estimaba cordialmente a aquel hombre, dechado de honradez y de virtudes antiguas.

Así fue, que en los días que permaneció en la quinta no cesaron las funciones de caza y pesca, los banquetes y las danzas. Sin embargo de todo, el montañés, que nunca había hecho ausencia tan larga de su casa, anhelaba extraordinariamente volver a ver la cara de su mujer y los enredos de sus hijos; por lo cual, al cabo de una semana se despidió de su noble huésped y de su interesante hija, para volverse a sus nativas montañas. Doña Beatriz le regaló unas preciosas ajorcas de oro y pedrería para su esposa, y don Alonso le hizo presente de un hermoso tren de caza, con una corneta primorosamente embutida en plata. Además, para mayor honra le acompañó un buen trecho de camino, al cabo del cual se separaron haciéndose las más cordiales protestas de amistad y buena correspondencia.

En su alma era donde encontraba Andrade el mejor galardón de sus acciones, pero no dejaba de ser uno y bien halagüeño la afición que con ellas había logrado despertar en todas las almas bien nacidas.

Mezclábase también a estos sentimientos un poco de vanidad por haber venido a ser el héroe de aquellos sucesos, por manera que el respeto antiguo con que entre los suyos era mirado, subió de punto y aun llegó a pasmo y admiración.

Después de esta peripecia pasó doña Beatriz del extremo de la ansiedad y del dolor, al de la esperanza y alegría. No sólo veía a su amante honrado y absuelto, sino libre de sus votos, volviendo a sus pies más rendido y enamorado que nunca, y abriendo como la aurora las puertas de la luz al día resplandeciente y eterno de su amor. Desde entonces parecía que un nuevo germen de vida discurría por aquel cuerpo debilitado y lánguido, y que sus ojos recobraban poco a poco la serenidad de su mirada. Sus mejillas comenzaron a colorearse suavemente, y en todos sus discursos se notaba que la confianza había vuelto a introducirse en su alma. Locos extremos sin duda, en que más parte tenía el deseo de su corazón, que la realidad de las cosas, puesto que la suerte de don Álvaro estaba todavía pendiente del fallo de un tribunal, y que ni la razón ni la religión aconsejan que se ponga tanta fe en la inestabilidad de los negocios humanos.

Los que contaban con la condena y castigo de los Templarios, que era la Corte de Castilla y la mayor parte de sus ricos hombres, aunque estaban apoderados de sus bienes y aun de sus personas, volvieron a sus recelos y temores, no bien los vieron absueltos y dados por libres de los cargos que se les imputaban. Por lo mismo redoblaron su diligencia y esfuerzos, para que los tristes pedazos de aquel ilustre cuerpo, como los de la serpiente fabulosa, no pudieran volver a juntarse y soldarse para tornar a la vida. Desconcertada su acción y secuestrados sus bienes, el medio más eficaz de reducirles al último abatimiento, era privarles de aquellas alianzas, escasas en número a la verdad, pero por lo mismo sinceras, a cuya sombra pudieran intentar su restauración; y cuando a tanto no alcanzaran, debilitar por lo menos todo lo posible, a los señores que les quedaban amigos, para hacerlos menos temibles.

En tan fatal coyuntura se ofrecía a la resolución del tribunal el asunto de don Álvaro. Aunque todos sabían que la amargura del desengaño era la que le había llevado a la soledad del claustro, no por eso dejaban de conocer que, habiendo pronunciado sus votos voluntariamente, cualquiera que fuesen las cualidades de que en su origen adolecían, nunca faltaría a la fe jurada a sus hermanos. Claro estaba, por consiguiente, que si quedaba suelto de las ligaduras religiosas, y volvía a ser señor de sus bienes en un país donde el Temple había echado tan hondas raíces, podían amagar grandes peligros, y mucho más si al cabo llegaba a entroncarse con la poderosa casa de Arganza.

Como don Álvaro, por otra parte, no había querido apartar su causa de la de su Orden, ni aun a trueque de la felicidad con que le brindaba, más que el abad de Carracedo y sus amigos, su propio corazón; de imaginar era, que no bien se le deparase la ocasión, trataría de volver por el honor de los suyos y de reparar la injusticia cometida con ellos.

Muy común es aborrecer a quien sin causa se agravia, porque su presencia es un vivo y continuo reproche y sañudo despertador de su conciencia, y por esta razón, sin duda, miraba el infante don Juan a don Álvaro con sangriento rencor. Cuánto, pues, no debieron crecer sus inquietudes cuando vio la posibilidad de que de nuevo se anudase aquel lazo que ya antes había roto con el enlace del conde de Lemus, y que entonces parecía traído por una mano invisible. Desde el día mismo de la sentencia volvió a sus cábalas y maquinaciones, procurando torcer el ánimo de los obispos para que declarasen Templario a don Álvaro, y como tal, sin absolverle de ninguno de sus votos, le sujetasen a la final determinación del Sumo Pontífice. Con esto se lograba que, continuando sus bienes en secuestro, perdiese aquella insigne milicia la esperanza de mejorar su causa al abrigo de un señor poderoso y valiente, mientras el tiempo y el decaecimiento a que habían venido, acababa de todo punto con su lustre y prestigio. Sólo de esta suerte podía descansar su codicia acerca del fruto que pensaba sacar aquel rico botín.[364]

Con grandes obstáculos tenía que luchar, sin embargo, y no era el menor de todos ciertamente ser él quien tan solícito se mostraba en semejante fallo, porque su reputación no podía andar más despreciada y abatida, aunque se abrigase de la majestad y pompa del rey su sobrino. Por otra parte, las candorosas declaraciones de don Álvaro que viendo ya en salvo el honor y aun la vida de sus hermanos, había acallado por fin los generosos escrúpulos de su honor, las cartas del infante a don Juan Núñez en que se revelaba la negra trama de Tordehumos, los esfuerzos de este buen caballero sinceramente arrepentido y deseoso de enmendar su anterior conducta, y el noble desprendimiento de Saldaña que a trueque de favorecer al señor de Bembibre, no vaciló en acusarse de haber ejercido coacción en el maestre para su admisión en la Orden, eran contrapeso más que suficiente a las intrigas y maquinaciones de aquel mal caballero. No era la cuestión de gobierno y buena política la sometida a la sensatez de los prelados de Castilla y Portugal, sino de justicia estricta y rigorosa, y así desde luego manifestaron su resolución de favorecer a don Álvaro. En tan robusto fundamento descansaban las esperanzas del abad de Carracedo y las seguridades, temerarias sin duda, de doña Beatriz.

Desgraciadamente, no estaba del mismo modo de pensar el inquisidor delegado del papa, y sin su ayuda mal podía ponerse el sello a la ventura de aquellos desdichados amantes. Arrastrado por el rey de Francia según ya dijimos,

[364] Este discurso es más contemporáneo que histórico. Se trata en realidad del odio de los liberales de 1835 a las órdenes religiosas.

entró Clemente en la persecución de los Templarios: la política más que el encono le mantuvo en aquella senda indigna de la majestad pontificia, y atendiendo a ella más que a otra cosa, sus legados salieron bien penetrados de sus instrucciones y decididos a llevar a cabo sus intentos. Viendo, pues, Aymerico, que los padres de Salamanca, puesta la mira únicamente en la justicia, se inclinaban a pronunciar la nulidad de los votos de don Álvaro, y ocupado de los mismos temores que el infante don Juan, comenzó a suscitar estorbos a la decisión del concilio. No le valieron, sin embargo, sus astucias; así es que, pasado poco tiempo, hubo de recaer fallo sobre este incidente del gran proceso del Temple.

La sentencia declaró a don Álvaro libre de los votos de obediencia y pobreza, únicos que le ligaban a la Orden, y le restituyó todos sus bienes y derechos, pero no pudo coronar la obra de virtud de aquellos piadosos prelados. El voto de castidad y pureza, atadura la más fuerte de todas, quedaba sujeto a la jurisdicción especial del legado pontificio; pues cualquiera que fuese la nulidad de los otros, al cabo todos se referían a un orden de cosas ya finado o suspenso por lo menos, al paso que éste como de obligación absoluta y puramente individual, no estaba sujeto a tiempo, ni circunstancias, habiendo sido pronunciado voluntariamente. [365]

Semejante explicación, como otras muchas que se fundan en una mezquina y farisaica explicación de las leyes, tenía mucho más de escolástica y teológica que de caritativa y benéfica, porque el ningún valor esencial de la profesión de don Álvaro, mal podía fortalecer ninguna de las obligaciones con ella contraídas, y por otra parte ningún empleo más noble podía buscarse al poder de la religión que remediar los daños de la iniquidad y perfidia.

[365] Raynouard, en *Monuments Historiques* (p. CIII), examina el caso de varios Templarios que se casaron después de suprimida su Orden. Tales casamientos fueron declarados nulos por el papa Juan XXII. Aquí se trata, sin embargo, de votos hechos después de abolida la Orden y el caso no es exactamente igual.

Por dado que fuese el siglo aquel a sutilezas de escuela, de tanto bulto eran estas razones y tan acomodada por otra parte la solicitud al espíritu del Evangelio, que los obispos todos con el mayor encarecimiento rogaron al inquisidor que en uso de sus facultades extraordinarias, rompiese la última valla que se oponía a la felicidad de dos personas tan dignas de estimación y de respeto por sus desventuras y por su elevado carácter, agradeciendo así las hazañas de don Álvaro en Andalucía y Tordehumos, y librando a un tiempo de su final ruina a dos linajes esclarecidos y antiguos.

Cabalmente estas razones eran las que más desviaban al inquisidor de otorgar la demanda, pues no habiendo sido poderosa su influencia a estorbar la declaración que restituía a don Álvaro a la clase de señor independiente, el único medio que tenía de disminuir su poderío, era impedir aquel enlace deseado. Tan cierto es que la mano de la política, y la razón de estado sin escrúpulo, trastornan las esperanzas más legítimas, y se burlan de todos los sufrimientos del alma.

Perseverante, pues, en su propósito, desoyó Aymerico no sólo las reclamaciones del abad y de los prelados, sino los ruegos de una gran porción de señores que, guiados por don Juan Núñez de Lara, y llenos de afición a don Álvaro, emplearon todos sus esfuerzos en allanarle el camino de su felicidad. Recayó, pues, brevemente la sentencia dando por válido y obligatorio el voto de que se trataba, hasta que el Sumo Pontífice, en el concilio general que debía celebrarse en Viena del Delfinado, determinase lo más justo.

El inquisidor, por su parte, para dulcificar algún tanto la amargura de este fallo, ofreció interponer sus buenos oficios con la Corte romana, para la resolución definitiva de este asunto que en conciencia no había podido zanjar favorablemente, según decía. Ninguno se dejó engañar, sin embargo, porque acudiendo al concilio de Viena casi todos los obispos de la cristiandad, y habiendo de verse en él las piezas innumerables del inmenso proceso del Temple, no había imaginación que le viese el término, ni esperanza que hasta su fin pudiese llegar.

Muy general fue la pesadumbre que ocasionó semejante desenlace, pero la del abad, del maestre, de Saldaña y don Juan Núñez de Lara, fue grandísima y sobremanera amarga, aunque dictada por tan distantes motivos. Mucho le pesaba al buen religioso de ver así malogrados sus afanes, y a los ancianos caballeros asistir a los funerales de la última esperanza de don Álvaro, pero en Lara se mezclaba al dolor el más vivo remordimiento, y de todos ellos era quizá el más digno de compasión.

Por lo que hace a aquel desventurado joven, no se le oyó más que una queja: la de ver definitivamente separada su suerte de la de los Templarios, cuando acababan de romper el último talismán que podía hacerle agradable el poder y los honores. Desde entonces hasta el día en que hubo de dar la vuelta al Bierzo en compañía del abad, no volvió a pronunciar una sola palabra sobre su suerte, pero en aquella ocasión, y sobre todo al despedirse de Saldaña, soltó la compresa a su dolor, y maldijo mil veces del sino que había traído al mundo. El anciano le consoló como pudo, exortándole a la fortaleza, y poniéndole delante la inmensidad del porvenir con que le brindaba su juventud. Tanto él como el maestre y casi todos los caballeros quedaban en calidad de reclusos esparcidos en monasterios y conventos apartados, hasta la resolución del papa: así, pues, don Álvaro, después de haber recibido la bendición de su tío y los abrazos de Saldaña y de sus compañeros, salió de Salamanca con el abad de Carracedo, desamparado y triste como nunca. Después de tantos desengaños y severas lecciones, al cabo de tantos vaivenes dentro de su propio corazón y en los revueltos caminos del mundo, la luz de la esperanza sólo podía iluminar dudosa y turbiamente las tinieblas de su alma. No se le ocultaba el estado de doña Beatriz y el terrible golpe que con el último suceso iba a recibir, y contra aquel presentimiento, contra aquella voz interna, se estrellaban todos los consuelos y reflexiones del abad; bien es verdad que los mismos temores y zozobras asaltaban el alma del anciano, y privaban a su voz de aquel acento de seguridad tan necesario para comunicar el valor y la confianza. El viaje, por consiguiente, fue muy desabrido y silencioso.

Había pensado el monje presentarse desde luego en la quinta de Carucedo y preparar por sí mismo a doña Beatriz para la dura prueba a que volvía a sujetarla la suerte, pero mejor mirado todo, juzgó más prudente detenerse a descansar en Bembibre, y desde allí escribir a don Alonso todo lo ocurrido.

Habíase adelantado Millán a la impensada nueva del regreso de su amo, y todo Bembibre salió a su encuentro, pues ni un solo día habían dejado de rezar por su feliz y pronta vuelta, ni echar de menos su autoridad paternal. Don Álvaro procuró corresponder como siempre a aquellas sencillas muestras de aprecio, pero nadie dejó de observar con disgusto cuán mudado estaba con los pesares el semblante de su señor. La guarnición que en nombre del rey ocupaba el castillo, lo dejó al punto en manos de su legítimo dueño, y un buen número de los soldados que habían acompañado a don Álvaro a la expedición de Tordehumos, se apresuraron a guarnecerlo. En una palabra, el día entero y aun alguno de los posteriores se pasaron en danzas y regocijos de todas clases, pues todo había vuelto en Bembibre a su antigua alegría. ¡Todo, menos el corazón de su señor!

CAPÍTULO XXXV

Las esperanzas de doña Beatriz venían a ser con tan raros sucesos como las flores del almendro que, apresurándose a romper su capullo a las brisas de la primavera, y abriendo su seno a los rayos del sol, desaparecen en una sola noche al soplo mortífero de la helada. Su alma, cansada de sufrir y su salud postrada a los embates del dolor, no bien sintieron flojas las rigurosas ataduras, cuando se abalanzaron ardientemente a la fuente del bien y la alegría, para templar su hidrópica sed, bien ajenas de encontrar el acíbar de nuevas tribulaciones, donde tan regalada frescura y suavidad se imaginaban.

No era muy del agrado del cuerdo don Alonso aquella imprudente seguridad en que se adormecía su hija, pero gracias a ella, sus fuerzas se restauraban tan visiblemente y hasta su memoria parecía purificarse de los pasados trágicos recuerdos de tal modo, que no tenía valor para destruir aquel hermoso sueño que le libraba de su más terrible recelo.

El anciano médico de Carracedo se manifestaba sumamente satisfecho del sesgo que la enfermedad iba tomando, y como las noticias que de Salamanca llegaban, sólo traían anuncios de un porvenir próspero, nada había que detuviese la naturaleza en su benéfico movimiento.

Había entrado de lleno la primavera y su influjo contribuía también poderosamente al alivio de la enferma, pintando en su imaginación las risueñas escenas de aquellos contornos y regalando su pecho con su aromoso ambiente. Aquel cuadro ganaba cada día en belleza y amenidad, y en él encontraba el alma tierna y apasionada de doña Beatriz un manantial inagotable de dulcísimas sensaciones.

Una mañana que unas veces a pie y otras embarcada, había recorrido con su padre y su doncella gran parte de las orillas del lago, se recostó por último al pie de un castaño para descansar un poco de su fatiga. Arrullaba tristemente una tórtola en las ramas de aquel árbol; un leñador, descargando recios golpes con su hacha en el tronco de un acebuche no muy distante, acompañaba su trabajo con una tonada muy dulce, y en el medio del lago, menudamente rizado por un vientecillo ligero, se balanceaba una barquilla con un solo aldeano. El cielo estaba puro; el sol recién salido alumbraba con una luz purísima el paisaje, y únicamente en un recodo algo más sombrío de aquella líquida llanura una neblina azul y delgada parecía esconderse de sus rayos.

Los tres guardaban silencio como si temiesen interrumpir con sus palabras la calma de aquel hermoso espectáculo, cuando un resplandor que venía del lado de Carracedo dio en los ojos de don Alonso, y fijándolos con más cuidado en aquel paraje, vio un hombre de armas que al trote largo se encaminaba hacia ellos, y cuyo almete y coraza herido por el sol despedía vivos fulgores. Hacía días que no recibía noticias de Salamanca el noble señor y al punto juzgó que aquel hombre vendría enviado del abad.

El forastero, que vio la falúa atracada a corta distancia y el traje y apostura del grupo que estaba al pie del castaño, se encaminó hacia ellos en derechura, y apeándose ligeramente, presentó a don Alonso un pliego con las armas de Carracedo. Abriólo rápidamente y a los pocos renglones que hubo leído, se le robó el color de la cara, comenzaron a temblarle las rodillas, y como si fuese a perder el conocimiento, se apoyó contra el tronco del árbol y dejó caer el papel de las manos. Doña Beatriz entonces, veloz como el pensamiento, se arrojó al suelo y recogiendo la carta se puso a leerla con ojos desencajados, pero su padre, que al ver su acción pareció recobrarse enteramente, se arrojó a ella para arrancársela de las manos, diciéndole a gritos:

—¡No lo leas! ¡no lo leas, porque te matará!

Pero ella, desviándose a un lado, sin separar sus ojos del fatal pliego, y cebada en sus renglones, llegó a un punto en que lanzando un tremendo gemido, cayó sin sentido en brazos de su fiel doncella. El mensajero acudió al punto a su socorro y los remeros hicieron lo mismo saltando en tierra, pero ya don Alonso y Martina la habían reclinado de nuevo al pie del árbol sentándose ésta en el suelo y teniendo en su regazo la cabeza de su señora. Entonces comenzaron a rociarle el rostro con agua que traían del lago en un búcaro [366] y a administrarle cuantos remedios consentía lo impensado del lance; pero inútilmente porque no volvía en sí, ni cesaba una especie de respiración sonora y anhelosa que parecía hervir en lo más profundo de su pecho. [367] De cuando en cuando exhalaba un ¡ay! pro-

[366] *búcaro*: vasija de arcilla aromática.
[367] Síntoma tuberculoso.

fundísimo y llevaba las manos al lado del corazón, como si quisiese apartar un peso que la abrumaba, mientras un copioso sudor corría de su frente y humedecía todo su cuerpo.

En semejante estado se pasó un largo rato, hasta que viendo don Alonso que el accidente ofrecía serio cuidado, determinó ponerla en la falúa y volver a la quinta inmediatamente. Transportáronla, pues, entre todos con el mayor cuidado y bogando aceleradamente poco tardaron en desembarcar en el muelle, desde donde con las mismas precauciones la llevaron a su cama. Afortunadamente estaba allí a la sazón el anciano físico de Carracedo que acudió al punto, y observando con gran cuidado su respiración y pulso le abrió sin perder tiempo una vena.[368] Con el remedio comenzó a mitigarse su tremenda fatiga, y a poco abrió los ojos aunque sin fijarlos en objeto alguno determinado y rodeando su cámara con una mirada incierta y vagarosa. Por último, recobró totalmente sus sentidos pero presa todavía de su tremendo ataque, las primeras palabras que pronunció fueron:

—¡Aire! ¡aire! ¡yo me ahogo!

El religioso acudió aceleradamente a las ventanas y las abrió de par en par.

—¡Ah! ¡todavía! ¡todavía tengo aquí un peso como el de una montaña! exclamó pugnando por incorporarse y señalando el lado izquierdo del pecho.

Entonces Martina, el monje y su padre la incorporaron en el lecho amontonando detrás una porción de almohadas. En esta postura recobró poco a poco algún sosiego, y el aire templado y apacible que entraba por las ventanas empezó a serenar su respiración. Entonces fue cuando el recuerdo de la escena que acababa de pasar, se despertó en su memoria y clavando en su padre sus ojos alterados y brillantes con el fuego de la calentura, le dijo:

[368] Remedio algo raro para una enferma ya muy débil. De cualquier modo, la reacción de doña Beatriz parecería muy violenta si no existiera otra enfermedad más grave.

Doña Beatriz contempla el lago de Carucedo. (Lámina de la edición original.) Grabado de Zarza.

La enfermedad de Doña Beatriz y la vuelta de Don Álvaro.

—¿Qué se hicieron la carta y el mensajero?... ¡Dadme el papel que todavía no le he acabado de leer!... ¿dónde le guardáis, que no le veo?

—¡Hija mía! ¡hija mía! le respondió el anciano, no me destroces el corazón. ¿Qué vas a buscar en ese malvado escrito?

—¡La carta! ¡la carta! repuso ella con ciega y obstinada porfía, y sin hacer caso de las razones de su padre.

—Dádsela y no la contradigáis, añadió el físico en voz baja, porque ya no le podrá hacer más daño del que le ha hecho.

Entregósela entonces don Alonso y ella con extraordinaria avidez se puso a devorarla. Esta carta, como presumirán nuestros lectores, no contenía sino lo que ya saben; pero por una fatal circunstancia distaba de la imaginación de doña Beatriz como el cielo de la tierra. Acabó por fin de leerla, y dejando caer entrambas manos sobre el lecho, como postrada de debilidad, dirigió una larga y melancólica mirada al paisaje que por las abiertas ventanas se descubría. Un breve espacio estuvo sumida en esta triste distracción, hasta que al cabo lanzando un profundo suspiro exclamó:

—Y sin embargo, mi ensueño era bien puro y bien hermoso: puro y hermoso como ese lago en que se mira el cielo como en un espejo, y como esos bosques y laderas llenas de frescura y de murmullos. No seré yo quien sobreviva a las pompas de este año. ¡Necia de mí que pensaba que la naturaleza se vestía de gala como mi alma de juventud para recibir a mi esposo, cuando sólo se ataviaba para mi eterna despedida!

—¡Y necio de mí mil veces! repuso don Alonso, ¡que te dejé adormecer en esa vana esperanza que podía desvanecerse con un soplo!

—¿Qué queríais, padre mío? repuso ella con dulzura: mis ojos se habían cansado de llorar en la noche de mis pesares, y cuando el cielo me mostró un vislumbre de felicidad, creí que duraría, porque lo había comprado a precio de infinitas amarguras. Poco siento la muerte por mí, pero ¿quién os consolará a vos, quién le consolará a él, a él que me ha amado tanto?

—Doña Beatriz, dijo gravemente el religioso, no hace mucho tiempo que la misericordia divina os sacó de las tinieblas mismas de la muerte, y no sé cómo en vuestra piedad lo echáis en olvido tan pronto y así desconfiáis de su poder. Por otra parte, yo he leído también lo que dice mi reverendo prelado y no veo motivo para ese desaliento, cuando el inquisidor Aymerico ha prometido su ayuda para con el Soberano Pontífice a fin de que la consulta se decida favorablemente. Así debéis esperarlo.

—¡Ah, padre! contestó ella, ¿cómo pensáis que en el laberinto de este inmenso negocio tropiecen en la hoja de papel de que pende mi sosiego y felicidad? ¿Qué les importa a los potentados de la tierra la suerte de una joven infeliz que se muere de amor y de pesar? ¿Quién pone los ojos en el nido del ruiseñor cuando el huracán tala y descuaja los árboles del bosque?

Don Alonso, que se había sentado a los pies de la cama con la cabeza entre las manos, sumido en una profunda aflicción, se levantó al oír estas palabras como herido de una idea súbita, y poniéndose delante de su hija con ademán resuelto respondió:

—¡Yo, yo que te he perdido, yo te traeré la libertad de don Álvaro y la ventura de los dos! yo pasaré a Francia, yo iré al cabo del mundo aunque sea a pie y descalzo y con el bordón del peregrino en la mano y me arrojaré a los pies de Clemente V. Yo le hablaré de la sangre que ha vertido mi casa por la fe de Cristo y le pediré la vida de mi hija única. Mañana mismo partiré para Viena.

—¡Vos, señor! contestó ella como asustada, ¿y pensáis que yo consentiré en veros expuesto a las penalidades de un viaje tan largo y en mirar vuestras canas deslucidas con inútiles ruegos sólo por esta pasión insensata que ni la oración, ni las lágrimas, ni la enfermedad han podido arrancar de mi pecho? ¡Y luego, padre mío, considerad que ya es tarde y que a vuestra vuelta sólo encontraréis el césped que florezca sobre el cuerpo de vuestra hija! ¡No os apartéis de mí en ese instante!

—¡Beatriz! ¡Beatriz! contestó el anciano con un acento terrible: no me desesperes, ni me quites las fuerzas que necesito para tu bien y el mío. Mañana partiré porque el corazón me dice que el cariño y el arrepentimiento de tu padre han de poder más que la fatal estrella de mi casa.

Doña Beatriz quiso responder, pero Martina, juntando las manos, le dijo con el mayor encarecimiento:

—Por Dios santo, noble señora, que le dejéis hacer cuanto dice, porque me parece que es una voz del cielo la que habla por su boca, y además con eso le quitaréis un peso que le agobia de encima del corazón.

—Doña Beatriz, le dijo gravemente el religioso, en nombre de vuestro padre, de vuestro linaje y de cuanto podéis amar en el mundo, os encargo que recojáis todo vuestro antiguo valor y que os soseguéis, pues semejante agitación puede dañaros infinito.

Y al acabar estas palabras, se salió del aposento llevándose consigo al señor de Arganza. Separóse de él un instante para disponer una bebida con que pensaba templar la calentura de la enferma aquella noche y en seguida volvió al lado del acongojado viejo.

—¿Cuál es vuestro pensamiento? le preguntó.

—El de emprender la marcha al instante, le respondió don Alonso, pero quisiera que vuestro prelado viniese a hacer el oficio de padre con mi desdichada hija, que va a quedar por algún tiempo en la mayor orfandad y desamparo. ¿Creéis que su vista no empeore su estado, trayéndole a la memoria imágenes dolorosas?

—Todo lo contrario, respondió el monje, antes es preciso amortiguar el crudo golpe que ha recibido hoy, borrándolo en lo posible de su imaginación. Así que, no sólo debe venir el abad, sino don Álvaro también y muy en breve, porque tal vez su presencia valga harto más que todos mis remedios.

—Sí, sí, sin perder tiempo, respondió don Alonso llamando con una especie de silbato de plata.

Al punto se presentó el cazador Nuño.

—¿Se ha ido ya el mensajero de Bembibre?[369] le preguntó su amo.

—No, señor, respondió el viejo con aire de taco,[370] sin duda aguardará por las albricias de las buenas nuevas que ha traído.

—No importa, respondió don Alonso, tráele inmediatamente a mi presencia.

El criado salió murmurando entre dientes y su señor, sentándose aceleradamente a un bufete, escribió una carta muy encarecida al abad encargándole la pronta venida en compañía de don Álvaro. Justamente acababa de cerrarla, cuando se presentó el mensajero.

—Malas nuevas has traído, amigo, le dijo el señor de Arganza.

—¡Ah, señor! respondió el hombre con el acento de la sinceridad, harto me pesa, y si yo hubiera sabido cuáles eran, otro hubiera tenido que ser el portador.

—No importa, repuso don Alonso, ahí tienes esas monedas por tu viaje, pero di, ¿vienes bien montado?

—Una yegua traigo más ligera que el pensamiento, respondió el correo muy alegre de verse tan generosamente recompensado.

—Pues es preciso que pongas a prueba su ligereza para llegar a Bembibre al punto, y entregar esta carta al abad de Carracedo; que si la yegua se revienta yo te dejaré escoger entre las mías la que quieras.

Sin aguardar a más salió el soldado y desatando su cabalgadura y montando en ella de un salto, salió como un torbellino por el camino de Ponferrada, en donde se perdió muy en breve de vista.

A medida que fue entrando el día fue creciendo la calentura de doña Beatriz, y turbándose su conocimiento. Quejábase de dolor y opresión en el lado izquierdo y de una sed devoradora:[371] de cuando en cuando se quedaba

[369] Se trata del mensajero que trajo la carta. Era criado del abad de Carracedo, que residía entonces en Bembibre.
[370] Con aire displicente, igual que si fuera a soltar un taco.
[371] Probablemente dolores del propio Enrique Gil.

dormida, y entonces un sudor extraordinario venía por fin a despertarla. En estas alternativas pasó la tarde, hasta que entrando la noche, su respiración comenzó a ser más fatigosa y a tener ciertos intervalos de delirio, bebiendo con ansia indecible grandes porciones del cordial que la habían dispuesto.

Ni su padre ni el anciano religioso se apartaron sino muy contados instantes del aposento de la enferma, silenciosos ambos, aunque igualmente atentos, y haciendo, sin duda, las más tristes reflexiones sobre aquella vida marchitada en flor por el gusano roedor de la desdicha. A cada frase de las varias incoherentes que se escapaban de sus labios, don Alonso se acercaba como si oyese pronunciar su nombre, pero o callaba en seguida, o después de echarle una mirada errante y distraída se volvía del lado opuesto, unas veces lanzando un suspiro y otras sonriéndose de una manera particular. El desventurado padre se apartaba entonces meneando tristemente la cabeza, y sentándose a un extremo de la estancia volvía a sus penosas reflexiones.

Como el insomnio y la aflicción acaloraban a un tiempo su cabeza, salió en una ocasión un momento al mirador de la quinta a respirar el aire exterior. Estaba muy entrada la noche, y la luna en la mitad del cielo parecía al mismo tiempo adormecida en el fondo del lago. Con su luz vaga y descolorida, los contornos de los montes y peñascos se aparecían extrañamente suavizados y como vestidos de un ligero vapor. No se movía ni un soplo de aire: los acentos de un ruiseñor que cantaba a lo lejos se perdían entre los ecos con una música de extremada armonía.

El señor de Arganza no pudo menos de sentir el profundo contraste que con los tormentos de su hija única formaba la calma de la naturaleza. Acordóse entonces de la predicción del abad de Carracedo, y de tal manera se perturbó su imaginación que se sentó trémulo y acongojado en un asiento, cuando de pronto le pareció oír como a la salida del pueblo de Carucedo un ruido que instantáneamente iba aumentándose. Un rápido vislumbre que salió por acaso de debajo de las encinas excitó más su curiosidad, y observando con cuidado vio que eran tres jinetes, dos de ellos con atavíos militares que venían costeando el lago con galope rápido y acompasado a un tiempo, y se encaminaban a la quinta. La luz de la luna, que no servía para distinguir más que los bultos, alumbró lo bastante cuando ya se acercaron para descubrir que el uno de ellos vestía el hábito blanco y negro de la Orden de San Bernardo. Don Alonso no pudo contener un grito de alegría y de sorpresa, y bajando la escalera precipitadamente fue a abrir por su misma mano la puerta al abad de Carracedo, que era el que llegaba acompañado de don Álvaro y de su escudero Millán.

—¡Ah, padre mío! le dijo el apesadumbrado señor arrojándose en sus brazos; no hace un instante que estaba pensando en vos. Vuestra predicción ha empezado a cumplirse de un modo espantoso, y mucho temo que no salga cierta del todo.

—No deis crédito a palabras, hijas de un ímpetu de cólera, le dijo el abad bondadosamente. Más alta que la vanidad de nuestra sabiduría está la bondad de Dios.

—¿Y vos también, noble don Álvaro? añadió don Alonso yéndose para el joven con los brazos abiertos. ¿De esta manera debíamos encontrarnos al cabo de tan alegres imaginaciones?

Entonces se le anudaron las palabras en la garganta, y don Álvaro sin desplegar los labios se apartó violentamente de él, volviendo las espaldas y metiéndose en la obscuridad para enjugarse las lágrimas de que estaban preñados sus párpados y sofocar sus sollozos. Todo quedó silencioso por un rato, si no es el caballo árabe de don Álvaro, que a pesar de la fatigosa jornada hería la tierra con el casco. Por fin, el noble huésped, sosegándose un poco, dijo a los recién venidos:

—No os esperaba hasta mañana, mis buenos amigos; pero en verdad que nunca pudo haber llegada más a tiempo.

—¿Eso creíais de nosotros? respondió el abad; ¡no permita el cielo que con esa tibieza acuda nunca a los menesterosos y afligidos! Desde que recibimos vuestra carta, no hemos cesado de caminar con la mayor diligencia, y aquí nos tenéis. ¿Pero nada nos decís de vuestra hija?

—Hace un momento que dormía, respondió don Alonso, si sueño puede llamarse el que en medio de tanta perturbación se disfruta. Venid, acerquémonos a su aposento para que la veáis si puede ser.

Al ruido de los caballos habían acudido algunos criados y uno de ellos, cogiendo una luz, los guió a la cámara de la enferma. Quedáronse los forasteros al dintel mientras don Alonso se informaba, pero al punto volvió por ellos y los hizo entrar.

Estaba doña Beatriz tendida en su lecho como sumergida en un angustioso letargo y las largas pestañas que guarnecían sus párpados daban a sus ojos cerrados una expresión extraordinaria. Aquella animación que la esperanza y alegría disipadas hacía tan pocas horas habían comenzado a derramar en su rostro, todavía no estaba borrada. En su frente pura y bien delineada se notaba una cierta contracción, indicio de su padecimiento, y la calentura había esmaltado sus mejillas con una especie de mancha encendida. Sus rizos largos y deshechos le caían por el cuello blanco como el de un cisne, y velaban su seno, de manera que a no ser por su resuello anheloso y por el vivo matiz de su rostro, cualquiera la hubiera tenido por una de aquellas figuras de mármol que vemos acostadas en los sepulcros antiguos de nuestras catedrales. Todavía no habían desaparecido las huellas de los antiguos males y las del nuevo comenzaban a marcarse profundamente, pero, sin embargo, estaba maravillosamente hermosa, no de otra suerte que si un reflejo celestial iluminase aquel semblante.

El abad, después de haberla mirado un instante, se puso a hablar en voz baja, pero con un gesto y expresión vehemente, con el religioso que la asistía, pero don Álvaro se quedó contemplándola con los ojos fijos. De repente exhaló un suspiro y luego, con una entonación fresca y purísima que participaba a un tiempo de la melancolía de la tórtola y la brillantez del ruiseñor, cantó sobre un aire del país el estribillo de una canción popular que decía:

Corazón, corazón mío.
Lleno de melancolía.
¿Cómo no estás tan alegre,
Como estabas algún día? [372]

Los ecos de aquella voz tan llena de sentimiento y de ternura quedaron vibrando en las bóvedas de la estancia, y como más de una vez sucede en los sueños, doña Beatriz se despertó al son de su propio canto. Don Álvaro, que vio abrirse sus hermosos ojos, como dos luceros hermanos que saliesen al mismo tiempo del seno de una nube, tuvo la bastante presencia de ánimo para esconderse al punto detrás de don Alonso y de Martina, temeroso de producir con su aparición una revolución fatal en la enferma; pero ya fuese que la acción le pareciese sospechosa, ya que su corazón le dijese a gritos quién era el que delante tenía, se incorporó en la cama con ligereza increíble, y como si quisiera atravesar con su mirada los cuerpos de su padre y de Martina para descubrir al que se ocultaba, preguntó con zozobra:

—¿Quién, quién es ése que así se recata de mis miradas?

El abad, poseído de los mismos temores, quiso hacer entonces la deshecha y presentándose de repente le dijo:

—Es un guerrero que me ha acompañado, doña Beatriz. ¿No me conocéis?

—¿Ah, sois vos, padre mío? contestó la joven asiendo su mano y llevándola a sus labios, pero ¿quién sino él os acompañaría a esta casa de la desdicha? prosiguió fijando los ojos en el mismo sitio.

La estatura aventajada de don Álvaro hacía que su casco coronado de un plumero se viese claramente por encima de la cabeza del señor de Arganza.

[372] Esta copla es probablemente auténtica de la región leonesa. E. Gil había hecho una colección de cantares populares leoneses de los cuales da una muestra bastante abundante en su artículo "Los montañeses de León".

—¡Él es! ¡él es! exclamó doña Beatriz con la mayor vehemencia; ése es el mismo yelmo y el mismo penacho que llevaba en la noche fatal de Villabuena. ¡Salid, salid, noble don Álvaro! ¡Oh, Dios mío, gracias mil, de que no me abandone en este trance de amargura!

—¡Ah señora! exclamó él presentándose de repente; ni en la ventura, ni en la desdicha, ni en la vida ni en la muerte os abandonará nunca mi corazón.

La joven, medio turbada aún por el delirio y sin seguir más impulsos que el de su corazón, se había inclinado como para echarle los brazos al cuello, pero al punto volvió en sí y se contuvo. Con la emoción se había quedado descolorida, pero entonces un vivo carmín esmaltó sus mejillas y hasta su cuello, y bajó los ojos.

—¡Cosa extraña! dijo después de un breve silencio: no hace mucho que soñaba que me arrebatabais del convento como aquella noche fatal, y que sin llegar al asilo que me teníais preparado, os despedíais de mí para siempre porque os íbais a la guerra de Castilla. Yo entonces me senté a la orilla del camino y me puse a cantar una endecha muy triste. Era un sueño como todos los míos, de separación y de muerte, pero he aquí que vos volvéis... ¿cómo habrá podido serme infiel mi corazón? ¿Qué quiere decir esta mudanza?

—¿Qué ha de decir, hija mía, respondió el abad, sino que el Señor que te prueba aparta ya de ti las horas malas? ¿No temblabas por la vida, por la honra y por la libertad de don Álvaro? pues aquí le tienes libre y más honrado que nunca. Aun el único estorbo que a tu felicidad se opone, desaparecerá sin duda muy en breve. ¿Cómo no esperas lo que todos para ti esperamos y nos afliges de esa suerte?

Doña Beatriz se sonrió entonces melancólicamente, y replicó:

—Mi pobre corazón ha recibido tantas heridas, que la esperanza se ha derramado de él como de una vasija quebrantada. Yo me las figuraba ya cicatrizadas, pero no estaban sino cerradas en falso, y con este golpe han vuelto a brotar sangre. ¡Tenga el cielo piedad de nosotros!

Volvió a quedarse todo en aquel profundo silencio que entristece, tanto como el mismo mal, las habitaciones de los enfermos, sin oírse más ruido que el de la anhelosa respiración de doña Beatriz. Ella fue la que volvió a romperlo, diciendo impetuosamente y como si sus palabras y determinación atropellasen por una gran lucha interior:

—¡Don Álvaro! no os partáis de aquí... ¿no es verdad que os quedaréis? ¿quién puede prohibíroslo? Yo os amo, es verdad, pero del mismo modo pudiera amaros un ángel del cielo, o vuestra madre si la tuviérais. ¡Pensad que mis palabras llegan a vos del país de las sombras y que no soy yo la que tenéis delante, sino mi imagen pintada en vuestra memoria! ¿Pero no me respondéis? decid ¿tendríais valor para abandonarme en este trance?...

—No, no, hija mía, repuso el abad apresuradamente, ni él ni yo nos apartaremos de tu lado hasta que tu padre vuelva de Francia con esa dispensa, prenda de tu alegría y gloria venidera.

—¿Con que perseveráis en esa penosa determinación sólo por el amor mío? exclamó ella clavando en su padre una dolorosa mirada en que se pintaban la duda y el abatimiento.

—Sí, respondió don Alonso, mañana mismo partiré, si tú no me quitas el valor con esa flaqueza indigna de tu sangre. Ánimo, Beatriz mía, pues que en tan buena compañía te dejo; que yo espero estar de vuelta antes de tres meses con lo único que puede tranquilizar a un tiempo tu corazón y mi conciencia: la libertad de don Álvaro.

El médico hizo ver entonces que una conversación tan larga y llena de agitación podía aumentar el acceso de doña Beatriz, y después de algunas palabras de ánimo y consuelo que la dirigieron el abad y su padre, se salieron todos de la habitación, menos el anciano monje y Martina. Don Álvaro no dijo ni escuchó una sola palabra, pero los ojos de entrambos hablaron un lenguaje harto más elocuente al despedirse.

Cualesquiera que fuesen los recelos que doña Beatriz tuviese de su fatal estado, por entonces una sola idea la ocupaba y era que no se vería privada de la vista de don

Álvaro. Poco podía servir para sanar los males de su cuerpo, pero era un bálsamo celestial para su espíritu y su influencia fue tan suave y benéfica, que, como más de una vez sucede con las imaginaciones fogosas, bastó para alterar favorablemente el curso de la enfermedad y proporcionarle más descanso del que pudiera esperarse de aquella noche.

CAPÍTULO XXXVI

Al día siguiente muy temprano, y cuando su hija descansaba todavía, salió el señor de Arganza para Francia, sin más que el viejo Nuño y otro criado. Ambos entrados en años, y por consiguiente quebrantados, estaban sostenidos sin embargo por un mismo sentimiento, que si en el uno se podía explicar por el arrepentimiento y ternura paternal, en el otro venía a ser lealtad acendrada, y en entrambos ciega inclinación a aquella joven digna de mejor suerte. No quiso don Alonso despedirse de ella, siguiendo el cuerdo consejo del físico, para no agitarla más con una escena siempre triste, pero en aquella ocasión mucho más. Así, pues, la partida se verificó a las calladas, acompañando al viajero el abad y el señor de Bembibre un buen trecho de camino. Cuando hubieron de separarse, don Alonso los abrazó estrechamente, encargándoles el cuidado con su hija querida, y sobre todo que distrajesen su ánimo de las fúnebres ideas que lo obscurecían. Así se lo prometieron entrambos, y despidiéndose con pesadumbre, continuó el uno su viaje y dieron los otros la vuelta hacia la quinta.

Doña Beatriz, rendida con las emociones de aquella noche, se había quedado profundamente dormida cerca del amanecer, y aunque los síntomas constantes de su enfermedad no daban a su sueño aquel descanso inapreciable, medicina de tantos males, sin embargo le permitían una blanda tregua con ellos. Justamente al entrar don Álvaro y el abad la despertó el relincho de Almanzor, y tendiendo la vista al rededor, echó menos la fisonomía de su padre. Preguntó al punto por él, y Martina salió como en su busca, pero en su lugar entró el abad de Carracedo. Doña Beatriz comprendió al punto lo que era, y su semblante se cubrió de una nube, pero el anciano, con gran prudencia y con la persuasiva autoridad que dan los años, la consoló poniéndola delante los prontos y felices resultados que de aquella separación podían venir. Doña Beatriz le escuchó sin muestra alguna de impaciencia y sin responder una palabra, pero cuando el viejo acabó su discurso, exhaló un suspiro que salía de lo íntimo de su corazón y quería decir: "Todo ese bien que me prometéis llegará tarde." En seguida llamó a Martina, y dijo que quería levantarse. El físico no se opuso, y al poco tiempo ya estaba en pie.

Su palidez era extraordinaria, pues la excitación del delirio y de la calentura de la noche anterior había cedido el puesto a una debilidad y decaimiento fatales. Sólo cuando don Álvaro se presentó delante de ella sus mejillas se sonrosearon ligeramente, y al oír su voz grave y varonil como siempre, pero como siempre también tierna y apasionada, pareció extenderse por todo su cuerpo un estremecimiento eléctrico. Habíale mirado con ansia la noche anterior, pero el velo que extendía la calentura delante de sus ojos y la escasa luz que alumbraba el aposento no le permitieron ver aquellas facciones a un tiempo armoniosas y expresivas, las primeras y únicas que se habían impreso en su alma. Entonces pudo satisfacer su deseo a la claridad del día, pero con una impresión semejante a la que su vista había producido en don Álvaro. Ningún síntoma de enfermedad se advertía en su noble semblante, pero el pesar había comenzado a surcar su frente; sus ojos garzos [373] habían perdido su serenidad antigua, hundiéndose un tanto en las cuencas, y revistiéndose de una mirada sombría. Había perdido además el color, y en los contor-

373 Inadvertencia del autor. Don Álvaro, en el capítulo II (p. 78 y nota 51), tiene los ojos y cabellos castaños.

nos del cuerpo se notaba asimismo cierta flacura, hija de las desdichas y meditaciones.

Cuanto hemos dicho con tantas palabras, notó doña Beatriz con sola una ojeada; pero, sin embargo, nunca le pareció don Álvaro tan hermoso. Es cierto que nada había perdido de su antigua apostura y gallardía, y que en su porte y modales se advertía un no sé qué de austero y elevado que imponía respeto.

Apoyada en su brazo y en el del abad, bajó doña Beatriz la escalera que conducía al jardín con ánimo de sentarse a la sombra de un emparrado y cerca de un toldo de jazmines. Todas las flores estaban abiertas, y un enjambre de abejas doradas, zumbando por entre ellas, libaban sus cálices para precipitarse en seguida hacia unas colmenas que estaban en el fondo. Las calles y cuadros presentaban un interminable arabesco de matices vivísimos; las paredes estaban entapizadas de pasionaria y enredaderas, y una fuente que brotaba en el medio, tenía una corona de violetas [374] que asomaban entre el césped su morada cabeza.

La joven, que a pesar de bajar casi en brazos la escalera, sa había fatigado mucho, no pudo resistir aquel ambiente tibio y cargado de perfumes que la ahogaba. La lozanía misma de las flores y la juventud pomposa de la naturaleza, formaban en su alma doloroso contraste con la marchita flor de sus años y su exánime juventud. Inmediatamente, pues, la trasladaron a la falúa que al pie del muelle aguardaba. Entraron al punto los remeros, y desamarrándola, comenzaron a surcar la azulada llanura.

La brisa fresca del lago reanimó un poco a doña Beatriz. Habíase recostado en la popa sobre unos cojines de seda con un decaimiento y abandono que bien daban a entender la postración de sus fuerzas. El abad, viéndola un poco más sosegada, sacó el libro de horas, y yéndose a sentar en el extremo opuesto de la embarcación, comenzó a rezar. Don Álvaro, en pie, delante de ella, la contem-

[374] Se puede buscar una relación entre este trozo y el famosísimo poema de E. Gil: *La violeta.*

plaba con ojos inquietos y vagarosos, mientras los suyos fijos en el espejo de las aguas, seguían como en éxtasis sus blandas ondulaciones. Alzólos por fin para mirarle, y clavándolos en los suyos, le hizo señas con la mano para que viniese a sentarse a su lado. Obedeció él silenciosamente, y entonces la joven le dijo asiéndole la mano:

—Ahora estoy más sosegada, y puedo hablaros. Gracias a Dios, estamos solos: oídme, pues, porque tengo sobre mi corazón hace ya mucho tiempo un peso que me agobia. Acercaos más. ¿No es verdad que alguna vez os habéis dicho: "La mujer a quien yo amaba ha sido la esposa de un hombre indigno de ella, su aliento ha empañado su frente, yo me la figuraba semejante a la azucena de un valle a quien no tocan ni los vientos de la noche; pero he aquí que cuando yo la encuentro está ya separada de la planta paterna, y sus hojas sin aroma y sin lustre"? [375] ¿No os habéis dicho esto algunas veces?

Don Álvaro calló en lugar de responder, y no alzó los ojos del suelo. Entonces doña Beatriz, después de haber guardado por un rato el mismo silencio, sacó del seno una cartera de seda verde, y le dijo:

—Os había comprendido, porque hace tanto tiempo que laten nuestros corazones a compás, que ningún movimiento del vuestro puede serme desconocido. Pero vos... ¡vos no habéis leído en mi alma! le dijo con acento sentido y casi colérico.

Don Álvaro entonces levantó los ojos, mirándola con ademán suplicante, pero ella le impuso silencio con la mano, y continuó:

—No os lo echo en cara, porque sobradas desdichas han caído sobre vuestra cabeza por amor de esta infeliz mujer, y sólo ellas han podido quebrantar la fe de vuestro noble corazón. Tomad esta cartera, le dijo en seguida alargándosela, y con ella aclararéis vuestras dudas.

—¡Ah! ¡no tengo ningunas! ¡ningunas! exclamó don Álvaro sin recogerla.

[375] Tantos rodeos para expresar una cosa tan sencilla muestra a las claras el ambiente pudibundo de la época.

—Tomadla, sin embargo, repuso ella, porque dentro de poco será cuanto os quede de mí. No me miréis con esos ojos desencajados, ni me interrumpáis. Pensad que sois hombre y una de las más valerosas lanzas de la cristiandad, y conformaos con los decretos del cielo. En esa cartera escribía yo mis pensamientos y aun mis desvaríos, para vos la destinaba, recibidla, pues, de mis manos, como la hubierais recibido de las de mi confesor.

—¡Ah, señora! ¿cómo abrigáis semejantes ideas, cuando vuestro padre va a volver sin duda alguna, y con él los días de la primavera de nuestro amor?

—Mi padre volverá tarde, respondió ella con acento profundo, volverá sólo para confiar a la tierra los despojos de su hija única y morir después. Antes de este último y fiero golpe la savia de la vida volvía a correr por estos miembros marchitos, pero ahora se ha secado del todo.

El abad, que acabó entonces su rezo, se acercó a ellos e interrumpió la conversación. Doña Beatriz, oprimida por ella y quebrantada por el esfuerzo que acababa de hacer, se mantuvo taciturna y abismada en sus dolorosas reflexiones. Don Álvaro, trastornado por aquella escena terrible, que acababa de levantar el velo de la realidad, guardaba también silencio apretando convulsivamente entre sus manos y contra su corazón la cartera verde, y el abad, por su parte, respetando la pena de entrambos, no pronunció una sola palabra. De esta suerte cruzaron el lago hasta la ensenada de la quinta, donde saltando en tierra, volvieron a subir en brazos a la joven. Era ya anochecido y significó su deseo de quedarse a solas con su criada, con lo cual los dos se despidieron de ella, retirándose a sus estancias respectivas.

No bien se vio don Álvaro en la suya, cuando cerrando la puerta y acercándose a un bufete en el cual ardían dos bujías, abrió la fatal cartera y comenzó a leer ansiosamente sus hojas. Estaba señalada la primera con aquel versículo melancólico que, según dijimos en otro lugar, venía a servir de epígrafe a aquellas desordenadas y tristísimas memorias: *Vigilavi et factus sum sicut passer solitarius in tecto.*[376] Don Álvaro, después de haberlo leído, lo repitió maquinalmente. En tan breves palabras estaba encerrada su vida y la de doña Beatriz, con su continuo desvelo, su soledad y su esperanza siempre burlada. ¡Cuántas veces se habrían fijado en aquellos caracteres los ojos llorosos de aquella infeliz y hermosa criatura!... Don Álvaro pasó adelante, y volviendo la hoja encontró este pasaje:

"Cuando me dijeron que *él* había muerto, pasadas las primeras congojas del dolor, me pareció oír una voz que me llamaba desde el cielo y me decía: 'Beatriz, Beatriz, ¿qué haces en ese valle de obscuridad y llanto?' Yo pensé que era la suya, pero después he visto que vivía; sin embargo, la voz ha seguido llamándome entre sueños, y cada vez con más dulzura. ¿Qué me querrá decir? Mucho se ha debilitado mi salud, y moriré joven sin duda alguna."

En otra hoja decía así:

"¡Qué contenta cerró los ojos mi pobre madre cuando me vio esposa del conde! Ella igualaba su corazón con el mío y esperaba para mí un porvenir de gloria y de ventura; pero ¿qué esperaba su hija?, la paz de los muertos, y aun por eso alargó su mano." ... ...
... ...
"Más se tarda la muerte de lo que yo me imaginaba, y sin embargo, soy más dichosa de lo que pude esperar. ¡Rara felicidad la mía! Antes de mis tristes bodas llamé aparte al que iba a ser mi esposo y le exigí palabra de que me respetaría todo el año que le había ofrecido a *él* aguardarle, cuando se partió a la guerra de Castilla. Así me lo prometió y me lo ha cumplido, porque como no me ama, se ha contentado con la esperanza de mis riquezas y el poder que le da este enlace sin solicitar mi corazón, ni mucho menos mis caricias. Así moriré como he vivido, pura y digna del único hombre que me ha amado. Para él escribo estos renglones: ¿pero quién sabe si llegarán a sus manos? ¿Quién sabe si se los llevará el viento como las

[376] V. nota 328 del cap. XXIX (*Salmo* 101-8). El uso que hace E. Gil de la Sagrada Escritura concuerda con las ideas de Chateaubriand en el *Génie du Christianisme.*

hojas de los árboles que veo pasar por encima de las torres del monasterio? ¡Más apriesa arrebatará quizá el soplo de la muerte las escasas galas que le quedan al árbol de mi juventud! ¡Pobre padre mío, qué terriblemente habrá de despertar de sus sueños de grandeza."

Venía después un versículo del libro de Job, que decía: *"Ecce nunc in pulvere dormiam, et si mane me quesieris, non subsistam!"* [377]

Y en la página siguiente esta estrofa dolorosa:

"La flor del alma su fragancia pierde;
Por lo de ayer el corazón suspira.
Cae de los campos su corona verde:
¡Lágrimas sólo quedan a la lira!!" [378]

Don Álvaro pasó unas cuantas hojas, y encontró con una que decía:

"Heme en fin, viuda y libre; mis lazos están sueltos, pero ¿quién desatará los de *él*? La suerte de la Orden me inspira vivísimos temores. ¿Quién sabe si mi amor le traerá la muerte y la deshonra? ¡Oh, Dios mío! ¿por qué mi corazón ha de esparcir la desdicha por todas partes?

... ...

¡Por fin va preso con todos sus nobles compañeros, y se presentará a los jueces como un salteador de caminos! ¿Qué va a ser de ellos? Esta noche he tenido una hoguera voraz dentro del pecho: una sed mortal me devoraba, y en la ilusión de mi calentura me parecía que todos los riachuelos y fuentes de este país corrían con murmullo dulcísimo por detrás de mi cabecera. No he querido despertar a Martina, porque dormía sosegadamente, aunque su corazón está en otra parte, como el mío. ¿En qué puede consistir semejante diferencia? En que ella ama y espera, ¡y yo amo y me muero!"

Don Álvaro recorrió otros pasajes, en que la agonía que

[377] *Job,* 7-21: "Pronto dormiré en el polvo y si mañana me buscas, ¡ya no estaré!"

[378] Esta estrofa es composición de E. Gil.

experimentaba por su suerte estaba trazada con rasgos de suma angustia y desconsuelo. Por fin, después de tantas ansias y congojas, venía el siguiente pasaje:

"¡Oh, cielo santo! ¡está absuelto de todas las acusaciones con todos los suyos!... ¡Pensé que me tiraba al agua para abrazar al mensajero que semejantes nuevas traía! Al cabo volverá, sí, volverá, no hay que dudarlo: ¿para qué se había de ataviar tan pomposamente la naturaleza con todas las galas de la primavera, sino para recibir a mi esposo? Bellas son estas arboledas mecidas por el viento, bellas estas montañas vestidas de verdura: puras y olorosas sus flores silvestres, y músico y cadencioso el rumor de sus manantiales y arroyuelos, pero al cabo son galas del mundo, ¡y yo tengo un cielo dentro de mi corazón! Yo saldré a buscarle con mi laúd en la mano, con mi cabeza cubierta del rocío de la noche y como la esposa de los Cantares, preguntaré a todos los caminantes: '¿En dónde está mi bien amado?' [379] ¡Ah! ¡yo estoy loca! ¡tanta alegría debiera matarme, y sin embargo la vida vuelve a mi corazón a torrentes, y me parece que la planta del cervatillo de las montañas sería menos veloz que la mía! Él me ponderaba de hermosa... ¿qué será ahora cuando vea en mis ojos un rayo del sol de la ventura, y en mi talle la gallardía de una azucena, vivificada por una lluvia bienhechora? ¡Oh, Dios mío, Dios mío!, para tamaña felicidad ¡escaso pago son tantas horas de soledad y de lágrimas! Si un paraíso había de ser el lugar de mi descanso, pocos eran los abrojos de que habéis sembrado mi camino."

... ...

Don Álvaro había podido leer, aunque conturbado y confuso, los anteriores pasajes, empapados en llanto y pesar, pero al llegar a éste, en que con tan vivos colores estaba bosquejada una dicha como el humo disipada, no fue ya dueño de los violentos arrebatos de su alma, y se dejó caer sobre su cama, rompiendo en amarguísimos sollozos. Por fin estaba solo, y nadie sino Dios era testigo

[379] "Yo saldré... bien amado?" Paráfrasis libre del *Cantar de los Cantares* (5,2-8; 5,6; 5,2; 5,6-8).

de su flaqueza; pero las lágrimas, que tanto alivian el corazón de las mujeres y los niños, son en los ojos de los hombres alquitrán y plomo derretido.

CAPÍTULO XXXVII

Los tristes pronósticos de doña Beatriz fueron cumpliéndose muy apriesa desde aquel día, y sus padecimientos físicos, unidos a los combates de su alma, empezaron a desmoronar visiblemente aquel cuerpo de tantas maneras minado y cuarteado. Las bellas y delicadas tintas de la salud, que otra vez habían vuelto a sonrosear aquel delicado rostro, digno de un ángel de Rafael, se trocaron poco a poco en la palidez de la cera, bien como vemos las nubes del ocaso perder sus vivos matices a medida que baja el sol. La morbidez suavísima de sus carnes, la bella ondulación de sus contornos, la gallardía de sus movimientos, que por algún tiempo obscurecidas bajo las sombras del dolor y la enfermedad, habían comenzado a florecer de nuevo, otra vez volvieron a marchitarse bajo el soplo del desengaño. Su forma se parecía más y más a la de una sombra, y lo único que en ella iba quedando era el reflejo de aquel alma divina, que brillaba en sus ojos y la iluminaba interiormente. La enfermedad que la consumía, lejos de tomar en ella ningún carácter repugnante, parecía que realzaba su resignación angelical y su dulzura sin ejemplo. Algunas veces, sin embargo, tomaban sus ideas cierto sabor amargo, que revelaba el vigor que bajo tanta mansedumbre se escondía, y el fuego encendido bajo tantos escombros y ceniza. Era realmente un infernal martirio ver llegar a pasos medidos la callada sombra de la muerte, cuando la esperanza, el amor, la paz y el sosiego doméstico, el noble orgullo de llevar un nombre ilustre, las riquezas, la juventud, la hermosura, cuanto puede embellecer y sublimar la vida, venía a dar precio a la suya. No obstante, su piedad, su carácter elevado y los mismos hábitos melancólicos de su espíritu disipaban fácilmente estos tumultuosos movimientos, y al momento volvían sus ideas a su curso ordinario.

En aquellos días fatales su amor a la naturaleza subió de punto, y su ansia por contemplar las hermosas escenas de aquellos alrededores era extraordinaria. [380] Fatigábale la cama terriblemente, pero como de puro postrada no podía dar un paso, sus paseos eran siempre en falúa, cuyo movimiento era lo único que podía sobrellevar. [381] Así, pues, se pasaba horas enteras cruzando las aguas del lago, unas veces contemplando sus orillas con una especie de arrobo, otras siguiendo con la vista las bandadas de lavancos que nadaban a lo lejos en ordenados escuadrones, y casi siempre abismada en sus propios pensamientos. De cuando en cuando alzaba la vista para mirar el camino por donde su padre había partido, por ver si en lo alto de la cuesta de Borrenes [382] resplandecían sus armas, y al ruido de las yeguas de los aldeanos que pasaban por la orilla se volvía con una especie de estremecimiento, imaginando oír las herraduras del caballo de don Alonso.

Don Álvaro y el venerable abad no dejaban de acompañarla ni un solo instante en aquellos melancólicos paseos, observando con espanto el progreso rápido del mal y el decaimiento cada día mayor de la desdichada. Don Álvaro, clavados casi siempre sus ojos en los suyos, parecía respirar con la misma congoja y ahogo que si su pecho estuviese atacado de la misma enfermedad. Doña Beatriz, siempre que se encontraba con aquella mirada apasionada y terrible a un mismo tiempo, apartaba la suya, bañados en lágrimas sus párpados. Las palabras eran escasas, pues a tal punto habían venido las fuerzas de la enferma, que el anciano médico había encargado el posible silencio.

[380] Otro punto común con el autor.

[381] Indica E. Gil en su *Diario de viaje* (BAE, t. 74, pp. 359-399) que el modo de locomoción que mejor le conviene es el barco, ya que la diligencia le ocasiona vómitos.

[382] *Borrenes*: en la actual carretera nacional 120, entre Ponferrada y Carucedo, a unos 15 kilómetros de Ponferrada.

Tanto él como la enferma conocían harto bien la inutilidad de semejantes paliativos, pero el uno por no dejar medio alguno de que echar mano, y la otra por no afligir a personas tan queridas, se conformaban con ellos. De esta suerte reducidos los dos amantes al lenguaje de los ojos, las almas que parecían salirse por ellos, volaban una al encuentro de otra como si quisieran confundirse en el mismo rayo de luz que para comunicarse les servía.

Por fin, llegó a tanto la postración de doña Beatriz que pasó en la cama una porción de días sin manifestar deseo de levantarse, y como sumida en un desvarío que parecía enajenar su razón. Al cabo de ellos cerca de la caída de la tarde, se reanimó de una manera desusada y abriendo sus hermosos ojos más brillantes aún que de costumbre, dijo con voz entera y gran rapidez:

—¡Martina! ¡Martina! ¿dónde estás?

—Aquí, señora, contestó la muchacha casi sobresaltada de aquel súbito recobro, aquí estoy, siempre a vuestro lado: ¿dónde queríais que estuviese?

—¡Siempre así, pobre muchacha, y sin que tu amor mismo te aparte de mi cabecera! exclamó doña Beatriz mirándola con ternura.

—¡Ah, señora! dejad eso; yo no pienso sino en vos y en veros buena, ¿qué queríais que con tanta priesa me llamabais? Me parece que os sentís más animada, ¿no es verdad?

—Sí, sí, tráeme mi vestido blanco, porque quiero pasearme por el lago. Estoy mejor, mucho mejor; y el día me parece hermosísimo. ¡Vos aquí también, don Álvaro! ¡y vos, venerable padre! ¡Ah! me alegro en el alma porque con eso os veréis en parte pagados de tantos afanes y zozobras, como por mí habéis pasado.[383]

Don Álvaro y el abad como si saliesen de un sueño no sabían qué pensar de aquel tono casi festivo de doña Beatriz, y en particular el primero no acertaba a poner freno a las tumultuosas esperanzas que se levantaban en su corazón. El anciano médico al contrario no pudo con-

[383] Es frecuente, en los enfermos de tuberculosis, la súbita impresión de mejora en el momento que precede la muerte.

tener un gesto de dolor. Saliéronse los tres del aposento y en brevísimo espacio se aderezó doña Beatriz con su sencillez y gracia acostumbrada. Realmente parecían haberse aflojado las ligaduras del mal, pero así y todo, bajó la escalera casi en brazos de Martina y del señor de Bembibre. Cuando llegó a la góndola puso el pie en ella resueltamente, y en seguida fue a sentarse sobre los almohadones de brocado del fondo, no con el ademán doliente y abatido de otras veces, sino con extraño garbo y gentileza. Don Álvaro atento como nunca a sus menores ademanes, se quedó como de ordinario en pie delante de ella. El abad que había sorprendido el gesto de mal agüero del físico, se apartó con él al otro extremo de la ligera embarcación para interrogarle, y Martina por su parte se sentó junto a los remeros que sin aguardar a más hicieron volar la barca por la azulada espalda del lago, rápida y serena como una de las muchas aves que por allí nadaban.

Estaba el cielo cargado de nubes de nácar que los encendidos postreros rayos del sol orlaban de doradas bandas con vivos remates de fuego: las cumbres peladas y sombrías del Monte de los Caballos enlutaban el cristal del lago por el lado del norte, y en su extremidad occidental pasaban con fantasmagórico efecto los últimos resplandores de la tarde por entre las hojas de los castaños y nogales, reverberando allá en el fondo un pórtico aéreo, matizado de tintas espléndidas y enriquecido con una prolija y maravillosa crestería.

El lago iluminado por aquella luz tibia, tornasolada y fugaz, y enclavado en medio de aquel paisaje tan vago y melancólico, más que otra cosa parecía un camino anchuroso, encantado, místico y resplandeciente que en derechura guiaba a aquel cielo que tan claro se veía allá en su término. Por un efecto de la refracción de la luz, una ancha cinta de cambiantes y visos relumbrantes ceñía las orillas del lago, y la falúa parecía colgada entre dos abismos, como un águila que se para en mitad de su vuelo.

Con semejante escena el fugaz relámpago de alegría que había iluminado el alma de doña Beatriz, se disipó muy en breve. Siempre había dormido en lo más recóndito de su alma el germen de la melancolía producido por aquel deseo innato de lo que no tiene fin, por aquel encendido amor a lo desconocido que lanza los corazones generosos fuera de la ruindad y estrechez del mundo en busca de una belleza pura, eterna, inexplicable, memoria tal vez de otra patria mejor, quizá presentimiento de más alto destino. A este secreto y sobrehumano impulso había sacrificado doña Beatriz lo que más caro podía serle en el mundo, la libertad y el culto exterior que pensaba rendir a la memoria de su amante, cuando lo imaginaba muerto; sólo por presentarse algún día a los ojos de su madre adornada con la aureola del vencimiento de sí propia. Los azares de su vida, sus continuos vaivenes entre la esperanza y la desdicha, los dolores de su alma y de su cuerpo, y la perspectiva de una muerte próxima, presente por tanto tiempo a sus ojos, habían fecundado estas terribles semillas y ahondado más y más el cauce que la tristeza había labrado en su alma hasta trocarlo en un verdadero abismo, donde iban a parar todos sus pensamientos.

Por lo mismo la escena que se ofrecía a su vista, naturalmente engolfó su imaginación en aquel mar sin límites, donde bogaba hacía tanto tiempo. Por fin después de haber dirigido llorosas miradas al cielo, al lago, a las montañas lejanas y a aquella quinta donde tanto había aguardado y sufrido, como si de todos ellos se despidiera y tuviesen un alma para comprenderla, dijo al apenado caballero:

—Don Álvaro, ¿no véis cuán vanas son las alegrías de la tierra? ¿Quién nos dijera hace un año que nos habíamos de encontrar en estos escondidos parajes sólo para una eterna despedida?

El joven que con pesadumbre indecible había observado el rumbo que desde la salida de la quinta iban tomando sus ideas, le contestó:

—¿Es posible, doña Beatriz, que cuando comenzaba a fortaleceros vuestro antiguo valor, así le desechéis de vuestro pecho?

—¡Valor! respondió ella ¿y pensáis que necesito poco para dirigiros mis últimas palabras y apartarme de vos? ¡ved, sin embargo, quién me lo inspira! alzad la vista y veréis el cielo: mirad a vuestros pies y allí lo encontraréis también hermoso y puro. Encumbrad vuestro pensamiento a las alturas; bajad con él a la lobreguez del abismo y donde quiera encontraréis a Dios llenando la inmensidad con su presencia. Ésa, ésa es la fuente en donde yo ¡flaca mujer! bebo el aliento que me sustenta. ¿Os acordáis de las últimas palabras que me oísteis en el bosque de Arganza?

—¡Ah no, no! respondió él con el acento de la desesperación: yo no recuerdo sino las primeras que escuché de vuestros labios, cuando la vida se nos presentaba tan florida y dulce en el seno de un amor sin fin. ¿Sabéis lo que me representa mi memoria? pues no es más que eso sólo; ¿sabéis lo que me dice una voz secreta? que vuestro padre va a volver y que al cabo seréis mi esposa delante del cielo y de los hombres. ¡Mi esposa! ¡ah! si yo escuchara esa palabra de vuestros labios, saldría de las tinieblas mismas del sepulcro!

—¡Pobre don Álvaro! contestó ella con una ternura casi maternal ¿cómo esperáis tan pronto la vuelta de mi padre cuando ha poco más de dos meses que se partió para Francia? ¿pensáis que todos me aman como vos para buscar con tanto ahínco mi ventura?

—No acabéis con el poco valor que me anima, la interrumpió el joven, dudando de esa suerte de la providencia.

—No: repuso ella gravemente, antes le doy gracias porque así ahorrará a mi padre el espectáculo de mi muerte y a mí la desesperación para aquella hora suprema. Aun ahora que un obstáculo insuperable me aleja de vos, mi corazón se despedaza, y sólo una fuerza sobrehumana me sostiene; pero si las barreras hubiesen de caer en el instante de mi muerte, ¡oh! entonces el ángel bueno huiría espantado de mi cabecera y mi alma rabiosa y sombría se extraviaría en los senderos de la eternidad.

Durante esta plática tremenda se iba acercando la falúa a las encinas de la orilla bajo las cuales no hacía mucho tiempo se había aparecido Cosme Andrade como uno de aquellos ángeles que visitaban la cabaña de los patriarcas, cuando de repente el galope de tres caballos de guerra les hizo volver a todos los ojos hacia aquel sitio. Eran, en efecto, tres jinetes, de los cuales el más delantero, un poco mejor ataviado, indicaba ser el principal y los tres habiendo visto la falúa venían corriendo hacia ella por debajo de aquellos árboles venerables, dando gritos de contento y espoleando los corceles con ambos acicates. Doña Beatriz al oírlos, como si una mano invisible la sacase de su abatimiento con la presencia y voces de los forasteros, se puso en pie velozmente, y con ojos desencajados comenzó a mirarlos hasta que acercándose más y más lanzó un alarido de dolor a un tiempo y de alegría, y extendiendo los brazos hacia la orilla exclamó:

—¡Es mi padre! ¡mi padre querido!

—Sí, tu padre soy, hija de mi alma, contestó don Alonso, porque él era en efecto; tu padre que viene a cumplirte su promesa. ¡Mira, mira! añadió sacando del seno una cartera verde, aquí está la bula del papa, y en ella viene la fianza de tu felicidad.

—¡Misericordia divina! prorrumpió ella con un clamor tan descompasado que se oyó en las orillas más apartadas, y aterró a los circunstantes: ¡Misericordia divina! repitió torciéndose las manos; ¡la esperanza y la ventura ahora que voy a morir!!

Al acabar de pronunciar estas palabras y con el tremendo esfuerzo que de hacer acababa, una de las venas de su pecho tan débil ya y atormentado, se rompió, y un arroyo de sangre ardiente y espumosa vino a teñir sus labios descoloridos y su vestido blanco.[384] Asaltóla al mismo tiempo un recio desmayo con el cual cayó en brazos de su doncella y de don Álvaro, pero como todo ello fue obra de un instante, y el empuje comunicado a la góndola por los remeros era rapidísimo, tocó en la orilla, donde ya don Alonso estaba apeado, a tiempo que precipitándose hacia su hija se encontró bañado en su propia sangre. Con semejante cuadro se quedó como petrificado en medio del aboroto de todos, con la boca entreabierta, los brazos extendidos

[384] Este es el síntoma que ya no permite dudar de una tuberculosis pulmonar.

y los ojos clavados en aquel pedazo de su corazón por cuyo reposo y contento aunque tardíos, había hecho tan terribles sacrificios, y aquel mismo largo y penoso viaje de que acababa de apearse. Doña Beatriz sin dar más señal de vida que algunos hondos suspiros estaba con la cabeza doblada sobre el hombro de su desolada doncella y todo su cuerpo a manera de una madeja de seda, abandonado y sin brío. El anciano médico que con tanta prolijidad y amor la había asistido, después de observarla detenidamente, se acercó al abad y le dijo al oído, pero no tan paso que don Alonso no percibiese algo:

—Ya se acabó toda esperanza: ¡lo más que durará es un día!

—¡Infeliz padre! exclamó el abad volviéndose hacia don Alonso; pero con gran pesadumbre suya le encontró con el oído atento y a media vara de distancia.

—¡Todo lo he oído! le dijo con un acento que partía el corazón. ¿Lo véis? ¿lo véis cómo mi corazón no me engañaba cuando os decía que vuestra profecía de desastre se cumpliría al fin? ¡Oh hija mía, alegría de mi vejez y corona de mis canas! exclamó queriendo acercarse a ella, y forcejeando con el abad y los remeros que le detenían; ¿no pudo el Señor quitarme la vida en tantos combates con los moros, antes de venir a ser tu verdugo?

—¡Recobraos por Dios santo! le dijo el abad con ansia: poned un freno a vuestras quejas, si en algo la tenéis, porque pudiera oíros.

El desventurado padre calló al punto de miedo de agravar el estado de su hija, pero siguió sollozando con gran ahogo y congoja.

El deliquio era profundo; la noche comenzó a mostrar sus estrellas, y al cabo hubieron de volverse a la quinta en aquella barca, que según lo ligera y silenciosa que bogaba, no parecía sino el bajel de las almas.

En brevísimo espacio cruzaron el lago, y desembarcando apresuradamente, subieron a la señora, todavía desmayada, a su aposento, y la pusieron en su lecho.

Al fin, después de un buen rato, recobró, poco a poco, la vida que parecía haberse huido de aquel cuerpo fatigado, pero no la razón, extraviada con las visiones del delirio. La aparición de su padre, y la nueva que le había dado, eran la idea fija y dominante de su desvarío, unas veces alegre y risueña, y otras trágica y aflictiva, según las oscilaciones de su ánimo. Continuamente llamaba a don Álvaro y manifestaba una ansiedad grandísima a la idea de que pudiera ausentarse.

—¡Don Álvaro! exclamaba con la voz quebrada por la fatiga de la respiración, ¿dónde estás? háblame, ven, dame la mano. A nadie veo, a nadie conozco sino a ti, sin duda te veo con los ojos de mi corazón que a todas partes te sigue, como al sol el lucero de la tarde. ¿Me oyes, don Álvaro? [385]

—Sí, te oigo, exclamaba el joven con una voz que parecía salir de un sepulcro.

—¡Ah! ¡tanto mejor! reponía ella con el acento del regocijo, pero no te vayas, porque entonces quedaría sola del todo. Pero ¡loca de mí! ¿cómo te has de marchar, si me amas y eres mi esposo para siempre? Antes mañana me vestiré de gala para que me lleves al altar. ¡Oye! yo quiero que se den muchas, muchas limosnas, para que todos sean felices y nos bendigan. ¡Si vieras tú como me aman todos estos campesinos! ¡Mucho tiempo se pasará antes de que olviden mi memoria!... ¡Ah! dime, ¿y guardas la cartera que te di hace tanto tiempo? pues átale una piedra y arrójala al lago, porque aquellos renglones estaban mojados con mis lágrimas, y ahora ya no me quedan lágrimas, si no son las de alegría!

Fatigada entonces, calló por un rato, pero tomando sus ideas otro curso, dijo por último, apartando la ropa que la cubría:

—¡Quitadme esa ropa que me ahoga! abrid de par en par esas ventanas, y dejad entrar el aire de la noche, para que se temple este fuego que me abrasa el pecho... ¡Cielos! ¡qué pensamientos eran los míos hace un momen-

[385] Doña Beatriz tutea a don Álvaro. Probablemente porque ya nada la separa de él y también porque en tal momento se disipan las conveniencias sociales.

to, para olvidarme así de que estoy luchando con la agonía! ¡Miserable de mí! Allí viene mi padre corriendo... miradle, don Álvaro [386]... la alegría le ha rejuvenecido... ya llega... ¿qué es lo que saca del pecho?... ¡Ah! es tu libertad!... ¡suerte desapiadada!... morir ahora... no, no, don Álvaro, yo soy muy joven todavía, rica y hermosa a tus ojos, a pesar de mis lágrimas, ¿no es verdad?... ¡No, no, no es ésta mi hora, porque moriría impenitente y perdería mi alma!

Entonces se quedó de nuevo callada, pero con el rostro desemblantado, y los ojos fijos en la pared y haciendo con el cuerpo un movimiento hacia atrás, como si viese acercarse algo de que quisiese huir, hasta que por último lanzando un agudo chillido, y cubriéndose los ojos con una mano, mientras con la otra apretaba convulsivamente el brazo de su amante, exclamó con voz ronca:

—¡Ahí está! ¡ahí está! ¿no la véis cómo se llega paso a paso? ¡Ah! ¡libradme de ella! envolvedme en vuestro manto... ¡oh Dios mío! ¡de nada sirve, porque sus manos han pasado por él como si fuera de humo, y me aprietan el corazón! separádmelas de aquí, porque me ahogan, ¡ay de mí! no, dejadlas, que todo se acabó ya... ¡adiós!...

Y al decir esto, la acometió otro nuevo desfallecimiento.

En estas dolorosas alternativas, más crueles tal vez, para los que la rodeaban, que para ella propia, se pasó la noche entera. Hacia el amanecer volvió a quedarse como aletargada, según más de una vez le había acontecido, durante aquella terrible enfermedad que ya tocaba a su término.

CAPÍTULO XXXVIII

Deplorable era la situación de cuantos se encontraban debajo de aquel techo, señalado por blanco a las saetas

[386] Hay vacilación entre el tuteo y el voseo.

invisibles de la muerte, pero la de don Alonso era más desastrada que la de ninguno, peor aun que la del mismo don Álvaro. Desde que sin reparar en medios para lograr sus soñados planes de grandeza, había intentado la violencia de su hija única, en Villabuena, y consentido después en el sacrificio que su abnegación filial le había dictado en Arganza, la salud, la alegría y la honra, habían huido de su hogar; como si por un decreto del cielo, el castigo siguiese inmediatamente a la culpa, sin darle siquiera respiro para saborear sus terribles frutos. A la muerte de su esposa, siguió la entrevista fatal del soto de su casa, en que cayó la venda de sus ojos, y en seguida, como en un negro turbión, vinieron los desastres de Cornatel, las dudas e incertidumbres de la causa de los Templarios y el desenlace fatal del caso de don Álvaro. Cuadro tristísimo, cuyo fondo ocupaban las torturas de doña Beatriz, y lo amargo de sus remordimientos.

Deseoso de purificar su alma y sin más pensamiento que el contento y la salud de aquella última prenda de su amor y su esperanza, había emprendido su largo viaje a Viena del Delfinado, con una diligencia y ardor incompatible al parecer con su avanzada edad. Allí sin dejarse vencer de los muchos obstáculos que le oponían la malevolencia de la Corte de Francia y el triste giro que la debilidad y cobardía del papa había dado a aquel ruidoso proceso, se arrojó a los pies de Clemente, le habló de la mucha sangre que habían vertido en defensa de la fe los suyos, presentó al rey Felipe las cartas que llevaba de don Juan de Lara estimado de él por su poderío y por haberle dado hospedaje, cuando anduvo extrañado de Castilla [387] y logró ser oído con benevolencia.

Dos cosas se concertaron en su favor además que no le ayudaron poco en sus propósitos. Fue la primera el aniquilamiento total de la pujanza del Temple en Europa, pues sus guerreros donde no condenados, estaban presos y desarmados; y la segunda la llegada de Aymerico, el in-

[387] Así en la *Crónica de don Fernando IV,* caps. IV y VI (BAE, t. 66, p. 115ab).

quisidor del concilio de Salamanca, que después de haber obrado al tenor de las instrucciones de la sede romana, venía resuelto a cumplir la palabra dada al abad de Carracedo y a los obispos y a seguir el impulso de su corazón que a despecho de sus muchas prevenciones contra el Temple se había aficionado a la bizarría y caballerosidad de don Álvaro durante el juicio. Cuanto había tenido de inflexible su conducta dictada por el rigor de la obediencia, tuvieron ahora de fervorosos sus servicios; así fue que disipados los recelos que el poder de aquella arrogante milicia había inspirado, y merced a la eficaz mediación de Aymerico, obtuvo el señor de Arganza la anhelada dispensa en tiempo infinitamente más breve del que buenamente pudiera esperar; con lo cual se le dobló el contento. Tal era su ansiedad por llegar él mismo con la dichosa nueva a los brazos de su hija, que en cortísimo espacio cruzó parte de la Francia y la España casi entera, llevado como en alas de la alegría, y enteramente olvidado del peso de los años. Cual fue el término de tan presuroso viaje ya lo vimos, pues la sangre del corazón de doña Beatriz fue las rosas que alfombraron su camino, y el estertor de su agonía los festejos por su llegada. Tal había de ser el paradero de tantos esfuerzos, y sobre esto giraban sus desolados pensamientos mientras sentado a los pies de la cama de su hija aguardaba deshecho en llanto su postrer suspiro.

El reposo de la joven tuvo poco de largo y menos de sosegado, pero, tal como fue, bastó a disipar las nubes que obscurecían su razón para hacer más dolorosos de este modo sus postreros momentos y derramar al mismo tiempo un fulgor divino sobre la caída de aquel astro, en cuyos benéficos resplandores tantos infelices habían encontrado alivio y consuelo. Cuando abrió los ojos comenzaban a entrar por la entreabierta ventana las pálidas claridades del alba, junto con aquel ligero cefirillo que parece venir a despertar las plantas adormecidas antes de la salida del sol. En el jardín de la quinta gorjeaban jilgueros alegres, calandrias y un sin fin de pajarillos, y las flores abriendo sus cálices llenaban el aire de perfumes. Desde la cama de doña Beatriz se divisaba el oriente donde una porción de caprichosos celajes se coloreaban y esmaltaban con indecible pompa y esplendor, y casi todo el lago cuya trasparente llanura, reflejando los accidentes del cielo, parecía de oro líquido y encendida púrpura. Los lavancos y gallinetas revoloteaban tumultuosamente por su superficie levantando a veces el vuelo con alegres aunque ásperos graznidos, y precipitándose en seguida con sonoro ruido entre los juncos y espadañas. En suma, el día amanecía tan risueño y alegre que nadie pudiera creer que en medio de su claridad hubiera de eclipsarse una obra tan perfecta y hermosa.

Éste fue el espectáculo que encontraron al abrirse los ojos de doña Beatriz y en él se clavaron ávidamente. Tenían una especie de cerco ligeramente azulado al rededor, con lo cual resaltaban más los rayos que despedían: el semblante, aunque algo ajado, manifestaba la misma pureza de líneas y angelical armonía que en sus mejores tiempos.

—¡Hermoso día! exclamó en fin con voz melancólica, aunque bastante entera.

En seguida rodeó la estancia con la vista y viendo a todos desemblantados y la mayor parte llorosos a causa de las fatigas y dolorosas escenas de la noche anterior, y que con ojos espantados la miraban, las lágrimas se agolparon a sus párpados. Reprimiólas sin embargo con un esfuerzo de que sólo era capaz un alma de tan subido temple como la suya, y llamándolos con la mano en derredor de su cama, y asiendo la de su padre, le dijo con acento sosegado:

—Esta muerte que tan de súbito me coge en la primavera de mi vida, más me duele por vos, padre mío, por este noble y generoso don Álvaro y por todos estos buenos amigos que han puesto en mí su cariño, que no por mí. Al cabo hace más de un año que una voz secreta me está pronosticando este paradero, y aunque ayer lo sufrí con impaciencia queriendo volverme locamente aun contra el cielo, hoy que se han disipado las nieblas de mi entendimiento, con humildad me postro delante de la voluntad suprema. Ya lo véis, señor, qué pasajera es la luz de nuestros deseos y grandezas: ¿quién le dijera a mi madre que había de seguirla tan en breve? ¿Por qué habéis, pues, de acongojaros de ese modo, cuando vos mismo caminaréis muy pronto por mis huellas, adonde yo con mis hermanos y mi madre os salga a recibir para nunca más apartarnos de vos?

—¡Oh hija de mi dolor! exclamó el anciano; tú eras mi postrer esperanza en la tierra, pero no es tu temprano fin el que abreviará mis cortos días, sino la ponzoñosa memoria de mi falta. ¡Ah santo religioso, continuó volviéndose al abad, ved, ved cómo se cumple vuestra profecía! ¡Quiera el cielo perdonarme!

—¿Eso dudáis, padre mío?, continuó doña Beatriz, cuando yo no sólo os he perdonado, sino que lo he olvidado todo, y cuando este joven harto más infeliz que yo, os respeta y venera como yo misma. ¿No es verdad, noble don Álvaro? Acercaos, esposo mío en la muerte, venid a decírselo vos mismo para que el torcedor del remordimiento no atormente los escasos días que de vivir le quedan. ¿No es verdad que le perdonáis?

—Sí le perdono; ¡así me perdone Dios la desesperación que me va a traer vuestra muerte!

—¡La desesperación! le dijo ella como con asombro afectuoso, ¿y por qué así? Nuestro lecho nupcial es un sepulcro,[388] pero por eso nuestro amor durará la eternidad entera. ¡Ah don Álvaro! ¿esperabais mejor padrino para nuestras bodas que el Dios que va a recibirme en su seno? ¿concierto más dulce que el de las arpas de los ángeles? ¿cortejo más lucido que el coro de serafines que me aguarda? ¿templo más suntuoso que el empíreo? Si vuestros ojos estuviesen alumbrados como los míos por un rayo de la divina luz, seguro es que las lágrimas se secarían en ellos o que las que corriesen serían de agradecimiento.

[388] Pueden encontrarse orígenes de esta situación en *Hernani,* de V. Hugo (ac. V, sc. 6), y también en *Les Martyrs,* de Chateaubriand (liv. XX).

Hizo aquí una breve pausa durante la cual sus ojos se clavaron en los de su amante con expresión singular, y por fin le dijo:

—Leyendo estoy en ese corazón hidalgo como en un libro abierto. ¿No es verdad que querríais quedar en este mundo con el título de mi esposo? Vuestra alma me ha seguido por mi sendero de espinas y dolores, y ni aun en la muerte me abandona. ¡Ah! ¡gracias! ¡gracias!... Padre mío, añadió dirigiéndose al señor de Arganza, y vos, reverendo abad, sabed que yo también quiero comparecer ante el trono del eterno adornada de tan hermoso dictado. Unidnos, pues, antes que se apague la llama de mi vida.

El abad, aunque poseído de consternación, se acercó entonces y como para templar un poco su ardiente exaltación, le dijo cuán conveniente era que una confesión de entrambos precediese a tan augusta ceremonia.

—Tenéis razón, contestó ella; pero he aquí la mía, que bien puede decirse en alta voz. Yo he amado y sufrido: cuantos beneficios han estado en mi mano ésos he derramado: cuantas lágrimas he podido enjugar, ésas he enjugado: si alguna vez he odiado, sedme testigo de que me arrepiento y perdono.

—Otro tanto sé decir de mí, añadió don Álvaro; unos han sido nuestros sentimientos, una nuestra vida: ¡pluguiese al cielo que la muerte nos igualase del mismo modo!

Don Alonso hizo entonces una señal al abad para que se apresurase a dar fin a un acto que podía servir en cierto modo de alivio a entrambos, y el anciano juntó la mano poderosa de don Álvaro con la débil y casi trasparente de doña Beatriz, y con voz conmovida pronunció las palabras del sacramento, después de las cuales quedaron ya esposos ante el Dios que debía juzgar al uno de ellos dentro de pocas horas. Las reflexiones que en seguida les hizo, fueron bien diferentes de las que en tales casos se acostumbran, pero en lugar de hablarles del amor que podía dulcificar las amarguras de su vida, y hacerles más llevadero el camino del sepulcro, sólo les puso delante, las esperanzas de otro mundo mejor, lo deleznable de las terrenas felicidades y el premio inefable de la resignación y la virtud.

Acabada la sagrada ceremonia, y cual si hubiese sido un bálsamo para su llagado corazón, doña Beatriz quedó muy sosegada y serena. A nadie engañó, sin embargo, esta engañosa tregua de su enfermedad, y mucho menos a la llorosa Martina, que sobradamente penetrada del riesgo inminentísimo de su señora, no apartaba los ojos de ella, ni un punto. Advirtió la enferma su solicitud e inquietud dolorosa, y atrayéndola a sí por la mano, y enjugándole con la suya las lágrimas que la atribulada doncella no acertaba a contener, le dijo:

—¡Pobre muchacha, que eras más viva y alegre que el cabritillo que trisca por estos montes! Un año entero has pasado lleno de angustia y de pesares, sin que tu amor y tu fidelidad se hayan desmentido ni un instante. Tu felicidad me ha ocupado muchas veces, y ahora mismo quiero asegurártela por entero.

El llanto y los sollozos de la pobre niña se redoblaron entonces, y no pudo articular ni una sola palabra de agradecimiento.

—Padre mío, a vuestra liberalidad la encomiendo; mirad que he encontrado en ella toda la sumisión de una sierva, y el cariño de una hermana. Y vos, don Álvaro, dulce esposo mío, tomadla a ella y a su futuro marido bajo vuestro amparo, pues su lealtad y ternura hacia vos no han sido menores, y ya que el mundo no se ha puesto de por medio en el camino de su sencilla inclinación, gocen en paz una vida que tal vez hubiéramos gozado nosotros, si hubiéramos vestido su humilde hábito. Y vosotros, amigos míos, añadió dirigiéndose a los criados (porque todos habían acudido a aquella escena de dolor, y la presenciaban como si se les cayese las alas del corazón) fiel Nuño, honrado Mendo, a todos os doy las gracias por el amor que me habéis mostrado, y a todos os encomiendo igualmente a la generosidad de mi padre y de mi esposo.

Aquellas pobres gentes, y sobre todo las mujeres, rompieron en alaridos y llantos tales, que hubo que echarlos de la estancia para que no perturbasen a la señora en sus últimos instantes.

A medida que el sol iba subiendo, las ligeras nubes que había sembradas por el cielo, se disiparon, y por último, se quedó el firmamento tan azul y puro, que como en el *Ensueño* de Byron. "Dios solo se veía en medio de él." [389] El lago estaba terso y unido como un espejo, y sus riberas silenciosas y solas: los pájaros del jardín habían callado también, pero sus flores con el seno desabrochado a los ardientes rayos del sol, inundaban el aire de aromas, que llegaban hasta el lecho de doña Beatriz.

—¡Cuántas veces, le dijo a don Álvaro, habrás comparado mis mejillas a las rosas, mis labios al alelí, y mi talle a las azucenas que crecen en ese jardín! ¿Quién pudiera creer entonces que la flor de mi belleza y juventud se marchitaría antes que ellas! ¡Vana soberbia la de los pensamientos humanos! El hombre se figura rey de la naturaleza, y sin embargo, él solo no se reanima, ni florece con el soplo de la primavera.

La heredera de Arganza, lo mismo en medio de sus vasallos, que lejos de ellos, era la madre de los menesterosos y el ángel consolador de las familias: la noticia de su peligro, llenó por lo tanto de desolación los pueblos de Lago, Villarrando y Carucedo, de los cuales acudieron infinitas gentes a la quinta.

En una especie de plazuela que había delante de la puerta principal, se fueron juntando todos, y aunque se les encargó el silencio, era tal su ansiedad que no podían acallar un rumor sordo sobre el cual se alzaba de cuando en cuando un grito de alguno recién venido, y que ignoraba el encargo, o de otro que no podía reprimirse.

Poco tardó en percibirlo doña Beatriz, en cuyo corazón encontraban tanto eco todas las emociones puras, y no pudo menos de enternecerse con aquella muestra de cariño, tan sencilla y verdadera.

[389] Byron, *The dream*: "And they were canopied by the blue sky, / So cloudless, clear, and purely beautiful, / That God alone was to be seen in heaven."

—¡Pobres gentes, dijo conmovida; y cómo me pagan con creces el amor que les he mostrado! Cierto que me echarán menos más de una vez, pero éste es uno de los mayores consuelos que puedo recibir en este instante.

Entonces significó a su padre y al abad por más extenso las mandas y dádivas que en su nombre se habían de hacer, y manifestó al prelado con vivas expresiones su agradecimiento por su amor paternal nunca desmentido y lo mismo al anciano médico que en su larga enfermedad había mostrado un celo que sólo la caridad podía encender en su corazón entibiado por los años. Así mismo encargó con el mayor encarecimiento que la enterrasen en la capilla de la quinta, a orillas de aquel lago retirado y tranquilo tan lleno de memorias para su corazón.

No parecía sino que aquella existencia de tantos adorada pendía en aquella ocasión de uno de los rayos luminosos del sol, porque declinaba hacia su ocaso al compás del astro del día. Púsose éste por fin detrás de las montañas y entonces doña Beatriz levantando hacia él su lánguida mirada, dijo a su esposo:

—¿Os acordáis del día que os despedísteis de mí por primera vez en mi casa de Arganza? ¿Quién nos dijera que el mismo sol que alumbró nuestra primera separación, había de alumbrar en tan breve espacio la postrera? No obstante, la suerte se muestra más benigna conmigo en este instante, pues entonces me apartaba de vuestro lado y ahora de entre los brazos de mi esposo vuelo a los de Dios.

Al acabar estas palabras inclinó suavemente la cabeza sobre el hombro de don Álvaro, sin hacer extremo ni movimiento alguno, como acostumbraba en los frecuentes deliquios que padecía; pero pasado un rato, y viendo que no se sentía su respiración, la apartó de sí azorado. El cuerpo de la joven cayó entonces inanimado y con los ojos cerrados sobre la cama, porque sobre su hombro acababa de exhalar el último suspiro. ... ...
... ...

En la misma noche despachó correos el abad a Carracedo y al monasterio benedictino de San Pedro de Montes, y a la mañana siguiente acudieron un crecido número de monjes de entrambos, con lo cual pudo hacerse el entierro de la malograda joven con toda la suntuosidad correspondiente a su clase. Don Álvaro que desde que vio muerta a su esposa se encerró en un silencio pertinaz, se empeñó en acompañar su cadáver a la capilla. Durante el oficio estuvo tranquilo aunque echando de cuando en cuando miradas vagarosas al féretro y a la concurrencia, pero cuando llegó el caso de depositar en el sepulcro aquellos restos inanimados, dando un tremendo alarido se precipitó para arrojarse en él. Acudieron al punto los circunstantes y le detuvieron mal su grado. Viendo entonces burlado su intento se desasió de sus brazos y sin cesar en sus alaridos y con todas las trazas de un demente, corrió con planta ligera a emboscarse en lo más cerrado del monte a la parte de las Médulas. Su razón había sufrido un fiero golpe, y al cabo de algunos días, el fiel Millán le encontró en una de las galerías de las antiguas minas con el cabello descompuesto y la ropa desgarrada. Con gran maña lo restituyó a la quinta donde aplicándole muchos remedios, volvió pronto a su juicio al cabo de algunos días. En cuanto se vio libre de su acceso rogó que le dejasen bajar a la capilla, pero todos se opusieron fuertemente, temerosos de que la vista de aquel sepulcro, no bien cerrado, desatase otra vez la vena de su locura; sin embargo, tantas y tan concertadas fueron las razones que dio, que al cabo hubieron de dejarle cumplir aquel triste gusto. Arrodillóse sobre la sepultura y en oración ferviente pasó más de una hora: besó por último la losa y levantándose en seguida sin pronunciar palabra, ni hacer extremo alguno de dolor, se salió y montando en su arrogante caballo se partió de la quinta, sin despedirse de don Alonso y seguido de Millán y otros dos o tres criados más antiguos, que al rumor de su enfermedad y locura acudieron desalados a la quinta.

Apenas llegó a [Bembibre] hizo dejación de todos los bienes que poseía en feudo y mejorando considerablemente la herencia de su escudero, repartió lo demás entre sus criados y vasallos más pobres. Hecho esto, una mañana le buscaron por todo el castillo y no pareció: lo único que se había llevado consigo, era el bordón y sayal de peregrino de uno de sus antepasados que había ido a la Tierra Santa en aquel hábito, y para memoria se guardaba en una de las piezas del castillo. De aquí dedujeron unos que él también se habría encaminado a la Palestina, otros que no era allí sino a Santiago de Galicia donde iba con ánimo de quedarse en algún retirado monasterio de aquella tierra, y no faltó, por último, quien dijo que la locura había vuelto a apoderarse de él.

El señor de Arganza por su parte sobrevivió poco a su interesante y desdichada hija, como era de esperar de sus años y de su profunda aflicción. Con su muerte se extinguió aquella casa ilustre que pasó a unos parientes muy lejanos y quedó un vivo cuanto doloroso ejemplo de la vanidad de la ambición y de los peligros que suelen acompañar a la infracción de las leyes más dulces de la naturaleza.

CONCLUSIÓN

El manuscrito de que hemos sacado esta lamentable historia,[390] anda muy escaso en punto a noticias sobre el paradero de los demás personajes, en cuya suerte tal vez no faltarán lectores benévolos que se interesen. Por desgracia no pocos de ellos eran viejos cuando les conocimos, y así el manuscrito ya citado se contenta con decirnos que después de la extinción final del Temple que Clemente V decretó en el concilio de Viena, no por vía de sentencia, sino como providencia de buen gobierno, la mayor parte de los caballeros fueron destinados a monasterios de

[390] Casi nunca falta en las novelas históricas el recurso de un manuscrito encontrado por casualidad. Aquí tiene la originalidad de suponerse el descubrimiento al final de la novela.

diferentes órdenes,[391] y entre ellos el anciano maestre de Castilla don Rodrigo Yáñez vino a concluir sus breves días a Carracedo. Díjose, y no sin fundamento, que la desgracia de su sobrino añadida a los infinitos pesares que le había traído el triste fin de su Orden, acortó el hilo de su vida. El buen abad tardó poco en seguirle colmado de bendiciones por todos sus vasallos a quienes miraba como a hijos.

Por lo que hace al comendador Saldaña, fiel a su propósito, abandonó la Europa degenerada y cobarde, como siempre la llamaba, y pasó a la Siria donde acabó sus días en una revuelta de los cristianos oprimidos que acaudillaba. En resumen, el tal manuscrito no parece sino un libro de defunciones; porque, según él hasta el mismo Mendo el palafrenero, fue víctima de una apoplejía fulminante que le trajo su obesidad, cada vez mayor.

De la suerte posterior del señor de Bembibre, de la linda Martina, de Millán y de Nuño, nada más de lo que sabemos contenía; pero en el año pasado de 1842,[392] visitando en compañía de un amigo las montañas meridionales del Bierzo hicimos en el archivo del monasterio de San Pedro de Montes un hallazgo de grandísimo precio sobre el particular que nos aclaró todas nuestras dudas.[393] Era el tal

[391] Raynouard (*Monuments Historiques,* p. CIII) indica que el papa Juan XXII permitió a los antiguos Templarios ingresar en otras órdenes y ordenó que se les recibiese sin dificultad.

[392] Después de dicha excursión, escribió E. Gil su artículo III del *Bosquejo de un viaje.* La fecha indica que la conclusión del *Señor de Bembibre* se escribió en 1843.

[393] En realidad, el hallazgo no es de Gil, sino del padre Yepes, que encontró en un féretro de ermitaño (BAE, t. 124, p. 204a) un pergamino que llevaba la noticia: "Haec sunt uossa cuiusdem optimi viri eremitae qui vocabatur Alfonsus Petro, qui in hac montana vixit quadraginta annis, in maxima paenitentia et perpetua a carnibus abstinentia." Flórez (t. XVI, p. 36b) escribe a su vez: "Otra arca tiene los huesos de un ejemplar ermitaño que vivió en aquel desierto cuarenta años en suma penitencia y perpetua abstinencia de carne. Llamóse *Alfonso Pérez,* según expresa un pergamino que la arca tiene dentro." Es probable que el ejemplo de Alfonso Pérez dio a E. Gil la idea del desenlace de la novela.

una especie de códice antiguo escrito en latín por uno de los monjes de la casa, pero como los sucesos que en él se refieren exigen cierto conocimiento de los lugares, nuestros lectores pueden perdonarnos, mientras les enteramos de lo más preciso, haciéndose cargo de que habiendo tenido paciencia para seguirnos hasta aquí, bien pueden decir con el refrán vulgar "donde se fue el mar que se vayan las arenas."

El monasterio de San Pedro de Montes [394] es antiquísimo, pues se remonta su origen a San Fructuoso y San Valerio, santos ambos de la época gótica; y su restauración después de la invasión sarracénica pertenece a San Genadio, obispo de Astorga, cuya es la iglesia que aún en el día se conserva, con traza de durar no pocos años. Su situación en medio de las asperísimas sierras que ciñen el Bierzo por el lado de mediodía, revela bien el terrible ascetismo de sus fundadores, pues está montado sobre un precipicio que da al riachuelo Oza [395] y por todas partes le cercan montes altísimos, riscos inaccesibles y obscuros bosques. El rumor de aquel arroyo encerrado en su hondísimo y peñascoso cauce tiene un no sé qué de lastimero, y los pájaros que comúnmente se ven son las águilas y buitres que habitan en las rocas. El pico de la Aquiana cubierto de nieve durante siete u ocho meses y el más alto de todos los del Bierzo, domina el monasterio casi a vista de pájaro y dista poquísimo por el aire; pero son tales los derrumbaderos que por aquel lado lo cercan, que el camino para llegar allá tiene que serpentear en la ladera por espacio de más de una legua y tomar además grandes rodeos. Esta montaña es muy pelada, pero está cubierta de plantas medicinales y tiene en su misma cresta una ermita

[394] Ahora arruinado, este monasterio benedictino está situado al pie de la Aquiana. Vivían muchos ermitaños en sus contornos. La mayor parte de los datos procede de Flórez (t. XVI), y E. Gil describe la iglesia y el lugar en el *Bosquejo de un viaje,* III (v. Apéndice, p. 435). La descripción de la novela procede de la del *Bosquejo.*

[395] El Oza o Valdueza, es un río que desemboca en el Sil, en Toral de Merayo, cerca de Ponferrada.

medio enterrada a causa de las nieves y ventarrones, en que se adoraba hasta la extinción del monasterio, la imagen de Nuestra Señora de la Aquiana, cuya función se celebra el 15 de agosto y era concurridísima romería.[396]

La vista que desde aquella altísima eminencia se descubre es inmensa, pues domina la dilatada cuenca del Bierzo llena de accidentes a cual más pintorescos y hermosos, y desde allí se extiende la mirada hasta los tendidos llanos de Castilla por el lado de oriente y por el occidente hasta el valle de [Monterrey] semi adentro de Galicia. La Cabrera altísima y erizada de montañas le hace espalda, y es en suma uno de los puntos de vista más soberbios de que puede hacer alarde la España, a pesar de que el lago de Carucedo y los barrancos y picachos encarnados de las Médulas, adornos de los más raros y preciosos que el Bierzo tiene, desaparecen detrás de las vecinas rocas de Ferradillo. Éste, sin embargo, es pequeño inconveniente, porque están situadas a corta distancia de la ermita, y con un paseo se puede gozar de la perspectiva de entrambos objetos.

Hechas, pues, estas explicaciones que hemos juzgado necesarias, volvamos al códice latino cuyas palabras vamos a traducir fielmente haciendo antes una profunda cortesía a nuestros lectores en señal de despedida,[397] ya que después de ellas, nada podemos contarles de nuevo. Dice así:

"Por los años de 1320, ocho después que el santo padre Clemente V de santa memoria disolvió la Orden y caballería del Temple,[398] acaeció que un peregrino que volvía de visitar el Sepulcro del Salvador, mal perdido por los pecados de los fieles, apareció en la portería de esta santa casa, y habiendo pedido que le llevasen a la cámara del abad, así lo hicieron. Largo rato duró la plática con su

396 En 1960 se ha reanudado esta romería. La idea proviene precisamente del *Señor de Bembibre.*

397 Era entonces costumbre en el teatro, cuando una obra nueva recibía aplauso del público, pedir que saliera el autor. Como en otras partes, hay en esta novela, hasta en detalles tan nimios, fuerte influencia teatral.

398 1312.

reverencia, la cual al cabo vino a dar por resultado que el forastero de todo el mundo desconocido, tomase el santo hábito del glorioso patriarca San Benito a los dos días, con grande admiración de todos nosotros; pero el abad con quien, según oímos de sus labios, se había confesado el peregrino, pasó por encima de todos los trámites y requisitos acostumbrados para entrar en religión, y nos impuso silencio con la voz de su autoridad.[399] El nuevo monje podía tener como hasta treinta y dos años y era alto, bien dispuesto y de hermosas facciones, pero las penitencias, sin duda, y tal vez los disgustos le doblaban la edad al parecer. Era muy austero y taciturno, y su aire a veces parecía como de quien en el siglo había sido un poderoso de la tierra. Esto, sin embargo, no dañaba a la modestia y suavidad de trato que con todos usaba, si bien por muy poco tiempo disfrutamos el suyo.

Pocos días antes de su misteriosa llegada, había fallecido el ermitaño de la Aquiana,[400] santo varón muy dado a la penitencia, pero como la ermita está cubierta de nieve gran parte del año, y la cerca tan grande soledad y desamparo, ninguno se sentía con fuerzas para vida tan áspera y rigurosa. Como quiera, el nuevo religioso no bien se hubo enterado de lo más necesario al reciente estado, se partió con consentimiento del abad a morar en la ermita, dejando avergonzada nuestra flaqueza con su valerosa resolución. Era esto a principios del otoño cuando caen en aquella eminencia las primeras nieves, y nubarrones casi continuos comienzan a ceñirla como un ropaje flotante, pero sin arredrarse por eso, tomó posesión al punto de su nuevo cargo.

Los resplandores de su virtud y caridad no pudieron estar largo tiempo ocultos, y así, pronto se convirtió en el ídolo de la comarca. Partía con los pastores pobres su escasa ración de groseros alimentos, y cuando se arrecian

399 V. nota 391.

400 Abundaban los ermitaños en torno a Montes, pero la capilla de la Aquiana no sirvió nunca para tal propósito.

con el frío, les cedía la porción de vino que le daban en el convento y que sin duda sólo recibía con este objeto, pues nunca lo llegaba a los labios. Acontecía algunas veces que una res vacuna o alguna cabra se perdía a boca de noche en aquellas soledades, y él entonces a trueque de ahorrar a su dueño el disgusto de su pérdida, salía de la ermita pisando la nieve endurecida y la llevaba al pueblo a riesgo de ser devorado de los lobos, osos y otras alimañas de que tan gran abundancia se cría en estas breñas.

Con estas y otras buenas obras de tal manera se llevó tras sí el respeto y los corazones de esta gente sencilla, que sus palabras eran para ellos como las que Moisés oyó de boca del Señor en el monte Oreb.[401] Él los consolaba en sus aflicciones, componía sus diferencias, les daba instrucciones para sus cacerías como persona muy entendida, y era por fin, como la luz de estas obscuras y enriscadas asperezas.

Los fríos del invierno y el rigor de sus penitencias acabaron de destruir su salud ya quebrantada: así es que la dulce estación de la primavera no le restauró en manera alguna. Sin embargo, salía a menudo de la ermita, y paseando, aunque con trabajo, llegaba a las rocas de Ferradillo, desde donde se registran las cárcavas y pirámides de las Médulas, y el plácido y tranquilo lago de Carucedo. Allí se pasaba las horas como arrobado, y hasta que se declinaba el día casi nunca volvía a su estrecha celda. El abad, viendo cómo decaían sus fuerzas, le rogó repetidas veces que dejase vida tan penosa y bajase a recobrarse al monasterio, pero nunca lo pudo recabar de él.

Por fin, la noche antes de los idus de agosto (14),[402] víspera de la función de la virgen de la Aquiana, se oyó tocar a deshora la campana del ermitaño con gran priesa, como pidiendo socorro.[403] Alborotóse con esto no sólo la

401 *Éxodo,* cap. 17.

402 El autor, de un modo algo pueril, indica una fecha latina para dar a entender que traduce un códice latino.

403 Esta conclusión se parece mucho a la escena IX, jornada V del *Don Álvaro* del Duque de Rivas.

comunidad, sino el pueblo entero,[404] y apresuradamente subieron a la ermita; pero por priesa que se dieron, cuando llegaron los delanteros ya le encontraron muerto. Grandes llantos se hicieron sobre él, pero aunque registraron su pobre ajuar no encontraron sino una cartera destrozada, con una porción de páginas desatadas al parecer y sin concierto, llenas de doloridas razones y sembradas de algunas tristísimas endechas, por las cuales nada podían rastrear sobre el nombre y calidad del desconocido.

Al otro día, según dejamos dicho, era la romería de Nuestra Señora, y tanto para que recayesen sobre el difunto las oraciones de los fieles, cuanto por ver si había alguno que le conociese entre aquel numeroso concurso, lo pusieron en unas andas tendidas de negro a los pies de la ermita, amortajado con su propio hábito y con la cartera de seda encima.

Las gentes que vinieron aquel año fueron muchísimas, pero entre ellas llegó una familia que por el vistoso arreo de su traje llamaba la atención. Componíase de un anciano que pasaba ya de los sesenta; de un mozo como de treinta y dos, muy gallardo; de una mujer como de veinticinco, rubia, de ojos azules y tez blanca, de extraordinaria gracia y gentileza, que traía de la mano, después que se apearon de sus yeguas, una niña como de siete años, con una túnica blanca de lienzo y una gran vela de cera en la mano. La especie de mortaja que la cubría, la ofrenda que llevaba en la mano, y más que todo su color un poco quebrado, pero que en nada menguaba su hermosura de ángel, daban a conocer que venía con sus padres a cumplir algún voto hecho a la Virgen en acción de gracias, por haberla sacado de las garras de la muerte en alguna enfermedad no muy lejana. Era una familia en cuya vista se recreaba el ánimo involuntariamente, porque se conocía que la paz del corazón y los bienes de fortuna contribuían a hacerlos dichosos en este valle de lágrimas.

[404] Subsiste actualmente una aldea, pobrísima, alrededor de las ruinas del monasterio.

Los cuatro, pues, entraron en la ermita, y viendo tanta gente agolpada al rededor del muerto, se acercaron también, llevados a un tiempo de la curiosidad y de la piedad. Trabajo les costó romper el cerco de aldeanos para rodear aquel humilde ataúd, pero apenas llegaron a él los dos jóvenes esposos, cuando fijando ella la vista en la cartera y él en el semblante del muerto, se pintó en sus rostros a un mismo tiempo la sorpresa y el terror. Estaba la cartera muy descolorida, como si sobre ella hubiesen caído muchas gotas de agua, y el cadáver, como es uso entre los monjes, tenía cubierto el rostro hasta la barba con la capucha; pero así y todo, y con la seguridad que una voz interior [les] daba, abalanzóse él a descubrir la cara del muerto, y ella se apoderó con ansia de la cartera que comenzó a registrar.

—¡Virgen santísima de la Encina! exclamó la mujer dando un descompasado grito: ¡la cartera de mi pobre y querida ama doña Beatriz Ossorio!!

—Dios soberano, gritó él por su parte abrazándose estrechamente con el cadáver; ¡mi amo, mi generoso amo, el señor de Bembibre!!

—¿Quién decís? exclamó el viejo atropellado por la gente, ¿el esposo de aquel ángel del cielo que yo vi nacer y morir?

Los tres entonces asiéndose de las manos y del hábito del difunto, comenzaron un tierno y doloroso llanto en que muchos de los circunstantes conmovidos a vista del no pensado caso, no tardaron en acompañarles.

—Madre, preguntó la niña con los ojos llenos también de lágrimas y medio aturdida con lo que veía, ¿es éste aquel señor tan bueno de que hablas tantas veces con mi padre?

—Sí, Beatriz mía, hija de mi alma, exclamó su madre alzándola en sus brazos, ése es vuestro *(sic)* bienhechor. Besa, alma mía, besa el hábito de ese santo, porque si esta virgen divina te ha concedido la salud y guardádote a nuestro amor, fue porque él sin duda se lo pedía.

Los romeros entonces dijeron ser Nuño García, montero que había sido del señor [de] Arganza, Martina del Valle, camarera de su hija doña Beatriz, y Millán Rodríguez escudero y paje de lanza de don Álvaro Yáñez, señor de Bembibre que era el que allí muerto a la vista tenían. En esto llegó el abad de esta santa casa vestido con ropa de iglesia para bajar en procesión la santa imagen según era costumbre, y diciendo muchas palabras de consuelo a los afligidos criados, les aseguró ser cierto lo que veían y creían. Don Álvaro, según lo que contó, había ido a meterse fraile a un convento de la Tierra Santa, pero habiéndolo entrado los infieles a saco antes de cumplir el año del noviciado, fatigado del deseo de la patria, y atraído por la sepultura de su esposa, había venido a Montes donde había confiado todas estas cosas al abad bajo secreto de confesión, hasta que otro no descubriese su nombre.

Como quiera, el pesar que aquellas gentes recibieron, fue muy grande y aun Millán pidió que le dejasen llevar el cuerpo a Bembibre, pero el abad no lo consintió, así por no ir contra la voluntad expresa del difunto que quería ser enterrado entre sus hermanos, como porque creía que sus reliquias habían de traer bien a este monasterio. A los huéspedes los agasajó y regaló con mucho amor, y en especial al viejo Nuño, a quien vio afligidísimo el día del entierro de doña Beatriz, y cobró afición muy particular desde entonces por su lealtad. El pobre montero, viejo ya y sin familia, se vio desamparado de todo punto cuando se acabó la casa de su amo, dado que rico con sus mandas y larguezas, y se fue a vivir con Martina y Millán, en cuya casa pasaba los últimos años de su vida muy querido y estimado. Al cabo de dos días se volvieron todos a Bembibre, donde vivían bien y holgadamente colmados de regalos y finezas.

Tal fue este extraño suceso que me pareció conveniente asentar aquí, y que duró mucho tiempo en la memoria de estas gentes. De los ya nombrados criados, tengo oído decir a muchas personas que, aunque vivieron muy dichosos, rodeados de hijos muy hermosos y bien inclinados, y muy ricos para su clase, sin embargo, aun pasados muchos años, se les anublaban los ojos en lágrimas cuando recordaban el fin que tuvieron sus buenos amos, y sobre todo el señor de Bembibre.[405]

FIN

[405] Es recurso del teatro antiguo mentar el título de la obra en la última frase.

APÉNDICE

Damos a continuación varios textos que constituyen una verdadera preparación de las descripciones del *Señor de Bembibre.*

La mayor parte de ellos procede del *Bosquejo de un viaje a una provincia del interior,* publicado en el diario *El Sol* entre el 3 de febrero y el 27 de abril de 1843.

Para mayor claridad, añadimos títulos que no figuran en el texto original.

El último texto es la introducción del *Lago de Carucedo,* la primera novela de E. Gil, publicada en el *Semanario Pintoresco Español* el 19 de julio de 1840 (núm. 29). Constituye una magnífica preparación de la descripción del *Señor de Bembibre,* pág. 339.

BOSQUEJO DE UN VIAJE
A UNA PROVINCIA DEL INTERIOR

I

Muchas son las plagas y desdichas que aquejan a España; pero una de las mayores consiste en los extraños juicios que fuera de sus confines se forman siempre que se trata de sus usos y costumbres, de su cultura y sus artes, y sobre todo de la índole de sus habitantes. Extranjeros que, sin fijar apenas su atención y como de pasada, visitan las costas y países del Mediodía, se empeñan en no ver en los españoles sino árabes, un si es no es amansados y dulcificados por el cristianismo, pero árabes en fin bravíos todavía y feroces, que no viven en tiendas por la sencilla razón de parecerles más cómodas las casas, ni beben la leche de sus camellas por la no menos sencilla de no haberlas. Algunos otros (si bien muy contados) que cruzan las provincias Vascongadas y observan la noble altivez de los caracteres, la patriarcal sencillez de las costumbres, la limpieza, comodidad y alegría de las viviendas, y su extraño cuanto sabio régimen interior, regalan a la nación entera estos preciosos dones, y a sus ojos la España es la patria y natural asiento de las libertades municipales, de las más respetables tradiciones históricas y de los usos más apacibles y benignos que imaginarse pueden. Por este raro mecanismo viene a resultar en último caso, que a no ser por una de sus muchas anomalías andaría la Península aderezada con su turbante, que no habría más que pedir; o cuando no, se sentaría debajo de los árboles a elegir un gobierno y a danzar como los hijos de Guillermo Tell. Esto es España en la boca y obras de los concienzudos viajeros modernos. ¿Qué hacen de todas las provincias del interior y de su parte más occidental? ¿O no son para ellos España Castilla la Vieja, Extremadura, el reino de León y el de Galicia? ¡Raro suceso y ligereza inconcebible! ¡Olvidarse al tratar de una nación de los países que han sido cuna de su libertad y de su monarquía, y hablar de su espíritu, costumbres y creencias sin tener en cuenta la patria de Pelayo, de Jovellanos y de Feijoo! *¡C'est ainsi qu' on écrit l' histoire!*

Por lastimosa cuanto perjudicial que sea para nosotros tan errónea opinión harto arraigada en Europa para nuestro mal, fuerza es confesar que sus autores merecen alguna disculpa. Hasta el día han sido tan escasos los medios de transporte y tan pocas las comodidades, que sin duda se necesitaba superior estímulo para arrostrar tamaños inconvenientes, y todo el mundo sabe que encaminándose generalmente los viajes más a la diversión que a la enseñanza, son muy contados los que se avienen con privaciones y estrecheces, propias más bien de peregrinos devotos que no de profanos y curiosos observadores. Por otra parte, acostumbrados al espectáculo de naciones ordenadas y compactas, ya por haber pasado encima de ellas el nivel revolucionario, ya por la energía y ciencia del gobierno que extendiendo su acción con igualdad y prontitud sabe asimilarse aun sus más discordes elementos, poco tiene de extraño que clasifiquen y juzguen por inducción al pueblo español, sin comprender los vivos y fuertes matices en que se reparte y *degrada* su nacionalidad.

De las grandes comunidades europeas tal vez la nuestra es la única que presenta el ejemplo de un conjunto formado sin la fusión de las revoluciones o de las conquistas, pues harto sabido es que los reinos en que antiguamente se dividía la Península Ibérica han venido a reunirse bajo la mano y gobierno de un solo monarca, más por enlaces y alianzas que no por guerras y sumisiones forzadas. En esto consiste la poca eficacia de los vínculos que atan los miembros de este cuerpo; en esto las notables y profundas diferencias de sus provincias que tan curiosas y dignas de observación las hacen a los ojos del filósofo y del artista; pero que tan doloroso síntoma de indisciplina e individualismo ofrecen en una época de concentración moral y material; y por último, ésta es la explicación de los yerros que cometen la mayor parte de los escritores extraños, siempre que para castigo de nuestros pecados nos toman por su cuenta.

Esta es su excusa; pero ¿cuál será la nuestra cuando con tanta incuria y abandono tratamos los legados de nuestra historia y las tradiciones de nuestros padres? ¿Con qué específico podremos paliar este síntoma aflictivo, este cáncer tremendo, pudiéramos añadir con más exactitud aún, que así ataca y corroe las entrañas mismas de nuestra nacionalidad? No somos de los que llevan al campo de los hechos y de las cuestiones prácticas las ilusiones del deseo o los colores de la imaginación, ni pedimos a un pueblo que todavía lucha con los dolores de su parto político, los grandes esfuerzos y duraderos monumentos que sólo nacen de la paz y de la fuerza para crecer en el regazo de la verdadera y sólida cultura; pero entre tantas publicaciones como ven la luz del día, sin que sus ojos sean por cierto muy dignos de nuestro noble sol, ¿no se podían tener en cuenta nuestros recuerdos y las condiciones de nuestra índole individual? Esta infinidad de periódicos *artísticos y literarios* que sin más norte que una ganancia inmediata y ruin se han ocupado en traducir a roso y belloso, ¿no podían adoptar siquiera una base nacional e indígena y cultivar nuestros gérmenes naturales sin empeñarse en aclimatar plantas que constantemente rechazará nuestro suelo? ¿Tan poco digna de respeto es la bandera especial del pueblo español, tan menguado su sentimiento íntimo, que así se deja arrinconada aquélla entre las inútiles antiguallas y así se tuerce y desnaturaliza éste, como si fuese menester buscarle fuera pujanza y vida con que existir y desarrollarse?

La mayor parte de las publicaciones españolas, con leves y muy honrosas excepciones, prescinden de nuestra historia y de los monumentos de nuestras artes: de real orden se ha demolido y demuele, y cuando no, se deja caer lo que en pie queda después de tantas guerras y trastornos: lo pasado va hundiéndose en las tinieblas eternas del olvido: lo presente nos aflige y desconsuela: el porvenir está preñado de incertidumbres y temores, y sin un esfuerzo de las inteligencias elevadas y de los corazones generosos pronto nos veremos como un bajel que encalla en una playa inhospitalaria y desierta.

Un viaje emprendido en este año desde la capital sólo por motivos de salud y esparcimiento del ánimo, nos ha inspirado todos estos pensamientos.

[BELGIDUM]

(Cf. pág. 101)

A la izquierda del pueblo de Pieros, caminando a Galicia, se encuentra una espaciosa colina que desde luego cautiva la atención del viajero, porque todas las de los alrededores tienen la figura cónica más o menos pronunciada, al paso que ésta aparece truncada y con una bellísima explanada en su cima. Crece la curiosidad y el interés al verla rodeada de algunos fragmentos de muralla vestidos de yedra, vides y zarzas, que parecen empeñados en contener el sucesivo y forzoso desmoronamiento. Son sus laderas fértiles viñedos que crecen en una tierra rojiza de muy buen tono y efecto, y descienden a las riberas del Cúa y del Burbia por ambos lados en plácido y manso declive. En esta eminencia estaba situada la ciudad de *Belgidum,* capital de todo el distrito que de ella tomó su nombre y que Antonino menciona en su Itinerario, señalando la ruta desde Braga a Astorga. La distancia a que pone esta ciudad del pueblo en cuestión, los pedazos de muro que se ven en su circunferencia y las medallas, monedas, lámparas, instrumentos de labranza, lápidas y armas que en él se han encontrado, manifiestan claramente su estirpe romana.

Aunque desde cualquiera parte de su falda que se mire esta extraña colina al punto se conoce su hermosa situación, pues en el corazón de un país rico y variado se dibuja sola y orgullosa sobre el fondo del cielo, todavía se experimentan al llegar a su cresta sensaciones tan nuevas como deliciosas. Era una tarde de Julio, cuando en compañía de dos amigos de aquellos que sin duda por su precio concede tan escasamente el cielo, subimos a ella. Un viento fresco del poniente movía las vides sobre los escombros del templo de Baco; el cielo estaba claro y diáfano; sólo unas nubes de color de plomo con vivas franjas de púrpura servían de lecho al sol que se ponía. A nuestros pies teníamos la villa de Cacabelos; el Cúa que corría por entre sotos y arboledas fresquísimas, y la grande y blanca mole del monasterio de Carracedo. Un poco más adelante Ponferrada cubierta en gran parte con su magnífico castillo de Templarios se extendía por un hermoso altozano, y muy cerca de ella se alzaban iguales como dos gemelos los Castros de Columbrianos y San Andrés, antiguos campos atrincherados de los mismos cuyo polvo removíamos a la sazón con nuestras plantas. A la derecha se desplegaban la cordillera altísima de la Aguiana; el Sil centellante como una serpiente de escamas de oro a los últimos resplandores del sol se deslizaba besando su falda, y al paso en su orilla derecha llana y sosegada se esparcían las praderas de Villaverde y Dehesas. En la izquierda ya más quebrada y pintoresca veíase desembocar el río Oza por la vega de Toral de Merayo. Rimor enclavado en un angosto valle, Priaranza vistosamente asentado en la cuesta; el castillo de Cornatel semejante a un nido de águilas colgado sobre un horroroso precipicio, y por último término las tajadas cárcavas y caprichosos picachos encendidos de las Médulas que a lo lejos parecen vivas llamas sin cesar alimentadas por una mano invisible. A nuestra espalda, aunque más reducido, no era menos agradable el paisaje. La cuenca deleitosa de Vilela dilataba a orillas del Burbia sus huertas y prados, sus campos de trigo y sus castañales, y a su frente en un recogido seno de los montes subía en lucida y desordenada gradería con sus higuerales y vergeles el pueblo de Corullón coronado por un antiguo y alto castillo. Describir ahora todos los accidentes, la diversidad de tonos y la variedad de contrastes de este riquísimo paisaje excedería los límites de un bosquejo: baste decir que el paisista más exigente no tendría motivo para quedar descontento.—La plataforma tendrá como 2.000 varas de circunferencia. Su figura es ovalada más que redonda, y desde ella se registra y domina todo el país.

Cuando bajamos de este maravilloso mirador donde nuestro silencio habló más que nuestras palabras, versó naturalmente la conversación sobre aquel pueblo de reyes que Dios mostró sobre la haz de la tierra para que la domeñase y juntase bajo su mando y disciplina, y de esta suerte preparada, recibiese mejor y más prontamente la divina luz del Evangelio. La sola elección del terreno en que fundaron a Belgidum, prueba muy bien la audacia de sus pensamientos y el poder de sus medios; porque la montaña debió de ser rebajada en su mitad para dejar espaciosa mesa en el estado en que hoy se ve. Como centro administrativo y militar, nada deja que echar de menos al deseo; como punto a la vez saludable y pintoresco, apenas la imaginación acierta a trazárselo mejor, y no titubeamos en decir que si del lado del norte en vez de los montes monótonos y cerrados que en el día se levantan, encontrase la vista la inmensidad del mar, sería sin duda uno de los más hermosos puntos del globo.

Belgidum resistió a las invasiones de los pueblos del norte y sin duda pereció en la irrupción de los árabes. Según el padre Flórez duraba todavía en tiempo del rey suevo Teodomiro, y una rarísima medalla que inserta del rey Sisebuto, manifiesta que aún existía en el siglo VII. Cuando después de la restauración de la monarquía, se vuelve a mencionar este pueblo, ya se trata de su reedificación. Vivos los recuerdos y tradiciones de su grandeza, y prendados los reyes de su bella situación, intentaron varias veces restaurarlo, pero los monjes Bernardos de Carracedo se opusieron vigorosamente y compraron del rey Fernando II y de su hijo don Alfonso IX la seguridad de que jamás se reedificaría. Don José Fernández Carús, abogado de Ponferrada, sujeto de instrucción y talento nada comunes, conserva en su poder una copia de estos documentos que no dejan de ser curiosos. Nada tenía de extraño en verdad que los religiosos con tal viveza solicitasen la perpetua desolación de aquel lugar, porque además de pertenecerles su terreno, fácil era de columbrar que el nuevo pueblo crecería como la espuma y bien pronto menguaría su autoridad y poder.

… … … … … … … … … … … … … … … … … … … …

II

[LAS MÉDULAS]
(Cf. págs. 275 y 301-302)

El viajero que se dirija a Orense por la orilla izquierda del Sil, después de atravesar los fértiles pueblos de Toral,

Villalibre, Priaranza, Santalla y Borrenes, se encuentra con un lugar de pobre y mezquina apariencia, situado en una especie de llano sembrado de innumerables montones de canto rodado negruzco y musgoso, y a la raíz de una montaña de la más caprichosa forma que imaginarse puede. Cortada en general como a pico, revestida en su mayor parte de robles y castaños silvestres, surcada de profundísimos barrancos, descubiertos a veces sus costados de un encarnado vivo y crudo, y coronada por picachos y torreones del mismo color, que ofrecen a la vista tantas figuras y accidentes como la fantasía puede forjarse, nada tiene de común con los montes circunvecinos: y se asemeja a un monumento levantado por la mano de una raza de gigantes, que sólo ha podido conservar algunos restos dignos de su grandeza en su lucha desesperada con la naturaleza y el tiempo. La miserable aldea es la que tiene el nombre de *Las Médulas,* y la montaña es probablemente el *Monte Medúleo,* uno de los más ricos almacenes de oro que la naturaleza abrió a los romanos en este suelo, testigo de su grandeza y de sus crímenes.

En pocas partes ha dejado el pueblo rey un testimonio más vivo y elocuente del atrevido espíritu, en cuyas alas volaba su pensamiento. Fecundas eran sin duda las entrañas de aquellos cerros, purísimo el oro que les brindaban, sano y templado el país que los cercaba, y sereno el cielo que los cubría; pero la naturaleza se había empeñado en poner a su codicia un valladar insuperable, si alguno hubiera para ella. En el estado de las ciencias naturales, en aquel entonces, la mineralogía era tal vez la que más se resentía del común atraso. Plinio nos describe prolijamente en el lugar ya citado el método de que en su tiempo se usaba para obtener el oro; método verdaderamente primitivo, pues tenía por base y principio el mismo lavado, que si no en la forma, por lo menos en la esencia, emplean aún en el día las muchas mujeres que en el valle de Valdeorras ganan su vida sacando oro de las arenas del Sil.

Pero ¿dónde buscar las corrientes de agua necesarias para semejante procedimiento en un paraje alto y sin más raudales que los diminutos de las fuentes de los valles? ¿Aprovecharían los caudales del Sil que corre a bastante distancia separado por alturas y hondonadas y a una profundidad extraordinaria? Esta era empresa superior a las fuerzas mismas de los romanos. ¿Pondrían los ojos y la atención en el Oza que riega el hondísimo Valdueza, o en el río de Cabrera que poco más abajo desemboca en el Sil, ambos divididos por escabrosas cordilleras y a un espantoso desnivel del lugar en cuestión? Pero éste parecería un loco intento al que apenas podría dar cima el poder humano. Sin duda los romanos no hubieron de calcular de la misma manera, antes remontando el curso de estos ríos, registrando las curvas y proyecciones del terreno y midiendo exactamente las alturas, hallaron que sus aguas podían venir a pulimentar y laborar cuanto mineral sacasen del seno de las Médulas. Entonces contaron sin duda los rebaños de sus esclavos y la población que por fuerza habrían de diezmar los espantosos trabajos que iban a emprender, y tomaron el camino de las montañas de Cabrera y de la Aguiana.

Si alguno de los lectores ha cruzado estas cordilleras y visto su naturaleza peñascosa y ruda, las tajadas quiebras y profundos valles que las surcan, conocerá la penalidad infinita con que debieron abrirse los canales que colgados en escarpadísimas pendientes, todavía hoy nos suspenden y hielan de pasmo. Sujetos a seguir en su dirección todas las inflexiones y desigualdades de los cerros, sus rodeos son mayores de lo que a primera vista parece y una distancia que por el aire apenas llegaría a dos leguas, tal vez pase de ocho o diez en la forma actual. ¡Dichosos los trabajadores cuando en aquellas agrestes y empinadas cuestas tropezaban con una veta de tierra por donde no se extendían los enormes bancos de piedra viva que las pueblan! Donde quiera que éstos se presentaban despedazábalos el pico lentamente hasta abrir paso al cauce por sus entrañas, y en muchas partes se encuentran tan enteras las señales de estos trabajos, como si del día antes estuvieran concluidos.

Dividíanse ambas líneas en varios ramales, sin duda con el objeto de aprovechar cuantos manantiales encontrasen en su tránsito. Cuéntanse en Cabrera, según nos han informado, hasta siete cauces escalonados en la vertiente de las montañas que mira al norte, y desde un punto que domina el pueblo de Orellán se divisan algunos todavía. La otra línea repartida en menos conductos por llevar también algo menor cantidad de aguas, arrancaba de las alturas que dan cima al Oza, pasaba por encima del monasterio de San Pedro de Montes, torcía más adelante el paso por el valle de Villanueva y después de seguir todavía algunos recodos, iba a desembocar en los lavaderos de las minas. Agradable debía ser la vista de todos estos raudales que como otras tantas cintas de plata culebreaban perdiéndose y volviendo a aparecer en los senos de aquellas montañas tan ásperas, solemnes y silenciosas. Desde las negruzcas y peladas rocas de Ferradillo que enseñorean a la vez el apacible lago de Carucedo, las montañas y llanura de las minas y los sitios por donde venían aquellos milagrosos canales, debería aparecer este espectáculo en toda la deformidad y grandeza que imprimían a sus escenas y a sus obras las naciones antiguas que abrigaban la esclavitud como un síntoma necesario de vitalidad.

Semejantes empresas una vez llevadas a cabo debían agotar al parecer el ánimo y las fuerzas de los mismos señores del mundo; pero la naturaleza les disputaba sus dones con tal tesón que hubieron de continuar su esfuerzo todavía. El reducido llano que se extiende al pie de los montes y donde hoy está asentado el pueblo de las Médulas, es una especie de cuenca circunvalada de montañas y que no ofrecía salida a las aguas que servían para el lavado del mineral. Forzoso fue por lo tanto abrírsela y la profunda y terrible garganta de Balouta cortada a pico, como todavía lo publican sus paredes llenas de recortes y esquinas vivas y salientes, vino a coronar sus inmensas obras preparatorias.

Entonces fue sin duda cuando desembarazados de todos los cuidados preliminares, volvieron sus ojos al objeto de tantos desvelos y emprendieron la explotación de las minas en su acostumbrada escala. Los infelices que al morir extenuados de cansancio podían respirar el aire fresco de las cañadas y mirar por última vez el claro sol de España, sin duda encontraron más triste y estrecho sepulcro en las entrañas de los montes.

Gran parte de las galerías que los taladraban se han hundido, pero todavía quedan enteras y prolongadas infinidad de ellas marcadas con el mismo sello. La tierra parece de bermellón puro, según lo encendido del color, y todas las señales son de un criadero abundantísimo de oro.

La última vez que visitamos estos lugares fue en el Otoño de 1840. El guía que debía conducirnos por los enmarañados laberintos subterráneos, era un hombre no menos extraño por su traza que por sus discursos. Pasaba ya de los sesenta, era seco, andaba un poco encorvado y en su semblante se traslucía aquella malicia y sutileza que viene a ser la cualidad dominante de los aldeanos de este país. Todo su atavío consistía en unos pantalones de lienzo blanco, una chaqueta que llevaba echada por encima de los hombros y un pañuelo rodeado a la cabeza. Iba descalzo, y aunque cuando le mirábamos se apoyaba con más fuerza en su palo y deslizaba alguna indirecta sobre el estado de sus pies, el hecho es que con ellos desnudos caminaba sobre los erizos de las castañas y los garranchos de las malezas, como si pisara una mullida alfombra turca. El equipaje de su entendimiento no tenía menos de extraño que el de su persona, porque era hombre que sin duda con alguna expresión que había atrapado al vuelo a las pocas gentes instruidas que han ido a examinar estos parajes, y con los consejos y cuentos de las viejas había llegado a formar el más descomunal maridaje que imaginarse puede.

Hablaba del emperador Plinio que había tenido su corte en aquellos cotarros, y barajaba moros y romanos en la más chistosa confusión del mundo. Díjonos su nombre de bautismo que a causa de las hazañas y diabluras de su juventud, un digno tío suyo, su protector y maestro, había trocado en el de Ferragús, que él por su parte con su acostumbrado respeto a la exactitud histórica había convertido en el de *Ferrascús,* más sonoro y significativo en su entender. Por muy dado que fuese a los estudios de la historia, según se dejaba traslucir, algo más aficionado se mostraba a la metalurgia, y sobre hallazgos preciosos, y sobre ocasiones de hacerse rico tontamente desaprovechadas, nos ensartaba a cada parada sendas y curiosas mentiras.

En compañía de este digno personaje y de algunos amigos y bien provistos de luces y cordeles por si fallaba la ciencia topográfica del valeroso Ferrascús, comenzamos a trepar la montaña en una hermosa y clara mañana. Poco tardamos en vernos encerrados entre barrancos profundísimos, flanqueados de altas y tajadas murallas de barro colorado, coronadas con remates de caprichosas formas. Aquí se levantaba un castillete de la estrellada figura moderna; allí una atrevida pirámide redonda, elevada y aguda; acullá un torreón arruinado de un alcázar de la edad media, y algo más lejos grietas y aberturas puntiagudas que se asemejaban a las afiligranadas ventanas de una catedral gótica. La tierra parecía profundamente atormentada: crecían los castaños silvestres en aquellas laderas inaccesibles, y apenas se conocía más huella que la de los jabalíes que venían a roer su fruto. Preguntamos a nuestro guía la causa de este fenómeno, y nos lo explicó tanto más lisa y sencillamente cuanto que no tuvo que implorar la ayuda del *emperador Plinio.* Las galerías que se han ido hundiendo, han ofrecido a los torrentes de invierno un cauce tan estrecho que, aprisionados en él, han doblado su fuerza y cavado al fin unas cárcavas de extraordinaria profundidad; pero como las cepas de las bóvedas subterráneas quedaban en pie, ha resultado que ganaban en elevación lo que los barrancos en hondura, y que modificados sus restos por los diversos accidentes del hundimiento y luego por el sol, el viento y la lluvia, han llegado a presentar el fantástico aspecto que hoy las distingue.

Reconocido de esta suerte el terreno, entramos en las galerías que aún se conservan y las examinamos atentamente. Son la mayor parte de gran altura, y algunas tienen una forma puntiaguda que les da cierto aire de semejanza con las naves de las catedrales góticas. La montaña está surcada y abierta en mil direcciones distintas y estos trabajos guardan cabal consonancia de atrevimiento y de grandeza con los que ya conocen los lectores. Cansados por fin de vagar por aquellos oscuros callejones, dirigímonos a una claridad que se advertía en el fondo de uno. Era una abertura de forma irregular con una mata de roble en su orilla por donde entraba el sol de Otoño. El que iba delante se asomó a la rústica ventana; pero retrocedió sin color y turbado, no sin razón a la verdad porque había visto a sus plantas el abismo. Era un despeñadero de más de doscientos pies perpendicularmente cortado, y los castaños del valle parecían albahacas, cabras los bueyes y muchachos los hombres que se ocupaban en recoger la castaña. El costado del derrumbadero que teníamos en frente y a pocas varas de distancia, se asemejaba al nuestro: pero las lluvias le habían adornado con labores confusas de barro, que parecían unas plantas exóticas incrustadas en él. En el marco de aquel extraordinario mirador estaban grabados varios nombres, de sujetos conocidos del país y algún otro extranjero, pero casi todos borrados ya. A instancias de Ferrascús pusimos también los nuestros que las lluvias del invierno siguiente no dejarían de lavar, privándonos así del consuelo de que algún pastor los rayase con su cayado, después de deletrearlos torpemente.

Frustrado así nuestro propósito de encontrar salida por esta parte, tuvimos que deshacer lo andado y buscarla por algunos agujeros prolongados, estrechos y en cuesta que un amigo nuestro llama con cabal exactitud *Buzones*. Arrastrando como culebras salimos uno por uno a ver la luz, pero esta natural satisfacción se enturbió no poco a vista de un sendero de dos pies escasos de anchura, flanqueado de dos precipicios semejantes al de la ventana que era preciso atravesar. Atravesámoslo por fin no sin temor de que algún perdiguero de los que llevábamos nos hiciese dar un esguince que pudiera conducirnos al fondo en no muy grandes pedazos, y nos sentamos en un ribazo a descansar y disfrutar del magnífico panorama que delante de nosotros se desplegaba.

Teníamos a nuestra derecha la risueña llanura del Bierzo que, cubierta por una ligera neblina y terminada por una cadena de azuladas montañas, parecía al primer aspecto el mar con un horizonte de nubes. Observando un poco más, se divisaban sus pueblos y sus ríos, sus praderas y viñedos, sus llanos y colinas, la explanada del antiguo Belgidum y los conventos de Carracedo y de Cabeza de Alba con sus contornos y perspectiva general extraordinariamente suavizados por aquel trasparente vapor que los envolvía. Casi a nuestros pies el tranquilo lago de Carucedo parecía un verdadero espejo, pues en sus aguas se pintaban las blandas colinas y encinas viejísimas que lo cercan, con sus naturales formas y colores, sin que el soplo más fugaz viniese a alterar su esmaltada y reluciente superficie. Y luego en frente y como para contrastar con estas escenas tan sosegadas y llenas de quietud, veíamos de perfil y como en esqueleto las despeñadas cárcavas de las minas, sus tonos crudos y ensangrentados, sus senos cuarteados y rotos y las naturales fortificaciones de sus picos, que todavía parecen sobrevivir a la ruina universal para abrigo y morada de los espíritus errantes de sus antiguos amos, verdadera raza de Nemrod que desafiaban al tiempo con sus obras y al cielo con sus delitos. Los destrozos causados por la mano de los siglos realzan la escena, y la miseria, soledad y abandono presentes corresponden a la pasada opulencia, animación y vida. Aquel Mario tan grande entre los últimos romanos, sentado en las ruinas de Cartago, se nos vino a la imaginación, y el tropel de reflexiones amargas, que siempre inspiran las severas lecciones de la Providencia y del tiempo, nos atajó por muchos minutos el uso de la palabra.

Todavía teníamos que ver la mina llamada de Orellán por estar abierta en una montaña que domina este pueblo. Echamos a andar por un canal seco que venía por el costado de la cordillera y que todavía está a trozos tan entero como el del Manzanares. Más de medio cuarto de legua caminamos por él no sin admirarnos de su solidez, e internándonos en un país enteramente áspero y montaraz, llegamos por fin a la boca de la mina. Desde ella se alcanzaban a ver todavía otros dos o tres cauces de los que traían las aguas de Cabrera, llamados impropiamente carriles por los naturales, abiertos a diversas alturas y que se perdían en uno de los muchos recodos de aquellos cerros. Como la entrada de la mina estaba casi del todo obstruida, tuvimos que emplear para introducirnos el mismo medio que habíamos usado para salir de la anterior: es decir, el de arrastrarnos. Encendimos las luces y procedimos a un registro.

De las galerías que se conservan ésta es con razón la más famosa por su extraordinaria extensión y anchura. La bóveda es perfectamente semicircular, y el piso está formado de una arcilla ligeramente humedecida que proporciona un pavimento cómodo y mullido. Las infinitas gotas de agua filtrada que pendían de la bóveda o asomaban a las paredes, heridas por las luces asemejaban una inmensa pedrería compuesta de diamantes, esmeraldas, záfiros y rubíes, y la oscilación de las velas y nuestros continuos movimientos les prestaban unos cambiantes y colores que robaban la vista. El aire era grueso y húmedo, la oscuridad semejante a la que nos pinta Lord Byron en su poema de las *Tinieblas,* y el buen Ferrascús que con su escaso traje blanco y su cuerpo compuesto al parecer de raíces, según era de flaco, iba delante a cierta distancia con una vela encendida en la mano, y envuelto en su moribundo resplandor, parecía el alma en pena de algún hambriento esclavo que andaba en busca de las sobras del festín de sus señores. El buen hombre que hasta entonces había tenido la prudencia de no mentar fantasmas ni apariciones, hablaba entonces de ellas con frecuencia, y en el estudiado desprecio con que las trataba y en las bravatas que vertía, mostraba bien a las claras y con gran diversión nuestra que no las llevaba todas consigo. Por nuestra parte aunque de cierto hubieran salido, acostumbrados a la facha grotesca de nuestro guía, ninguna impresión nos hubieran hecho.

Durante un largo trecho la galería no tiene más que un ramal, pero al fin de éste se encuentra una plazoleta, desde la cual arrancan varios, que luego se subdividen por su parte. Aquí atamos nuestro cordel a un canto grande con suma desaprobación de Ferrascús que llevaba muy a mal la poca fe que poníamos en sus protestas y experiencia; pero había entre nosotros quien se acordaba de una aventura sucedida a ciertas personas conocidas del país, que después de andar todo un día perdidas por aquellos laberintos con su guía, sólo debieron su restitución al mundo de los vivos, a un pastor que acertó a pasar por un despeñadero al cual daba una abertura de la mina, y que según sus instrucciones, trajo todo un lugar en su auxilio. La escena nos parecía mejor para contada que no para pasada, y por eso fiábamos más del expediente de Ariadna, que no de nuestro hombre. Echamos por el [ramal] de la derecha, y después de recorrer muchos subalternos, llegamos por fin al que tuerce en dirección a Orellán, y que está enteramente inundado. No pudimos calcular su extensión, pero nos aseguró nuestro *cicerone* que se oía desde él el canto de los gallos del pueblo, en cuyo caso deberá ser muy largo. Atajados así en nuestras investigaciones, hubimos de volvernos por los pasos que habíamos traído, y ya a la boca de la mina se nos ocurrió experimentar la elasticidad del aire con nuestras escopetas. Disparamos, en efecto, varias veces, y cada explosión parecía la de una pieza de artillería, que perdiéndose y quebrándose a lo lejos por aquellas concavidades, figuraba un sordo temblor de tierra. Salimos enseguida a la luz, que ya teníamos ganas de ver, y después de haber comido con apetito, bajamos por una senda de cabras que era una zigzag, continuando a la aldea de las Médulas, que cruzamos de largo en busca de otra mina llamada la Palomera, cercana a Salas de la Ribera.

Está abierta en peña viva, y ha sido bautizada con el nombre que tiene, a causa de la infinidad de palomas que en ella se albergan. Dícese en el país que era de plata, pero como el agua que la encharca llega hasta la entrada misma, nuestras observaciones no fueron de provecho alguno. Sólo vimos y tomamos un poco de ocre finísimo del que había bastante abundancia a orilla del agua. Cerca de la Palomera y en el terrible desfiladero de Balouta, hay una gruta llena de bellísimas estalactitas que figuran gran porción de musgos y otras plantas petrificadas, teñidas todas de frescos y vivos matices.

Aquí tuvimos el disgusto de separarnos de nuestro buen Ferrascús que nos hacía muchas protestas de agradecimiento por haber provisto a la desnudez de sus pies, aunque no faltaba entre nosotros algún descreído que afirmaba que la perspectiva de la taberna era la que así le desataba la lengua y alegraba el corazón.

Los restos de la población romana han desaparecido enteramente, y ni aun por tradición se sabe exactamente su sitio; pero además de las obras ya mencionadas, hay vestigios que no se borrarán tan pronto. Los inmensos montones de canto rodado que cubren la corta llanura de las Médulas, atestiguan el ahínco y constancia de aquellos trabajos, y no menos lo prueban los amontonamientos de tierra hechos cerca de la orilla meridional del lago de Carucedo. A poca atención que se ponga, fácilmente se conoce que aquella especie de collados no son de formación geológica, sino artificial, porque como las capas no tienen entre sí cohesión natural alguna, las aguas invernizas las han minado fácilmente, separándolos por zanjas profundas que en ninguna de las colinas cercanas se observan.

... ...

III

SAN PEDRO DE MONTES Y LA AGUIANA

(Cf. pág. 414)

El camino que conduce desde Ponferrada a San Pedro de Montes está adornado de todas las bellezas y accidentes graves, terribles y risueños propios de un país montañoso. El Valdueza o valle de Oza, por cuyo fondo corre este río, presenta desde San Esteban una faja de frondosidad y frescura infinita, pero sumamente estrecha, flanqueada en ambas orillas por dos cordilleras que le aprisionan hasta su fin. Las huertas y prados, los frutales y árboles silvestres, los emparrados que a veces extienden sobre el camino su rústico dosel y los pueblecitos que a cada paso se encuentran a la margen de aquel río tan cristalino, donde se ven las truchas deslizarse sobre las guijas y ocultarse en las raíces de los árboles, entretienen agradablemente al viajero: pero si por casualidad alza la vista, la estrechura del paisaje le acongoja y conoce que aunque embalsamado, respira al cabo el aire de una prisión. Afortunadamente semejante reflexión rara vez ocurre al que cruza de paso estas honduras, porque son tantas sus gracias y variedad que la vista se da por satisfecha con tan lindos cuadros.

En el último tercio del valle el camino se aparta de él y sube a la montaña. Allí comienza la soledad con sus peculiares escenas y sensaciones. Los ruidos del valle se apagan, desaparecen los pájaros de sus jardines, el silencio es el único señor de aquellos ásperos collados, y solamente se percibe confuso y quebrado por los ecos el rumor sordo y monótono del Oza que corre por aquella angostísima garganta a una profundidad tremenda. Crecen los matorrales con pujanza, y el camino que en las revueltas de los cerros y bajo sus sombras se oculta, da al país el aspecto ciego y enmarañado de aquella *selva selvaggia ed aspra é forte* que Dante encontró en la mitad del camino de su vida. El valle del *Silencio* que a la izquierda se extiende es el único paisaje por donde puede espaciarse la vista del viajero, pero al punto desaparece, y los mismos empinados montes y el mismo río con su voz lejana y doliente vuelven a derramar en su alma la anterior impresión de melancolía.

Por este desierto a la sazón horrible, dirigió sus pasos en el siglo VII un godo de sangre real en busca de aquella quietud interior que aun en el monasterio de Compludo, fundación suya reciente, huía de su ánimo. Cerca de las fuentes del Oza, en el seno más apartado de aquellas asperezas, en un precipicio colgado sobre el río y debajo de un fuerte o castillo romano destinado a proteger las líneas de canales que ya dimos a conocer en el artículo anterior, encontró por fin San Fructuoso un paraje acomodado a su intento, y allí fundó el monasterio de *San Pedro de Montes.* Con la irrupción mahometana abandonado de los fieles se vino a tierra, y cuando tres siglos después quiso volverlo a su antigua fama y santidad San Genadio, obispo de Astorga, sólo encontró un montón de escombros, zarzas y malezas en el antiguo jardín de la esposa del Señor. Reedificó el convento y la iglesia; [1] "más con el sudor propio y de sus compañeros que con la opresión del pobre", y no contento con esto, levantó más tarde otro mejor y más digno templo.

La elección del sitio no podía ser en verdad más acertada para los pensamientos severos de aquellos anacoretas y la sensación que produjo en nosotros el monasterio con su aldea en una tarde nublada y lluviosa es de aquellas que tarda mucho en borrar la mano del tiempo. A vista de aquellas montañas enriscadas, en aquella soledad triste y oscura donde al rasgarse las nubes del invierno tal vez se mostraron los cielos a los contemplativos monjes en todo su esplendor y majestad, sobran en verdad los devaneos mundanos y las frágiles esperanzas terrenas.

[1] Testamento de San Genadio *(N. del A.).*

Aprovechamos lo que nos quedaba de tarde en examinar las cercanías del monasterio y su huerta; que es una verdadera escalera cultivada, y por último bajamos a la iglesia edificada por San Genadio y bendecida en 919. Es de tres naves y bastante alta y espaciosa, pero tan ruda y tosca en su fábrica, que bien se descubre el atraso del arte. Las naves están compartidas por una especie de pilares gruesísimos de los cuales arrancan unos arcos tan tenues y delgados, que más que otra cosa parecen unos puentecillos de madera con dos enormes peñascos por estribos. Ninguna especie de labores adornan sus ventanas y puertas y toda ella es un embrión arquitectónico confuso en que ningún estilo se presenta claro y determinado.

Entre los retablos hay uno pintado con unas tablas pertenecientes sin duda a la escuela alemana, en que resaltan todas las bellezas y defectos propios de sus autores: gran corrección en el dibujo, vivo sentimiento en las cabezas y extraordinaria prolijidad y esmero en los pormenores, junto con un colorido desmayado y lánguido, una composición poco hábil, unas formas prolongadas y flacas y un plegar duro y esquinado. El resto de los altares no sólo es inferior, sino de un gusto detestable y churrigueresco. El convento asimismo no ofrece nada notable, porque el de San Genadio hace tiempo que había venido a tan ruinoso estado que hubieron de levantar los monjes el nuevo.

Bajo su techo hospitalario pasamos la noche, y muy de madrugada emprendimos nuestra caminata a la ermita de *Nuestra Señora de la Aguiana,* que si bien muy inmediata a nosotros, apenas habíamos visto despojada de su ropaje de nubes el día anterior a causa de su extraordinaria altura. La atmósfera se había ido despejando después de la tormenta de la noche, y un viento del norte iba barriendo rápidamente sus vapores hacia el mediodía. El olor de las jaras y tomillos humedecidos por la lluvia embalsamaba el aire, y sus infinitas gotas pendientes de los brezos y relucientes a los primeros rayos del sol fingían por donde quiera aderezos de diamantes y pedrería de formas caprichosas.

Cuanto tiene de vestido y frondoso el paisaje hasta llegar al convento, otro tanto tiene de desnudo y estéril hasta el pico de la Aguiana. Las plantas más crecidas que se encuentran son brezos y una especie de retamas espinosas; pero en cambio aquellas laderas son abundantísimas en yerbas medicinales. La subida es tan penosa que cerca de su mitad hubimos de detenernos a tomar aliento al pie de unas altísimas peñas de líneas muy hermosas y agradables tonos. Brotan a su raíz unas fuentes con cuyo jugo se alimenta una pradera en donde paraba un rato la procesión y descansaba la Virgen cuando peregrinaba del monasterio a su santuario. Allí nos sentamos cuando una perdiguera nueva que llevábamos, asombradiza a fuer de tal, ladró espantada probablemente de tanto silencio y al punto salió de las rocas otro ladrido distinto, luego otro más apagado, otro más débil después, y por último uno casi imperceptible. El animal encolerizado y asustado a un tiempo repitió los ladridos, y eran tantos los que devolvían los peñascos que parecían contestación de una numerosa traílla.

Sorprendidos con este fenómeno, acallamos nuestro animal como pudimos, y empezamos a gritar palabras de tres o cuatro sílabas, que el eco repetía fielmente. Disparamos por último un escopetazo, y la explosión, perdiéndose en aquellas quiebras innumerables y sonoras, parecía una descarga hecha por una extensa línea de infantería detrás del monte. Al estrépito salieron de ellas las águilas y aves de rapiña que las habitan, y poblaron el aire con sus ásperos y desacordes chillidos. [2]

Sin ver huella humana, ni oir más voz que la de estos pájaros carniceros, continuamos nuestro camino. A medida que subíamos, el aire se iba haciendo más frío y agudo, de manera que a dos tercios de la altura tuvimos que envolvernos en nuestras capas, sin embargo de ser aquel día el 3 de Agosto. Seguía el viento impeliendo las nubes, y la ermita, tan pronto cubierta con ellas como descubierta, parecía una nave combatida de la tempestad. Llegamos por fin a la cumbre, y las postreras se estrellaron a nuestros pies, envolviéndonos por unos instantes en su manto húmedo. Sólo una que parecía la reina de todas por su majestuoso contorno y su masa blanquecina y densa, venía flotando lentamente hacia nosotros, semejante al casco desarbolado de un navío de nácar. Pasó por fin a nuestro lado con extraño ruido, y entonces todo quedó sosegado y sereno, presentándose a nuestra

[2] Junto a Montes nos enseñaron una roca aislada e inaccesible a donde un águila arrebató un niño a vista de su madre, y lo devoró con todo desahogo. Todavía hay testigos oculares de este suceso espantoso, y la peña se llama desde entonces la *Peña del Águila (N. del A.).*

vista un espectáculo maravilloso. Al principio estuvimos un buen rato como mareados y desorientados de todo punto; pero pasada esta primera impresión de aquel aire sutilísimo, y ordenadas algún tanto nuestras ideas, pudimos disfrutar de las escenas que nos rodeaban.

A nuestros pies teníamos el monasterio que acabábamos de dejar, y el Oza con su despeñado curso, que a un tiempo veíamos nacer y morir en la hermosa vega de Toral de Merayo, por donde va a perderse en el Sil. A nuestra derecha descollaban los picos blancos y altísimos de Peñalva, y más allá se extendía un horizonte extensísimo, en donde se descubre hasta la Bañeza. A la izquierda da toda la parte de Valdeorres hasta el valle de Monterrey, por espacio de muchas leguas. A nuestra espalda la Cabrera, agreste, altísima y erizada de montañas. Y a nuestro frente el Bierzo en toda su extensión, desde Villafranca hasta Manzanal, desde nuestro sitio hasta las montañas de Ancares, con su variada y vistosísima escala, con las cordilleras que lo surcan, los ríos que lo bañan, los castillos que lo decoran, los monasterios e iglesias que lo santifican, las poblaciones que lo adornan, las arboledas que lo refrescan, y los campos, praderas y viñedos que derraman en él sus raudales de abundancia. La ribera de Bembibre se presentaba risueña con su fértil llano de linares y trigo, las graciosas ondulaciones de sus laderas, y el convento de la Peña que la enseñorea como una atalaya desde su escarpada altura. Ponferrada, aunque casi la mirábamos a vista de pájaro, ofrecía en un bellísimo escorzo su orgulloso alcázar templario, y el alegre mosaico de sus tejados encarnados y azules. Cacabelos y Carracedo aparecían rodeados de verdes parques a la margen del Cúa, y el collado de Belgidum, semejante a un estrecho terrado, apenas se distinguía. Las orillas de los ríos parecían otras tantas alamedas y frondosos paseos, según las masas de verdura que las sombreaban, y las montañas lejanas las últimas gradas de aquel soberbio anfiteatro natural. Por desgracia el lago de Carucedo y los montes y barrancos de las Médulas se escondían detrás de las oscuras rocas de Ferradillo; pero aun a pesar de esta sensible falta, estamos seguros de que será una de las vistas mejores de la Península.

Desde aquella altura se distingue claramente la extraña figura geológica del Bierzo, pues se ven los tres grandes estanques que en otro tiempo la dividieron, y las estrechas gargantas que fueron dando paso a las aguas. Desde allí se divisa también la excelente línea militar con que los romanos ponían a cubierto este rico distrito de las invasiones de los astures, y algunos restos de sus trabajos mineros. Desde allí se descubren, por último, los sitios ilustrados por los godos y por los Templarios, y en medio de este círculo de recuerdos, en el centro de todas estas grandes ruinas, el hombre reconoce por su padre al barro, y por su única fortaleza y esperanza al Dios que le animó con su soplo divino. ¡Dichoso aquel que lleva limpias y sin amargos borrones las páginas del libro de la memoria a semejantes sitios! ¡Dichoso aquel para quien el porvenir es el crepúsculo de la mañana! ¡Venturoso mil veces porque la voz de las muertas alegrías no le murmurará al oído aquellos dolorosísimos versos de un amigo cuya imagen querida jamás se apartará de nuestro corazón.

¡Ay de aquel que vive sólo en lo pasado!
¡Ay del que su alma nutre en su pesar!
¡Las horas que huyeron llamará angustiado!
¡Las horas que huyeron jamás tornarán! [3]
....
....
....

IV

MONASTERIO DE CARRACEDO

(Cf. pág. 98)

En la margen izquierda del río Cúa, poco más abajo de Cacabelos y en un sitio fértil, risueño y deleitoso tal vez en demasía para la austeridad y recogimiento de la vida monástica, está asentado el monasterio de Carracedo, el más sobresaliente del Bierzo, y que antes de la caída de las órdenes religiosas gozaba en la de San Bernardo de una consideración y riqueza de primer rango. Cércanle por todas partes praderas y huertas fertilísimas, frondosos arbolados y campos de pan, de maíz y de lino, surcados por arroyos puros y cristalinos que mantienen en ellos una perpetua verdura. Es allí el cielo tan sereno y claro, tan benigno y templado el aire,

[3] Espronceda, *El Estudiante de Salamanca (N. del A.).*

tan fecunda la tierra y tan variada la armonía de los infinitos pájaros que cantan en sus sotos, que el buen rey don Bermudo II el Gotoso que le fundó en 990, no pudo buscar marco menos a propósito para un cuadro grave y religioso.

Lo que en un principio fuese este monasterio no es fácil averiguarlo, aunque si se atiende a los tiempos azarosísimos que alcanzó aquel monarca, fácil es conocer que no pasaría de una muy alta esfera. Por entonces el terrible Almanzor igualó con el suelo la ciudad de León después de una heroica resistencia, extendió su devastación a Astorga y sembró el terror por todas partes. Época miserable y desdichada fue aquella entre las más desdichadas que pudo contar la cruz en su lucha con la media luna. Esto nos hace creer que el nuevo monasterio crecería poco, combatido de tantos males y desasosiego, y por otra parte la circunstancia de no haberse enterrado en él don Bermudo a pesar de haberle fundado para su sepultura, nos confirma en nuestra opinión. Murió el gotoso monarca en el Bierzo y descansó una porción de años en Villabuena, residencia en otro tiempo de los Merinos de este país, aldea miserable en el día, hasta que más adelante fue trasladado al panteón real de San Isidro *(sic)* de León.

Dos siglos más tarde, acabadas las turbulencias del reinado de doña Urraca, y empuñado el cetro de León por su hijo don Alfonso VII, llamado el Emperador, creció este monasterio en riquezas y consideración. La Infanta doña Sancha, que con su talento, dulzura y piedad contribuyó tanto al brillo de este glorioso reinado, gobernaba el Bierzo por este tiempo, como lo acreditan numerosas escrituras. Era la época en que San Bernardo, por sus luces, virtudes y elevado carácter, venía a ser el objeto de la veneración de Europa; y como la Borgoña, su patria, éralo asimismo de Ramón de Borgoña, primer marido de doña Urraca y padre del rey, mostrábale éste afición y respeto particulares, y deseaba honrarle propagando por sus Estados la orden del Císter, de que era el santo principal fundador. Ayudábale su piadosa hermana doña Sancha, y nuestro Mariana cita una carta del ilustre abad de Claravalle a esta señora. Volvió, pues, los ojos al monasterio de Carracedo, y con intento de ensancharle, de acuerdo con el emperador su hermano, trasladó a él el convento de Santa Marina de Valverde, junto a Corullón, y allí, mudado el hábito negro en blanco, quedaron todos monjes cistercienses.

Al entrar en el monasterio actual, confuso amontonamiento

de claustros y paredes blancas sin orden ni unidad alguna, se encuentra a la mano izquierda una torre redonda en su principio y cuadrada en su remate, que por el color de la piedra parece muy antigua y que flanquea un resto de muro del mismo color y calidad con un rosetón bellamente labrado a los dos tercios de su altura. No se sabe qué quiere decir, porque la iglesia, cuya continuación parece ser, tiene forma greco-romana y muy reciente; pero dentro se aclara el misterio tan pronta como desagradablemente. Un monje que vivía en el convento como particular después de su extinción, y que tuvo la bondad de acompañarnos por aquellos claustros, sólidos sin duda, pero en que las artes apenas han derramado uno de sus reflejos divinos, condescendiendo con nuestras instancias, nos llevó a ver la iglesia de doña Sancha. ¿Quiere saber el lector lo que queda de ella? Pues es ni más ni menos que la torre, muro y rosetón que se encuentran al entrar, y un poco de las paredes laterales con dos de sus semicirculares ventanas. Más allá se extiende la iglesia nueva, fábrica greco-romana, con sus arcos y pilastras estriados, su cenefa alegrita de plantas, y lazos por debajo de la cornisa, y por carácter general una insignificación exquisita si se compara con el aspecto severo que ofrecen los mutilados restos de la iglesia antigua. Es de advertir que la moderna no está más que cubierta y en esqueleto. Así es que no ha recibido consagración. Entonces no pudimos menos de preguntar al anciano religioso si algún terremoto había echado por tierra el templo de aquella ilustre princesa. "No, señor: respondió: la iglesia estaba como hecha de ayer; pero los monjes la tiraron a fines del siglo pasado.—¿Quién dice Vd., los monjes?—Los monjes, sí, señor, contestó él, porque como el presbiterio era muy reducido, no se podía celebrar bien de pontifical, y así hubo que tirarla y hacer en su lugar esta otra, que es más bonita, y sobre todo moderna."

A tan victoriosa respuesta, ¿qué se había de hacer? Callar, morderse los labios y guardarse las reflexiones para mejor ocasión. Así sólo para tener un presbiterio más ancho, se derriba un monumento lombardo que la severidad de las líneas, en lo poco que nos queda y la delicada crestería del rosetón y ventanas, dan a conocer como bellísimo. Triste es el vandalismo de las guerras y revoluciones; pero el que se oculta detrás de las corbatas y hopalandas, es cien veces más odioso y repugnante. La pérdida de este templo es tanto más sensible en nuestro entender, cuanto que sin salir de la índole y carácter de la arquitectura a la sazón dominante, ofrecía en los detalles un no sé qué de lujo arabesco que debía ser una media tinta de particular efecto.

Preguntamos a nuestro buen *cicerone* por los restos del antiguo convento, y supimos que habían corrido la misma fortuna que la iglesia. Por fin, temblando de miedo le hablamos de la habitación de la infanta gobernadora, pero tuvimos el gusto de saber que todavía se conservaba parte de ella, y bajamos a un patio desde el cual se veía una fachadita muy graciosa. Una escalera sin barandilla y llena de zarzas, pero de muy suave acceso, guiaba a una especie de galería reducida, pero de labores muy lindas, que servía de vestíbulo a la habitación de la infanta. Los arcos y columnas que la sostienen, participan tanto de lo gótico como de lo árabe, y la puerta está flanqueada de una ventana estrecha y alta, dividida por una columna redonda y de un rosetón pequeño primorosamente trabajado. La habitación es un salón cuadrado bastante espacioso, muy alto y sostenido por columnas muy delgadas, de donde arrancan arcos apuntados de tan grande sutileza, que sobre cada columna vienen a descansar cuatro. A la derecha de la entrada hay una chimenea enorme; enfrente otro lindo rosetón, en el día ciego, y a la izquierda una puertecilla que da a una escalera secreta. El techo es de madera, y aunque deshecho en gran parte, todavía da a entender el esmero y coste del artesonado, sobre todo en una especie de cúpula que se eleva en el centro y en que todavía parecen notarse algunos preciosos embutidos. El conjunto es tan proporcionado y regular, los arcos y columnas tan esbeltos y airosos, los techos tan bien labrados, las ventanas y puertas de un acabado tan completo, y todo ello tan delicado y gallardo, que involuntariamente trae a la imaginación los buenos restos arquitectónicos de los cultos árabes andaluces. Y si con el pensamiento ataviamos este aposento de todas las galas y esplendor que durante el ilustre reinado del emperador hicieron declarar al rey Luis de Francia,[4] que ni en Europa

[4] El rey Luis,* considerado el arreo, atuendo y atavío, así de los grandes como del pueblo, que acudió en tan gran número cuanto en la ciudad real se vio antes... dijo no haber en Europa ni en Asia visto corte más lucida, ni arreada: en las cuales provincias se hallara en el tiempo que fue a la guerra de la Tierra Santa. Mariana, *Hist. de Esp.*, lib. XI, cap. III *(N. del A.)*.

* Se trata de Luis VI *(N. del E.)*.

ni en Asia había visto corte tan lucida como la de León, naturalmente ocurre la idea de que la habitación de una princesa tan esclarecida debiera merecer respeto y cuidado de los monjes sus favorecidos. No contentos con empotrar en el convento moderno esta hermosa reliquia, privándola así de una gran parte de sus luces, fueron a destinarla ¿a qué dirá el lector piadoso? ¡ni más ni menos que a panera! He aquí dónde habían venido a parar las tradiciones piadosas y el recuerdo de una señora que fue el adorno de sus tiempos. He aquí en lo que habían venido a parar el gusto de lo bello y el amor al arte. Porque hay que añadir que, sin darse por satisfechos con esta profanación, a la vez histórica y artística, hicieron una escalera que bajaba desde el claustro, de mano de albañil por supuesto, y además entre las elegantes columnas pusieron alguna división de tabique que mutila horrorosamente el salón.

V

[BEMBIBRE]

(Cf. pág. 135)

Para que todo lleve el sello de la variedad en este país pintoresco y rico, hasta las ruinas tienen por su situación y accidentes un carácter marcado de diversidad. El castillo de Bembibre, por ejemplo, que domina la pequeña villa de este nombre en una colina de suave acceso y pequeña altura, y situado a la cabecera de una cuenca amenísima que lleva su nombre, más que otra cosa parece un puesto elegido para descanso de las marciales fatigas. Por la espalda y a su izquierda le cercan las cordilleras del puerto del Manzanal y las montañas donde tiene su nacimiento el Boeza. En frente y a su derecha se extienden los linares y praderas del pueblo, limitados por el río, y por las vistosas eminencias desde donde se divisa Calamocos y otros pueblos de hermosos términos y suave degradación, y los campos fértiles y laderas plantadas de viñedo de Almázcara y San Miguel de las Dueñas, que ofrece la masa de su monasterio, en el fondo del valle, como un candado de esta deliciosa cadena. El aire militar de esta fortaleza guarda perfecta consonancia con el país que la rodea, y nada tiene de imponente ni de terrible, pero sin embargo, según hemos oído a una persona bien informada, presenció en el siglo XV[5] escenas trágicas y lastimosas en que figuraron como víctimas dos jóvenes ilustres de la comarca. Actualmente sólo conserva algo de sus murallas y los encantos de una situación llena de perspectivas halagüeñas.

[CORNATEL]

(Cf. págs. 138-139, 144-145 y 301-302)

El castillo de Cornatel o Cornatelo parece imaginado para contrastar vivamente con el que acabamos de mencionar. Siguiendo la orilla izquierda del Sil, y atravesando los pueblos de Toral de Merayo, Villalibre, Priaranza y Santalla, el camino tuerce a la izquierda al llegar a éste, y el viajero se despide de las frondosas riberas del río para entrar en una garganta angosta a cuya mitad se encuentra una miserable aldea llamada Río Ferreiros. Murmura un riachuelo en el fondo de estos barrancos, y por encima de las casas y como corona de una altura peñascosa, inaccesible y tajada, asoma sobre el fondo del cielo un lienzo de muralla con almenas que por de pronto suspende y embaraza el ánimo. Desde semejantes honduras no puede gozar la vista el espectáculo de aquel fuerte encubierto por los peñascos, pero a medida que se trepa por la agria cuesta en donde serpea el camino, va cobrando formas regulares, y por último presenta en los dos lienzos de mediodía y occidente dos líneas rectas, franqueada la más larga por un torreón cuadrado que ocupa su centro. El que desde abajo veía en él un nido de aves de rapiña y no la morada de guerreros, califica su juicio de temerario, y hasta penetrar en su recinto no se convence de que el primer pensamiento era el acertado.

Hase borrado todo camino, y sólo escalando rocas y abriéndose paso por medio de matorrales puede tomarse la vuelta del castillo hasta dar con la entrada que está a la parte del norte. Aquí todo muda de aspecto como se cambia a la señal convenida una decoración teatral. Precipicios espantosos erizados de peñas negruzcas y de horrorosa profundidad defienden este costado y el de oriente, rematado por una aguda punta, y tal es la escarpa del terreno, que la fortificación pierde

[5] Siglo XV. Hay una posible errata, ya que E. Gil alude sin duda aquí a su futura obra *El Señor de Bembibre.* Entonces hay que leer probablemente: "siglo XIV".

toda forma regular y se reduce a seguir las curvas y sinuosidades de aquellos derrumbaderos. Aun en varios parajes no hay más defensa que la natural, y el único trabajo del ingeniero se redujo a establecer una línea de continuidad rellenando de muralla tal cual portillo que ofrecían las rocas y aislaba algunas partes del fuerte. Lo interior corresponde exactamente a este carácter salvaje y bravío, y es de lo más rústico y tosco que puede figurarse nadie. Los torreones que deberían servir de vivienda a la guarnición, no manifiestan en su construcción primor alguno y aun carecen relativamente de solidez: la plaza de armas ni está nivelada ni nunca lo estuvo, según las enormes peñas que asoman la cabeza; y finalmente, las escaleras que conducen a la muralla no son sino unas grandes piedras empotradas en ella, y que colocadas en plano inclinado y sin ninguna trabazón entre sí, presentan una subida tan incómoda como difícil.

El castillo estuvo en otro tiempo reducido a la parte oriental y esta fábrica revela antigüedad notable por su color, y sobre todo, por sus torreones redondos. Posteriormente se le añadió todo el cuerpo occidental, y ésta sin duda debe ser obra de los caballeros Templarios, porque materiales, forma cuadrada y género de construcción son en todo iguales a los de la fortaleza de Ponferrada.

La posición eminentemente militar para la época en que sólo con flechas se podía ofender de lejos, es insostenible enteramente en el día y aun debió de serlo desde el momento en que comenzaron a usarse los cañones, porque de ambas partes le enseñorean alturas cercanas. Por lo demás, lo grueso de las murallas por una parte y lo inaccesible del terreno por otra, convertían este alcázar en un punto importante para asegurar las comunicaciones con Galicia y poner una gran parte del Bierzo a cubierto de cualquier repentina embestida.

La última visita que hicimos a estos parajes fue en el verano de este año. Comenzamos a recorrer la muralla y a disfrutar aquel espectáculo que tan extrañas sensaciones produce bajo el sol ardoroso de Julio. A nuestros pies teníamos el miserable lugar de Valdeviejas, empozado en un hoyo reducido, y el riachuelo que dejamos ya mencionado, cuyos ecos repetidos por las innumerables quiebras de los riscos formaban un clamor sordo, monótono y lamentable, que llenaba el silencio de aquellas soledades. Quisimos asomarnos a la punta oriental del castillo, pero era imposible sostener la vista de aquel abismo que causaba un vértigo tremendo, y sólo arrastrando pudimos sacar la cabeza y medir la extensión de aquel despeñadero fatal que, erizado de puntas y matas de encina bajaba hasta la orilla del arroyo. A la izquierda y por la garganta que dejábamos recorrida, se divisaba un trozo pintoresco de las riberas del Sil, la mayor parte de las del Cúa, las dehesas de Fuentes Nuevas y Camponaraya, los viñedos de Sorribas, el convento de Carracedo, y por último término las montañas del Burbia medio borradas por la canícula. A nuestra espalda los pueblos de Lago y Carucedo, vislumbraban con sus tejados azules a las márgenes de aquel lago sosegado, trasparente y dormido, por cuyas aguas no se deslizaba ningún barquichuelo, ni discurría la más ligera brisa que empañase aquel espejo en que los cielos serenos y diáfanos se miraban. ¡Contraste peregrino y que más de una vez debió elevar las almas de los soldados del Temple, que, semejantes a las águilas, se anidaban en aquellas alturas, como ahora elevaba las nuestras! ¡Escenas elocuentes adornadas de una tristeza santa y augusta en que la aridez de lo presente se reverdece con las aguas de la esperanza, a la manera que los lagos, ríos y praderas del Bierzo, vistos en lontananza deliciosa, templaban las agrestes y sombrías escabrosidades de Cornatel!

Antes de dejarlo, llamó poderosamente nuestra atención un accidente revestido de un misterio vago y terrorífico. En donde más pendiente está el precipicio, se desprende de la muralla una especie de aposento cuadrado sin pavimento alguno, y cuyo techo descendía en un plano rapidísimamente inclinado. Una ventana que da al abismo lo alumbra, y por mucho que fue el cuidado que pusimos, no pudimos descubrir restos de goznes para las maderas, ni menos agujeros donde encajasen los hierros de alguna reja. El destino más natural de este extraño apartamento, parece ser el de prisión: pero ¿qué significa en tal caso aquella ventana fatal sin defensa ni resguardo alguno? ¿Era para proporcionar a la desesperación del preso los medios de intentar una fuga, en cuyo término estaba de seguro la muerte, o desde allí se ejecutaban sentencias semejantes a las de la roca Tarpeya y la peña de Martos? No es fácil saberlo; pero la tradición del país confirma estas tristes ideas, y no hay aldeano que no atribuya tan terrible servicio a la misteriosa ventana.

Al salir buscamos con especial cuidado sobre la puerta el escudo de armas; pero la piedra que debía contenerlo ha sido arrancada sin duda por alguno que pensó encontrar detrás un montón de doblas de oro. Como quiera, su tamaño nos confirmó en la idea de que los templarios debieron ser los fundadores de esta fuerza, porque lo más que podía caber en tan reducido espacio, era su cruz de ocho puntas tan profusamente sembrada en las paredes de la Bailía de Ponferrada.

[PONFERRADA]
(Cf. págs. 85 a 92, 248 y 330 a 332)

Ya sólo nos queda por describir la fortaleza de Ponferrada, emporio de su grandeza en este país, monumento que aún ahora nos habla con su silencio elocuente de las glorias que pasaron, y que no ha podido deslucir la mano del tiempo. Está asentado el castillo en una colina situada en la confluencia de los ríos Sil y Boeza, y domina todo el Bierzo bajo, dando a la villa que se extiende por el Oriente, un aspecto de majestad antigua que en gran manera la realza. El primero de aquellos ríos lame la falda de la eminencia: enfrente de su puente levadizo se levanta el monte del Pajariel, y más allá las sierras de la Aguiana; por el lado de Oriente termina el horizonte el monte de Arenas; un poco hacia el Norte el Castro de Columbrianos, y por la parte del Poniente los llanos, y a lo lejos el arco de las montañas del Burbia y la Somoza. El castillo en un principio se reducía a los dos torreones que dan a la plaza del pueblo, de forma redonda y descomunal altura; pero cuando pasaron a manos del Temple, creció sobremanera y adquirió las colosales dimensiones que aún conserva. Entonces edificaron aquellas elegantes agujas coronadas de vistosos chapiteles que sostenían las plataformas, desde donde se defendía la entrada y se echaba el puente levadizo: entonces se labraron las afiligranadas ventanas de lo interior; se esculpieron los escudos de armas, cruces y misteriosos signos que adornan las paredes, y se pintaron de encarnado y oro los aposentos de tan ilustres huéspedes.

El único blasón que adorna la puerta principal es la cruz de ocho puntas, símbolo de la orden; pero la segunda entrada que cerraba el rastrillo muestra el escudo de armas, abierto por desgracia en una piedra deleznable, y borrado todo él de consiguiente. De suponer es, sin embargo, que consistiese en los dos caballeros montados en un mismo caballo, emblema significativo de la primitiva humildad y pobreza de esta milicia, que más tarde debía comprar los reinos a dinero contante y morir víctima de su opulencia antes que de sus crímenes. Como quiera, todavía se distingue en el cuartel interior central la indispensable cruz, y en la orla superior las primeras palabras de aquel versículo de los salmos, que dice: *Nisi Dominus custodierit civitatem frustra vigilat, qui custodit eam:* lema piadoso que revela el espíritu religioso que presidió la formación de esta falange heroica, terror del islamismo y brazo derecho de la cristiandad.

En la gran plaza de armas, en medio de las dos ventanas primorosas que debían pertenecer a las mejores piezas del castillo, hay otra lápida aislada con los siguientes versículos: *Nisi Dominus edificaverit domum, in vanum laboraverunt qui edificant eam. Dominus mihi custos, et ego disperdam inimicos meos.* Nada de singular ofrece esto que tan estrechamente ligado está con el carácter de la asociación, pero en el patio de las principales habitaciones hay una puerta principal coronada por un signo extraño. Redúcese a dos cuadrados perfectos que se intersecan en ángulos completamente iguales, y que de un lado flanquea un sol y del otro una estrella. Si algo representa la igualdad, esta figura debe ser mejor que ninguna otra su emblema; pero ¿cuál podía ser la igualdad de los caballeros templarios, si no significaba la consagración absoluta a favorecer el crecimiento y gloria de su orden y el sacrificio de todo impulso individual en provecho suyo? ¿Daban a entender por ventura el sol y la estrella que de día y de noche, en sus pensamientos o en sus sueños, estaban obligados a velar por su templo místico y a no dejar apagar su lámpara sagrada? No lo sabemos los profanos que hemos perdido la clave de su liturgia obscura y el sentido de sus tremendas ceremonias. Amargas en extremo son las reflexiones que asaltan al ánimo en este lugar de desolación, entre estas ruinas, albergue otro tiempo de la religión y del valor, morada ahora de la soledad y del silencio. ¿Cuáles debieron de ser las de los Templarios cuando para no volver atrás besaron estos umbrales. Jerusalén y el Asia toda perdida para siempre: sus hermanos abandonados en Francia por un papa sin fe, a merced de un verdugo coronado, sediento de sus riquezas, y quemados en las plazas públicas: la Europa concitada en contra suya y ellos mismos emplazados como reos de nefandos crímenes ante un tribunal eclesiástico. ¿En esto habían venido a parar dos siglos de combates y tanta sangre vertida en la Palestina y en España? Sin duda con el corazón oprimido volvieron los ojos a su escudo glorioso, y con un ahogado suspiro exclamaron en voz baja: *¡Si el Señor no guarda la ciudad, en vano vela el que la guarda!*

Y el santo de Israel abrió su mano,
Y los dejó y cayó en despeñadero
El carro, y el caballo y caballero.

¡Triste destino por cierto el de las cosas humanas sujetas a la ley inexorable de la decadencia cuando su objeto se ha cumplido! El Templo *(sic)* era el símbolo vivo, ardiente y eterno de la cruzada: para sus guerreros, ni la gloria mundana del soldado, ni el sosiego del monje, sino el sacrificio más absoluto. La Europa entera se había afanado por premiarlos, y en ciento ochenta años de existencia habían llegado a ser la congregación más rica, temida y poderosa del mundo; pero cuando las voces de Pedro el Ermitaño y de San Bernardo enmudecieron y se acabaron las cruzadas y tornaron los santos lugares a poder de infieles, los Templarios burlados en su fe, engañados en su esperanza, despojados de la que miraban como su segunda patria, irritados, opulentos y soberbios, ya nada representaban, y la supresión de su orden en la Europa fue una medida sumamente política y cuerda. España era la que más se hubiera resentido de ella en su cruzada de siete siglos, si en Castilla no tuviese por compañera esta ilustre Orden las de la Caballería nacional, Calatrava, Santiago y Alcántara, y si en Aragón y Portugal no se hubiesen creado para sucederlas las de Montesa y Jesucristo.

Por lo demás, sabido es que en España los Templarios alcanzaron en todas partes absolución completa, y que no fue posible probarles ninguno de los crímenes imputados, que tal vez mancharían a algunos individuos, pero que por respeto a la naturaleza debemos creer distantes de la Orden.

Extinguida ésta, el castillo de Ponferrada, que Mariana y Salazar[6] mencionan, pasó a poder de don Pedro Fernández de Castro, conde de Lemus, por merced que en 1340 le hizo el rey don Alonso, y lo conservó esta casa hasta 1492, en que de nuevo tornó a la jurisdicción real por excesos y tropelías del conde, que sin duda debieron de ser bien grandes, cuan-

[6] Salazar, *Reparos hist.*, núm. 252.—Mariana, *Historia de España*, lib. XV, cap. X *(N. del A.)*.

do una real cédula de 1510 manda «que los concertadores y escribanos mayores de las confirmaciones, confirmen los privilegios y mercedes de esta villa, sin embargo de los bullicios y escándalos acaecidos en ella por el conde de Lemus».

De este alcázar tan rico en recuerdos ya sólo se conservan las murallas y obras sólidas, pero aún en una de las paredes se ven los restos de un mosqueado de encarnado y oro que ni el sol ni la lluvia han podido borrar del todo. Aun así su extensión colosal, su situación aventajada, el Sil que rueda por su pie con sus arenas de oro, el dilatado país que desde sus torreones se enseñorea y que desplega las galas de más extremado y vario panorama, y aquella impresión vaga de respeto que causan siempre las grandes ruinas, le comunican un encanto irresistible y misterioso.

... ...

EL LAGO DE CARUCEDO

TRADICIÓN POPULAR

Introducción
(Cf. págs. 337 y sigs.)

Hacia los confines del fértil y frondoso Vierzo, en el antiguo reino de León, siguiendo el curso del limpio y dorado Sil, y detrás de la cordillera de montañas que su izquierda margen guarnecen, dilátase un valle espacioso y risueño, enriquecido con los dones de una naturaleza pródiga y abundante, abrigado de los vientos y acariciado del sol. Tendido y derramado por su centro, alcánzase a ver desde la ceja de los vecinos montes un lago sereno y cristalino, unido y terso a manera de bruñido espejo, en cuyo fondo se retratan los lugares edificados en las laderas del contorno, esmaltados y lucidos con sus tierras de labor rojizas y listadas de colores; los nabales en flor que parecen menear en el espacio sus flotantes y amarillas cabelleras, como otras tantas nubes de gualda, y los blancos campanarios de las iglesias, que la ilusión óptica producida por la blanda oscilación de las aguas convierte a veces en delgadas, altísimas y frágiles agujas.

Tan agradable perspectiva sube de punto y embellécese más y más según se va acercando el observador, porque los cortes y senos de las colinas que rodean el lago forman bahías y ensenadas ocultas, donde las aguas parecen aun más dormidas y quietas, y donde se perciben inmóviles y como encallados barquichuelos del país, que no este nombre sino el de *canoas* merecían, pues que se reducen a dos troncos desbastados y huecos, groseramente labrados, unidos y sujetos por dos travesaños, sin proa, sin vela, sin quilla y hasta sin remos la mayor parte. Entre norte y ocaso levántase la pequeña aldea de Lago sobre un altozano de suavísima inclinación que parece bajarse a beber las ondas, y sus casas pequeñas y revocadas por defuera se miran como otros tantos cisnes en la rada que por allí entra en tierra un buen espacio. Crecen en sus huertos y en los del vecino pueblo de Villarrando, situado un poco más arriba, frescos y hojosos árboles que dibujándose en la líquida llanura a raíz de las cuestas y cimas áridas y negruzcas del Monte de los Caballos, que toda aquella ladera domina, le dan toda la apariencia de un bello y deleitoso cuadro encerrado en un marco obscuro.

Por el lado del Oriente está asentado el pueblo de Carucedo en una fértil cuanto angosta llanura, y en la misma dirección y sobre las crestas de los montes más lejanos se distinguen las almenas y murallas del castillo de Cornatel, casi colgado sobre precipicios que hielan de espanto, verdadero nido de aves de rapiña, que no mansión de barones y caballeros antiguos.

Los viñedos, sotos y sembrados del pueblo llegan hasta las Médulas, famosas en tiempo de los romanos por las minas abundantísimas de oro que abrieron y explotaron en su término, y de las cuales se conservan maravillosos restos; y cerca de sus últimas casas y siguiendo la orilla meridional del lago campean grupos de venerables, seculares y bellísimas encinas, cuyas ramas, cual si estuvieran abrumadas de recuerdos, bajan en festones y colgantes por demás vistosos, a modo de árboles de desmayo o de guirnaldas verdes y lustrosas; las montañas que caen hacia aquella mano están algo más desviadas, y a diferencia de las que enfrente se encumbran, por donde quiera y hasta en la punta más enriscada de los peñascos hacen alarde de gruesos alcornoques, robles corpulentos y menguados madroños. Por la parte occidental sujetan las aguas unos áridos y descarnados peñascales, y un poco más allá extiéndense largas filas de castaños y nogales que rematan la orla del lago y hacen en el estío perpetua y deleitable sombra.

Si a esto se añade que multitud de lavancos azulados, de descoloridas gallinetas y otras mil aves acuáticas nadan en ordenados escuadrones por la sosegada y reluciente llanura; si se juntan y agrupan en la imaginación el humo de las caleras que de ordinario arden alrededor; el trinar y el revolar de los pájaros, los rumores de los ganados, los cantares vagos y casi perdidos de los barqueros y pastores, y toda la quietud de aquella vida pacífica, concertada, activa y dichosa, fácil será de adivinar que pocos paisajes alcanzan a grabar en el alma imágenes tan apacibles y halagüeñas como el lago de Carucedo.

Era una tarde serena de las últimas de marzo, en que el sol se acercaba a más andar al término de su carrera, cuando un viajero joven, que largo tiempo había estado contemplando con embebecimiento tan rico panorama, entró en una barca donde armado de su largo palo le aguardaba un aldeano de las cercanías, mozo, y robusto. Difícil cosa sería deslindar ahora y señalar camino al confuso tropel de imaginaciones que se disputaban la atención de nuestro viajero; y en verdad que nada tenía de extraño el ademán de distracción apasionada y melancólica en que iba sentado a la punta de aquella primitiva embarcación. Estaba el cielo cargado de nubes de nácar que los encendidos postreros rayos del sol orlaban de doradas bandas con vivos remates de fuego: las cumbres peladas y sombrías del Monte de los Caballos enlutaban el cristal del lago por el lado del Norte, y en su extremidad occidental pasaban con fantasmagórico efecto los últimos fuegos de la tarde por entre los desnudos ramos de los castaños y nogales, reverberando allá en el fondo un pórtico aéreo y milagroso de espléndidas e imaginarias tintas, matizado y de prolija y maravillosa crestería enriquecido.

Las manadas de aves acuáticas retirábanse en buen concierto, y calladas como el sepulcro: el ángel de los ensueños dulces y virtuosos había enfrenado las armas más sutiles, y apagado todos los rumores del día, cual si brindase al mundo un sueño de paz en su lecho de sombras y perfumes; y una estrella pálida y sola que por cima del casi borrado castillo de Cornatel había comenzado a despuntar en el confín más remoto del oriente, cárdeno y confuso a la sazón, venía a embellecer aquel indefinible cuadro con la esperanza de una noche pura y estrellada.

El lago iluminado por aquella luz tibia, tornasolada y fugaz, y enclavado en medio de aquel paisaje tan vago, tan agraciado y tan triste, más que otra cosa parecía un camino anchuroso, encantado, solitario, místico y resplandeciente, que en derechura guiaba a aquel cielo que tan claro se veía allá en su término, y que cruzaba la imaginación en su desasosegado vuelo, complaciéndose en adornarlo con sus galas más escogidas y en colorearlo con sus más hermosos matices.

Delante de tantas maravillas y a solas con una naturaleza tan tierna, tan virginal y misteriosa, ¡qué mucho que los pensamientos de nuestro viajero flotasen indecisos y sin contorno, a manera de espumas, por aquellas aguas sosegadas! ¡Qué mucho que su corazón latiese con ignorado compás, si por dicha se acordaba (y así era) de haber visto el mismo país en su niñez, cuando su corazón se abría a las impresiones de la vida, como una flor al rocío de la mañana, cuando era su alma entera campo de luz y de alegría, vergel oloroso en que el rosal de la esperanza daba al viento todos sus capullos, sin que la tempestad de las pasiones le hubiese llevado la más liviana hoja, sin que la lava del dolor hubiese secado el más tierno de sus tallos! Hay ocasiones en que siente el hombre desprenderse de este suelo y elevarse por los aires la parte más noble de su ser, y en que arrebatado a vista de un crepúsculo dudoso, de un cielo claro y de un lago adormecido, con los ojos húmedos y levantados al cielo y con el pecho lastimado, prorrumpe y dice con el tiernísimo y divino Fr. Luis de León:

> "¡Morada de grandeza!
> ¡Templo de claridad y de hermosura!
> El alma que a tu alteza
> Nació, ¿qué desventura
> la tiene en esta cárcel baja, escura?"

Al tercer verso de tan sentida endecha llegaría nuestro buen viajero, cuando la voz desapacible del barquero le atajó en su vuelo celestial, diciéndole:

"¡Ah señor! mire; allí por bajo de Lago húbole en otro tiempo un convento."

Aunque no muy satisfecho el joven de ver así cortado el hilo de sus pensamientos, miró fijamente al barquero, y como viese pintado en su rostro un vivo deseo de contarle algo más acerca del convento inundado y sorbido por las aguas, le contestó:

—Vamos, tú sabes algo de ese cuento, y te lo he de agradecer si me lo refieres.

—Yo, la verdad que le diga, repuso el barquero, no le sé toda la historia; pero si quiere deprenderla, mi tío D. Atanasio el cura, dejónos un proceso muy grande de su letra todo que trae cuanto pasó, bien por menudo.

—Pero, vamos, le replicó su compañero, tú algo has de haber oído por fuerza, y eso es lo que te pido que me digas.

Encaróse con él, entonces, el barquero y estuvo examinándole un buen rato, cual si a sí propio se preguntase si detrás de aquella levita abotonada, de aquel corbatín y aquella gorra no habría escondida tal cual punta de ironía y de burla. Por desgracia el viajero que encontraba no poco de cómico en semejante examen, hubo de dejar asomar a sus labios una ligera sonrisa, con que desconcertado y mohíno el barquero le dijo con aire de enojo:

—Yo no le puedo decir más sino que por un pecado muy grande se anegó todo esto.

—Pues vaya, repuso el otro, endereza hacia la orilla, que los papeles de tu tío me lo declararán sin duda mejor.

Bogaron con efecto hacia allá; amarró su *piragua* el aldeano, y tomando la vuelta de Carucedo, volvió a poco rato con los papeles de su tío el cura diciendo al viajero:

—Si los quiere, ahí los tiene, porque en casa sólo sé leer yo, y escribir también, añadió con énfasis, que aun voy poniendo mi nombre; pero como mi tío tenía cuasi revesada la letra, cánsanseme mucho los ojos. Además que el diablo cargue conmigo si algunas veces le entiendo una jota de cuanto dice.

Agradeciólo el viajero el presente con corteses razones, y sobre todo con un cortés peso duro que hizo reír el alma del paisano; el cual dando un millón de vueltas en la mano a su sombrero de paja, y deseando a su compañero mil años de vida con un cumplimiento muy prolijo y enroscado, sin duda para probar que sabía algo de letras, se fue más contento que el día que estrenó sus primeros zapatos.

Parecióle a nuestro viajero por extremo curioso el manuscrito, y acortando ciertas sutilezas escolásticas que el buen don Atanasio no había economizado a fuer de teólogo, lo adobó y compuso a su manera. Como es muy amigo nuestro y sabemos que no lo ha de tomar a mal nos atrevemos a publicarlo.

ENRIQUE GIL.

ÍNDICE DE LÁMINAS

ESTE LIBRO
SE TERMINÓ DE IMPRIMIR
EL DÍA 2 DE SEPTIEMBRE DE 1986